SERMONS

SOURCES CHRÉTIENNES

Nº 339

ISAAC DE L'ÉTOILE

SERMONS

Texte établi

PAR

Anselm HOSTE   et   **Gaetano RACITI**
abbé de Steenbrugge   cistercien d'Orval

Traduction et notes

PAR

† Gaston **SALET**, s. j.   et   Gaetano **RACITI**

TOME III

Ouvrage publié avec le concours du Centre National des Lettres

LES ÉDITIONS DU CERF, 29, Bd de Latour-Maubourg, PARIS
1987

*La publication de cet ouvrage a été préparée avec le concours
de l'Institut des Sources Chrétiennes
(U.A. 993 du Centre National de la Recherche Scientifique)*

ISBN 2-204-02866-5
ISSN 0750-1978

AVANT-PROPOS

Avec le présent volume s'achève l'édition des Sermons d'Isaac de l'Étoile entreprise il y a 25 ans par le Père Gaston Salet. Le P. Salet avait traduit les 55 Sermons connus — dont celui découvert à Subiaco en 1964 par dom Jean Leclercq —, rédigé une riche introduction, de nombreuses notes théologiques et des index. Sa traduction, faite à partir de l'édition Tissier (reproduite par celle de Migne) avait été revue par lui en fonction du texte critique que venait d'établir dom Anselm Hoste.

Décédé le 18 mai 1966, le P. Salet n'a pas vu paraître cet ouvrage qui lui était cher. Il confiait au P. Bernard de Vregille le soin d'en mener à bien l'édition. C'est dans ces conditions que parut le t. I en 1967 (cf. t. I, p. 64).

Pour le t. II, paru en 1974, le P. Raciti accepta de se faire le réviseur du texte latin, de la traduction et des notes (cf. t. II, p. 7). Il a pris une part plus large encore à l'édition de ce t. III, aussi bien pour l'établissement du texte que pour la révision de la traduction, la mise au point des notes et la rédaction de l'index analytique.

Mieux encore, poursuivant ses propres recherches, il a eu l'heureuse fortune de découvrir dans un manuscrit d'Oxford une dizaine de pages inédites provenant de Sermons perdus d'Isaac. Ces pages, données ici à la suite du Corpus d'Isaac, ont été traduites par sœur Colette Friedlander, cistercienne de Laval.

On complètera utilement la bibliographie donnée au t. I, p. 65-67 par celle de l'important article « Isaac de l'Étoile » du *Dictionnaire de Spiritualité*, t. VII², 1971, c. 2023-2038 (G. Raciti).

CONSPECTUS SIGLORUM

M : Mont Cassin, Ms. 410 LL, f. 181ʳ-209ᵛ (début du
XIIIᵉ s.).

S : Subiaco, Bibl. de l'Abbaye S. Scolastica, Ms. CCI,
f. 1ʳ-40ᵛ (xvᵉ s.).

*S*ᵃ : Subiaco, Bibl. de l'Abbaye S. Scolastica, Ms. CCIII,
f. 267ʳ⁻ᵛ (xvᵉ s.).

O : Oxford, Bodleian Library, Ms. Bodley 807, f. 153-160
(XIIᵉ-XIIIᵉ s.).

m : J. P. Migne, *Patrol. lat.* 194, col. 1689-1876.

Sont absents ici les manuscrits *P*, *P*ᵃ, *P*ᵇ et *R* (cf. t. I-II),
ainsi que *Til.* (*Allegoriae* de Tilman). *O* apparaît pour la
première fois. Ce nouveau manuscrit a été décrit par
G. RACITI, « Pages nouvelles d'Isaac de l'Étoile », dans
Collectanea Cisterciensia, 1981, p. 34-55. Il donne, sous 8
titres, divers passages de Sermons d'Isaac : extraits de
Sermons connus (49, 51, 54, 6 et 11-12) et extraits inédits.
Ces derniers sont publiés ci-dessous, p. 281-307.

Les leçons de *O* ont été prises en compte pour l'établissement du texte des Sermons 49, 51 et 54 ici publiés. Elles
n'avaient pu l'être pour les Sermons publiés au t. I :
S. 6, l. 39-87 ; 11, l. 51-76 et 150-155 ; 12, l. 98-121. —
Notons également, au sujet des Sermons du t. I, qu'un
autre manuscrit non utilisé, *Vendôme, Bibl. Municip. 189*,
du XIIᵉ-XIIIᵉ siècle, f. 115ᵛ-118ᵛ, donne les Sermons 6, 9,
10 et 7 incomplet (G. RACITI, *art. cit.*, p. 35, n. 6). — Ces
deux nouveaux témoins, *Bodley 806* et *Vendôme 189*

devraient prendre place dans la Concordance donnée t. I, p. 80-81.

.*.

add.	*addidit*
corr.	*correxit*
in marg.	*in margine*
in marg. ext.	*in margine exteriore*
in ras.	*in rasura*
l.	*linea*
om.	*omisit*
per hom.	*per homoeoteleuton*
praem.	*praemisit*
repet.	*repetit*
tit.	*titulus*
Vet. lat.	*Veteres latinæ*
Vg.	*Vulgata*

TEXTE ET TRADUCTION

SERMO QUADRAGESIMUS

In die Paschae

1. *Si consurrexistis cum Christo, quae sursum sunt quaerite.* Vere, dilectissimi, ut beatus ait Gregorius, conclusit Dei pietas nostram duritiam, quin etiam et omnem pietatem exsuperavit humanam.

5 **2.** Magnum quippe pietatis et humani foederis vinculum inter mulierem ac virum. Siquidem *propter* hanc *relinquet homo patrem et matrem, et adhaerebit uxori suae, et erunt iam non duo, sed una caro.* Hanc tamen manifeste mira

1824 C circa nos divina clementia tam mirabiliter quam miseri-
10 corditer evincit. **3.** Propter quod continet Scriptura : *Si mulier dimiserit virum suum, et ipsa recedens duxerit alium, numquid revertetur ad eum ultra? Numquid non contaminata et polluta erit mulier talis?* Non ergo revertetur quia fornicata est et polluta, et hoc fortasse semel. *Tu autem,* sequitur
15 Scriptura ad animam sub Iudaeae specie loquens, *fornicata es cum amatoribus multis, et tamen revertere ad me, dicit Dominus.* **4.** Evangelium quoque *ob* solam *fornicationem* separandos coniuges patitur. Dei pietas, post mille forni-

---

Tit. In Resurrectione Domini. Sermo abbatis Ysaac *S* ‖ 1 *post* sunt *add.* etc. *S* ‖ 2 quaerite *om. S* ‖ 3 et *om. m* ‖ 5 et : ac *m* ‖ 7 homo *om. S* ‖ 9 divina *om. S* ‖ 11 ipsa *om. m* ‖ 13 ergo *om. m*

---

a. Col. 3, 1 ‖ b. Gen. 2, 24 ; Matth. 19, 6 ‖ c. Jér. 3, 1 ‖ d. Cf. Matth. 19, 9

---

1. Nous n'avons réussi à retrouver le texte attribué ici à S. Grégoire ni dans les œuvres du saint Docteur ni dans les textes liturgiques qui se réclament de lui.

SERMON 40

Premier sermon pour le jour de Pâques

L'amour de Dieu pour nous est sans commune mesure avec l'amour humain : amour conjugal, amour des parents, amour de l'homme pour soi-même. Pour répondre à cette charité manifestée dans le mystère du Christ, nous devons mourir et ressusciter avec lui, et chercher vraiment les réalités d'en haut.

1. « Si vous êtes ressuscités avec le Christ, recherchez les réalités d'en haut[a]. » En vérité, bien-aimés, comme le dit le bienheureux Grégoire, la tendresse de Dieu est venue à bout de notre dureté; mieux que cela, elle a surpassé toute tendresse humaine[1].

2. Puissant est le lien de tendresse et de communion humaine entre la femme et le mari. Pour cet amour, « l'homme quittera son père et sa mère et s'attachera à son épouse et ils ne seront plus deux, mais une seule chair[b] ». Et cependant, il est évident que l'extraordinaire clémence de Dieu à notre égard l'emporte d'une manière aussi merveilleuse que miséricordieuse. **3.** C'est pourquoi on lit dans l'Écriture : « Si une femme abandonne son mari et qu'en le quittant elle appartient à un autre, va-t-elle revenir à lui? Une telle femme ne sera-t-elle pas contaminée et souillée? » Non, elle ne reviendra pas, puisqu'elle s'est prostituée et s'est souillée, ne fût-ce qu'une seule fois. « Toi, continue l'Écriture, s'adressant à l'âme en la personne de la Judée, toi, tu t'es prostituée à de nombreux amants; et pourtant reviens à moi, dit le Seigneur[c]. » **4.** L'Évangile également admet la séparation des époux, pour le seul motif de fornication[d]. Dieu, dans sa tendresse, après

cationes corporis et animae, et aversas flebiliter revocat,
20 quasi *post tergum* clamans, et revertentes leniter amplec-
1824 D titur et *osculo oris sui* sancti suaviter osculatur ; manentes
vero introducit *in cellam vinariam*, ubi *ab ubertate domus
suae* inebrientur ; debriatas autem et a carnis sensu prae
vini fortitudine alienatas introducit *in cubiculum*, ubi
25 laevam ponens *sub capite* illius, *dextera* eam amplexatur ;
ubi et ipsa, carne dormiens sed corde vigilans, dicat : *Ego
dilecto meo, et dilectus meus mihi ; inter ubera mea
commorabitur.*

5. Est etiam secundum humanae pietatis foedus inter
30 parentem et prolem, quod nihilominus excellit ea quae Dei
est ad animam rationalem pura et gratuita et praeveniens
pietas, teste Scriptura quae dicit : *Si potest mulier oblivisci
infantem suum, ut non misereatur filio uteri sui* (quod
est utique tam crudele, tam inhumanum, tam bestiale,
1825 A ut etiam Furiarum excedat duritiam, sicut scriptum est :
36 *Sed et lamiae nudaverunt mammam, lactaverunt catulos suos*),
etsi quidem *illa poterit oblivisci, ego tamen non obliviscar
tui, dicit Dominus.* **6.** Nos quidem eum, nos heu miseri,
aut facile obliviscimur aut superbe contemnimus. Ipse
40 vero ea sua pietate quae est ipse, et obliviscentium sui pie

---

19 et² *om. m* ‖ 20 et *om. m* ‖ 21 et : ac *m* ‖ 23 debriatas autem :
inebriatas *m* ‖ prae *om. S* ‖ 25 dextra *m* ‖ 26 et *om. m* ‖ 30 et : ac *m* ‖
31 et¹ *om. m* ‖ et² : ac *m* ‖ 33 suum : uteri sui *m* ‖ 35 etiam : et *S* ‖ 36
suos *om. S* ‖ 37 quidem *om. m* ‖ 40 et *om. m*

---

a. III Rois 17, 11 ‖ b. Cant. 1, 1 ‖ c. Cant. 2, 4 ‖ d. Ps. 35, 9 ‖
e. Cf. Cant. 3, 4 ‖ f. Cf. Cant. 2, 6 ‖ g. Cf. Cant. 5, 2 ‖ h. Cant. 6, 2 ;
1, 12 ‖ i. Is. 49, 15 ‖ j. Lam. 4, 3 ‖ k. Is. 49, 15

---

1. Sur le pardon de l'âme adultère, cf. S. Grégoire le Grand,
In Evang. hom. 33, 8 (76, 1245), déjà cité ci-dessus à propos de
Serm. 9, 1721 C-D.
2. « A carnis sensu... alienatas. » Expression technique du langage
mystique, depuis que S. Augustin en a fait l'équivalent d'extase.

mille fornications de leur corps et de leur âme, rappelle
avec larmes celles qui lui ont « tourné le dos », comme s'il
les poursuivait de ses cris[a], et, une fois revenues, il
24 D les serre doucement dans ses bras et suavement les baise
« d'un baiser de sa bouche[b] » sainte[1]. Celles qui restent
auprès de lui, il les introduit « dans le cellier aux vins[c] »
pour les y enivrer « de l'opulence de sa maison[d] »; complètement enivrées et ravies hors de leur sens par la force de
ce vin[2], il les introduit dans sa chambre[e]. Là, posant sa
main gauche sous la tête de sa bien-aimée, de sa droite
il l'étreint[f]; là, endormie en sa chair, mais éveillée en son
cœur[g], elle peut dire : « Je suis à mon bien-aimé, et mon
bien-aimé est à moi! Il reposera entre mes seins[h] ».

5. Il existe encore un second lien de tendresse humaine,
celui qui unit parents et enfants. Or, la tendresse pure,
gratuite et prévenante que Dieu a pour l'âme douée de
raison, n'en est pas moins supérieure. L'Écriture l'atteste
par ces paroles : « Est-ce qu'une femme peut oublier son
petit enfant, ne pas avoir pitié du fils de ses entrailles[i]? »
25 A Ce qui assurément est si cruel, si inhumain, si bestial
que cela dépasse même la dureté des furies, selon qu'il
est écrit : « Même les chacals ont tendu leurs mamelles,
ont allaité leurs petits[j]. » « Même si vraiment elle pouvait
oublier, moi je ne t'oublierai pas, dit le Seigneur[k]. »
6. C'est nous, c'est nous, hélas! misérables, qui ou bien
l'oublions facilement, ou bien le méprisons orgueilleuse-
ment. Lui, avec cette tendresse qui lui est propre, qu'il
est lui-même, se souvient tendrement de ceux qui l'oublient,

Cf. *De Gen. ad litt.*, 12, 12, 26 (34, 464) ; *Quaest. ad Simpl.*, 2, 1, 1
(40, 129) ; *In Ps. 67*, 36 (36, 834) ; *In Ps. 103*, 3, 2 (37, 1359).
— Isaac se sert aussi d'autres formules complémentaires : « excessus
mentis » (*Serm.* 4, 1702 C), « dilatatio cordis » et « exhilaratio mentis »
(*Serm.* 17, 1748 D), « interius plus homine » (*Serm.* 37, 1717 C), etc.
Dans le présent passage, l'« alienatio » est mise en rapport avec
l'ivresse spirituelle, dont il est question plus amplement dans le
Serm. 44, 1839 D - 1840 A.

meminit, et contemnentium sedulus existit, et non rogan-
tium curam gerit. Sicut enim cum nemo adhuc esset, nemo
rogavit, nemo mereri potuit ut crearetur, sic cum *omnes sub
peccato* male essent, nemo mereri potuit, nemo exaudiri
45 debuit ut redimeretur. Quis hoc umquam vel rogavit vel
excogitare praesumpsit, ut videlicet Filium suum Deus
traderet ne servus malus et nequam periret ?

1825 B   **7.** Tertium denique, eoque fortissimum quo et proximum, est humanae dilectionis vinculum inter corpus et
50 animam. Nemo enim potest seipsum ulla ratione non
amare. Unde et moderanda magis quam praecipienda
divinis Litteris visa est ista in homine sui ipsius dilectio.
Hoc ergo supereminens et superabundans divina miseratio
in semetipsa vinculum, ne quid excellentissimae caritati,
55 qua *nemo maiorem habet ut animam suam ponat quis pro
amicis suis*, deforet, tam fortiter quam misericorditer pro
nobis rupit. *Pater*, inquit, *si possibile est, transeat a me calix
iste ut non bibam illum. Verumtamen non sicut ego volo,
sed sicut tu vis.*

60   **8.** Qui magis, rogo, exinanire se potuit Deus, quam ut
homo fieret ? Homo, quam ut moreretur ? Deus Dominus,
1825 C   quam ut servus efficeretur ? Servus, quam ut turpiter
moreretur ? *Turpi*, inquit, *morte condemnemus eum.* Inno-
cens inter iniquos reputatus est, pius traditus est in manus
65 impiorum ; *tradidit* tamen gratis *in mortem animam suam,
et cum sceleratis reputatus est.* Passus est ergo impia pius
ab impiis, operatus pia. **9.** Quae, rogo, tam mira pietas nisi
quod divina, nisi et fortasse eo mirabilior quo et divinior ?

---

41 et² *om. m* ‖ 43 nemo mereri potuit : aut meruit *S* ‖ 46 videlicet *om. m* ‖ 48-49 et proximum *om. m* ‖ 58 ut non bibam illum *om.
m* ‖ 60 qui : quid *m* ‖ 67 rogo *om. m* ‖ 68 et — et *om. m*

---

a. Cf. Rom. 3, 9 ‖ b. Cf. Jn 3, 16 ‖ c. Cf. Éphés. 5, 29 ‖ d. Cf.
Jn 12, 25. Lc 14, 26 ‖ e. Jn 15, 13 ‖ f. Matth. 26, 39 ‖ g. Cf. Phil.
2, 7-8 ‖ h. Sag. 2, 20 ‖ i. Cf. Mc 15, 28 ; j. Cf. Job 9, 24 ; 16, 12 ‖
k. Is. 53, 12. Cf. Jn 10, 17-18

s'intéresse à ceux qui le méprisent, prend soin de ceux qui ne l'implorent pas. Lorsque personne n'existait encore, personne n'a imploré, personne n'a pu mériter d'être créé; de même, lorsque tous étaient sous le mal du péché[a], personne n'a pu mériter d'être racheté, personne n'a eu le droit d'obtenir d'être exaucé. Qui donc a jamais demandé ou jamais eu la présomption d'imaginer que Dieu livrât son propre Fils, pour que ne pérît pas l'esclave mauvais et pervers[b]?

5 B   **7.** Il existe enfin un troisième lien d'amour humain, celui entre le corps et l'âme, et il est d'autant plus fort qu'il est plus intime. De fait, personne, pour aucun motif, ne peut ne pas s'aimer soi-même[c]. Aussi les saintes lettres ont-elles jugé qu'il fallait plutôt modérer que commander cet amour de l'homme pour lui-même[d]. Or ce lien, la suréminente et surabondante compassion divine, avec autant de force que de miséricorde, l'a brisé en lui-même pour nous, afin que rien ne manquât à la plus excellente charité, car « il n'y en a pas de plus grande que de donner sa vie pour ses amis[e] ». « Père, dit-il, s'il est possible, que cette coupe passe loin de moi pour que je n'aie pas à la boire! Cependant, non pas comme je veux, mais comme tu veux[f]. »

8. Comment, dites-moi, Dieu aurait-il pu s'anéantir davantage qu'en se faisant homme? L'homme, qu'en 5 C mourant? Le Seigneur Dieu, qu'en devenant esclave? L'esclave, qu'en mourant d'une manière infamante[g]? « Condamnons-le, est-il dit, à une mort infâme[h]! » L'innocent a été mis au rang des malfaiteurs[i], le saint a été livré aux mains des impies[j]; cependant « il s'est livré lui-même gratuitement à la mort, et il a été compté parmi les scélérats[k] ». Le saint, pour avoir agi saintement, a donc souffert des choses impies de la part des impies! **9.** Quelle tendresse, je le demande, serait aussi extraordinaire, à moins qu'elle ne soit divine, à moins qu'elle ne soit peut-être d'autant plus merveilleuse qu'elle est plus

Qui facit mirabilia solus, utique prae omnibus mirabilis
70 ipse solus. Quid multa? Nescire me, dilectissimi, utique
nescire me fateor, utrum magis minusve dicenda sit mira
quia divina. Quid enim mirum si Deus piissimus, et
quomodo, ut sic dicatur, non mirissimum, quod erga
inimicos et impios tam pius est? Quod totum similiter
75 admirans apostolus, ait : *Cum adhuc iniqui essemus, ut*
1825 D *quid Christus pro impiis mortuus est?* Immensam tamen
pietatem decuit mira pietatis dedisse indicia.

10. Christi igitur mors et resurrectio, quae pro nostra
morte et resurrectione actae sunt — sicut scriptum est :
80 *Traditus est propter delicta nostra et resurrexit propter*
iustificationem nostram —, nisi simplae esse non possunt ;
nostra vero mors sicut dupla ita et dupla resurrectione eget.
11. Mors itaque prima est animae, quando propter inoboedientiae malum a vita sua Deo deseritur, quam absorbet
85 per resurrectionem vita qua *iustus ex fide vivit*. Manente
enim corpore mortuo *propter peccatum, vivit tamen spiritus*
propter iustificationem, cum se per oboeditionem subdit
1826 A Deo, sicut scriptum est : *Nonne Deo subiecta erit anima*
mea? Ab ipso enim salutare meum. **12.** Sicut enim cum
90 recedit a Deo, recedit a vita et incidit in mortem primam,
ita cum accedit ad Deum, accedit ad vitam et invenit
resurrectionem primam. *Beati*, inquit apostolus Ioannes,

70-71 dilectissimi, utique nescire me *om. m* ‖ 72 quia : quam *m* ‖
73 mirissimum : mitissimum *m* ‖ 74 similiter *om. S* ‖ 76 Christus
om. m. ‖ 78 ergo *m* ‖ 82 et dupla resurr. : resurr. dupla *S* ‖ 85 iussus
m ‖ 87 subdidit *S* ‖ 92 inquit apostolus Ioannes *om. S*

---

a. Ps. 71, 18 ‖ b. Rom. 5, 6.8 ‖ c. Rom. 4, 25 ‖ d. Cf. I Cor. 15, 54.
II Cor. 5, 4 ‖ e. Rom. 1, 17 ‖ f. Rom. 8, 10 ‖ g. Ps. 61, 2

---

1. Sur la première et la seconde résurrection, cf. *infra*, Serm. 41,
1828 A-C.
2. Dieu seul a la vie « in semetipso » ; l'âme n'a qu'une vie

divine? Vraiment, Dieu, « celui qui seul fait des merveilles[a] », est lui seul merveilleux entre tous. Qu'ajouter
encore? J'avoue, mes bien-aimés, ne pas savoir, oui, ne pas
savoir si cette tendresse doit être dite plus ou moins
merveilleuse pour cette raison qu'elle est divine. Qu'y a-t-il
en effet de merveilleux à ce que Dieu soit très bon; et
comment ne serait-ce pas, pour ainsi dire, le comble de la
merveille, que d'être si bon envers les ennemis et les
impies? C'est en admirant tout cela, que l'Apôtre dit :
« Alors que nous étions encore pécheurs, comment le
Christ est-il mort pour des impies[b]? » Il convenait cependant que la tendresse infinie donnât des signes extra-
ordinaires de tendresse.

10. La mort et la résurrection du Christ qui ont été
opérées pour notre mort et notre résurrection — selon
qu'il est écrit : « Il a été livré pour nos fautes et il est
ressuscité pour notre justification[c] » —, n'ont pu se produire
qu'une seule fois; tandis que notre mort à nous, étant
double, appelle aussi une double résurrection[1]. **11.** La
première mort est celle de l'âme abandonnée, à cause du
mal de la désobéissance, par sa propre vie qui est Dieu.
Cette mort est engloutie par la résurrection[d] dans la vie
qui fait « vivre le juste de la foi[e] ». Le corps reste dans
la mort « à cause du péché; l'esprit vit à cause de la
justification[f] », à partir du moment où il se soumet à Dieu
par l'obéissance, selon la parole : « Mon âme ne sera-t-elle
pas soumise au Seigneur? Car de lui vient mon salut[g]. »
12. De même en effet qu'en se retirant de Dieu, elle se
retire de la vie et tombe dans la première mort, de même
en approchant de Dieu, elle s'approche de la vie[2] et trouve
la première résurrection. « Heureux, dit l'apôtre Jean,

communiquée, Cf. S. Augustin, *In Ioann.*, 19, 11-12 (35, 1549-1550) ;
In *Ps. 70*, 2, 3, (36, 893-894) ; *Serm.* 212, 1 (38, 1059). — Isaac
développe cette doctrine augustinienne dans le *Serm.* 41, 1828 D -
1829 B.

*qui partem habent in resurrectione prima; non enim laedet
eos mors secunda*, id est corporis, quia non mittet eos ad
95 mortem tertiam, quae est animae simul et corporis aeterna ;
quin potius iuvabit liberans et educens e corporis carcere,
donec redeant ad id quod seminatum est *animale*, et
resurget spirituale, ad *corpus configuratum corpori claritatis Christi*, quae est resurrectio secunda, regenerans totum
100 simul hominem ad vitam. **13.** Dilecta autem illa et bene-
1826 B dicta Salvatoris anima quae venit solvere quae non rapuit
— quamvis propter alienum peccatum infirma, contra
proprium tamen confirmata, sicut scriptum est : *In te
confirmatus sum ex utero* —, sicut in peccati mortem nequivit
105 cadere, ita nec de peccato in iustitiae vitam resurgere.
Semel enim Verbo vitae unita, sicut personali unione ita
et iustitiae delectatione insolubiliter adhaesit, prae omnibus
exsultans et dicens : *Mihi adhaerere Deo bonum est;* et
illud : *Qui adhaeret Deo unus spiritus est.*
110 **14.** In Christo igitur, qui ex anima rationali et carne
humana subsistit homo et ex Deo et homine subsistit
Christus, quasi duo quaedam ligamina sunt et habitus

---

93 habent partem in resurrectionem primam *S* ‖ 94 eos *om. S* ‖
97 ad id *om. S* ‖ 102 propter al. pecc. : propter al. propter pecc. *S* ‖
107 delectatione : dilectione *m* ‖ 112 quaedam ligamina duo *m*

---

a. Apoc. 20, 6 ; 2, 11 ‖ b. I Cor. 15, 44 ‖ c. Phil. 3, 21 ‖ d. Cf. Ps.
68, 5 ‖ e. Ps. 70, 6 ‖ f. Ps. 72, 28 ‖ g. I Cor. 6, 17

---

1. Le nerf théologique de l'argumentation d'Isaac dans tout ce
passage (§ 11-12) sur les trois morts, vient d'Augustin, quoique
l'abbé de l'Étoile semble s'éloigner de lui au sujet de la « seconde
mort ». Cf. *De civ. Dei*, 13, 2 (41, 377) ; *In Ioan.*, 43, 11-12 et 49, 2
(35, 1710 et 1747) ; *Serm.* 344, 4 (39, 1513-1515) ; *Opus imperf.
contra Iul.*, 2, 66 (45, 1170). Pour saisir la portée exacte de la pensée
d'Augustin à ce propos, voir « Mors secunda », *Note complém.* 38 au
t. 35 de la *Biblioth. august.*, p. 526-529. Cf. aussi DSp, t. 7, col. 1606-
1607. — Isaac doit également connaître la division tripartite enseignée
par S. AMBROISE : « Secundum Scripturam triplicem mortem
accipimus, ... una cum morimur peccato, Deo vivimus ... Alia mors

ceux qui ont part à la première résurrection, car ils ne
subiront aucun dommage de la seconde mort[a] », celle du
corps. Elle ne les conduira pas à la troisième mort, qui est
la mort éternelle à la fois de l'âme et du corps[1]. Bien au
contraire, elle les aidera en les libérant et en les tirant
de la prison du corps[2], jusqu'à ce qu'ils reviennent à ce
corps, qui, semé « animal », « ressuscitera spirituel[b] »,
« rendu conforme au corps glorieux du Christ[c] ». Et c'est
la seconde résurrection, qui régénère l'homme tout entier
pour la vie. **13.** Quant à l'âme du Sauveur, cette âme
chérie et bénie, venue payer ce qu'elle n'avait pas volé[d]
— faible sans doute en raison du péché d'autrui, mais
affermie contre le péché personnel, selon qu'il est écrit :
« J'ai été affermi en toi dès avant ma naissance[e] » —,
puisqu'elle n'a pu tomber dans la mort du péché, elle n'a
pu ressusciter du péché à la vie de la justice. Unie une fois
pour toutes au Verbe de vie, elle a adhéré indissolublement
à lui aussi bien par l'union personnelle que par la complaisance en la justice, disant, mieux que toute autre, dans
un transport de joie : « Pour moi, adhérer à Dieu est mon
bien[f] »; et cette autre parole : « Qui adhère à Dieu est
un seul esprit avec lui[g]. »
    14. Dans le Christ, qui subsiste comme homme par
l'union d'une âme douée de raison et d'un corps humain
et qui subsiste comme Christ par l'union de Dieu et de
l'homme, il y a comme un double lien et deux relations

B (margin: ß B)

---

est vitae huius excessus, ... cum anima nexu corporis liberatur.
Tertia mors est de qua dictum est : ' Dimitte mortuos tuos sepelire
mortuos suos '. Ea morte, non solum caro sed etiam anima moritur :
' Anima enim quae peccat ipsa morietur '. Moritur enim Deo non
naturae infirmitate sed culpae ». *De excessu fratris*, 2, 36 (16, 1324 C -
1325 A). Cf. *De bono mortis*, 2, 3 (14, 540-541) ; *Exp. Evang. sec.
Lucam*, 7, 35-39 (*SC* 52, p. 21-22). Doctrine que S. Ambroise tire
d'Origène, *Entretien avec Héraclide*, 25-28 (*SC* 67, p. 103-111). Cf.
H.-Ch. Puech et P. Hadot, « L'entret. d'Origène avec Héraclide et
le commentaire de S. Ambr. sur l'Évang. de S. Luc. I. La doctrine des
trois morts », dans *Vigiliae Christianae*, t. 13 (1959), p. 204-208.
    2. Sur le corps-prison, voir *infra, Serm.* 46 (1846 A), avec la note.

1826 C diversi. Habitus enim alter est divinitatis et humanitatis,
vinciens Christi, secundum quod *mediator* est *Dei et*
115 *hominum*, essentiam, prorsus insolubilis, qui nec mortem
nec resurrectionem admittit. **15.** Numquam enim semel
assumpta a divinitate humanitas divortium passa est, nec
repudii libellum accepit ; sed manet *sacramentum* huius
benedicti connubii, venerabilium quoque nuptiarum et
120 immaculati thori, *magnum* et aeternum, habens auctoritatem et munimen hoc : *Quod Deus coniunxit, homo
non separet.* **16.** Habitus autem carnis et animae, solam
ligans humanitatem, nullo quidem peccati sui stipendio
solutionem meruit. Attamen, ut nos solutus a funibus pecca-
125 torum, qui nos circumplexi erant, absolveret, et religatus
1826 D Deo, a quo resoluti eramus, religaret, mirabili sacramenti
ratione, et mortem offendit et resurrectionem invenit,
habens a divina miseratione et patientia promissionem

---

114 mediatorem *S* ‖ 118 *post* sacramentum *add.* magnum *S* ‖
120 magnum et *om. S* ‖ 126 Deo : a Deo *m* ‖ resoluti : soluti *m*

---

a. I Tim. 2, 5 ‖ b. Cf. Hébr. 13, 4 ‖ c. Cf. Éphés. 5, 32 ‖ d. Matth.
19, 6 ‖ e. Cf. Rom. 6, 23 ‖ f. Cf. Ps. 118, 61

---

1. Au *Serm.* 9 (1721 B - 1722 A), Isaac traite des « mysteriales
nuptiae » en les comparant à l'union entre l'homme et la femme,
le corps et l'âme, l'esprit créé et Dieu.

2. Nous sommes à une sorte de nœud central de la pensée d'Isaac,
un carrefour mental d'où rayonne toute sa vision théologique.
Incarnation et mystère pascal constituent comme deux faces d'une
même réalité : le sacrement primordial et fondamental, envisagé
en fonction de la doctrine du « Christ total » (cf. *Serm.* 42, 1831 C
avec l'annotation). Dès lors, christologie, théologie de la grâce,
ecclésiologie, mariologie et doctrine sur la vie spirituelle trouvent
leur fondement unique, leur commune racine, leur point de jonction
et leur articulation réciproque. En cela, la synthèse d'Isaac représente
un témoignage en faveur de ce que le P. É. MERSCH appelait une
orientation plus spécifiquement « chrétienne » de la théologie : « Le

C différentes. Une première relation existe en effet entre la divinité et l'humanité : elle maintient l'unité dans l'être du Christ selon qu'il est « médiateur entre Dieu et les hommes[a] »; elle est absolument indissoluble et ne laisse place ni à la mort ni à la résurrection. **15.** L'humanité, une fois assumée par la divinité, n'a jamais subi de divorce, ni reçu d'acte de répudiation; mais le mystère de ce bienheureux mariage, de ces noces vénérables, de ce lit nuptial immaculé[b] est permanent dans sa grandeur[c] et son éternité[1], ayant pour garantie et protection cette parole : « Ce que Dieu a uni, que l'homme ne le sépare pas[d]! » **16.** Quant à la relation entre la chair et l'âme, ce lien dans la seule humanité, elle n'a certes subi aucune rupture comme salaire d'un péché personnel[e]. Mais pour nous délier des chaînes du péché, qui nous entouraient[f] et dont il était

D libre; pour nous relier à Dieu, de qui nous étions détachés et à qui il était lié, le Christ a, par un merveilleux mystère, affronté la mort et il est parvenu à la résurrection[2], fort de la promesse reçue de la miséricorde et de la patience

---

Christ mystique, centre de la théologie comme science », dans *Nouv. Rev. Théol.*, t. 61 (1934), p. 449-475 ; « L'objet de la théologie et le ' Christus totus ' », dans *Rec. SR*, t. 26 (1936), p. 129-157. — La fonction médiatrice du « lien » dans l'Incarnation rédemptrice est exprimée par une heureuse formule au sermon 6 (1710 D - 1711 A) : « (Filius Dei) suum venit reparare, alienum destruere ; suum sibi religare, unde religio dicitur ; alienum solvere, suum denique ab alieno, et alienum a suo, tamquam pretiosum a vili, separare ». A propos de la relation entre les notions de « religare » — « sacramentum » — « religio », de leur origine dans la terminologie militaire romaine et de leur reprise dans la pensée chrétienne, voir le commentaire de M. PERRIN à LACTANCE, *L'ouvrage du Dieu créateur*, 19, 8 (*SC* 214, p. 409-410). La source immédiate d'Isaac semble être encore une fois S. AUGUSTIN, *De vera relig.*, 55, 111 (34, 171), explication approuvée en *Retract.*, 1, 13, 9 (32, 605). Cf. *De quant. animae*, 36, 80 (32, 1080). Sur l'ensemble de la question voir M. DESPLAND, *La religion en Occident. Évolution des idées et du vécu*, Paris 1979 ; R. Ortuño, « La religion en el pensamiento filosofico de la Edad Media. », dans *Estudios Filosoficos*, t. 17 (1968), p. 249-315.

hanc : *Solvite templum hoc, et in triduo reaedificabo illud.*
130 **17.** Vos *solvite*, ego *reaedificabo.* Ego, qui aedificavi
vestrum, *reaedificabo* meum. Vos, qui solutionem meruistis
vestri, *solvite* meum. *Solvite* non merito iniquitatis meae,
nec imperio potestatis vestrae, sed positione voluntatis
meae. *Nemo enim tollit animam meam a me, sed ego,* cum
135 volo, *pono eam, et iterum,* cum volo, *sumo eam.* Ipse nimirum suscitare se potuit, qui sola carne mortuus vixit.
18. Itaque secundum hunc habitum solum, et potuit et
voluit mori et resurgere Christus, in quo, sicut dictum est, et
1827 A divinitati humanitas inseparabili personali copula cohaesit,
140 et a delectatione et amore Verbi nullo peregrino amore
anima vel ad punctum abscessit. Vixit itaque mortuus
qui obiit vivus, in uno eodemque tempore vivus et mortuus.
Vixit ex virtute humanitas cum divinitate, vixit ex
caritate cum Dei Verbo anima rationalis. Mortua est sola
145 separatione animae caro, et eius receptione sola resurrexit.
   19. *Si* ergo, dilectissimi, *consurrexistis* in anima interim
sola *cum Christo* resurgente in carne sola, *quae sursum
sunt quaerite* intentione et desiderio animae, *ubi Christus
est in dextera Dei sedens* etiam corpore. Multi enim *quae*
150 *sursum sunt* quaerunt deorsum, quales sunt qui dignita-
1827 B tem et gratiam, sufficientiam et delectationem quaerunt
in terrenis. Isti sunt qui *statuerunt oculos suos declinare
in terram,* quaerentes summa in imis. **20.** Alii autem quae

---

136 se suscitare *m* ‖ 139 inseparabilis *m* ‖ cohaesit : adhaesit *m* ‖
141 vel *om. m* ‖ 142 in *om. S*

---

a. Jn 2, 19 ; Matth. 27, 40 ‖ b. Jn 10, 18 ‖ c. Col. 3, 1-2 ‖ d.
Ps. 16, 11

---

1. D'une manière à la fois rigoureuse et nuancée, Isaac prend ici
(§ 14-18) position sur un sujet controversé parmi les théologiens du
XIIᵉ siècle. — Pour l'historique de la question, et le recensement des
diverses solutions proposées, voir A. M. LANDGRAF, « Das Problem

divines : « Détruisez ce temple et en trois jours je le
rebâtirai[a]. » **17.** Détruisez, vous; moi, je rebâtirai. Moi
qui ai bâti le vôtre, je rebâtirai le mien. Vous qui avez
mérité la destruction du vôtre, détruisez le mien. Détruisez-
le, non comme conséquence d'un péché de ma part, ni
par le pouvoir de votre autorité, mais par une disposition
de ma volonté. « Personne en effet ne peut m'enlever
la vie, mais quand je veux, je la donne de moi-même,
et quand je veux je la reprends[b]. » Certes il a pu se
ressusciter lui-même, lui qui, mort seulement dans sa
chair, vivait. **18.** C'est donc selon cette seule relation
que le Christ a pu et a voulu mourir et ressusciter; car
en lui, nous le disions, l'humanité a adhéré indissolublement
à la divinité par l'union personnelle, et son âme n'a pas
abandonné un instant, pour aucun amour étranger, la joie
et l'amour du Verbe. Aussi vivait-il dans sa mort, lui
qui mourut gardant sa vie, vivant et mort en un seul et
même temps. Par la puissance, son humanité vivait avec
la divinité; par la charité, son âme raisonnable vivait
avec le Verbe de Dieu. Seule la chair est morte par la
séparation d'avec l'âme; et seule elle est ressuscitée en
la retrouvant[1].

19. Puis donc, mes bien-aimés, que vous êtes, pour le
moment, « ressuscités » dans l'âme seulement « avec le
Christ » qui est ressuscité dans la chair seulement,
« recherchez par l'orientation et le désir de l'âme les réalités
d'en haut, là où se trouve le Christ, assis à la droite de
Dieu[c] » même avec son corps. Beaucoup en effet recherchent
en bas les réalités d'en haut, tels ceux qui recherchent
la dignité et la faveur, le contentement et le plaisir dans
les choses de la terre. Ceux-là « ont résolu de tenir les
yeux baissés vers la terre[d] », recherchant le sublime dans
l'inférieur. **20.** D'autres recherchent en haut les réalités

' utrum Christus fuerit homo in triduo mortis ' », dans *Dogmen-
geschichte der Frühscholastik*, t. 2, 1, Regensburg 1953, p. 273-319.

deorsum sunt quaerunt sursum, id est in virtute vanam
155 gloriam, in sapientia iactantiam, in veritate curiositatem ;
ad extremum in studio spirituali et habitu religioso, emo-
lumentum aliquod temporale vel laudis vel dignitatis
vel pecuniae vel licentiosae libertatis. Alii quae deorsum
sunt deorsum quaerunt, terrena videlicet in terrenis, et
160 in carnalibus carnalia, qui omnes omnino *quae super
terram* sunt sapiunt, et non *quae sursum*. **21.** Alii vero
quae sursum sunt quaerunt sursum, id est in veris vera, in
spiritualibus spiritualia, in caelestibus caelestia, et in
1827 C divinis divina, sapientes *quae Dei sunt* et *in novitate*
165 *vitae* ambulantes : *complantati similitudini mortis* Christi,
dum peccato et carni et mundo mortui sunt ; configurati
resurrectioni Christi, dum alienati a priori corruptelae
et sensualitatis vita, in carne quodammodo supra carnem
degunt ; consedentes quoque cum eo *in caelestibus*, dum
170 eorum requies et *conversatio in caelis est ;* et conregnantes
illi, dum omnia sua ad spiritualem profectum deservire
compellunt. **22.** Praeterea qui caelestem remuneratio-
nem quaerunt in actibus terrenis, profecto laudabiliter
summa quaerunt in imis ; sicut reprehensibiliter ima in
175 summis, qui terrenum in spiritualibus. Minus quidem
ab his reprehensibiliter adhuc agunt, qui ima quaerunt in
1827 D imis. Omnium vero laudabilius, qui summa in summis,
quae est, dilectissimi, professio et propositum nostrum.
23. Quod in nobis adimplere dignetur is cuius resurrec-
180 tionem et colimus et imitamur quoad possumus, sine quo

---

159 quaerunt deorsum *m* ‖ 168 supra : super *S* ‖ 176 adhuc *om.*
m ‖ 180 et¹ *om. m* ‖ quoad : quod *S*

---

a. Cf. Col. 3, 1-2 ‖ b. Mc 8, 33 ‖ c. Rom. 6, 4 ‖ d. Rom. 6, 5 ‖ e. Cf.
Phil. 3, 21 ‖ f. Cf. Éphés. 2, 6 ‖ g. Phil. 3, 20 ‖ h. Cf. II Tim. 2, 12 ‖
i. Cf. Jn 15, 5

d'en bas : dans la vertu, la vaine gloire; dans la sagesse, la jactance; dans la vérité, la curiosité. Ils vont jusqu'à rechercher dans la spiritualité et dans la vie religieuse quelque profit temporel de gloire, de dignité, d'argent, ou de liberté déréglée[1]. D'autres recherchent en bas les réalités d'en bas : dans le terrestre, des biens terrestres; dans la chair, des satisfactions charnelles. Tous ceux-là, sans exception, goûtent les réalités de la terre, non celles d'en haut[a]. **21.** D'autres, au contraire, recherchent en haut les réalités d'en haut, c'est-à-dire, dans la vérité, la vérité; dans le spirituel, le spirituel; dans le céleste, le céleste; dans le divin, le divin. Ils goûtent « ce qui est de Dieu[b] », et ils marchent « dans une nouveauté de vie[c] ». « Ils sont intimement unis au Christ par une mort semblable à la sienne[d] », car ils sont morts au péché, à la chair et au monde. Ils sont configurés à la résurrection du Christ[e], car, étrangers à leur vie antérieure de corruption et de sensualité, ils habitent dans la chair en quelque sorte au-dessus de la chair. Ils sont assis avec lui dans le ciel[f], car leur repos et « leur séjour se trouvent dans le ciel[g] ». Ils règnent avec lui[h], car tout ce qui leur appartient, ils le dirigent à leur progrès spirituel. **22.** Par ailleurs, ceux qui dans leur activité terrestre recherchent la récompense céleste recherchent assurément d'une manière louable le plus haut dans le plus bas; tout comme ceux qui recherchent le terrestre dans le spirituel recherchent d'une manière répréhensible le plus bas dans le plus haut. Moins répréhensibles qu'eux sont ceux-là qui recherchent le plus bas dans le plus bas. Mais ce qu'il y a de plus louable parmi tous, c'est de chercher le plus haut dans le plus haut, ce qui est, mes bien-aimés, notre profession et notre propos. **23.** Daigne l'accomplir en nous, celui dont nous vénérons et imitons, autant que nous le pouvons, la résurrection, lui sans lequel nous ne pouvons rien[i],

1. Considérations analogues dans le *Serm.* 5, 1705 D - 1706 B.

nihil et in quo omnia possumus, Christus Dominus, qui
cum Patre et Spiritu sancto vivit et regnat Deus per
omnia saecula saeculorum. Amen.

SERMO QUADRAGESIMUSPRIMUS

In eodem Festo II

1. *Dominus dixit ad me : Filius meus es tu, ego hodie genui
te.* Quaeritis, carissimi, quare beatus apostolus Paulus, cum
de resurrectione loqueretur, huius versiculi testimonio
1828 A usus sit, quippe qui magis natali quam resurrectioni con-
5 gruere videtur. Nos autem ipsam resurrectionem natale
dicere non dubitamus, maxime quia a Salvatore regenerationem dici eam non ignoramus. Si enim regeneratio
dicitur resurrectio prima, quae est animae, cur non regeneratio dicetur et secunda, quae est corporis ? **2.** Resur-
10 rectio itaque Christi cum non possit esse nisi una, resurrec-
tionum tamen nostrarum, quae duae sunt, primam significat, teste eodem apostolo ubi ait : *Quemadmodum Christus
resurrexit a mortuis per gloriam Patris, ita et nos in novitate*

Tit. In festo Paschae. Sermo Ysaac abbatis *S* ‖ 2 apost. *om. m* ‖
Paulus : Petrus *S* (*vide l.* 12) ‖ 6-7 eam dici regener. *m* ‖ 11 tamen
om. S ‖ quae duae sunt *om. S* ‖ 12 eodem *om. S* ‖ 13 surrexit *m*

---

a. Cf. Phil. 4, 13
a. Ps. 2, 7 ‖ b. Cf. Act. 13, 33 ‖ c. Cf. Matth. 19, 28 ‖ d. Cf. Tite
3, 5.

---

1. S. Augustin, commentant le verset du psaume qu'il lisait :
« Generatio et generatio laudabit opera tua », avait dit : « An forte
duas quasdam generationes insinuare voluit ista repetitione. Sumus
enim in ista generatione filii Dei ; erimus in alia generatione filii
resurrectionis. Appellavit Scriptura filios resurrectionis ; ipsam

en qui nous pouvons tout[a], le Christ Seigneur, qui avec le Père et l'Esprit, vit et règne, Dieu, pour les siècles des siècles. Amen.

SERMON 41

Deuxième sermon pour le jour de Pâques

Pâques. Résurrection et naissance. Il y a, pour le chrétien, trois naissances : à la vie humaine, à la vie de la grâce (qui doit être entretenue par les sacrements), à la gloire.

1. « Le Seigneur m'a dit : Tu es mon Fils, moi, aujourd'hui, je t'ai engendré[a]. » Vous vous demandez, très chers, pourquoi le bienheureux apôtre Paul, parlant de la résurrection, en a appelé au témoignage de ce verset[b], qui semble en effet s'appliquer mieux à la naissance qu'à la résurrection. Quant à nous, nous n'hésitons pas à appeler la résurrection elle-même une naissance, pour cette raison surtout que le Sauveur, nous ne l'ignorons pas, l'a appelée une régénération[c]. De fait, si la première résurrection, celle de l'âme, est appelée régénération[d], pourquoi n'appellerait-on pas régénération la seconde, celle du corps[1]? **2.** Ainsi, la résurrection du Christ, qui est nécessairement unique, est la figure de la première de nos deux résurrections — au témoignage du même Apôtre qui déclare : « Comme le Christ est ressuscité des morts par la gloire du Père, de même, marchons, nous aussi, dans une vie

resurrectionem regenerationem vocavit. ' In regeneratione, inquit, cum sederit Filius hominis in majestate sua. ' Item in alio loco : ' Non enim nubent neque uxores ducent, cum sint filii resurrectionis ' ». *In Ps. 144*, 6 (37, 1873) ; cf. *De peccatorum meritis*, 2, 7, sur le baptême et la résurrection finale (44, 156-157) ; item, *Contra duas epist. pelag.*, 3, 3 (44, 591) ; *De pecc. origin.*, 39 (44, 407).

vitae ambulemus; secundam initiat, unde et dicitur :
15 *Primitiae dormientium Christus.*

3. Sunt itaque hominum tres quodammodo nativitates,
duae resurrectiones. Nascimur enim homines de hominibus
1828 B per homines carnaliter, *caro de carne* ; quae nativitas
ubi resurrectio dicatur non occurrit. Renascimur de
20 Deo dii per Spiritum spiritualiter, ubi quod nascitur *de
Spiritu, spiritus est* ; et haec est resurrectio prima, nativitas
secunda. Regenerabimur autem de corruptis incorrupti-
biles, de mortuis immortales virtute de caelo, de terrae
pulvere in caelestem qualitatem ; quae est nativitas tertia,
25 resurrectio secunda. **4.** Primam nativitatem ignoravit
Christus, secundam suscepit de Virgine, tertiam de sepulcro.
Quales enim renascimur de fonte, talis natus est Christus
de Virgine. Qualis regeneratus est Christus de tumulo,
tales renascemur in futuro. Et hic est status ad quem
30 factus est homo, nec antea erit homo consummatus, donec
1828 C perficiatur in eo ad quod fuit inchoatus. **5.** Tunc enim

---

23 virtute de caelo *om. m* ‖ 28 de¹ : ex *m* ‖ est : vel resurrexit
add. S ‖ de² *om. S*

---

a. Rom. 6, 4 ‖ b. I Cor. 15, 20 ‖ c. Jn 1, 12-13 ; 3, 6 ‖ d. Cf. I
Cor. 15, 53

---

1. Sur les trois naissances de l'homme, dans la même ligne de
pensée, voir les *Declamationes de colloquio Simonis et Iuda*, 29, 35-30, 36
(184, 456 D - 458 A), rédigées par Geoffroy d'Auxerre, mais qui
transmettent l'enseignement de S. Bernard à Cologne en 1147.
Voir aussi Achard de Saint-Victor, *Serm.* 8, 5 (*Sermones inediti*,
éd. J. Châtillon, Paris 1970, p. 98).
2. Sur la double résurrection, voir S. Augustin : « Sicut ergo
duae sunt regenerationes, ... una secundum fidem, quae nunc fit per
baptismum ; alia secundum carnem, quae fiet in eius incorruptione
atque immortalitate per iudicium magnum et novissimum : ita sunt
et resurrectiones duae, una prima, quae et nunc est et animarum
est, ... alia secunda, quae non nunc est, sed in saeculi fine futura est,
nec animarum sed corporum est ». *De civ. Dei*, 20, 6, 2 (41, 666) ;
cf. *In Ioan.*, 19, 9-10 (35, 1547-1548) ; *Serm.* 362, 20 (39, 1627).

nouvelle[a] » — et elle inaugure la seconde de ces résurrections, ce qui fait nommer le Christ « prémices de ceux qui
se sont endormis[b] ».
3. Il y a donc pour les hommes, en quelque sorte, trois
naissances[1], deux résurrections. Nous naissons, comme
homme, des hommes, par les hommes, charnellement,
B « chair venant de la chair », et il ne se présente pas de texte
où cette naissance soit appelée résurrection. Nous renaissons, comme dieux, de Dieu, par l'Esprit, spirituellement,
car ce qui naît « de l'Esprit est esprit[c] » : c'est la première
résurrection, la seconde naissance. Enfin nous serons
régénérés comme incorruptibles de l'état de corruption,
comme immortels de l'état de mort[d]; de la poussière de
la terre à une condition céleste, par la puissance venant
du ciel : c'est la troisième naissance, la seconde résurrection[2]. **4.** Le Christ n'a pas connu la première naissance ;
la Vierge lui a donné la seconde ; le sépulcre, la troisième.
Tels nous renaissons de la fontaine baptismale, tel le
Christ est né de la Vierge[3]. Tel le Christ a été régénéré
du sépulcre, tels nous renaîtrons dans l'avenir. Voilà la
condition pour laquelle l'homme a été fait, et il ne sera
pas homme consommé avant que ne soit accompli en lui
C ce pourquoi il a commencé[4]. **5.** On pourra proprement

— Guerric d'Igny : « ' Ego sum, inquit Iesus, resurrectio et vita '.
Ipse utique resurrectio prima, ipse et resurrectio secunda. Resurgens
quippe a mortuis primitiae dormientium Christus et sacramento
suae resurrectionis operatus est nobis resurrectionem primam, et
exemplo eiusdem suae resurrectionis operabitur nobis secundam.
Prima enim est animarum, cum eas sibi conresuscitat in novitatem
vitae ; secunda erit corporum, cum ' reformabit corpus humilitatis
nostrae configuratum corpori claritatis suae ' ». *De resurr. Domini
serm.* 2, 1 (*SC* 202, p. 230) ; cf. *Serm.* 3, 1 (*ibid.*, p. 246).

3. Cf. S. Léon : « Omni homini renascenti aqua baptismatis, instar
uteri virginalis, eodem Spiritu replente fontem qui replevit et
Virginem ». *In nativ.* 4, 3 (*SC* 22 *bis*, p. 114). — Isaac revient sur
ce sujet au *Serm.* 42, 1832 B-C.

4. Cf. *supra, Serm.* 9, 1721 A-B.

generatus proprie dicetur, cum fuerit pergeneratus ;
tunc factus, quando completus. Interim vero duabus primis
nativitatibus potius generatur et fit, qui in tertia tantum
35 generatus est et factus. Unde in die resurrectionis suae
congrue et subtiliter dicitur genitus Christus, tamquam
in die perfectionis et consummationis suae pergenitus.
Unde et ipse dicit : *Hodie et cras sanitates perficio, et
tertia die consummor.*

40 **6.** Sicut igitur primo homini, antequam nasceretur,
praeparaverat Deus unde sustentaretur, sic et secundo,
antequam renasceretur, praeformavit quo pasceretur.
1828 D Ideo et ante resurrectionem suam unicam, quae figura est
nostrae primae et exemplum secundae, die videlicet calicis,
45 panem et vinum vertit in sacramentum corporis sui
et sanguinis. Sicut enim de vetere homine novum hominem
creavit, ita et de veteris <hominis> cibo veteri novo
homini escam novam transformavit. *Ecce*, inquit, *omnia
facio nova :* nova creatura, nova esca, nova vita ; nova nati-
50 vitas, nova mors, nova resurrectio. **7.** Sicut enim *primus
homo factus in animam viventem* necesse habet alimonia ne
cadat a vita, sed per eam sustentetur et crescat et corroboretur in ea ; non ut aliam vitam sumat per alimoniam,
sed ne pereat ab ipsa per indigentiam — sola etenim
55 anima vitam dare potest, sed sola retinere non potest :
sic et *nova creatura in Christo*, antequam perficiatur

---

32 generatus : regeneratus *S* ‖ 34 potius *om. m* ‖ 36 et : ac *m* ‖
41 Deus *om. S* ‖ et *om. m* ‖ 43 et *om. m* ‖ 47 <hominis> *supplevi om.
Sm* ‖ 48-49 nova facio omnia *m* ‖ 50 Sicut enim *om. S* ‖ primus
scripsi (vide l. 40) : primum *Sm* ‖ 52 et² : ac *m* ‖ 54 enim *m*

---

a. Lc 13, 32 ‖ b. Apoc. 21, 5 ‖ c. I Cor. 15, 45 ‖ d. II Cor. 5, 17

---

1. Ailleurs, Isaac montre le Christ reposant dans l'Église comme
« dans le sacrement de son corps », *Serm.* 51, 1865 D.

le dire engendré lorsqu'il sera pleinement engendré; on pourra le dire créé quand il sera achevé. Entre-temps, par les deux premières naissances, il est plutôt en voie de génération et en devenir; c'est seulement dans la troisième naissance qu'il est engendré et créé. C'est donc d'une manière exacte et profonde qu'on dit du Christ au jour de sa résurrection qu'il est enfanté, comme s'il était pleinement enfanté au jour de son accomplissement et de sa consommation. Aussi dit-il lui-même : « Aujourd'hui et demain j'accomplis des guérisons, et le troisième jour je suis consommé[a1]. »

6. Pour le premier homme, avant qu'il ne naisse, Dieu avait préparé de quoi se sustenter; de même, pour le second, avant qu'il ne renaisse, il a confectionné d'avance de quoi se nourrir. C'est pour cela que, avant sa résurrec-

D tion unique — figure de notre première résurrection et exemplaire de la seconde —, le Christ, au Jour du Calice, a converti le pain et le vin en sacrement de son corps et et de son sang[1]. Comme il a créé du vieil homme l'homme nouveau, ainsi il a transformé la vieille nourriture du vieil homme en un nouvel aliment pour l'homme nouveau[2]. « Voici, est-il dit, que je fais toutes choses nouvelles[b] » : une nouvelle créature, une nouvelle nourriture, une nouvelle vie; une nouvelle naissance, une nouvelle mort, une nouvelle résurrection. **7.** « Le premier homme, créé âme vivante[c] », a besoin d'un aliment afin de ne pas perdre la vie, mais, grâce à lui, d'être soutenu, de croître et de se fortifier en elle; non point pour acquérir une autre vie par cet aliment, mais pour ne pas périr d'inanition, — car seule l'âme peut donner la vie, mais à elle seule elle ne peut la maintenir. De même, « la nouvelle créature dans le Christ[d] », avant que la seconde résurrection ne fasse

---

2. Isaac dit dans le *De offic. missae* : « Fit igitur super omnem rationem humanam, divina virtute, humana sollicitudine, de vetere cibo veteris hominis, novus cibus homini novo. » (194, 1894 B).

1829 A secunda resurrectione *in spiritum vivificantem*, post
primam regenerationem opus habet alimonia, qua vivat
in ea et crescat et corroboretur qua regenerata est vita ;
60 non ut, post baptismi gratiam, per eucharistiam aliam
sumat vitam, sed ne per indigentiam perdat acceptam.
8. Ad eamdem enim vitam et regeneramur et pascimur
sacramentis diversis ; in qua tamen non perficimur, donec
tertio nascamur *in spiritum vivificantem*, in quem natus
65 est sive factus de sepulcro Christus, sicut ait apostolus :
Secundus homo factus est in spiritum vivificantem. Tunc
enim immediate et sufficienter vivet de anima sola caro
tota, immediate et perfecte de Deo solo anima tota, ubi
nec caro indigua erit alimentis nec anima sacramentis.
1829 B Tunc vere, secure et plene audituri sunt, quotquot filii
71 sunt Dei : *Filius meus es tu,* quia *ego hodie genui te,* quia per-
genui te. **9.** In principio inchoavi, ubi dictum est : *Fecit
Deus hominem ad imaginem et similitudinem suam.* In
medio reparavi, unde dictum est : *In medio annorum*
75 *vivifica illud.* In tertio consummavi, unde dictum est
hic : *Ego hodie genui te. Hodie te* talem *genui* in statu
tertio, propter quem te et creavi in primo, et vivificavi in
secundo. Primo creavi *in animam viventem*, secundo

---

59 et² : ac *m* ‖ 60 per eucharistiam *om. m* ‖ 62 et¹ *om. m* ‖ 67
et : ac *m* ‖ 68 et : ac *m* ‖ 71 Dei sunt *m* ‖ quia¹ *om. S cum Vg* ‖ 76 talem
te *m* ‖ 77 et¹ *om. m*

---

a. I Cor. 15, 45 ‖ b. I Cor. 15, 45 ‖ c. Cf. Jn 1, 12. Rom. 8, 14 ‖
d. Ps. 2, 7 ‖ e. Gen. 1, 26-27 ‖ f. Hab. 3, 2 ‖ g. Ps. 2, 7

---

1. Cf. S. AMBROISE : « His igitur sacramentis pascit Ecclesiam
suam Christus quibus animae firmatur substantiam... » *De Mys-
teriis,* 9, 55 (*SC* 25 *bis,* p. 188).
2. Comme dans le *Serm.* 40, 1825 D - 1826 A, la réflexion d'Isaac
est ici sous-tendue par l'axiome augustinien : « Sicut vita corporis
anima est, sic vita animae Deus ». *Serm.* 62, 2 (38, 415). Cf. *Serm,*
65, 4, 5 ; *Serm.* 156, 6, 6 ; *Serm.* 161, 6 ; *Serm.* 180, 7, 8 (38, 428 ;

A d'elle « un esprit vivifiant[a] », a besoin, après la première régénération, d'un aliment pour vivre, croître et se fortifier dans la vie que lui a donnée cette régénération ; non point pour recevoir, après la grâce du baptême, une autre vie par l'eucharistie, mais pour ne pas perdre par inanition la vie qu'elle a reçue. **8.** C'est en vue d'une seule et même vie que nous sommes régénérés et que nous sommes nourris par les divers sacrements[1]. Nous ne sommes pourtant pas accomplis en elle avant de naître une troisième fois « esprit vivifiant », tel qu'est né ou a été fait le Christ sortant du sépulcre, selon la parole de l'Apôtre : « Le second homme a été fait esprit vivifiant[b]. » Alors, la chair tout entière vivra immédiatement et complètement de l'âme seule ; l'âme tout entière vivra immédiatement et parfaitement de Dieu seul[2] ; car ni la chair n'aura besoin d'aliments, ni l'âme de sacrements. Alors, les fils de Dieu,

B tous tant qu'ils sont[c], s'entendront dire, en toute vérité, sécurité et plénitude : « Tu es mon fils, car moi, aujourd'hui, je t'ai engendré[d] », puisque j'ai achevé de t'engendrer. **9.** A l'origine, j'ai commencé, quand il fut dit : « Dieu fit l'homme à son image et ressemblance[e]. » A mi-chemin, j'ai renouvelé ; pour cela il fut dit : « Au milieu des années, fais-le revivre[f]. » En troisième lieu, j'ai achevé ; pour cela il fut dit : « Moi, aujourd'hui, je t'ai engendré[g]. » Aujourd'hui je t'ai engendré dans cette troisième condition, tel que je te voulais en te créant dans la première et en te vivifiant dans la seconde. Premièrement, je t'ai créé « âme vivante » ;

---

853 ; 880-881 ; 976) ; *In Ps. 70*, 2, 3 (36, 893) ; *De civ. Dei*, 19, 26 (41, 656). Voir les divers commentaires qu'en donne S. BERNARD, surtout *In Cant.*, 81, 4 (183, 1172 C - 1173 A) ; *De praecepto*, 20, 60 (182, 892 D - 893 A) ; *Serm. in temp. resurrect.* 2, 1 (183, 283 C-D). Cf. également : *Ad milites Templi*, 11, 19 (182, 933 A-C) ; *In Ps. Qui habitat serm.* 10, 4 (183, 223 C-D) ; *De div.* 10, 1 ; 47 (183, 567 C-D ; 671 A). — Grâce sans doute à la résonance mystique acquise par son emploi chez S. Bernard, cette maxime a joué un rôle important dans les écrits des grands auteurs spirituels, au XVIIe s. En particulier, elle est à l'origine de la notion d'« adhérence », élaborée par Bérulle.

reformavi in spiritum vivificatum, tertio consummavi
80 *in spiritum vivificantem*, qui et carnem vivificet sine
alimento, et ipse de facie mea vivat sine sacramento.
10. Haec, dilectissimi, gratia, hic fructus resurrectionis
1829 C secundae, in qua partem nemo habere poterit, qui non
fuerit particeps primae. Particeps vero esse non poterit
85 resurrectionis, nisi qui fuerit mortis. Mortis quoque nec
esse poterit, qui non fuerit passionis. *Si* ergo *compatimur*
et *commorimur*, conresurgemus *et conregnabimus*. Quod
ipse praestare dignetur, qui vivit et regnat Deus per
omnia saecula saeculorum. Amen.

SERMO QUADRAGESIMUSSECUNDUS

In Ascensione Domini

1. *Nemo ascendit in caelum nisi qui de caelo descendit,
Filius hominis qui est in caelo.* Haec sunt, fratres mei,
illa *caelestia* ad credendum difficilia, ad intelligendum
1829 D difficiliora, ad explicandum difficillima. *Si terrena*, inquit

79 vivificatum : vivificantem *m* ‖ 80 et *om. m* ‖ 82 *post* Haec *add.*
est ‖ dilectissimi *om. m* ‖ 83 habere poterit : habebit *m* ‖ 85-86 nec
esse : esse non *m*
Tit. Sermo in Asc. Dom. *m* Sermo abbatis Ysaac de Stella *S* ‖
1 descendit de coelo *m cum Vg*

a. I Cor, 15, 45 ‖ b. Cf. Apoc. 21, 6. Jn 13, 8 ‖ c. Cf. Rom. 8, 17.
II Tim. 2, 11-12. Ephés. 2, 6
a. Jn 3, 13

1. Cf. *L'Imitation de Jésus-Christ*, 4, 11, 2 : « Cum autem venerit
quod perfectum est, cessabit usus sacramentorum, quia beati in

deuxièmement, je t'ai restauré esprit vivifié ; troisièmement,
je t'ai achevé « esprit vivifiant[a] », capable de vivifier la
chair sans aucun aliment et de vivre lui-même de ma face
sans aucun sacrement[1]. **10.** Voilà, bien-aimés, la grâce,
voilà le fruit de la seconde résurrection, à laquelle personne
n'aura part s'il n'a participé à la première[b]. Par ailleurs,
personne ne pourra être participant de la résurrection
s'il ne l'a été de la mort. Et personne ne le sera de la mort
s'il ne l'a été de la passion. Si donc nous souffrons avec
lui et mourons avec lui, nous ressusciterons avec lui et
nous régnerons avec lui[c] [2]. Qu'il daigne nous l'accorder,
lui qui vit et règne, Dieu, pour les siècles des siècles.
Amen.

SERMON 42

Sermon pour le jour de l'Ascension

Seul monte au ciel le Fils de l'homme descendu du ciel.
Ce Fils de l'homme, c'est le Fils de Dieu devenu homme
par l'Incarnation, avec lequel nous sommes par l'adoption
filiale le Christ total. En lui, nous-mêmes montons au ciel.
Les trois générations ou naissances du Christ : éternelle,
temporelle, mystique.

1. « Nul ne monte au ciel, hormis celui qui est descendu
du ciel, le Fils de l'homme qui est au ciel[a]. » Ce sont là,
mes frères, ces « choses du ciel » difficiles à croire, plus
difficiles à comprendre, très difficiles à exposer. « Si vous

gloria caelesti non egent medicamine sacramentali. Gaudent enim sine
fine in praesentia Dei ' facie ad faciem ' ' gloriam eius speculantes ', et
' de claritate in claritatem ' abyssalis deitatis transformati, gustant
Verbum Dei caro factum, sicut fuit ab initio et manet in aeternum ».
— Voir *infra, Serm.* 55, 2 et 5.
    2. Cf. *Serm.* 15, 1739 D ; *Serm.* 17, 1749 C-D ; *Serm.* 27, 1779 B.

5 caelicus Magister, *dixi vobis et non creditis, et quomodo si
caelestia dixero vobis, credetis? Caelestis caelestia* subtiliter
loquitur, et *terrenus terrena* tarde credit. Et qui magister
potest esse carnalium, caelesti discipulatui non sufficit.
Nobis vero, dilectissimi, quibus olim *conversatio in
10 caelis est,* caelestia non debent esse incognita. Ignomi-
niosum quippe nimis est ea ignorare in quibus habitas ;
stultum autem habitare ubi ignoras.

2. *Filium* igitur *hominis* familiari humiliatione seipsum
designat. Solus etenim Dei Filius *de caelo descendit,* pro-
15 pria tam voluntate quam potestate, unde diabolus pulsus
cecidit, bonus angelus praelatae potestati parens ad tem-
1830 A   pus recedit. Sed quomodo *Filius hominis* inde *descendit,*
ubi nullus hominum umquam fuit ? Numquid Filius
hominis non homo ? Tametsi non Filius hominis omnis
20 homo, omnis tamen filius hominis homo.

3. Quomodo ergo *Filius hominis* inde *descendit,* ubi nec
natus est nec adhuc ascendit ? An fortasse sic natus est
in caelo Filius hominis, quemadmodum Filius Dei in terra ?
Sic ubique corporalis Filius hominis, quomodo alicubi
25 illocalis Filius Dei ? Sic temporalis aeternus, quomodo
aeternus temporalis ? **4.** Sed esto, carissimi, quae mira
sunt, ideo vera sunt, quia unus idemque et ante se et post
se, prior et posterior seipso, minor quoque et maior,
factus a se et factor sui, servus et Dominus. Unus idemque
30 est Deus et homo : una persona, duae naturae, tres substan-

---

5 et² *om. m* ‖ 8 disciplinatui *m* ‖ 10 incognita esse *S* ‖ 14 enim *m* ‖
17 cedit *S* ‖ 18 nullus ubi *S* ‖ 23 Dei filius *m* ‖ 26 carissimi *om. m* ‖
27 vera : mira *m* ‖ et¹ *om. m* ‖ 28 et¹ : ac *m* ‖ 29 et¹ *om. m* ‖ et² : ac *m* ‖
idemque : eiusdem *S* ‖ 30 tres substantiae *om. m*

---

a. Jn 3, 12 ‖ b. Cf. I Cor. 15, 47. Jn 3, 12. Lc 24, 25 ‖ c. Phil. 3, 20

---

1. Voir *Serm.* 55, 7-8 (*infra* p. 268-269).

ne croyez pas, dit le Maître céleste, lorsque je vous parle des choses de la terre, comment croirez-vous quand je vous parlerai des choses du ciel[a] ? » Celui qui vient du ciel parle avec profondeur des réalités du ciel, et celui qui est issu de la terre croit avec lenteur aux choses de la terre[b]. Et tel est capable d'être maître dans les réalités matérielles qui est inapte à l'étude de la science d'en haut. Mais à nous, mes bien-aimés, à nous qui sommes depuis longtemps « citoyens des cieux[c] », les réalités du ciel ne doivent pas être inconnues. Car il serait par trop humiliant de ne pas connaître le milieu où l'on habite, et par trop stupide d'habiter un lieu qu'on ignore.

2. « Le Fils de l'homme » : c'est ainsi qu'il se désigne lui-même, en s'humiliant comme il aime à le faire. En effet, seul le Fils de Dieu « est descendu du ciel », et de sa propre volonté et par sa propre puissance[1], tandis que le diable, poussé dehors, en est tombé, et que le bon ange, obéissant à la puissance supérieure, s'en éloigne pour un temps. Mais comment « le Fils de l'homme est-il descendu du ciel » où jamais aucun homme n'a été? Serait-ce que le Fils de l'homme n'est pas un homme? Et pourtant, si tout homme n'est pas le Fils de l'homme, tout fils d'homme est bien un homme.

3. Comment donc « le Fils de l'homme est-il descendu » de là où il n'est pas né et où il n'est pas encore monté? Faudrait-il dire que le Fils de l'homme est né au ciel, de même que le Fils de Dieu est né sur terre? Que le Fils de l'homme est partout avec son corps, de la façon dont le Fils de Dieu est en un lieu sans être dépendant du lieu? Que celui qui est dans le temps est éternel, aussi bien que l'éternel est dans le temps? **4.** Mais nous sommes bien d'accord, très chers : ces merveilles sont vraies par le fait qu'un seul et le même est avant et après soi, antérieur et postérieur à soi-même, plus petit et plus grand que soi, créé par soi et créateur de soi, esclave et Seigneur. Un seul et le même est Dieu et homme, une seule personne, deux

1830 B tiae ; vel potius in duabus naturis et tribus substantiis.
5. Secundum hominem *ascendit* Deus, qui secundum Deum
descendit homo, *Filius hominis, qui* secundum Dei Filium *est*
simul et *in caelo* et in terra et omnino ubique et veraciter
35 nusquam, Deus homo. Totum hoc, fratres, exigit personalis
unionis admirabilis ratio ; et caelestis caelestibus caelestia,
tamquam *spiritualibus spiritualia* vel etiam divinis divina
comparans, haec *omnia diiudicat.*

6. Verumtamen quae utilitas descensionis Filii Dei, si
40 singularitas est ascensionis eiusdem Filii hominis ? Aut
ubi nos positurus est, qui postpositis omnibus eum arctius
sequimur ? Qui infernum fugimus, mundum contemnimus, quo ituri sumus, si in caelum non ascendimus ? *In*
1830 C *caelum* vero *nemo ascendit, nisi qui de caelo descendit.*
45 Itaque aut inde descendimus, et adhuc ibi sumus et Filius
ille hominis ibi sumus; aut nequaquam eo ascendemus,
et ubi volumus esse non possumus et ubi possumus nolumus,
et sic certe *miserabiliores omnibus hominibus* facti sumus.

7. Verumtamen, dilectissimi, vim verborum et liber-
50 tatem Spiritus in Eloquio divino attendentibus, facile
occurrit Filium hominis aut Filium Dei aut Verbum
Patris aut Christum, aut si quo simili sermone designatur
is qui ista loquitur caelestia, non simplicem habere rationem, nec secundum uniformem acceptionem pronuntiari.
55 **8.** Dicitur enim Christus vel huiusmodi aliquando ipsa

31 et tribus substantiis : tres substantiae *m* ‖ 33-34 simul est *m* ‖ 34
et¹ *om. m* ‖ et³ *om. m* ‖ et⁴: ac *m* ‖ 35 hoc *om. S* ‖ fratres *om. m* ‖ 36 et :
ac *m* ‖ 44 qui : quid *S* ‖ 45 et² *om. S* ‖ 47 et ubi possumus nolumus
om. m ‖ 55 vel huiusmodi *om. m*

a. Cf. Jn 3, 13 ‖ b. Cf. I Cor. 2, 13.15 ‖ c. Cf. Lc 5, 11 ‖ d. Jn 3, 13 ‖
e. I Cor. 15, 19 ‖ f. Cf. II Cor. 3, 17

1. Voir la *Note complém.* 23 : « Le Christ ' trine en substances ' »
(t. 2, p. 345-346).
2. Voir l'éclairant commentaire d'H. DE LUBAC, *Exég. méd.,*
1ʳᵉ partie, 1, p. 354-355.

natures, trois substances, ou plutôt une seule personne
en deux natures et trois substances[1]. **5.** Dieu, il est monté
en tant qu'homme ; homme, il est descendu en tant que
Dieu ; lui, le Fils de l'homme qui, en tant qu'il est le Fils
de Dieu, est en même temps au ciel[a] et sur la terre, absolument partout sans être à vrai dire en aucun lieu, Dieu-
homme. Tout cela, frères, est exigé par l'admirable logique
de l'union personnelle ; et celui qui vient du ciel, rappro-
chant réalités célestes et réalités célestes, comme réalités
spirituelles et réalités spirituelles, ou même réalités divines
et réalités divines, juge de toutes[b].

6. Mais à quoi bon la descente du Fils de Dieu, si
l'ascension du même, Fils de l'homme, le concerne lui
seul ? Ou encore : où va-t-il nous placer, nous qui ayant
tout quitté le suivons de plus près[c] ? Nous qui fuyons
l'enfer, qui méprisons le monde, où irons nous si nous
ne montons pas au ciel ? Or « au ciel nul ne monte, hormis
celui qui est descendu du ciel[d] ». Par conséquent, de deux
choses l'une : ou bien nous sommes descendus de là-haut
et nous y sommes encore, et nous sommes là-haut ce Fils
de l'homme ; ou bien nous ne monterons nullement là-haut,
et ainsi, ne pouvant pas être où nous le voulons, ne voulant
pas être où nous le pouvons, nous voilà devenus sans
aucun doute « les plus misérables de tous les hommes[e] ».

7. En réalité, bien-aimés, ceux qui sont attentifs au sens
des mots et à la liberté de l'Esprit[f] dans les paroles sacrées[2]
s'aperçoivent facilement que « Fils de l'homme », ou « Fils
de Dieu », ou « Verbe du Père », ou « Christ », ou tout autre
terme similaire désignant celui qui parle de ces réalités
célestes, n'a pas une portée exclusive et n'est pas employé
suivant une acception uniforme[3]. **8.** « Christ », ou tel terme
équivalent, désigne parfois cette nature simple, n'ayant

---

3. L'Écriture parle du Christ de trois manières : en tant qu'il
est Dieu, en tant qu'il est Dieu fait homme, en tant qu'il est Chef et
Tête de l'Église. Cf. S. Augustin, *Serm.* 341, 1 et 12 (39, 1493 et
1500).

simplex natura quae nec coepit nec desinit, nec mutari aut moveri potest, quae de solo Patre, cum Patre, in 1830 D Patre, nec ipse qui Pater nec aliud quam Pater semper est, iuxta quod loquens ipse Iudaeis dicit : *Principium*, 60 *qui et loquor vobis;* et alibi : *Ego et Pater unum sumus.* Ipse etenim Filius Dei et homo sic sunt unus, non unum, quemadmodum ipse *et Pater unum*, non unus. Hic duae naturae, una persona ; ibi duae personae, natura una. Similiter quoque : *Antequam Abraham fieret, ego sum;* 65 et alia sexcenta, quae nisi propter hunc sensum vera esse non possunt, et ad proprietatem superioris naturae pertinent, licet indifferenter de ipso qui superior, ut diximus, et inferior est seipso pronuntientur. **9.** E regione autem his ipsis nonnumquam designantur quae nisi 70 pro inferiori natura pronuntiari veraciter nequaquam 1831 A possunt de persona, utpote minoratio *paulominus ab angelis* et nativitas temporalis et similia. Nonnulla quoque pro anima sola et nonnulla pro carne sola. Aliqua autem pro utraque simul, id est humanitate tota, sed sola, 75 dicuntur. Aliqua vero pro tota simul Christi persona, id est divinitate simul et humanitate, utpote cum *mediator* ab apostolo dicitur *Dei et hominum, homo Christus Iesus.* *Mediator* siquidem nisi ex utroque inter utrumque esse non potest.

80   **10.** Sed in his omnibus, rogo, carissimi, quid emolumenti miseris hominibus, si sic *de caelo descendit* hominis illius divinitas, ut cum illa sola ascendat Dei illius humanitas ? Unde et cogimur aliam adhuc ex his quae posita sunt

---

59 ipse *om. S* ‖ 69 designatur *m* ‖ 76 simul *om. S* ‖ utpote : ut *m* ‖ 80 rogo carissimi *om. m* ‖ 81 descendit de caelo *m*

---

a. Jn 8, 25 ‖ b. Jn 10, 30 ‖ c. Jn 8, 58 ‖ d. Hébr. 2, 7. Cf. Ps. 8, 6 ‖ e. I Tim. 2, 5 ‖ f. Cf. Jn 3, 13

ni commencement ni fin, immuable et invariable, qui
existe éternelle du seul Père, avec le Père, dans le Père,
30 D   sans qu'il soit le Père, ni pourtant une autre nature que le
Père. C'est dans cette perspective qu'il dit lui-même aux
juifs : « Le Principe, moi qui vous parle[a]. » Et ailleurs : « Moi
et le Père nous sommes un[b]. » En effet, le Fils de Dieu et
l'homme sont un seul individu, sans être un, de même que
lui « et le Père sont un », sans constituer une individualité.
Là il y a deux natures, une personne ; ici, deux personnes,
une nature. Même sens pour le texte suivant : « Avant
qu'Abraham ait existé, moi, je suis[c]. » Et il en est ainsi
d'une multitude d'autres passages qui ne peuvent être
vrais que dans ce sens et se réfèrent à une propriété de la
nature supérieure, bien qu'on les emploie indifféremment
de celui qui, nous le disions, est à la fois supérieur et
inférieur à lui-même. **9.** Inversement, ces mêmes termes
sont parfois employés en référence à ce qui ne peut aucunement être énoncé avec vérité au sujet de la personne,
si ce n'est en fonction de la nature inférieure : par exemple
31 A   l'abaissement « un peu au-dessous des anges[d] », la nativité
temporelle, et ainsi de suite. Il y a également certaines
expressions qui conviennent à l'âme seulement et d'autres
seulement à la chair. Certaines au contraire sont employées
en fonction de l'âme et de la chair envisagées ensemble,
c'est-à-dire de toute l'humanité et d'elle seule. D'autres
se disent de toute la personne du Christ considérée globa-
lement, à savoir de l'humanité et de la divinité, par
exemple quand l'Apôtre parle d'« un homme, le Christ
Jésus », « médiateur entre Dieu et les hommes[e] ». Il ne
peut en effet être médiateur entre les deux parties qu'en
tenant de l'une et de l'autre.

10. Mais en tout cela, je le demande, très chers, quel
avantage pour les malheureux hommes, si la divinité de
cet homme est ainsi « descendue du ciel[f] » qu'avec elle
ne monte que la seule humanité de ce Dieu ? Force nous est
donc de tirer de nos propositions un autre sens encore,

elicere intelligentiam, ubi Christi vel Filii hominis nuncupatione non solum totus aut pro parte vel partibus
Christus, sicut supra positum est, intelligatur. Ipse denique
de caelo olim increpans persecutorem suum, ait : *Saule,
Saule, quid me persequeris?* Qui dicturus est aliquando :
Infirmus fui, et visitastis me. Et haec qua ratione, nisi
propter unitatem Sponsi et Sponsae, vel capitis et corporis ? **11.** Sicuti unius hominis caput et corpus, ipse
unus homo, sic Filius ille Virginis et electa eius membra,
ipse unus homo et unus hominis Filius. Totus, inquit
Scriptura, et integer Christus caput et corpus. Siquidem
omnia simul membra unum corpus, quod cum suo capite
unus hominis Filius, qui cum Dei Filio unus Dei Filius, qui
et ipse cum Deo unus Deus. Ergo et totum corpus cum
capite : hominis Filius et Dei Filius et Deus. Unde est
et illud : *Volo, Pater, ut sicut ego et tu unum sumus, ita et
isti sint unum nobiscum.*

12. Itaque secundum hunc in Scripturis quidem sensum
celebrem, nec sine capite corpus, nec sine corpore caput,
nec sine Deo caput et corpus, totus Christus. *Caput* siqui-

1831 B
86

90

95

1831 C

100

---

87 suum *om. m* ‖ 93 unus² : iterum *S* ‖ 96 unus¹ *om. S* ‖ qui cum Dei
Filio unus Dei Filius *om. S* ‖ 100 unum sint *m* ‖ 101 secundum *om. S* ‖
quidem *om. m*

---

a. Act. 9, 4 ‖ b. Matth. 25, 36 ‖ c. Jn 17, 21.22.24

---

1. Sur le Christ total, cf. *Serm.* 11, 1728 B-C et la note ; *Serm.* 34,
1801 C-D avec l'annotation. Cf. R. ELMER, « Die Heilsökonomie bei
Isaak von Stella », dans *Analecta Cisterciensia*, t. 33 (1977), p. 191-261
(surtout p. 237-256 : « Der mystische Leib Christi »). — Citons ce
passage parallèle de saint Augustin : « Totus Christus caput et corpus.
Caput ille salvator corporis, qui iam ascendit in caelum ; corpus
autem Ecclesia, quae laborat in terra. Hoc autem corpus nisi
connexione caritatis adhaereret capiti suo, ut unus fieret ex capite et
corpore, non de caelo quemdam persecutorem corripiens diceret :
' Saule, Saule, quid me persequeris ? ' Quando eum iam in caelo
sedentem nullus homo tangebat, quomodo eum Saulus in terra
saeviens adversus Christianos aliquo modo iniuria percellebat ?

selon lequel le terme de « Christ » ou de « Fils de l'homme »
1 B ne soit pas seulement compris, comme plus haut, du Christ
dans son ensemble ou par rapport à une ou plusieurs
de ses parties. Finalement, lui-même, interpellant jadis
du haut du ciel son persécuteur, disait : « Saul, Saul,
pourquoi me persécutes-tu[a] ? » Et un jour il dira : « J'étais
malade, et vous m'avez visité[b]. » Comment justifier ces
expressions, sinon par l'unité de l'Époux et de l'Épouse,
ou de la Tête et du corps[1] ? **11.** Comme la tête et le corps
d'un homme ne font qu'un seul et même homme, ainsi
le Fils de la Vierge et ses membres, les élus, ne font qu'un
seul et même homme et un seul Fils de l'homme. Le
Christ total et complet, d'après l'Écriture, c'est la tête et le
corps. Tous les membres pris ensemble ne font qu'un seul
corps, lequel avec sa Tête ne fait qu'un seul Fils de
l'homme ; lequel avec le Fils de Dieu ne fait qu'un seul
Fils de Dieu ; lequel ne fait lui-même avec Dieu qu'un
seul Dieu. Donc le corps tout entier avec la Tête est Fils
1 C de l'homme, et Fils de Dieu, et Dieu. D'où cette parole :
« Je veux, Père, que comme moi et toi nous sommes un,
eux aussi soient un avec nous[c]. »

12. Dès lors, selon ce sens traditionnel des Écritures,
le corps n'est pas sans la Tête, ni la Tête sans le corps,
ni la Tête et le corps — le Christ total — sans Dieu. Oui,
« la tête de la femme, c'est l'homme ; la tête de l'homme,

Non ait : ' Quid sanctos meos, quid servos meos ' ; sed ' quid me
persequeris ' : hoc est quid membra mea. Caput pro membris cla-
mabat, et membra in se caput transfigurabat ». *In Ps. 30, Enarr. II,
Serm.* 1, 3 (36, 231). — Voir T. J. VAN BAVEL-B. BRUNING, « Die
Einheit des ' Totus Christus ' bei Augustinus », dans *Scientia
Augustiniana* (Festschr. Adol. Zumkeller), Würzburg 1975, p. 43-75.
On y trouvera un répertoire des trois métaphores ecclésiologiques :
l'union de l'âme et du corps, la relation tête-membres, l'époux et
l'épouse. — Voir Y. CONGAR, « ' Lumen Gentium ' n° 7, ' L'Église,
Corps mystique du Christ ', vue au terme de huit siècles d'histoire
de la théologie du Corps mystique », dans *Au service de la Parole de
Dieu* (Mélanges A.-M. Charrue), Gembloux 1969, p. 179-202.

dem *mulieris vir, caput viri Christus, caput Christi Deus.*
105 Caput igitur, mediante viro, mulieris Christus ; caput viri,
mediante Christo, Deus. Caput ergo mulieris et viri
et Christi, Deus. Itaque et omnia cum Deo unus Deus,
sed Filius Dei cum Deo naturaliter, et cum ipso Filius
hominis personaliter, cum quo suum corpus sacramenta-
110 liter.

13. Solus itaque *descendit de caelo Filius hominis* propter
divinitatem, sed non totus propter humanitatem, qui
1831 D solus et totus ascendet propter capitis et corporis unitatem.
Nemo igitur *ascendit, nisi* ille solus et totus *qui descendit*
115 solus et non totus. Si quando pauper pascitur, Christus
pascitur, quomodo quando pauper ascendit, Christus non
ascendit? *Quod Deus coniunxit, homo non separet. Sacra-*

---

106 et *om. m* ‖ 112-113 qui totus et solus *S* ‖ 113 ascendit *m* ‖ 114
igitur : ergo *m*

---

a. I Cor. 11, 3 ‖ b. Cf. Jn 3, 13 ‖ c. Cf. Matth. 25, 35.40 ‖ d. Matth.
19, 6

---

1. « Sacramentaliter. » Expression difficile à rendre dans la richesse
de ses résonances et son contraste avec « naturaliter » et « personaliter ». Plus loin, Isaac écrit « in mysterio », en opposition vis-à-vis de
« a principio » et « in fine » ; et il distingue entre « secundum sacramentum » et « secundum substantiam » (1832 B). Ailleurs il est
question du « Sacramentum Mediatoris » (*Serm.* 9, 1721 C) et de
« mirabili sacramenti ratione » (*Serm.* 40, 1826 D). Ces diverses
formules s'inscrivent à l'intérieur d'une vision de l'Incarnation
rédemptrice comme sacrement primordial et, pour ainsi dire, source
logique des sacrements qui constituent l'Église, avec une référence
particulière au baptême et surtout à l'eucharistie. Voir *De offic.
missae* : « Omnis ergo actio sacramentorum caelestium huic fini
deservire dignoscitur, ut sine fine uni Deo per Christum uniti, in
ipso delectemur. Ideo unus panis, unum corpus, multi sumus, sed
non multa capita habemus, sed unum et cuius caput Deus ; quatenus
multi, per unum et in uno, Uno uniti, unus cum eo spiritus efficiamur ».
(1892 C, texte corrigé d'après les mss ; cf. *ibid.* 1894 C - 1895 A,
passage assez défiguré dans la *PL*). Cf. aussi *Serm.* 51, 1865 D.
Cf. F. HOLBÖCK, *Der eucharistische und der mystische Leib Christi in*

c'est le Christ; la tête du Christ, c'est Dieu[a] ». Par la
médiation de l'homme, le Christ est donc tête de la femme,
par la médiation du Christ, Dieu est tête de l'homme.
Dieu est donc tête de la femme, de l'homme et du Christ.
Et ainsi tout est avec Dieu un seul Dieu : le Fils de Dieu
par son unité naturelle avec Dieu, le Fils de l'homme
par son unité personnelle avec le Fils de Dieu, son corps
par son unité sacramentelle avec le Fils de l'homme[1].

13. Seul donc « le Fils de l'homme est descendu du ciel »
en raison de sa divinité, mais non pas tout entier en raison
de son humanité, et seul et tout entier il y remontera
en raison de l'unité de la Tête et du corps. « Nul ne monte
donc, hormis celui-là », seul et tout entier, « qui est
descendu[b] », seul mais non tout entier[2]. Si, lorsque le pauvre
est nourri, c'est le Christ qui est nourri[c], comment, lorsque
le pauvre monte, n'est-ce pas le Christ qui monte? « Ce que
Dieu a uni, que l'homme ne le sépare pas[d]! » « Ce sacre-

‖1 D

ihren Beziehungen zueinander nach der Lehre der Frühscholastik,
Rome 1941. H. DE LUBAC, *Corpus Myst.*, 2ᵉ éd., p. 27-34 ; *Médit.
sur l'Église*, p. 116-123.

2. Seul le Fils de l'homme qui est descendu du ciel monte au ciel, et
nous montons avec lui. Thème amplement développé par S. AUGUSTIN
dans *Serm. Mai* 98 (*PLS* 2, 494-497), coïncidant en grande partie avec
Serm. 263, 2-4 (38, 1210-1212) ; cf. *De peccatorum meritis*, 1, 31
(44, 144). Dans S. GRÉGOIRE LE GRAND nous trouvons ce beau
texte : « Dum nos unum cum illo iam facti sumus, unde solus venit
in se, illuc solus redit etiam in nobis ; et is qui in caelo semper est,
ad caelum quotidie ascendit, quia qui divinitate super omnia
permanet, humanitatis suae compage sese quotidie ad caelos trahit »
Moral., 27, 30 (76, 416). L'idée est souvent reprise au Moyen Âge ;
ainsi chez GARNIER DE LANGRES, *Serm.* 20 (205, 701) ; ALAIN DE
LILLE, *Contra haer.*, 1, 18 (210, 321) ; INNOCENT III, *De sacro altaris
myst.*, 4, 44 (217, 886). — Sur le Fils de l'homme qui descend et qui
monte, cf. S. AUGUSTIN, *In Ioan.*, 12, 8 s. (35, 1488-1489) ; 27, 3
(35, 1616) ; *In Ps. 122*, 1 (37, 1630). Le paradoxe de l'Ascension du
Verbe incarné est exprimé bien souvent dans les formules antithétiques
des Pères ; ainsi chez S. GRÉGOIRE LE GRAND : « Illo revertebatur ubi
erat, et inde redibat ubi remanebat » (*In Evang. hom.* 29, 5-8 (76,
1216-1217).

mentum hoc parvum est in viro et femina, *magnum* autem, secundum apostolum, *in Christo et in Ecclesia.*

120 **14.** Quomodo ergo si loqui posset pes meus sicut lingua, hoc diceret quod dicit lingua : Ego videlicet sum Isaac ; sic nimirum fidelia et rationabilia Christi membra dicere singula se veraciter possunt hoc quod est ipse, etiam Dei Filium et Deum. Sed quod ipse natura, 125 hoc ipsa consortio. Quod ipse plenitudine, hoc ipsa participatione. **15.** Denique quod Dei Filius generatione, hoc 1832 A eius membra non solum constitutione, ut Moyses deus Pharaonis, aut tantum nuncupatione, ut *dii multi et domini multi,* sed adoptione, sicut scriptum est : *Acce-* 130 *pistis Spiritum adoptionis filiorum, in quo clamamus : Abba, Pater.* Iuxta quem Spiritum *dedit eis potestatem filios Dei fieri,* ut selectim doceantur ab eo qui *primogenitus* est *in multis fratribus,* dicere : *Pater noster qui es in caelis.* Et alibi : *Ascendo ad Patrem meum et Patrem vestrum, Deum* 135 *meum et Deum vestrum.* Cum enim omnium sit communis

---

119 secundum apostolum *om. m* ‖ 122 nimirum *om. m* ‖ 123 singula *om. m* ‖ 124 et : ac *m* ‖ 134 Ascendo ad : rogabo *S* ‖ 134-135 Deum meum et Deum vestrum : etc. *m*

---

a. Éphés. 5, 32 ‖ b. Cf. II Pierre 1, 4 ‖ c. Cf. Ex. 7, 1 ‖ d. I Cor. 8, 5 ‖ e. Rom. 8, 15 ‖ f. Jn 1, 12 ‖ g. Rom. 8, 29 ‖ h. Matth. 6, 9 ‖ i. Jn 20, 17

---

1. « Si loqui possit pes unus sicut lingua... » Sans doute ce n'est pas là une exclamation spontanée d'Isaac. En effet il semble s'inspirer de ce même texte d'Augustin déjà cité plus haut (n. 1, p. 44 s.), qui continue ainsi la méditation théologique sur le Christ total : « Caput pro membris clamabat, et membra in se caput transfigurabat. Vocem namque pedis suscipit lingua. Quando forte in turba contritus pes dolet, clamat lingua : ' Calcas me '. Non enim ait : ' Calcas pedem meum '. Sed se dixit calcari, quam nemo tetigit ; sed pes qui calcatus est a lingua non separatus est ». *In Ps. 30, Enarr. II, Serm.* 1, 3 (36, 231). La comparaison employée par S. Augustin pourra

ment » est humble dans le cas de l'homme et de la femme,
mais « grand », selon l'Apôtre, « dans le cas du Christ et
de l'Église[a] ».

14. Mon pied, s'il pouvait parler comme ma langue,
dirait ce que dit ma langue : « Je suis Isaac[1] »; au même
titre, les croyants, membres spirituels du Christ, peuvent
avec vérité dire tous et chacun qu'ils sont ce qu'il est
lui-même : Fils de Dieu et Dieu[2]. Mais ce qu'il est, lui,
par nature, ils le sont par association[b]. Ce qu'il est en
plénitude, ils le sont par participation. **15.** Bref, ce que
le Fils de Dieu est par génération, ses membres le sont,
non pas seulement par constitution, comme Moïse, constitué dieu de Pharaon[c], ni simplement par dénomination,
comme « il y a une quantité de dieux et de seigneurs[d] »,
mais par adoption, selon la parole : « Vous avez reçu
l'Esprit d'adoption des fils, dans lequel nous crions :
Abba! Père[e]! » Avec cet Esprit « il leur a donné pouvoir
de devenir enfants de Dieu[f] », afin qu'à l'école de celui
qui est « le Premier-né d'une multitude de frères[g] », ils
apprennent à dire d'une manière privilégiée : « Notre
Père qui es aux cieux[h]. » Et cette autre parole : « Je monte
vers mon Père et votre Père, vers mon Dieu et votre
Dieu[i]. » S'il est en effet le Père commun et le Dieu de tous,

> ‿ A

paraître plus lourde et moins incisive. La raison en est que son
discours développe le point de vue du Christ, Tête du corps. Isaac
se situe du point de vue complémentaire des membres du corps
par rapport au Christ. D'où la qualité plus saisissante de l'image et le
caractère paradoxal de sa transposition au plan théologique.

2. Même affirmation : *supra*, 1831 B-C ; *Serm.* 29, 1785 A-B.
Cf. B. McGINN, « Resurrection and Ascension in the Christology of
the early Cistercians », dans *Cîteaux*, t. 30 (1979), p. 5-22. — Voir
ce passage de la première Règle de Tyconius : « On peut appeler Fils
de l'homme l'Église entière, puisque l'Église, c'est-à-dire les enfants
de Dieu rassemblés en un seul corps, ont bien été appelés Fils de Dieu,
ont été appelés un seul homme, appelés même Dieu ». (18, 18 B).
Cf. É. MERSCH, *Le Corps mystique du Christ*, t. 2, 2ᵉ édition, p. 96-98.

Pater et Deus conditione, nostrum tamen specialis est gratuita adoptione, qui et ipsius Unigeniti singularis generatione.

16. Generatio itaque sive nativitas Christi, secundum quod a principio Dei Filius est, et secundum quod in fine hominis Filius est, et secundum quod in mysterio caput et corpus unus Christus est, trina quodam modo intelligatur necesse est. Prima igitur de Patre sine matre, secunda de matre sine patre, tertia secundum substantiam nec de patre nec de matre, secundum vero sacramentum de Deo Patre per Spiritum sanctum et de Ecclesia virgine matre. **17.** Quo enim Spiritu de utero Virginis natus est hominis Filius, caput nostrum, eo nimirum renascimur de fonte baptismatis filii Dei, corpus suum. Et sicut ille

1832 B
141

145

---

136 nostrum : noster *m* ‖ est *om*. S ‖ 137 singularis *scripsi* (*vide l*. 135-137 : communis... specialis... singularis) : singulari *Sm* ‖ 139 sive : sui *m* ‖ 141 Filius est hominis *m* ‖ secundum quod *om*. *m* ‖ 148 nimirum *om*. *m*

---

1. Voir l'étude classique d'É. MERSCH, « Filii in Filio », dans *Nouv. Rev. Théol.*, t. 65 (1938), p. 551-582, 681-702, 809-830.

2. Sur la triple naissance, voir, après Origène et S. Ambroise, INNOCENT III : « Ex Patre nascitur Deus, de matre natus est caro, in mente nascitur spiritus. Ex Patre via, de matre veritas, in mente vita... Ex Patre nascitur semper, de matre natus est semel, in mente nascitur saepe ». *Serm.* 3 (217, 459 C). *Liturgie mozarabe*, Messe de la Nativité : « Non petimus renovari nobis, sicut in hac die olim acta est, corporalem nativitatem tuam, sed petimus incorporari nobis invisibilem divinitatem tuam. Quod prestitum est carnaliter sed singulariter tunc Mariae, nunc spiritaliter presteur Ecclesiae : ut te fides indubitata concipiat ; te mens de corruptione liberata parturiat, te semper anima virtute Altissimi obumbrata contineat ». *Liber Mozarab. sacrament.* (éd. D. Férotin, p. 54). — GARNIER DE ROCHEFORT va jusqu'à compter cinq naissances du Christ : « In his ergo natus est Jesus, non tantum illa nativitate qua plasmavit nos secundum quam aeternaliter natus est de Patre sine matre, sed illa qua reformavit nos, secundum quod temporaliter natus de matre sine patre, vel illa qua formari solet in nobis per devotionem inspirando, vel illa qua sanctificavit nos in baptismo, vel illa qua redemit

en vertu de la création, c'est pourtant d'une manière
spéciale qu'il l'est de nous, en vertu de l'adoption gratuite,
et d'une manière unique[1] qu'il l'est de ce Fils unique,
en vertu de la génération.

16. Il faut donc en quelque sorte distinguer trois généra-
B tions ou naissances du Christ[2] : selon qu'il est Fils de Dieu
dès le commencement; selon qu'à la fin il est Fils de
l'homme; selon que dans le mystère il est, Tête et corps,
un seul Christ. La première nativité est du Père, sans
mère; la seconde est d'une mère, sans père; la troisième,
quant à la substance, sans père ni mère, mais, quant au
sacrement, de Dieu le Père par l'Esprit-Saint et de l'Église,
Vierge-Mère. **17.** C'est en effet par ce même Esprit, par
lequel du sein de la Vierge est né Fils de l'homme notre
Tête, qu'assurément de la fontaine baptismale nous
renaissons fils de Dieu, son propre corps[3]. Lui est né sans

nos patibulo ». *Serm.* 8 (205, 626-627). — Ce thème théologique,
lié à celui plus spécifique de la naissance spirituelle du Fils de Dieu
dans l'âme, occupera une place importante dans la mystique rhéno-
flamande du xive siècle, surtout chez Eckhart et Tauler. A remarquer
aussi que, sans doute à partir du début du xiiie s., la tradition des
trois naissances du Verbe se trouve associée aux trois messes du jour
de Noël. Sur tout cela voir l'article « Naissance divine (Mystique de
la) », dans *DS*, t. 11, col. 24-34 (en particulier, col. 28-30). Cf.
H. DE LUBAC, *Exég. méd.*, 2e partie, 2, p. 506-513.
   3. Sur la naissance du Christ et la renaissance du chrétien,
cf. *Serm.* 27, 1778 D - 1779 B, avec la note; *Serm.* 41, 1828 B ;
Serm. 45, 1841 C-D ; *Serm.* 51, 1863 A ; voir aussi la note complém. 21 : « La maternité de Marie et de l'Église » (t. 2, p. 342-343).
   — Le rapprochement entre la naissance virginale de Jésus et
l'enfantement du chrétien au baptême est fréquent dans les sermons
de S. Léon, par ex. *In nativ.* 5, 5 : « (Dominus Iesus) factus est
homo nostri generis, ut nos divinae naturae possimus esse consortes.
Originem quam sumpsit in utero Virginis, posuit in fonte baptismatis.
Dedit aquae quod dedit matri : virtus enim Altissimi et obumbratio
Spiritus sancti, quae fecit ut Maria pareret Salvatorem, eadem
facit ut regeneret unda credentem ». (*SC* 22 *bis*, p. 132). Voir encore
In nativ. 3, 5 ; 4, 3 ; 9, 1 (*ibid.*, p. 104, 114, 178). *De pass.* 12, 6 ;
15, 4 (*SC* 74, p. 82 et 18).

150 *absque* omni *peccato*, sic et nos *in remissionem* omnium
peccatorum. Sicut enim totius corporis omnia *peccata*
super lignum in corpore carnis *portavit*, sic spirituali
1832 C corpori, ut nullum ei peccatum imputetur, per regenerationis gratiam semel simulque donavit, sicut scriptum
155 est : *Beatus vir cui non imputavit Dominus peccatum.*
18. *Beatus* iste *vir* Christus procul dubio est, qui secundum
quod *caput Christi Deus* est, peccata remittit ; cui,
secundum quod caput corporis homo unus est, nihil
remittitur ; secundum vero quod capitis corpus plures,
160 nihil imputatur. Iustus in seipso, et iustificans seipsum
ipse. Solus Salvator, solus salvatus. Solus ascendens, solus
descendens. Qui dona cum Patre tribuit, quae in hominibus ipse accepit : *Accepisti*, inquit, *dona in hominibus.*
Qui in corpore suo super lignum pertulit quod de corpore
165 suo per aquam abstulit, iterum per lignum et aquam sal-
vans. *Agnus Dei qui tollit* quae *pertulit peccata mundi.*
1832 D Sacerdos et sacrificium et Deus, qui se sibi offerens, se
per se sibi sicut Patri et Spiritui sancto reconciliavit.
19. Prima ergo nativitas aeterna, ubi nascitur de Deo
170 Deus : qualis Pater, talis Filius. Secunda temporalis et

---

150 omni *om.* S ‖ 154 semel simulque *om.* m ‖ 158 unus *om.* S ‖ 159
plures *om.* S

---

a. Cf. Hébr. 4, 15 ‖ b. Cf. Act. 2, 38 ‖ c. I Pierre 2, 24. Cf. Is. 53, 4
‖ d. Ps. 31, 2 ‖ e. I Cor. 11, 3 ‖ f. Ps. 67, 19 ‖ g. I Pierre 2, 24 ‖ h.
Cf. I Pierre 3, 20-21 ‖ i. Jn 1, 29. Cf. I Pierre 2, 24 ‖ j. Cf. Hébr. 10,
12. II Cor. 5, 18-19

---

1. « Sacerdos et sacrificium et Deus. » *Serm.* 15, 1738 D - 1739 A ;
Serm. 36, 1812 B-C. La source est S. AUGUSTIN : « Verus ille mediator,
in quantum formam servi accipiens mediator effectus est Dei et
hominum, homo Christus Iesus, cum in forma Dei sacrificium cum
Patre sumat, cum quo et unus Deus est, tamen in forma servi
sacrificium maluit esse quam sumere... Per hoc et sacerdos est,

aucun péché[a], et nous, nous renaissons pour la rémission de tous les péchés[b]. Car tous les péchés du corps tout entier, « il les a portés sur le bois, en son corps[c] » de chair. Et ainsi, par la grâce de la régénération, il a accordé en une seule

C fois à son corps spirituel qu'aucun péché ne lui fût imputé, comme il est écrit : « Heureux l'homme à qui Dieu n'a pas imputé de péché[d]. » **18.** Cet « homme heureux » est sans nul doute le Christ : en tant que « la tête du Christ est Dieu[e] », il remet les péchés; en tant que la Tête du corps est un homme individuel, rien ne lui est remis; en tant que le corps de cette Tête est formé de plusieurs, rien ne lui est imputé. Juste en lui-même et se rendant juste lui-même. Seul Sauveur, seul sauvé. Seul à monter, seul à descendre. Il a accordé, avec le Père, des dons qu'il a accueillis lui-même dans les hommes : « Tu as accueilli, est-il dit, des dons dans les hommes[f]. » « Il a porté sur le bois en son corps[g] » ce que par l'eau il a enlevé de son corps, sauvant encore une fois par le bois et par l'eau[h]. « Agneau de Dieu qui enlève les péchés du monde », car il les a

D portés sur lui[i]. Prêtre et sacrifice et Dieu[1]. S'offrant lui-même à lui-même, il s'est par lui-même réconcilié avec lui-même, comme avec le Père et l'Esprit-Saint[j]. **19.** La première naissance est donc éternelle; il y naît Dieu de Dieu : tel est le Père, tel est le Fils. La seconde

---

ipse offerens, ipse et oblatio. Cuius rei sacramentum cotidianum esse voluit ecclesiae sacrificium, quae cum ipsius capiti corpus sit, se ipsam per ipsum discit offerre ». *De civ. Dei*, 10, 20 (41, 298 ; cf. 10, 6 et 22 : *ibid.* 284 et 300). « Ut quoniam quatuor considerantur in omni sacrificio : cui offeratur, a quo offeratur, quid offeratur, pro quibus offeratur ; idem ipse unus verusque Mediator, per sacrificium pacis reconcilians nos Deo, unum cum illo maneret cui offerebat, unum in se faceret pro quibus offerebat, unus ipse esset qui offerebat et quod offerebat. » *De Trin.*, 4, 14, 19 (42, 901). Cf. G. Rémy, *Le Christ médiateur dans l'œuvre de S. Augustin*, t. 1, Lille-Paris 1979, p. 476-486. L. Gaggero, « Isaac of Stella and the Theology of Redemption », dans *Collectanea Cist.*, t. 22 (1960), p. 21-36.

brevis, ubi nascitur de homine homo : qualis mater, talis filius. Tertia temporalis et longa, ubi *quod* nascitur *de Spiritu spiritus est*, sicut quod nascitur de Deo Deus est, et *quod* nascitur *de carne caro est*. **20.** Ista ergo Christi nativitas,
175 vel vita, vel mors, vel resurrectio, vel ascensio, inchoata quidem sed necdum completa est. Cum primo iusto inchoatur, et cum extremo consummatur ; per omne vero medium actitatur, sicut eleganter ait quis : *Sub Noe, sub*
1833 A *David, sub Christo sacra fuere.* Hinc et apostolus : *Omnes*
180 *sub Moyse baptizati sunt in nube et in mari, et eandem escam spiritualem manducaverunt, et eundem potum spiritualem* potaverunt.

21. Haec sunt ergo illa terrena, sed tamen spiritualia, quae terrenus ideo non credit quia carnaliter sapit — spiri-
185 tualiter quidem examinantur —, et ideo illi stultitia est ut *nasci* possit *homo cum sit senex*. Eleganter tamen in antiquis illis litteris, quarum ille magister fuit, qui nova non credidit, haec ipsa nativitas commendatur. **22.** Nam

---

172 temporalis : corporalis *S* ‖ 178-179 sicut eleganter — sacra fuere *om. S* ‖ 182 potaverunt : biberunt *m cum Vg* ‖ 185 quidem : autem *m* ‖ 186 tamen *om. m*

---

a. Cf. Jn 3, 6 ‖ b. I Cor. 10, 2-4 ‖ c. Jn 3, 4 ‖ d. Cf. Jn 3, 10

---

1. Sur les trois naissances du Christ, cf. *supra* 1828 B.

2. « Sub Noe, sub David, sub Christo sacra fuere. » 5ᵉ vers d'un poème en trois distiques d'Hildebert de Lavardin, « De tribus missis in natale Domini », dans *Carmina minora*, Leipzig 1969, p. 10 (*PL* 171, 1198 D). — Sur l'unité fondamentale qui relie tout le déroulement de l'économie du salut en Jésus-Christ, voir les témoignages de la tradition commentés par H. DE LUBAC, *Catholicisme*, 4ᵉ édition, p. 198-200.

3. Sur le mystère du Christ commençant au premier juste et se consommant au dernier, cf. S. AUGUSTIN : « Ex Abel iusto usque in finem saeculi quamdiu generant et generantur homines, quisque iustorum per hanc vitam transitum facit, quidquid nunc ... quidquid post nascentium futurum est, totum hoc unum corpus Christi,

est temporelle et brève; il y naît homme de l'homme :
telle est la mère, tel est le fils. La troisième est temporelle
et longue : là ce qui naît de l'Esprit est esprit, comme
ce qui naît de Dieu est Dieu et ce qui naît de la chair
est chair[a] [1]. **20.** Cette nativité du Christ, et aussi bien sa
vie, sa mort, sa résurrection ou son ascension, est com-
mencée, à la vérité, mais pas encore achevée. Elle commence
avec le premier juste, se consomme avec le dernier et se
déroule dans tout l'entre-deux, comme quelqu'un l'a dit
en une heureuse formule : « Sous Noé, sous David, sous

A le Christ, il y eut des mystères sacrés[2]. » D'où le mot de
l'Apôtre : « Tous ont été baptisés sous Moïse dans la nuée
et dans la mer, et ils ont mangé le même aliment spirituel,
et ils ont bu le même breuvage spirituel[b] [3]. »

21. Ce sont donc là ces réalités terrestres et cependant
spirituelles que l'homme terrestre ne croit pas, parce que
ses goûts sont charnels, tandis qu'elles demandent un
jugement spirituel; aussi est-ce pour lui une sottise qu'un
homme puisse « naître quand il est déjà vieux[c] ». Pourtant
les lettres anciennes, en lesquelles était passé maître
ce docteur qui refusa de croire aux réalités nouvelles[d],
attirent subtilement l'attention sur cette naissance-là[4].

singuli autem membra Christi ». *Serm.* 341, 9, 11 (39, 1499-1500) ;
voir aussi *De catech. rud.*, 19, 31 (40, 333) ; Origène, *In Ioan.*, 20, 12
(*PG* 14, 599) ; S. Paulin de Nole, *Epist.* 38 (61, 359) ; S. Grégoire
le Grand, *In Evang. hom.* 19, 1 (76, 1154 B-C) ; *In Ezech. hom.*, 2,
3, 16 (76, 966 C-D). Au xiie siècle, l'ouvrage essentiel sur cette
doctrine est le premier livre des *Dialogues* d'Anselme de Havelberg
(*SC* 118). Parmi les cisterciens, citons Aelred de Rievaulx,
Serm. 10 (195, 296 D - 270 A). — Cf. H. de Lubac, *Médit. sur
l'Église*, p. 47-50 ; Y. Congar, « Ecclesia ab Abel », dans *Abhand-
lungen über Theol. u. Kirche* (Festschrift für K. Adam), Düsseldorf
1952, p. 78-108 ; *L'Ecclésiologie du haut Moyen Âge*, Paris 1968,
p. 66, 68-69, 329.

4. S. Augustin avait interprété allégoriquement la naissance
de Jacob et indiqué le symbolisme des livres de la Loi, *De catech.
rud.*, 3, 6 (40, 313-314) ; 19, 33 (40, 335) ; *In Ps. 61*, 4 (36, 731-732).
Il distinguait trois grandes étapes dans l'économie du salut, ce

sicut asseverant qui talium curiosi sunt, tres sunt natura-
190 liter et ad vitam nascentium differentes modi : id est
aut praeeuntibus pedibus, iunctis ad latera brachiis; aut
praeeunte capite, brachiis similiter dispositis; aut certe
1833 B brachiis super praecedens ipsum caput cancellatis. Sanctus
vero Iacob, ut eius singulari nativitate supra naturam
195 auctor naturae aliquid significaret, extenso prae capite
brachio prioris *plantam manu* complectens egreditur.
23. Quid igitur hoc in loco Iacob nisi Christum significat,
nequaquam secundum propriam singulariter personam,
sed secundum hoc quod unus et totus Christus est caput et
200 corpus ? Quid brachium ante caput exortum, nisi priorem
electorum populum, ante Salvatoris temporalem nativitatem ipsius gratia praeventum, quinque mundi aetatibus
tamquam manus digitis prius saeculum complectentem,
aut etiam quinque libris Legis carnalem populum constrin-
205 gentem ? Reliquum autem corpus plenitudine gentium
1833 C cum paucis ex Israel credentibus per utrumque latus
compaginatur. **24.** Caput vero medium nascitur. Cui tamen

---

191 praeeuntium *m* ‖ 193 ipsum *om. S* ‖ 205 plenitudinem *m*

---

a. Cf. Gen. 25, 25 ‖ b. Cf. Rom. 11, 25

---

qui donnait, avec le terme de cette histoire, quatre âges : « Ante
legem, sub lege, sub gratia et in pace ». *De divers. quaest.*, 83, q. 61, 7
(40, 52) ; q. 66, 3 (*id.* 62-63) ; *Enchir.*, 118-119 (40, 287-288) ; *In
Gal.*, 46 (35, 2138-2139). — Origène avait remarqué, à propos
de la création : « Habet enim propinquitatem quandam cum hoc
mundo senarius numerus ; in sex enim diebus factus est iste visibilis
mundus ». *In Levit. hom.* 13, 5 (*SC* 287, p. 216-218). S. Augustin,
après quelques hésitations, distingue également dans l'histoire du
monde, six âges, figurés par les six jours de la création. Cinq âges
précèdent et préparent la venue du Sauveur ; nous vivons dans le
sixième âge, lequel doit amener le repos éternel du septième âge, du
septième jour, *Serm.* 259, 2 (38, 1197-1198) ; *De civ. Dei*, 22, 30, 5
(41, 804) ; *Contra Faust.*, 12, 8 (42, 257) ; *De Trin.*, 4, 7, passage

22. En effet, au dire des experts en la matière, il y a
normalement trois façons de naître à la vie : ou bien les
pieds les premiers, les bras appliqués le long des flancs;
B   ou bien la tête la première, les bras ayant la même position;
ou alors la tête d'abord, avec les bras croisés sur elle.
Or dans le cas de Jacob, comme l'auteur de la nature
voulait donner en la naissance singulière de ce saint un
signe qui dépassât la nature, l'enfant tend un bras en avant
de la tête et sort en tenant d'une main son aîné par la
plante du pied[a]. **23.** En ce passage, que signifie Jacob,
sinon le Christ, pas du tout selon ce qu'il a d'unique en
sa propre personne, mais selon que le Christ un et
total est la Tête avec son corps? Qu'est-ce que ce bras
sorti avant la tête, sinon le premier peuple des élus?
Avant la naissance temporelle du Sauveur, il a été prévenu
par sa grâce; par les cinq âges du monde, comme avec
les doigts de la main, il tient le temps qui a précédé;
ou encore, par les cinq Livres de la Loi il enserre le peuple
charnel. Quant au reste du corps, il est constitué par la
C   totalité des païens[b], ayant des deux côtés le peu de
croyants venus d'Israël. **24.** La tête, il est vrai, lorsqu'elle
naît, est située au milieu. Mais une fois qu'elle est née,

où il concilie les quatre et les six âges (42, 892). — Ces idées augustiniennes se retrouvent entre autres chez Cassiodore, S. Isidore, Bède
le Vénérable, et, parmi les auteurs du XIIe siècle, chez RUPERT DE
DEUTZ, *De Trin. In Gen.*, 3, 36 (167, 324) ; HUGUES DE SAINT-VICTOR,
De Sacram., 1, 11, 1 (176, 343) ; RICHARD DE SAINT-VICTOR, *Lib.
except.*, 1, 4, 1 (J. Châtillon, p. 129). Sur cette question, cf. H. DE
LUBAC, *Exég. méd.*, 2e partie, 1, p. 342 et 518-519 ; *Catholicisme*,
4e éd., p. 117-124. A. LUNEAU, *L'histoire du salut chez les Pères de
l'Église. La doctrine des âges du monde*, Paris 1964. Voir aussi la
Note complém. 41 dans le t. 71 de la *Biblioth. August.*, Paris 1969,
p. 901-903. — De longs passages de ce sermon d'Isaac — en ce qui
concerne les trois naissances du Christ, les trois façons de naître
pour l'être humain et le symbolisme des cinq âges du monde et des
cinq livres de Moïse — ont été repris à peu près littéralement par
HÉLINAND DE FROIDMOND dans son *Serm. 5 in Epiph.* (212, 522-523).

iam nato quod ante egressum fuerat brachium suo cum
reliquis membris subordinatur loco, ut *ipse* agnoscatur
210 totius *Ecclesiae caput*, cui *data est omnis potestas in caelo
et in terra*, cui etiam *omne genu flectitur*, habenti *nomen
quod est super omne nomen. Non enim est aliud nomen
datum hominibus sub caelo, in quo oporteat nos salvari.*
Cuius diem sicut Abraham ita et caeteri priores sancti
215 exsultaverunt ut viderent ; viderunt et gavisi sunt.
Quem et nos, dilectissimi, in suae claritatis regno obtingat
videre cum Patre et Spiritu sancto. Amen.

SERMO QUADRAGESIMUSTERTIUS

In die Pentecostes I

1833 D **1.** Spiritus sanctus hodie, dilectissimi, datur de caelis,
qui idem ab eodem et eisdem datus est olim in terris. Et
ideo quaerendum videtur quare hoc ille fecit a quo sine
rationabili causa nihil fieri potuit. Verumtamen is qui
5 simul ac semel plenitudinem illius de quo conceptus est
Spiritus sancti accepit, quibus et quando et quantum
voluit distribuit. Qui *non ad mensuram* accepit, non nisi
ad mensuram distribuit. Unde apostolus : *Unicuique
nostrum data est gratia secundum mensuram donationis*

213 datum hominibus *om. S* ‖ nos oporteat *m*
Tit. Sermo de Spiritu sancto *M* In die sancto Penthecostes. Sermo
abbatis Ysaac *S* ‖ 1 dilect. hodie *m* ‖ 2 iisdem *m* ‖ 5 ac : et *m* ‖ 7-8
qui non — distribuit *om. m per hom.* ‖ accepit — mensuram *om. M
per hom.*

---

a. Col. 1, 18 ; Éphés. 5, 23 ‖ b. Matth. 28, 18 ‖ c. Phil. 2, 10 ‖ d.
Phil. 2, 9 ‖ e. Act. 4, 12 ‖ f. Cf. Jn 8, 56
a. Cf. Lc 24, 49 ‖ b. Cf. Jn 20, 22-23 ‖ c. Cf. Jn 1, 16 ‖ d. Cf. I Cor.
12, 91 ‖ e. Cf. Jn 3, 34

le bras qui était sorti avant elle prend sa place au-dessous d'elle comme les autres membres. C'est afin que celui-là soit reconnu « Tête de toute l'Église[a] », à qui « tout pouvoir a été donné au ciel et sur la terre[b] », devant qui également « tout genou fléchit[c] », et qui possède « le Nom qui est au-dessus de tout nom[d] ». « Car il n'y a pas sous le ciel d'autre nom donné aux hommes par lequel nous devions être sauvés[e]. » Comme Abraham, tous les autres saints des temps antérieurs ont désiré avec enthousiasme de voir son jour : ils l'ont vu et se sont réjouis[f]. Qu'il arrive à nous aussi, mes bien-aimés, de le voir au royaume de sa gloire, avec le Père et l'Esprit-Saint. Amen.

SERMON 43

Premier sermon pour le jour de la Pentecôte

Le même Esprit-Saint, donné auparavant pour la puissance, est donné le jour de la Pentecôte aux apôtres pour la vertu ; il est donné finalement pour la paix et la gloire. La puissance est digne d'admiration, mais la vertu est plus utile. La vertu que la charité enflamme et que la vérité illumine est prudente, sobre, patiente et juste.

D   **1.** L'Esprit-Saint, mes bien-aimés, est donné aujourd'hui du ciel[a], lui qui autrefois fut donné sur terre[b] : même est le don, même celui qui donne, mêmes ceux qui reçoivent. Par le fait, une question se pose : pourquoi celui qui n'a pu agir en rien sans un motif raisonnable a-t-il agi ainsi? En réalité, celui qui a reçu ensemble et en une fois la plénitude[c] de cet Esprit-Saint dont il a été conçu, l'a distribué à qui et quand et autant qu'il l'a voulu[d]. Lui qui ne l'a pas reçu avec mesure ne le distribue qu'avec mesure[e]. De là cette parole de l'Apôtre : « A chacun de nous la grâce a été donnée selon que le Christ a mesuré

10 *Christi.* **2.** Qui ergo, ut sic dictum sit, mensuravit, nec in
persona nec in tempore nec in quantitate erravit, nec in
plenitudine aut potestatis aut virtutis aut gloriae sibi
1834 A quemquam coaequavit. *Quis, inquit, in nubibus aequabitur
Domino?* Aut quis *similis erit*, secundum aequalitatem, *Deo
15 in filiis Dei?* Quis adoptatus *aequabitur* naturali ? Quis
multorum unico ? Quis posteriorum primogenito ? Quis
renatorum de gratia, nato de substantia ? Quis de pro-
fundissimis tenebris erutorum, nato in luce inaccessibili ?
3. Non enim sicut alii de tenebris nascendo vocatus est
20 ad lucem ; sed de luce lux natus, sponte nascendo venit
ad tenebras, sicut scriptum est : *Lux luxit in tenebris,
tenebrae vero eam non comprehenderunt.* Nam qui comprehenderunt, illuminati sunt et tenebrae non remanserunt.
Fuerunt *enim aliquando tenebrae, nunc autem lux in
25 Domino. Tenebrae* autem *erant super omnem faciem abyssi,*
1834 B *et Spiritus Domini ferebatur super aquas,* et non mergebatur

---

13 quamquam *M* ‖ 14 quis *om. Mm cum Vg* ‖ 16 posterorum *M* ‖ 19
nonne *M* ‖ 22 tenebrae vero : tenebr. enim *M* et tenebr. *S cum
Vg* ‖ eam *om. M* ‖ Nam qui comprehenderunt *om. M per hom* ‖ 23
sunt : sibi *M* ‖ 24 autem *om. S* ‖ 25 omnem *om. M*

---

a. Éphés. 4, 7 ‖ b. Ps. 88, 7 ‖ c. Cf. I Tim. 6, 16 ‖ d. Cf. I Pierre
2, 9 ‖ e. Jn 1, 5 ‖ f. Éphés. 5, 8 ‖ g. Gen. 1, 2

---

1. Cf. *De anima,* 1877 D ; *Serm.* 34, 1805 C.
2. « Secundum aequalitatem. » L'égalité est la caractéristique
propre du mode de « ressemblance » du Verbe, en tant qu'« image »
du Père, parce que l'unique engendré par lui. Tout autre est la
« ressemblance » avec Dieu de ceux qui, créés « à l'image » ou « selon
l'image » (cf. *Serm.* 55, 9, *infra* p. 268 s.) sont appelés — dans un
dynamisme de filiation adoptive gratuite — à devenir un seul esprit
avec lui, par le Christ, dans l'Esprit (cf. *Serm.* 42, 1831 D - 1832 A ;
De offic. missae, 1892 C) ; mieux encore, à ne faire plus qu'un avec
l'Un (cf. *Serm.* 5, 1707 C-D ; *Serm.* 9, 1721 A). — S. AUGUSTIN, dans
le *De divers. quaest.,* 74 (40, 85-86), avait clairement distingué les
notions d'image, d'égalité et de ressemblance, et il en avait analysé
les implications mutuelles. Voir aussi la célèbre sentence du *De doctr.*

ses dons[a] [1]. » **2.** Celui qui, pour ainsi parler, a mesuré,
ne s'est trompé ni sur la personne, ni sur le moment, ni
sur la quantité, et il n'a mis personne à égalité avec lui
en la plénitude de la puissance, de la vertu ou de la gloire.
A « Qui, en les nues, est-il dit, s'égalera au Seigneur ? Ou qui,
parmi les fils de Dieu, sera semblable à Dieu[b] », selon
l'égalité[2] ? Lequel des fils d'adoption s'égalera au Fils
par nature ? Lequel de la multitude, à l'Unique ? Lequel
des puînés, au Premier-né ? Lequel des régénérés par la
grâce, à celui qui est né de la substance ? Lequel des
rescapés des plus profondes ténèbres, à celui qui est né
dans l'inaccessible lumière[c] ? **3.** A la différence des autres,
par sa naissance, il n'a pas été appelé des ténèbres à la
lumière[d]. Mais né lumière de lumière, par sa naissance,
il est venu spontanément jusqu'aux ténèbres, comme
il est écrit : « La Lumière a lui dans les ténèbres et les
ténèbres ne l'ont pas saisie[e]. » Ceux en effet qui l'ont saisie
ont été illuminés et ne sont pas demeurés ténèbres. « Jadis
ils ont été ténèbres ; maintenant, ils sont devenus, dans
B le Seigneur, lumière[f]. » Or « les ténèbres étaient au-dessus
de toute la surface de l'abîme et l'Esprit de Dieu était
porté au-dessus des eaux[g] », et il n'était pas englouti

---

christ., 1, 55 (34, 21) : « In Pater unitas, in Filio aequalitas, in Spiritu
Sancto unitatis aequalitatisque concordia ». Sentence commentée au
XIIe s. par les Chartrains Thierry et Clarembaud, par les Victorins
Achard et Richard, par Pierre Lombard et Gaudulphe de Bologne.
Voir J. CHÂTILLON, « Unitas, aequalitas, concordia vel connexio.
Recherches sur les origines de la théorie thomiste des appropriations »,
dans *St Thomas Aquinas, 1274-1974. Commemorative Studies,*
Toronto 1974, p. 337-379. — Dans sa rédaction d'ensemble, ce passage
du sermon d'Isaac est proche d'AUGUSTIN, *In Ps. 88,* 7 : « Quis in
nubibus aequabitur Domino ? Et quis similis erit Domino in filiis Dei ?
Ergo nemo in filiis Dei similis erit Filio Dei. Et ipse dictus est Filius
Dei, et nos dicti sumus filii Dei ; sed quis similis erit Domino in filiis
Dei ? Ille unicus, nos multi. Ille unus, nos in illo unum. Ille natus, nos
adoptati. Ille ab aeterno Filius genitus per naturam, nos a tempore
facti per gratiam. Ille sine ullo peccato, nos per illum liberati a peccato ». (37, 1124).

in aquis neque suffocabatur ab aquis, sed continebat
aquas et fovebat et fecundabat eas. **4.** Similiter autem
super omnium hominum corda *tenebrae erant* ignoran-
30 tiae rerum bonarum, et torpore difficultatis rerum agen-
darum premebantur, mobili fluxu vagae concupiscentiae
fluctuantia, quousque a Christo per Spiritum illumi-
narentur ad scientiam, sicut ait ipse : *Inducet vos in
omnem veritatem;* inflammarentur et fecundarentur ad
35 virtutem, unde est : *Sedete in civitate, donec induamini
virtute ex alto;* solverentur et liquefacta fluerent tamquam
aquae vivae salientes in vitam aeternam, sicut scriptum est :
1834 C *Emittet Verbum suum et liquefaciet ea, flabit Spiritus
eius et fluent aquae.*
40   **5.** Datus est itaque Spiritus idem de altiori ad altiora,
de caelo ad virtutem, qui antea datus est in inferiori
ad inferiora, dandus quandoque ex *altissimis* ad altissima.
Datus ad potestatem in terra, ubi adhuc regnant *principatus et potestates,* datur hodie ad virtutem de caelo,

27 neque suffocabatur sed continebat ab aquis aquas [aquam
M] *Mm* ‖ 29 super *om. S* ‖ 30 bonarum : vanarum *S* ‖ 32 a : ad *M* ‖
34 inflammarentur : instaurarentur *S* ‖ 35 sedere *M* ‖ 36 virtutem *M*
‖ liquefacta fluerent *scripsi* : lique facte fluerent *S* liquefluerent *Mm* ‖
37 salientis *M cum Vg* ‖ 40 ad altiora *om. m* ‖ 41 ante ea *M* ‖ inferiora *Mm* ‖ 42 ad inferiora *om. m* ‖ altissimo *S* -simǫ *M* ‖ 43 potest. in
ter. : patrem intra *M*

a. Jn 16, 13 ‖ b. Lc 24, 49 ‖ c. Jn 4, 14 ; 7, 38 ‖ d. Ps. 147, 18 ‖ e.
Cf. Sag. 9, 17

1. Cf. S. Augustin : « Dieu n'agit pas, comme l'homme ou l'ange,
par mouvements spirituels ou corporels qui se déploient dans le
temps ; il agit par les raisons éternelles, immuables et stables de
son Verbe qui lui est coéternel et, si j'ose dire, par une sorte d'incuba-
tion *(fotu)* de son Saint-Esprit qui lui est également coéternel. Car
si le grec et le latin disent que le Saint-Esprit ' était porté au-dessus
des eaux ', la langue syriaque, plus voisine de l'hébreu, emploie

dans les eaux ni suffoqué par elles; mais il couvait les eaux, les réchauffait en les couvant et les fécondait[1].

4. Semblablement, les ténèbres de l'ignorance du bien étaient au-dessus des cœurs de tous les hommes : ils étaient accablés de torpeur dans les difficultés de l'action et ils flottaient, emportés par les vagues des convoitises capricieuses[2], avant que, par l'Esprit, le Christ ne les ait illuminés, pour leur donner la science, comme il le dit lui-même : « Il vous introduira dans la vérité tout entière[a] »; qu'il ne les ai enflammés et fécondés pour leur donner la force, selon la parole : « Demeurez dans la ville jusqu'à ce que vous soyez revêtus de la vertu d'en haut[b] »; qu'il ne les ait fait fondre, et qu'une fois liquéfiés ces cœurs n'aient coulé comme des « eaux vives jaillisant C   en vie éternelle[c] [3] », selon qu'il est écrit : « Il enverra son Verbe et il les fera fondre; son Esprit soufflera et les eaux couleront[d]. »

5. L'Esprit a donc été donné de plus haut à des fins plus hautes : du ciel, pour la vertu; ce même Esprit qui auparavant fut donné plus bas à des fins plus basses, et doit être donné un jour du plus haut[e] aux fins les plus hautes. Donné jadis sur terre pour la puissance, là où règnent encore « les principautés et les puissances », il est donné aujourd'hui du ciel pour la vertu, car ce n'est plus « contre

une expression qui... signifie non pas ' était porté au-dessus ', mais ' réchauffait en couvant ' *(fovebat)*, ... comme les oiseaux couvent leurs œufs. La chaleur du corps maternel contribue en quelque manière à la formation des poussins, en vertu d'un instinct qui, à sa façon, est un sentiment d'amour ». *De Gen. ad litt.*, 1, 18, 36 (*Biblioth. august.*, t. 48, p. 131-133 ; voir la *Note complém.* 6, *ibid.*, p. 590-593). Cf. dans le même sens, S. BASILE, *Hexaem.*, 2, 6 (*SC* 26, p. 169) ; S. AMBROISE, *Hexaem.*, 1, 8, 29 (14, 139) ; S. JÉRÔME, *Hebr. quaest. in libro Gen.*, 1, 2 (23, 939).

2. Cf. S. AUGUSTIN, *Confessions*, 13, 7, 8-8, 9 (32, 847-848).

3. Sur ce thème, voir les témoignages patristiques rassemblés par H. RAHNER, « ' Flumina de ventre Christi '. Die patristische Auslegung von Ioh. 7, 37-38 », dans *Biblica*, 22 (1941), p. 269-302, 367-403.

45 quia non restat colluctandum *adversus carnem et sanguinem, sed adversus principatus et potestates, adversus rec-
tores tenebrarum harum, adversus spiritualia nequitiae in
caelestibus;* dandus demum post resurrectionem corporum, *cum tradiderit* Filius *regnum Deo et Patri,* cum
50 evacuabitur omnis principatus et potestas eritque *Deus
omnia in omnibus,* ad gloriam et pacem et iucunditatem
1834 D et laetitiam et securitatem, sicut scriptum est : *Auferes
spiritum eorum et deficient, et in pulverem suum revertentur.
Emittes Spiritum tuum et creabuntur, et renovabis faciem
55 terrae. Sit gloria Domini in saeculum; laetabitur Dominus
in operibus suis.*

6. Hoc est donum spiritus principalis ad confirmationem
post omnem infirmitatem, quem postulans propheta ait :
Spiritu principali confirma me, qui iam acceperat *spiritum*
60 *sanctum* ad iustificationem *et spiritum rectum* ad con-
versionem. Spiritu etenim recto dirigimur ad Deum,
spiritu sancto adhaeremus illi, *spiritu principali* non
discedimus ab illo. Spiritu recto corrigimur a malo, spiritu
sancto corroboramur ad bonum, *spiritu principali* confir-
65 mamur in illo. Spiritu recto *declinamus a malo,* spiritu
1835 A sancto facimus *bonum,* spiritu principali inhabitamus *in
saeculum saeculi.* In terra igitur datur ad potestatem, de
caelo ad virtutem, de praesentia Patris ad confirmationem.

7. De potestate dicitur, quia *insufflavit* in eis, dicens :
70 *Accipite Spiritum sanctum; quorum remiseritis peccata,
remissa sunt eis, et quorum retinueritis, retenta sunt eis.* Et

49 tradidit *M* ‖ 53 revertuntur *M* ‖ 54 Emittes *scripsi* : emitte
MSm ‖ 54-55 et creab. et rer. fac. terrae : et cetera *M* ‖ 56 oper.
suis : sanctis *M* ‖ 57 est *om* . *S* ‖ 58 quam *M* ‖ 59 iam *om. MS* ‖ accepit
M ‖ 60 *ante* iustificationem *praem.* confirmationem et *M* ‖ 61 enim
m ‖ 71 remissa sunt eis : remittuntur *M cum Vg* ‖ eis² *om. m*

a. Éphés. 6, 12 ‖ b. I Cor. 15, 24, 28 ‖ c. Ps. 103, 29-31 ‖ d. Ps. 50,
14 ‖ e. Ps. 50, 12-13 ‖ f. Cf. Ps. 36, 27 ‖ g. Jn 20, 22-23

des adversaires de chair et de sang » qu'il faut lutter,
« mais contre les principautés et les puissances, contre
les régisseurs de ce monde de ténèbres, contre les esprits
du mal qui habitent dans les espaces célestes[a] ». Après
la résurrection des corps, « lorsque le Fils aura remis la
royauté à Dieu le Père », lorsque seront anéanties toute
principauté et puissance, et que « Dieu sera tout en tous[b] »,
ce même Esprit doit être finalement donné pour la gloire,
D la paix, le bonheur, la joie et la sécurité, comme il est
est écrit : « Tu retireras leur esprit et ils expireront, et
à leur poussière ils retourneront. Tu enverras ton Esprit
et ils seront créés, et tu renouvelleras la face de la terre.
A jamais soit la gloire du Seigneur ! Le Seigneur se réjouira
en ses œuvres[c]. »

6. C'est là le don de « l'esprit principal » pour l'affermissement, une fois passée toute faiblesse, celui que demandait
le Prophète en disant : « Par ton esprit principal confirme-
moi[d]. » Et il avait déjà reçu « l'esprit saint » pour la justification et « l'esprit droit » pour la conversion[e]. « L'esprit
droit » en effet nous dirige vers Dieu, « l'esprit saint »
nous fait adhérer à lui, « l'esprit principal » nous empêche
de nous éloigner de lui. « L'esprit droit » nous corrige du
mal, « l'esprit saint » nous corrobore pour le bien, « l'esprit
principal » nous y confirme. « L'esprit droit » nous détourne
du mal, « l'esprit saint » nous fait accomplir le bien,
A « l'esprit principal » nous donnera une habitation pour
toujours[f] [1]. L'Esprit est donc donné sur terre pour la
puissance, il est donné du ciel pour la vertu, il est donné
auprès du Père pour l'affermissement.

7. Au sujet de la puissance, il est écrit qu'il répandit
sur eux son souffle et il leur dit : « Recevez l'Esprit-Saint.
Ceux à qui vous remettrez les péchés, ils leur seront remis ;
ceux à qui vous les retiendrez, ils leur seront retenus[g] ».

---

1. Sur l'esprit droit, l'esprit saint et l'esprit principal, voir le
passage parallèle du *De offic. missae* (1892 A-B), ainsi que *Serm.* 1,
1692 D.

alibi : *Dedit eis potestatem super omnia daemonia, et ut languores curarent.* Est ergo potestas in tribus, id est in eiciendis daemonibus, in curandis languoribus, in dimit-
75 tendis peccatis ; quarto quoque in conferendis gratiis. Quae omnia cum magna sint et divinae potestatis opera, sicut scriptum est : *Opera quae ego facio facietis, et maiora horum facietis,* tamen quodam modo exterius sunt et
1835 B extrinsecus operantur, et communia esse possunt filiis et non
80 filiis, fictis et veris. Talia etiam Iudas cum aliis apostolis creditur egisse. Et in iudicio plurimi dicent : *Domine, nonne in nomine tuo prophetavimus, et in nomine tuo signa fecimus?* Qui tamen audituri sunt verbum asperum : *Discedite a me, nescio vos.*

85   **8.** *Benedictus* autem *Deus, qui dedit potestatem talem hominibus.* Sed virtute opus erat, ut qui *potens* est in aliis, *fortis* sit in seipso. Quae utilitas, quamvis magna potestas, per exorcismi gratiam ab aliis daemonem eicere, et per superbiam aut invidiam aut iram aut tristitiam
90 sive accidiam aut avaritiam aut ingluviem aut luxu-riam in se inhabitantem daemonem habere, aut etiam
1835 C pluribus per plurima vitia plenum esse ? Quid prodest aliis posse peccata dimittere, et ipsum non posse peccato

---

73-74 in eicien. : iniciend. *M* ‖ 76 sint *om. M* ‖ 79 extrinsecus : intrinsecus *M* exterius *m* ‖ possunt esse *M* ‖ 80 etiam : enim et *m* ‖ 85 autem *om. S* ‖ Deus *om. M* ‖ 90 acediam *m* ‖ 91 habitantem *m*

---

a. Lc 9, 1 ‖ b. Jn 14, 12 ‖ c. Matth. 7, 22-23. Cf. Lc 13, 27 ‖ d. Matth. 9, 8 ; Éphés. 1, 3 ‖ e. Cf. Ps. 23, 8

---

1. « Tristesse ou acédie. » Dans la langue des écrivains spirituels, l'« acedia » est surtout l'ennui, le découragement, le dégoût des occupations monastiques. — Voir en particulier, CASSIEN qui en donne une description étendue, *De instit, coenob.,* 10, 1-4 (*SC* 109, p. 384-390). L'« acedia » est la mère d'un certain nombre de vices : « otiositas », « somnolentia », « importunitas », etc. Cf. CASSIEN, *Collat.* 5, 16 (*SC* 42, p. 209). — La tradition orientale distinguait l'acédie de la tristesse, v.g. ÉVAGRE LE PONTIQUE, *De octo vitiosis*

Et ailleurs : « Il leur donna puissance sur tous les démons,
et pour guérir les maladies[a]. » Il y a donc une triple puissance : de chasser les démons, de guérir les maladies,
de remettre les péchés ; et encore, en quatrième lieu, de
conférer les grâces. Tout cela est grand, c'est une œuvre
de la puissance divine, comme le dit l'Écriture : « Vous
accomplirez les mêmes œuvres que moi, et vous en
accomplirez de plus grandes encore[b]. » Cependant, tout cela
B est en quelque sorte assez extérieur et opéré du dehors,
et peut être commun aux fils et à ceux qui ne sont pas
fils, à ceux qui le sont en apparence et à ceux qui le sont
en vérité. De telles œuvres, même Judas, croit-on, en a
accomplis avec les autres apôtres. Et au jugement beaucoup diront : « Seigneur, n'est-ce pas en ton nom que nous
avons prophétisé, et en ton nom que nous avons fait
des miracles ? » Pourtant ils entendront la sévère parole :
« Écartez-vous de moi, je ne vous connais pas[c]. »

8. « Béni soit Dieu qui a donné une telle puissance aux
hommes[d] ! » Mais il fallait la vertu, pour que celui qui est
puissant sur les autres soit fort sur soi-même[e]. Si grande
que soit cette puissance, quelle utilité à chasser des autres
le démon, par la grâce de l'exorcisme, quand par l'orgueil,
l'envie, la colère, la tristesse ou acédie[1], l'avarice, la
gloutonnerie, la luxure, on a un démon habitant en soi,
C voire quand on est rempli de multiples démons par des
vices multiples ? A quoi bon le pouvoir de remettre aux

cogit., 1. Et CASSIEN introduit cette distinction en Occident, De
instit. coenob., 5, 1 (SC 109, p. 190). Mais S. GRÉGOIRE LE GRAND
parle seulement de la tristesse, dont il dénombre la progéniture :
« malitia », « rancor », « pusillanimitas », etc., Moral., 31, 87 (76, 821).
Dès lors, beaucoup d'auteurs ne distinguent pas entre tristesse
et acédie, mais préfèrent donner au vice le nom d'acédie. C'est la
position de S. THOMAS, S. Th., 2, 2, q. 35, a. 4, ad 3. Cf. DSp, t. 1,
« Acedia » (G. BARDY), col. 166-169. Voir aussi S. WENZEL, « Acedia 700-1200 », dans Traditio, 22 (1966), p. 73-102 (en particulier,
p. 86-92 sur les auteurs cisterciens) ; The Sin of Sloth: « Acedia »
in Medieval Thought and Litterature, Chapel Hill, 1967.

resistere aut de peccato exire ? **9.** *Infirmatur*, ait apos-
95 tolus, *quis vestrum? Inducat super se presbyteros Ecclesiae
et orabunt pro infirmo*, cum sint fortassis ipsi infirmiores
aut infirmitate digniores. *Et relevabitur ab infirmitate*,
maxime ab illa quam peccatum induxit, sicut de indigne
communicantibus apostolus ait : *Propterea in vobis multi
100 imbecilles et dormiunt multi. Et si in peccatis fuerit, dimit-
tentur ei*, et ab his saepissime qui peccatis onusti incedunt
et sibi dimittere non possunt. *Servus peccati* dimittit
peccatum : quam gloriosus in potestate tam ignominiosus
1835 D in infirmitate. **10.** *Medice*, inquit, *cura teipsum. Qui
105 praedicas non furandum*, quare *furaris?* Qui alios doces,
doce teipsum. Sed ut hoc possit qui *potens* est, et *fortis*
sit in seipso qui *potens* est in aliis, opus est ope de caelo,
et superindui *virtute ex alto* qui potestatem accepit
in imo, sicut scriptum est : *Dominus fortis et potens*,
110 *Dominus potens in praelio.* Gloriose *potens* ad imperan-
dum daemoniis, sed utiliter *fortis* ad resistendum vitiis.
11. Petrus ex potestate potenter miracula fecit, sed ex
infirmitate ad ancillulae vocem enerviter negavit. Hanc
potestatem in Salvatore mirati, Iudaei dicunt : *Dic
115 nobis in qua potestate haec facis.* Hanc potestatem in
apostolis videns et ambiens, Simon ille magus audire
meruit : *Pecunia tua tecum sit in perditionem.* Non enim vir-
1836 A tutem qua fortis esset contra malitiam in corde, sed
potestatem aemulatus est qua gloriosus appareret in opere.

97 aut : ac *S* ‖ revelabitur *m* ‖ 100 fuerit : sit *m cum Vg.* ‖ 102 et :
ac *m* ‖ Servus : ius *M* ‖ 107 est[1] *om. S* ‖ 108 et : ac *m* ‖ 109 imo : uno *m* ‖
112 potenter *om. m* ‖ 113 ancillae *M* ‖ 115 *post* facis *add* et quis
dedit tibi, etc. *M* ‖ 116 et ambiens *om. m*

a. Jac. 5, 14-15 ‖ b. I Cor. 11, 30 ‖ c. Jac 5., 15 ‖ d. Jn 8, 34 ‖
e. Lc 4, 23 ‖ f. Rom. 2, 21 ‖ g. Lc 24, 49 ‖ h. Ps. 23, 8 ‖ i. Lc 20, 2 ‖
j. Act. 8, 20

autres les péchés, quand on ne peut soi-même résister au
péché ou sortir du péché ? **9.** « Quelqu'un parmi vous,
dit l'apôtre, est-il malade ? Qu'il fasse venir auprès de lui
les presbytres de l'Église, et ils prieront pour le malade »,
alors qu'ils sont peut-être eux-mêmes plus malades ou
méritent plus de l'être. « Et il se relèvera de la maladie[a] »,
surtout de celle qu'a provoquée le péché, comme le dit
l'Apôtre à propos de ceux qui communient indignement :
« Voilà pourquoi il y a parmi vous beaucoup d'infirmes,
et que beaucoup sont morts[b]. » « Et s'il a commis des
péchés, ils lui seront remis[c] », et très souvent par ceux
qui s'avancent chargés de péchés et ne peuvent se les
remettre à eux-mêmes. « L'esclave du péché[d] » remet le
péché : glorieux par sa puissance, il est tout autant ignomi-
D nieux par sa maladie. **10.** « Médecin, est-il dit, guéris-toi
toi-même[e]. » « Toi qui prêches de ne pas dérober, pourquoi
dérobes-tu[f] ? » Toi qui fais la leçon à autrui, fais-la donc
à toi-même ! Mais pour que le puissant puisse cela, pour
que celui qui est puissant sur les autres soit fort sur soi-
même, il faut le secours du ciel, et celui qui a reçu la
puissance ici-bas doit être revêtu « de la force d'en haut[g] »,
selon la parole : « Le Seigneur est fort et puissant, le
Seigneur puissant dans le combat[h]. » Qu'il trouve la gloire
en sa puissance de commander aux démons, mais l'utilité
dans sa force pour résister aux vices. **11.** Pierre en sa
puissance a fait de puissants miracles, mais en sa faiblesse,
à la voix d'une chétive servante, il a lâchement renié.
C'est cette puissance que les juifs admiraient chez le
Sauveur quand ils dirent : « Dis-nous par quelle puissance
tu fais cela[i]. » C'est cette puissance, qu'il voyait dans
les apôtres et qu'il sollicitait, qui attira à Simon le
magicien cette réponse : « Périsse ton argent, et toi avec
A lui[j]. » Il n'aspirait pas à la vertu qui l'eût rendu fort
contre la malice en son cœur, mais à la puissance qui le
ferait apparaître glorieux en ses œuvres.

120 **12.** Nonnulli hodie, dilectissimi, ut plurimorum pace loquamur, contra apostoli consilium dicentis : *Aemulamini charismata meliora*, praeferentis nimirum ea quae virtutis sunt potestati, aemulantur magis minora et minus maiora, vel de accepta potestate *in immensum* 125 *gloriantes* et non acceptam perverse ambientes, potestatis avidi, virtutis securi ; quaerentes amplius esse sublimes quam humiles, praeesse quam prodesse, posse quam esse. Ad hanc etenim potestatem pertinere dignoscuntur quae a sacerdotibus vel praesulibus aut praelatis fiunt 130 benedictiones, consecrationes, ordinationes, exorcizationes et manuum impositiones, praelationes, praedicationes, 1836 B baptizationes, absolutiones, excommunicationes quoque, et maxime maxima potestas eucharistiae confectionis. **13.** In his ergo omnibus summopere tria attendenda 135 putamus : ad quid, quales, quare accedant, ne aut humanum videlicet putetur quod divinum est, aut praesumant superbi, avari, immundi quod humilium et sanctorum est, aut, ut brevi absolvatur, corrigendi quod correctorum esse dignoscitur, aut in spiritalibus et caelestibus terre- 140 num quippiam aut carnale meditetur. Hactenus autem

---

120 dilectissimi *om. m* ‖ 121 apostolicum consilium *S* apostolicum auxilium *M* ‖ 123 virtuti sunt *M* ‖ 124 vel *om. M* ‖ 129 vel *om. M* ‖ 134 omnibus *om. M* ‖ 138 ut *om. M* ‖ 140 meditetur *scripsi (vide l.* 136 putetur) : meditentur *MSm*

---

a. I Cor. 12, 31 ‖ b. II Cor. 10, 15

---

1. Cf. *Règle* de S. Benoît, 64, 8.
2. « Potestas eucharistiae confectionis. » Ce terme « confectio » est pris dans l'acception liturgique précise de produire, réaliser la consécration. Cf. S. Ambroise : « Consecratio igitur quibus verbis et cuius sermonibus ? Domini Iesu. Nam reliqua omnia quae dicuntur in superioribus a sacerdote dicuntur... Ubi venitur ut conficiatur venerabile sacramentum, iam non suis sermonibus utitur sacerdos, sed utitur sermonibus Christi. Ergo sermo Christi hoc conficit sacramentum ». *De Sacram.*, 4, 4, 14 (*SC* 25 *bis*, p. 108-110). A ce

12. A l'encontre du conseil de l'Apôtre qui, préférant
à la puissance ce qui touche à la vertu, disait : « Aspirez
aux charismes meilleurs[a] », il en est quelques-uns aujour-
d'hui — soit dit sans en offenser beaucoup! — qui aspirent
davantage aux dons mineurs et moins aux dons majeurs.
Avides de puissance, assurés de leur vertu, « ils se glorifient
hors de mesure[b] » de la puissance reçue et sollicitent de
manière perverse celle qu'ils n'ont pas reçue. Ils cherchent
plus les honneurs que l'humilité, ils visent à dominer
plutôt qu'à se dévouer[1], ils préfèrent le pouvoir à l'être.
Il est en effet reconnu que c'est de cette puissance que
relèvent les fonctions des prêtres ou des évêques ou celles
des supérieurs : bénédictions, consécrations, ordinations,
exorcismes et impositions des mains, charges, prédications,
B baptêmes, absolutions et excommunications, et par-dessus
tout le suprême pouvoir de réaliser l'Eucharistie[2]. **13.** En
toutes ces fonctions, il y a, à notre avis, trois points de
vue à considérer très attentivement : à quoi accède-t-on?
Que valent ceux qui y accèdent? Pour quel motif y accè-
dent-ils? Sinon, le risque sera, ou bien que l'on estime
humain ce qui est divin; ou bien que des orgueilleux,
des avares, des impurs ne s'arrogent ce qui appartient
aux humbles et aux saints; ou bien, pour faire bref, que
des gens à réformer ne s'arrogent la mission reconnue
à ceux qui se sont réformés; ou bien qu'en un domaine
spirituel et céleste l'on ne se propose quelque intérêt
terrestre ou charnel[3]. Nous achevons ainsi notre réflexion

sujet, voir B. Botte, « Conficere Corpus Christi », dans *Année
théologique*, 8 (1947), p. 309-315. — Isaac, suivant la doctrine de
S. Ambroise, attribue la consécration aux paroles de l'institution
(cf. *De offic. missae*, 1894 B). Mais s'il ne mentionne pas l'épiclèse, il
relie explicitement la « potestas » de la « confectio » eucharistique
au don du Saint-Esprit (cf. notamment, *supra* 1835 A). Voir à ce
propos K. Goldammer, *Die eucharistische Epiklese in der mittel-
alterlichen abendländischen Frömmigeit*, Bottrop 1941.

   3. Cf. *Serm.* 40, 1827 B.

de potestate disseruimus, pro qua de abutentibus ea dictum
est : *Potentes potenter patientur tormenta, et fortioribus
fortior instat cruciatus.* Et alibi : *Deposuit potentes de
sede, et exaltavit humiles.*

1836 C   **14.** Virtute vero quae ad animi custodiam datur,
146 nemo abutitur. Virtus vero tota in caritatis veritate et
veritatis caritate consistit, tantum ex veritate illumi-
nans ad cognoscendum, quantum ex caritate inflammans
ad diligendum. Sicut enim sine caritate *scientia inflat,*
150 sic sine scientia caritas oberrat. Unde Veritas in Evangelio :
Cum haec, inquit, fecerint vobis, *arbitrabuntur se obse-
quium praestare Deo.* In apostolo quoque consimiles
lugens caritas ait : *Testimonium perhibeo illis quod zelum
Dei habent, sed non secundum scientiam. Scientia* ergo,
155 sed sine caritate, *inflat; caritas vero*, sed cum scientia,
aedificat. **15.** Ut consummata igitur induerentur hodie
1836 D discipuli *virtute ex alto*, datus est eis in ignis claritate et
ardore Spiritus de caelo, inducens ex claritate in *omnem
veritatem*, conflagrans ex ardore in omnem caritatem.
160 *Exaruit* ergo *tamquam testa* de molli luto *virtus* eorum,
emicuit tamquam *lucerna pedibus* nostris *verbum* eorum.
16. Hinc est etenim quod qui in passione sua Dominum

141 disseruimus : dixerimus *M* diximus *m* ‖ 146 verit. carit. *m* ‖
147 in carit. verit. *m* ‖ 150 scientia : suam *M* ‖ 153 quod : qui *M* ‖
155 sed¹ *om. M* ‖ sed cum scientia : sine conscientia *M* ‖ 156 Ut :
sed *M* sed cum *m* ‖ 156-157 consummata — discipuli : discipuli
consummata induerentur hodie *m* ‖ 157 virtutem *M* ‖ claritate : caritate *m* ‖ 159 conflagrans : conflans *S* ‖ 161 emicuit — verbum eorum
om. M per hom. ‖ verbum *scripsi (vide* Ps. 118, 105) : virtus *Sm* ‖
162 sua *om. S*

a. Sag. 6, 7.9 ‖ b. Lc 1, 52 ‖ c. I Cor. 8, 1 ‖ d. Jn 16, 2 ‖ e. Rom.
10, 2 ‖ f. I Cor. 8, 1 ‖ g. Lc 24, 49 ‖ h. Jn 16, 13 ‖ i. Ps. 21, 16 ‖ j. Cf.
Ps. 118, 105

1. Dans le *Serm.* 6 (1792 C-D) et le *De anima* (1877 B-D, 1887 A,

sur cette puissance, dont il est dit à propos de ceux qui
en abusent : « Les puissants pâtiront de puissants tour-
ments, et un supplice plus fort menace les plus forts[a]. »
Et ailleurs : « Il a renversé les puissants de leurs trônes
et élevé les humbles[b]. »

6 C   **14.** Quant à la vertu donnée pour la sauvegarde de l'âme,
elle n'est susceptible d'aucun abus. La vertu consiste
tout entière dans la vérité de la charité et la charité de
la vérité. Autant, de par la vérité, elle illumine en vue de
la connaissance, autant, de par la charité, elle enflamme
en vue de l'amour. Car sans la charité « la science enfle[c] »,
et sans la vérité la charité dévie. C'est pourquoi la Vérité
déclare dans l'Évangile : « En vous traitant ainsi, ils
s'imagineront rendre un culte à Dieu[d]. » Chez l'Apôtre
aussi, la charité, pleurant de semblables dévoyés, affirme :
« Je leur rends témoignage qu'ils ont du zèle pour Dieu,
mais un zèle dépourvu de science[e]. » « La science » donc,
mais dépourvue de charité, « enfle, tandis que la charité »,
mais pourvue de science, « édifie[f] ». **15.** Pour que les
disciples fussent revêtus aujourd'hui en perfection « de
6 D la vertu d'en haut[g] », l'Esprit leur a donc été donné du
ciel dans la clarté et l'ardeur du feu, les introduisant
de par sa clarté « en toute la vérité[h] », les embrasant
de par son ardeur en toute la charité[i]. Ainsi leur vertu
« a durci au feu comme une poterie » tirée d'une molle
argile[i]; leur parole a brillé comme une lampe sur nos pas[j].
16. Voilà pourquoi eux qui naguère, silencieux et apeurés,

1888 D), Isaac expose de façon plus complète son enseignement sur les
vertus : « charismes », grâces ou dons du Saint-Esprit, librement reçus
par les puissances de l'âme et devenus des « habitus » par l'exercice,
les vertus ont leur source en Dieu, auquel elles s'identifient. Cette
doctrine d'Isaac est proche de celle de la *Summa Sent.*, 8, 17 (176,
114 D - 115 A). Voir J. DE BLIC, « Pour l'histoire de la Théologie
des dons avant S. Thomas », dans *RAM*, t. 22 (1946), surtout
p. 173-177. O. LOTTIN, « Les dons du Saint-Esprit du XIIᵉ siècle à
l'époque de saint Thomas d'Aquin », dans *Psychologie et morale aux
XIIᵉ et XIIIᵉ siècles*, t. 3, 2ᵉ partie, vol. 1, Louvain 1949, p. 329-456.

paulo ante taciti et timidi omnes aut deseruerunt aut
negaverunt, modo diserti et fervidi dicunt : *Non possumus*
165 *non loqui quae audivimus et vidimus. Vos ipsi*, inquiunt,
iudicate, utrum oboedire magis oporteat Deo an hominibus.
O qui homines sicut homines paulo ante timebatis, unde
tam subita vobis fortitudo, ut homines, iam super homines,
amodo non timeatis? Qui paulo ante *propter metum*
170 *Iudaeorum* angusta et obscura recludebamini domo,
1837 A   quomodo nunc *cum* tanta *fiducia* palam estis loquentes in
templo ? Vere, sicut scriptum est, *qui confidunt in Domino*
mutabunt fortitudinem.

17. *Haec* est ergo, carissimi, *haec* est *mutatio dexterae*
175 *Excelsi. Spiritus* enim *Domini ornavit* hodie *caelos, et*
obstetricante manu eius eductus est coluber tortuosus.
Tortuosus coluber <qui> primis parentibus et parricidis
nostris, qui ante nos occiderunt quam genuerunt, tortitudinum omnium seminaria inflixit. *Eductus est* ergo cum torti-
180 tudinibus suis *coluber tortuosus*, quia *princeps huius mundi*
eiectus est *foras*, et iam ad discipulos veniens, in eis etiam
non habet quidquam. Totum enim *Spiritus replevit* qui replet
1837 B   *orbem terrarum ;* et qui *scientiam habet vocis*, linguas ad
omne genus verbi informat. Hinc est quod et *totam domum*
185 *replevit* et *linguae figuram detulit* Spiritus, qui ratione
praefata in igne venit.

163-164 aut negav. aut deser. *M* ‖ 164 deserti *M* ‖ 165 *post* loqui
add. ea *M* ‖ 168 vobis subita *S* ‖ 174 est[1] *om. S* ‖ 177 qui *supplevi* ‖ 178
nos *om. MS* ‖ 179 influxit *M* ‖ est *om. S* ‖ 181 eiectus est : eicietur
M ‖ 182 qui replet *om. m* ‖ 185 qui : quia *S*

---

a. Act. 4, 19-20 ; 5, 29 ‖ b. Cf. Jn 20, 19 ‖ c. Cf. Act. 4, 31 ; 5, 20.
42 ‖ d. Is. 40, 31 ‖ e. Ps.76, 11 ‖ f. Job 26, 13 ‖ g. Jn 12, 31 ‖ h. Jn
14, 30 ‖ i. Cf. Sag. 1, 7 ‖ j. Act. 2, 2

---

1. Cf. *Serm.* 6, 1710 D. — Cf. S. BERNARD : « Laetare, pater Adam,
sed magis tu, o Eva mater, exsulta, qui sicut omnium parentes, ita

avaient tous lâché ou renié le Seigneur en sa passion, proclament maintenant avec une éloquence brûlante : « Il nous est impossible de ne pas dire ce que nous avons entendu et vu. » « Jugez vous-mêmes, disent-ils, s'il vaut mieux obéir à Dieu ou aux hommes[a]. » Ô vous qui, en hommes, peu auparavant aviez peur des hommes, d'où vous vient subitement ce courage qui fait que, devenus des surhommes, désormais vous n'avez plus peur des hommes? Vous qui auparavant, par crainte des juifs, étiez enfermés dans une maison étroite et obscure[b], comment êtes-vous maintenant en train de parler publiquement dans le Temple avec tant d'assurance[c]? En vérité, suivant la parole de l'Écriture, « ceux qui se confient au Seigneur trouveront des forces nouvelles[d] ».

17. Tel est donc, mes bien aimés, tel est « le changement opéré par la droite du Très-Haut[e] ». Aujourd'hui, « l'Esprit du Seigneur a orné les cieux et sa main, faisant accoucher, a tiré au-dehors le serpent tortueux[f] ». « Le serpent tortueux » qui introduisit les germes de toute voie tortueuse en nos premiers parents et meurtriers, qui, avant même de nous engendrer, nous ont fait périr[1]. « Le serpent tortueux » avec ses tortuosités « a été tiré au-dehors », car « le prince de ce monde a été jeté dehors[g] », et venant aux disciples, même en ceux-ci « il ne trouve dorénavant plus rien qui soit à lui[h] ». Car l'Esprit a tout rempli, lui qui remplit l'univers; et puisqu'il entend toutes les voix[i], il forme les langues à toute espèce de parole. De là vient qu'il « a rempli toute la maison[j] » et qu'il « a emprunté la forme des langues[2] », lui, l'Esprit qui, pour la raison déjà dite, est venu dans le feu.

7 A

7 B

---

omnium fuistis peremptores ; et quod infelicius est, prius peremptores quam parentes ». *Super Missus est hom.* 2, 3 (183, 62 B).

2. Deuxième vers de la 2ᵉ strophe de l'hymne *Beata nobis gaudia*, chanté aux Vêpres de Pentecôte dans la liturgie cistercienne. Cf. *Serm.* 44, 1840 A.

18. *Nunc* ergo *iudicium est mundi,* sicut olim fuit
iudicium caeli. Sicut enim tunc proiecto Leviathan vecte,
serpente tortuoso, purgatum est caelum, et *spiritus Domini,*
190 id est *caritas Dei,* replevit et *ornavit caelos,* id est angelos
in caritate confirmatos : ita et nunc iudicato mundo et
eiecto cum tortitudinibus suis diabolo, purgantur *caeli,*
qui *enarrant gloriam Dei,* et caritate Dei *diffusa per
Spiritum sanctum in cordibus* eorum replentur, ornantur,
195 confirmantur, adeo ut foris mittatur timor et *cum fiducia*
loquantur *verbum Dei.* **19.** Tortitudines enim et anfractus
1837 C serpentini sunt timere non timenda et non timere
timenda : hoc veneno infectus distabuit usque ad trinam
negationem Petrus ; similiter autem amare non amanda
200 et non amare amanda : hoc quoque Iudas corruptus
peccavit, *tradens sanguinem iustum* iniuste. Haec sunt
ergo omnium tortitudinum et vitiorum origines et fontes
malorum ; quos cum caritas exsiccat, totum replet, totum
possidet et, omnia continens, in omnem scientiam veritatis
205 inducit. **20.** *Spiritus* enim *Domini* hodie *replevit orbem
terrarum.* Qui totus, reprobato mundo *in maligno* posito,
in solis illis seminaliter exstitit, quos hodie *Spiritus replevit.*
De his enim scriptum est : *Etenim firmavit orbem terrae,
qui non commovebitur.* Firmatur enim *virtute ex alto* de

---

187 fuit olim *m* ‖ 188 iudicium *om. m* ‖ vecte : victo *m* ‖ 191 firma-
tos *S* ‖ et² : ac *m* ‖ 195 adeo *om. M* ‖ foras *m* cum *Vg* ‖ 197 serpentem
m ‖ et *om. m* ‖ 199 autem *om. M* ‖ 200 et non amare amanda *om.
M* ‖ Iudaeus *in ras. M* ‖ corruptus *om. m* ‖ 202 et... et : ac... ac *m*

---

a. Jn 12, 31 ‖ b. Cf. Is. 27, 1 ‖ c. Rom. 5, 5 ‖ d. Cf. Job 26, 13 ‖
e. Ps. 18, 2 ‖ f. Rom. 5, 5 ‖ g. Cf. I Jn 4, 18 ‖ h. Act. 4, 31 ‖ i.
Matth. 27, 4 ‖ j. Cf. Jn 16, 13 ‖ k. Sag. 1, 7 ‖ l. Cf. I Jn 5, 19 ‖ m. Ps.
92, 1 ‖ n. Lc 24, 49

---

1. « Leviathan vecte, serpente tortuoso. » Cf. Césaire de
Heisterbach : : Leviathan iste significat dyabolum, serpentem
antiquum, qui ad similitudinem draconis volat in aere superbiae,

18. « C'est donc maintenant le jugement du monde[a] », comme ce fut jadis le jugement du ciel. Alors, le Léviathan robuste, le serpent tortueux[1] une fois précipité[b], le ciel fut purifié et l'Esprit du Seigneur, c'est-à-dire « la charité de Dieu[c] », a rempli et orné les cieux[d], c'est-à-dire les anges confirmés dans la charité. Maintenant, le monde une fois jugé, le diable avec ses tortuosités une fois chassé, les cieux sont purifiés, ils « racontent la gloire de Dieu[e] » et, par « la charité de Dieu que répand l'Esprit-Saint dans leurs cœurs[f] », ils sont remplis, ornés, confirmés au point que la crainte est bannie[g] et qu'« ils prêchent avec assurance la parole de Dieu[h] ». **19.** En effet, les tortuosités et les sinuosités serpentines consistent à redouter ce qui n'est pas redoutable et à ne pas redouter ce qui est redoutable : ce poison infecta Pierre et le corrompit jusqu'à renier trois fois; elles consistent également à aimer ce qui n'est pas aimable et à ne pas aimer ce qui est aimable : Judas fut gâté par cela, et il pécha « en livrant injustement le sang du Juste[i] ». Tels sont donc les points de départ de toutes les voies tortueuses et des vices, et les sources de tous les maux. Lorsque la charité les assèche, elle remplit tout, elle possède tout et, contenant tout, elle introduit à toute la connaissance de la vérité[j]. **20.** Car « l'Esprit du Seigneur aujourd'hui a rempli l'univers[k] ». Et, puisque le monde qui gît au pouvoir du Mauvais[l] a été réprouvé, l'univers est tout entier en germe dans ceux-là seuls qu'en ce jour « l'Esprit a remplis ». C'est bien d'eux qu'il est écrit : « Il a affermi l'univers, qui ne sera point ébranlé[m]. » Grâce à la venue du Paraclet, il est affermi « par la vertu d'en haut[n] » de façon que ni

7 C

---

graditur in terra avaritiae, natat in aquis luxuriae. Qui idcirco dicitur ' tortuosus ' quia incedit per anfractus ; ' vectis ', cum per consensum ingressus ne eici possit inflexibilis erigitur ». *Expositiuncula super sequentiam sollem. « Ave praeclara maris stella* », éd. H. C. B. Huygens, dans *Cîteaux*, 20 (1969), p. 122, l. 112-117.

1837 D adventu Paracliti, ne commoveatur aut timore aut amore
211 ut peccare velit, qui confirmabitur adhuc de praesentia
vultus paterni ut nulla occasione peccare possit. Nunc
autem totum replet caritas, et *omnia continet* virtus, et
cuncta veritas illustrat per scientiam ; *tunc* vero erit *omnia*
215 *in omnibus* unus *Deus*, fons indeficiens caritatis, virtutis
et veritatis.

21. Virtus igitur, quam caritas inflammat et veritas
illuminat, prudens, sobria, patiens et iusta est. Per prudentiam vitat temeritates et praesumptiones novitatum,
220 *fraudulenta consilia* et *falsi nominis* scientiam, astutias
Satanae et circumventiones malignantium; et, ut breviter
dictum sit, *draconem* conculcat et *Satanam* transfiguran-
tem *se in angelum lucis sub pedibus* suis conterit *velociter*.

1838 A **22.** Per sobrietatem, concupiscentiam carnis refrenat et
225 internarum scaturiginum aestus refrigerat, exteriorem
curiositatem temperat et concupiscentiam oculorum castigat; ambulans *super aspidem et basiliscum*, dum per absti-
nentiam incentores voluptatis effugit, et paupertatis
amore avaritiae ministros eludit. **23.** Per patientiam vero
230 efficitur ut neminem iam timeat ; a timore inimicorum
qui occidunt corpus, et postea non habent quid faciant,
eripitur ; *ludibria et verbera* experta, *insuper et vincula*

---

210 commoveantur *M* ‖ aut[1] *om. m* ‖ 211 confirmabitur : etiam
firmabitur *S* ‖ 213 et... et *om. m* ‖ 214 illustrato *M* ‖ 216 et : ac *m* ‖
217 ergo *m* ‖ 218 et : ac *m* ‖ 219 et *om. m* ‖ 221 et[1] : ac *m* ‖ 224 carnis
om. m ‖ et : ac *m* ‖ 225-226 exteriorem — castigat *om. M* ‖ 232
experti *M*

---

a. Sag. 1, 7 ‖ b. I Cor. 15, 28 ‖ c. Prov. 12, 5 ‖ d. Cf. I Tim. 6, 20 ‖
e. Cf. Éphés. 4, 14 ‖ f. Ps. 90, 13 ‖ g. Cf. Rom. 16, 20 ‖ h. II Cor. 11,
14 ‖ i. Cf. I Jn 2, 16 ‖ j. Ps. 90, 13 ‖ k. Matth. 10, 28 ‖ l. Hébr. 11, 36-
37

---

1. Les vertus cardinales, dont il est souvent question chez Isaac
(cf. *supra*, 1697 C, 1705 B ; de même, *De anima*, 1877 B, 1879 A)

D   la crainte ni l'amour ne puissent l'ébranler jusqu'à vouloir
pécher. Grâce à la présence du visage du Père, il sera
confirmé de façon à n'avoir plus d'occasion de pouvoir
pécher. Maintenant la charité emplit tout, la vertu « tient
unies toutes choses[a] », la vérité illumine l'ensemble par la
science. Alors, Dieu seul sera « tout en tous[b] », source
inépuisable de charité, de vertu et de vérité.

21. La vertu que la charité enflamme et que la vérité
illumine est prudente, sobre, patiente et juste[1]. Par la
prudence, elle évite les témérités et les nouveautés pré-
somptueuses, « les conseils trompeurs[c] » et la pseudo-
science[d]. les ruses de Satan et les pièges des méchants[e];
bref, elle écrase « le dragon[f] » et foule bien vite aux pieds
Satan[g] se déguisant « en ange de lumière[h] ». **22.** Par la

A   sobriété, elle met un frein à la convoitise de la chair et
refroidit l'ardeur des bouillonnements intérieurs; elle
tempère la curiosité extérieure et mortifie la convoitise
des yeux[i]; elle marche « sur l'aspic et le basilic[j] », en
mettant en fuite par l'abstinence les instigateurs de la
volupté et en déjouant par l'amour de la pauvreté les
serviteurs de l'avarice. **23.** Par la patience, elle en vient
à ne plus craindre personne; elle est arrachée à la peur
des ennemis « qui tuent le corps[k] » mais ne peuvent rien
d'autre; « ayant subi l'épreuve des dérisions et des fouets,
et même celle des chaînes et de la prison[l] », elle domine

---

comme chez les autres auteurs du Moyen Âge, sont connues des
anciens (cf. PLATON, *République*, 427 d - 429 a ; CICÉRON, *De finibus
bon. et mal.*, 5, 23, 67) et ont été « christianisées » par les Pères,
spécialement S. AMBROISE : cf. *De paradiso*, 14-18 (14, 280-282).
— On peut remarquer que dans *Serm.* 55, 16, les quatre vertus
essentielles de la vie religieuse sont la pureté de vie, l'humble
obéissance, la charité, la communauté des biens. — Sur les relations
entre affections de l'âme et vertus, entre la charité et les vertus
cardinales, cf. *De anima*, 1878 D - 1879 C, où Isaac se réfère à un
passage du *De moribus Ecclesiae* de S. AUGUSTIN (1, 15, 25 : 32, 1322).
Cf. R. JAVELET, « La vertu dans l'œuvre d'Isaac de l'Étoile », dans
Cîteaux, 11 (1960), p. 253.

et carceres, lapidationes et sectiones et omnium generum
crudeliter exquisitas mortes fortiter exsuperat ; *leonem*
235 conculcans et omnem diabolicae adinventionis rabiem,
tam pusillanimitatis videlicet spiritum quam tempestatis,
magnanimitate triumphans. **24.** Per iustitiam vero omnibus aequitatem custodit, nullius personam accipit, quibus
1838 B potest benefacit, omnibus bene cupit, *sapientibus et insi-*
240 *pientibus* debitum solvit, omnes sicut se diligit, *domesti-*
corum maxime curam gerit. Et qui per caetera daemones
vicit, per iustitiam angelis interim similis exsistit, donec
tertio dono sancti Spiritus aequalis esse possit.

25. Ecce, dilectissimi, quales et quam fortes hodie fecit
245 Spiritus secundo dono de alto, qui potentes fecit primo
dono in imo, et facturus est tertio gloriosos in summo. Eia,
dilectissimi, de potestate et virtute quod Dominus dedit,
eo scrupulosius quo minus habemus disputavimus ! De
gloria vero, cum gloriosi erimus, eo erit facilior disputatio,
250 quo felix possessio. Quam nobis praestare dignetur Spiritus
1838 C sanctus, qui cum Patre et Filio vivit et regnat Deus, per
omnia saecula saeculorum. Amen.

---

233 et² *om. m* ‖ sectiones : septiones *M* ‖ et³ : ac *m* ‖ 234 crudeliter *om. M* ‖ 236 tempestatis : potestatis *S* ‖ 239 benefacere *M* ‖
bene *om. M* ‖ 245-246 dono primo *m* ‖ 247 et : ac *m* ‖ 249 facilis *Mm*

---

a. Ps. 90, 13 ‖ b. Cf. Ps. 54, 9 ‖ c. Rom. 1, 14 ‖ d. I Tim. 5, 8 ‖ e. Cf.
Lc 20, 36

courageusement les lapidations, les mutilations et toute
sorte de morts cruelles et raffinées ; elle écrase « le lion[a] »
et toute la rage des machinations diaboliques, en triom-
plant par sa magnanimité de l'esprit de pusillanimité
et du souffle de la tempête[b] [1]. **24.** Par la justice enfin,
elle observe l'équité envers tous, elle ne fait aucune
acception de personne, elle fait le bien à qui elle peut,
elle souhaite le bien à tous, elle s'acquitte de son dû
« envers les savants et les ignorants[c] », elle aime tout le
monde comme soi-même, elle prend « un soin particulier
de ceux de sa maison[d] ». Et celui qui, par les autres vertus,
a vaincu les démons, est, par la justice, rendu semblable
aux anges, en attendant que, par la troisième donation
du Saint-Esprit, il puisse devenir leur égal[e].

25. Voilà, bien-aimés, quels étaient ces hommes et
combien l'Esprit les a rendus forts aujourd'hui par la
deuxième donation d'en haut, lui qui les rendit puissants
par la première ici-bas et qui les rendra glorieux par la
troisième là-haut. Et bien ! très chers, ce que le Seigneur
nous a inspiré au sujet de la puissance et de la vertu,
nous l'avons exposé avec d'autant plus de précaution
que nous les possédons moins ! Quant à la gloire, le jour
où nous serons glorieux, il nous sera d'autant plus facile
d'en disserter que nous serons plus heureux de la posséder.
Daigne le Saint-Esprit nous la donner, lui qui avec le
Père et le Fils vit et règne, Dieu, pour les siècles des
siècles. Amen.

---

1. Comparer ce qui est dit dans les § 21 à 23 de ce sermon avec
le texte parallèle du *Serm.* 30, 12-14 (1789 D - 1790 B).

SERMO QUADRAGESIMUSQUARTUS

In eodem Festo II

1. *Comedite, amici, bibite et inebriamini, carissimi.* De
more post messes celebrantur vindemiae, et sacramentis
caelestibus deservire noscuntur temporum dispositiones.
Facies quoque creaturae illuminat ad faciem Creatoris
5 contuendam. *A creatura* etenim *mundi, per ea quae facta
sunt, intellecta* conspiciuntur. **2.** Servit ergo mundus iste visibilis domino suo, id est homini, ad sustentationem ; servit
quoque ad eruditionem. Pascit et erudit, sustinet et docet,
bonus servus si malum dominum non habet. Doctrina Dei
10 foris in creatura, imago Dei intus in anima ; et inter haec
duo magna luminaria, luminare maius et luminare minus
quae praesunt *diei et nocti*, quasi sine luce, tota die et
nocte caecus manu palpitat. **3.** Stultus et miser, cuius
oculi in finibus terrae, ut non nisi tenebras videat, totum
15 mundum cogit ventri et dorso deservire, qui nescit quare

1838 D

Tit. Eiusdem supra *S* ‖ 1 *post* amici *add.* mei et *m cum Vg.* ‖ 2
menses *M* ‖ 4 illuminatur *Mm* ‖ 6 *post* conspiciuntur *add.* invisibilia
Dei *m cum Vg.* ‖ 8 quoque *om. MS* ‖ et *om. m* ‖ 9 haberet *M* ‖ 12 et[1] :
ac *m* ‖ 13 manu *om. S* ‖ palpat *m*

a. Cant. 5, 1 ‖ b. Rom. 1, 20 ‖ c. Cf. Gen. 1, 27 ‖ d. Gen. 1, 16 ‖ e.
Cf. Deut. 28, 29. Job 5, 14 ‖ f. Prov. 17, 24

1. Affirmation analogue au *Serm.* 25, 1772 D ; avec accentuation
de la dimension historique : *Serm.* 47, 1851 C. Voir aussi la *Note
compl.* 5 : « Le monde révélation de Dieu » (t. I, p. 335-336). —
P. ARTAMENDI, « El ' liber creaturae ' en san Augustin y san Bona-
ventura », dans *Augustinus,* 19 (1974), p. 25-30.
2. Sur la dialectique monde visible-âme humaine dans le processus
de la connaissance de Dieu, voir *Serm.* 26, 1775 B ; *Serm.* 28, 1783 C-

SERMON 44

Deuxième sermon pour le jour de la Pentecôte

Les moissons de la Pâque et les vendanges de la Pentecôte. L'Esprit est à la fois l'eau qui purifie au baptême et le vin qui procure la sobre ivresse à la table eucharistique. Par le Fils qui est Vérité et l'Esprit qui est Charité, nous montons à la Puissance de Dieu.

1. « Mangez, amis, buvez et enivrez-vous, très chers[a]. » Après les moissons, sont habituellement célébrées les vendanges, et nous savons que la succession des saisons est au service des mystères célestes. Le visage de la création, lui aussi, est éclairant pour reconnaître la face du Créateur. Car « les réalités spirituelles se laissent apercevoir à partir de cette créature qu'est le monde[b] ». **2.** Ce monde visible est donc au service de son maître, l'homme, pour sa subsistance; il est aussi à son service pour son instruction. Il nourrit et instruit, il soutient et enseigne[1] : c'est un bon serviteur s'il n'a pas un mauvais D maître. Dans la création apparaît, au-dehors, l'enseignement de Dieu; dans l'âme, au-dedans, l'image de Dieu[c]; et entre ces « deux grands luminaires, le luminaire majeur et le luminaire mineur », qui président au jour et à la nuit[d], l'aveugle tâtonne tout le jour et toute la nuit[e] comme s'il était sans lumière[2]! **3.** Sot et misérable, « ses regards limités à la terre[f] » et ne voyant donc que ténèbres, il contraint le monde entier à se mettre au service de son ventre et de son dos; il ignore pourquoi a été créé le monde.

D ; *Serm.* 51, 1866 A. Dans un contexte plus englobant, *Serm.* 9, 1719 C-D, et la *Note complém.* 11 : « Les six livres où l'homme s'instruit » (t. 1, p. 342). Distinction entre monde historique, moral et allégorique : *Serm.* 54, 1874 B-C.

factus sit mundus. Existimat autem tam magnum mundum
fecisse Deum ob tam modicum ventrem. O quam pessimus
ignis ventris qui tanta consumit, et iterum dicit : *Affer,*
affer ! Quosdam, proh dolor, ad deditionem tantam venter
20 compulit, ut colatur ab eis tamquam sit Deus, et pro eius
imperio contemnatur is qui verus est Deus. **4.** Tales,
1839 A dilectissimi, dum ipsi sedeant *comedere et bibere et* sur-
gant postea *ludere,* luget apostolus, dicens : *Nunc autem*
et flens dico, inimicos crucis Christi, quorum deus venter
25 *est et gloria eorum in confusione.* Tales cum audiunt
ex Scripturis divinis quod modo proposuimus : *Comedite,*
amici, bibite et inebriamini, carissimi, et his similia,
praeter usitatos sapores et consueta salsamenta, nil eis
sapere potest. Usus enim reddit magistrum, et consuetudo
30 est altera natura. Tales cum talium a nobis et ab aliis
arguuntur : Quare, inquirunt, fecit ea Deus, nisi ut utere-
mur illis ? Ergone omnium omnis usus in ore ? Vere igitur
omnis labor hominis in ore eius !

5. Nos autem, dilectissimi, quorum *Deus Spiritus est,*
1839 B sicut in rebus factis intelligibilia, sic et in verbis carnalibus
36 spiritualia conspiciamus. Maxime hodie, Spiritu misso
de caelo, ad spiritualia rimanda iuvandos nos diffidere non
debemus.

6. Superiori ergo solemnitate Paschali panem nostrum
40 de caelo messuimus. Collectus est enim et excussus dum
captus et flagellatus, multis quoque quaestionibus et
exquisitionibus inter Iudaeos et gentiles permolitus, igne
tandem passionis et clibano crucis excoctus *panis qui de*
caelo descendit, et dat vitam mundo. Hunc *comedite, amici,*

---

18 iterum *om. S* ‖ 19 dedicationem *S* ‖ 22 sedent *m* ‖ surgunt *m* ‖
23 *post* dicens *add.* multi ambulant quos saepe dicebam vobis *m cum*
Vg. ‖ 24 et *om. S* ‖ 25 *post* in confusione *add.* ipsorum *m cum Vg.* ‖ 27
post amici *add.* et *m cum Vg.* ‖ et² : ac *m* ‖ 29 enim : ergo *S* ‖ 31 Deus :
Dominus *m* ‖ uterentur *M* ‖ 32 igitur : ergo *m* ‖ 34 spiritus est Deus
m cum Vg. ‖ 38 debeamus *M* ‖ 39 ergo : igitur *m* ‖ 40 et *om. M* ‖ 42
et : ac *m*

Il estime que Dieu a créé ce monde immense pour ce ventre
exigu. Oh! la détestable fièvre de ce ventre qui se goinfre
et répète : « Apporte! apporte[a]! » Il en est, hélas! que
leur ventre a réduits à un tel esclavage qu'ils l'adorent
comme si c'était un dieu, et que pour son empire ils
méprisent celui qui est le vrai Dieu. **4.** Ceux-là, mes bien-
A aimés, en s'asseyant « pour manger et boire » et en se
levant ensuite « pour s'amuser[b] », provoquent les gémisse-
ments de l'Apôtre : « Je le redis aujourd'hui avec larmes :
ils sont ennemis de la croix du Christ, eux qui ont pour
dieu leur ventre et qui mettent leur gloire dans leur
honte[c]. » Quand ils entendent le texte des Écritures
divines que nous venons de citer : « Mangez, amis, buvez
et enivrez-vous, très chers[d] », et des passages analogues,
ils sont incapables d'y goûter rien d'autre que leurs saveurs
accoutumées et leurs assaisonnements habituels. C'est que
l'usage rend maître, et que l'habitude est une seconde
nature. Quand nous-mêmes et d'autres leur reprochons
de tels goûts, ils répondent : Pourquoi donc Dieu a-t-il
fait cela, sinon pour que nous en usions? Tout l'usage
de toutes choses est-il donc pour la bouche? Alors, vraiment « tout le travail de l'homme est pour sa bouche[e]! »

   5. Mais nous, bien-aimés, pour qui Dieu est Esprit[f],
B sachons voir dans les objets créés les réalités intelligibles
et dans les paroles charnelles les réalités spirituelles.
Surtout aujourd'hui où l'Esprit est envoyé du ciel, nous
ne devons pas douter que nous serons aidés à sonder les
réalités spirituelles.

   6. A la récente solennité pascale, nous avons moissonné
notre pain du ciel. Récolté et battu au moment de son
arrestation et de sa flagellation, ensuite finement moulu
entre les juifs et les gentils par mille enquêtes et requêtes,
« ce pain qui descend du ciel et donne la vie au monde[g] »,
a été finalement cuit au feu de la passion et au four de

   a. Prov. 30, 15 ‖ b. Ex. 32, 6 ; I Cor. 10, 7 ‖ c. Phil. 3, 18-19 ‖ d.
Cant. 5, 1 ‖ e. Eccl. 6, 7 ‖ f. Cf. Jn 4, 24 ‖ g. Jn 6, 33

45 quem praepararunt inimici. Nam sicut alibi scriptum est,
*qui stultus est serviet sapienti. Alii laboraverunt, introite
in labores eorum.* **7.** *Comedite* ergo, *amici,* et ideo *comedite*
1839 C ut sitis *amici.* Qui enim contemnit comedere, nequaquam
poterit amicus exsistere. Comedit angelus tamquam dives
50 et domesticus ore pleno, et *in voce exsultationis* et *laudis
ex adipe frumenti* satiatur. Comedat peregrinus et pauper
homo pro suo modulo cum furfure florem, ne saltem
recreatus tali viatico deficiat ab itinere inchoato. *Si
dimisero,* inquit, *eos* omnino *ieiunos, deficient in via; a*
55 *longe enim* et *venerunt* et sustinuerunt *triduo,* propter
Trinitatis fidem. Infidelibus enim non credit Iesus seipsum.
    8. Hodie igitur, dilectissimi, quasi post talem messem
similes celebrantur vindemiae. Post quinquaginta etenim

---

45 praeparaverunt *m* ‖ 46-47 in lab. eorum introite *m cum. Vg.* ‖
49 amicus poterit *m* ‖ poterit : potest *S* ‖ 49-50 dives et : civis ac *m* ‖
50 et² : ac *m* ‖ 51 comedit *M* ‖ 52 florem : similaginem *S* ‖ *post* saltem *add.* non *m* ‖ 54 inquit *om. S* ‖ eos omnino *om. M* ‖ 55 et¹ *om.*
m ‖ 57 dilectissimi *om. m* ‖ 58 enim *m*

---

a. Prov. 11, 29 ‖ b. Cf. Jn 4, 38 ‖ c. Cant. 5, 1 ‖ d. Ps. 80, 17 ‖
e. Ps 41, 5 ; Jonas 2, 10 ‖ f. Mc 8, 2-3 ‖ g. Cf. Jn 2, 24

---

1. Le pain qu'est le Christ a été « battu, moulu, cuit » pendant
la Passion. Cf. *Serm.* 24, 1769 A (sur le pain de la parole de Dieu) ;
De offic. missae, 1889 D - 1890 B (devenir nous-mêmes des « pains
de proposition »). — A propos du texte du *Livre des Rois* : « offerat
nummum argenti et tortam panis » (*I Sam.* 2, 36), S. Grégoire avait
dit : « Panis namque nomine ille exprimitur qui de semetipso ait :
' Ego sum panis vivus qui de caelo descendi '. Torta itaque panis
Redemptoris caro est affecta suppliciis. Hunc namque tortum
panem propheta intuens ait : ' Vere languores nostros ipse tulit et
dolores nostros ipse portavit ' ». *In I Reg. expos.,* 2, 43 (79, 108).
Presque contemporain d'Isaac, Gauthier de Châtillon dans l'un
de ses poèmes : « Hic est cibus animae, dulcis eucharistia, / quem in
crucis clibano vera coxit hostia ». *Moralische-satirische Geschichte
Walters von Chât.,* éd. K. Strecker, Heidelberg 1929, poème 3,
str. 30, 5-6. — Dans l'art de la fin du Moyen Âge, on trouve des
représentations du « pressoir mystique », montrant la relation étroite

la croix[1]. « Mangez, amis », ce pain préparé par les ennemis.
Car, comme il est écrit ailleurs, « le fou deviendra esclave
du sage[a] ». D'autres ont pris de la peine : profitez de leurs
travaux[b]. **7.** « Mangez donc, amis[c] », et mangez précisément
C pour être des amis. Celui qui dédaigne de manger ne
pourra nullement être un ami. L'ange, lui, riche et membre
de la famille, mange à pleine bouche, et il se rassasie
« de la moelle du froment[d] [2] » « parmi les chants d'exultation
et de louange[e]. » Que l'homme, étranger et pauvre, se
nourrisse dans sa faible mesure de la fleur mêlée au son,
pour qu'au moins, soutenu par un pareil viatique, il ne
défaille pas sur la route où il est engagé. « Si je les renvoie
entièrement à jeun, ils vont défaillir en route », car ils sont
venus de loin, et ils sont resté trois jours[f], par foi en la
Trinité. A qui n'a pas la foi, Jésus en effet ne se fie pas[g].

8. Aujourd'hui, mes bien-aimés, après pareille moisson,
sont en quelque sorte célébrées de semblables vendanges.

entre Passion du Christ et Eucharistie ; elles sont inspirées d'Isaïe :
« Torcular calcavi solus » (63, 3) et peut-être de l'idée qu'on trouve
chez Théodoret : « Nos églises sont appelées des pressoirs : c'est là
que la Vigne spirituelle porte son propre fruit et que nous fabriquons
le vin salutaire qui réjouit en vérité le cœur des fidèles ». *In Ps. 83*, 1
(*PG* 80, 1537 C ; cf. 913 AC, 1520 B). Cf. É. Mâle, *L'art religieux
de la fin du Moyen Âge*, p. 115-122. On trouve plus rarement la
représentation du « Moulin eucharistique ». Le sujet est alors traité
avec un symbolisme intrépide et un réalisme qui nous déconcerte :
le moulin est actionné par l'eau qui jaillit du rocher au désert sous la
baguette de Moïse ; du moulin qui est mis en mouvement par S. Pierre,
premier pape, et où entre l'enfant Jésus, s'échappe un torrent
d'hosties, etc. Vitrail de la cathédrale de Berne, xve siècle. Cf.
F. de Lasteyrie, « Notice sur quelques représentations allégoriques
de l'Eucharistie », dans *Mémoires de la Soc. des Antiquaires de France*,
t. 39, p. 83 (cité dans J. Corblet, *Histoire ... du Sacrement de
l'Eucharistie*, t. 2, p. 519-520). Voir aussi L. Réau, *Iconographie
de l'art chrétien*, t. 2, vol. 2, Paris 1957, p. 420-424, 426.

2. « L'ange ... se rassasie de la moelle du froment. » Cf. S. Bernard,
In Cant., 33, 3 (183, 952 C-D). — G. Madec, « Panis angelorum
selon les Pères de l'Église, surtout S. Augustin », dans *Forma Futuri*
(Mélanges card. M. Pellegrino), Turin 1975, p. 818-829.

dies a sancto Pascha, Spiritus ille Paraclitus, in quo est
1839 D omnis ab opere malo et in opere bono et super omne opus
61 in tranquillitate et pace sanctorum sabbatismus, de plenitudine vitis verae, cuius *Pater agricola est,* copiose in
discipulorum corda influxit, quorum mentium purgatissimas
ac religatissimas a Dei Filio apothecas vino forti et lucido
65 replevit. **9.** *Spiritus* etenim *Domini,* a Patre et Filio missus,
replevit orbem terrarum; totumque sibi sua fortitudine
vendicans, et memoriam et sensum et voluntatem, conti-
nuit *omnia;* eumque more vini fortissimi a semetipso
prorsus alienans, *scientiam* quam habuit *vocis* edocuit, ita
70 ut sobrie ebrius non suo moveretur, regeretur, loqueretur
sensu et spiritu, sed vini calore et odore et virtute omnia
fierent. **10.** Merito ergo et Iudaei *musto madere deputant*
1840 A *quos Spiritus repleverat.* Inebriati quippe erant, sed *ab*

---

60 et² : ac *m* ‖ 61 sabbatis *M* ‖ 65 missus *om. M* ‖ 67 vindicans *m* ‖
et... et... et *om. m* ‖ 70 ebrius : sobrius *Mm* ‖ 71 et² *om. m* ‖ et³ : ac *m* ‖
72 et *om. m*

---

a. Jn 15, 1 ‖ b. Sag. 1, 7 ‖ c. Cf. Act. 2, 13

---

1. « Sanctorum sabbatismus. » Il revient à S. Augustin d'avoir
spécialement mis en lumière le thème eschatologique du sabbat
chrétien, et d'en avoir légué le vocabulaire spirituel au Moyen Âge.
Cf. G. FOLLIET, « La typologie du sabbat chez S. Augustin », dans *Rev.
des Études August.,* 2 (1956), p. 447-456. W. RORDORF, *Sabbat et
dimanche dans l'Église ancienne,* Neuchâtel 1972. — L'enseignement
augustinien a été intégré par l'école cistercienne dans la doctrine
de l'expérience contemplative. Voir par ex. S. BERNARD, *Serm.
in Circum.* 3, 10 ; *Serm. in Vigil. S. Andr.* (183, 140 D - 141 B ;
503 A). GUILLAUME DE SAINT-THIERRY, *Super Cant.,* 56 (*SC* 82,
p. 150), AELRED DE RIEVAULX, *Speculum carit.,* 3, 1-6 (195, 573 D -
583 D). THOMAS LE CISTERCIEN, *Comment. in Cant.,* 6 (206, 351 A -
353 A). ADAM DE PERSEIGNE, *Lettres* 2, 7, 15 (211, 591 D - 592 A,
601 B-C, 629 1-C). Cf. J. LECLERCQ, *Otia monastica. Études sur le
vocab. de la contemplation au M. Â.,* Rome 1963, p. 50-59, 123-125.
2. Cf. *supra,* Serm. 40, 1824 D avec la note.
3. Il a été question de la « sobria ebrietas » au *Serm.* 5, 1708 A
(cf. *Note complém.* 6, t. I, p. 336-337). Isaac y fait encore allusion dans

Car, cinquante jours après la sainte Pâque, cet Esprit
D Paraclet, en qui les saints, dans la tranquillité et la paix,
prennent tout leur repos sabbatique[1] loin de toute œuvre
mauvaise, en toute œuvre bonne et au-delà de toute
œuvre, s'est copieusement répandu, de la plénitude de
la vraie vigne dont le « Père est le vigneron[a] », dans les
cœurs des disciples : leurs âmes, tels des fûts soigneuse-
ments rincés et solidement cerclés par le Fils de Dieu,
il les a remplies d'un vin vigoureux et clair. **9.** Oui, « l'Esprit
du Seigneur », envoyé par le Père et le Fils, « a rempli
l'univers »; dans sa vigueur, revendiquant tout pour
soi, mémoire, sens, volonté, il a tout saisi ensemble; le
mettant entièrement hors de lui[2], comme le ferait un vin
généreux, il lui a enseigné sa propre « science de la parole[b] »,
de sorte que, sobrement ivre[3], ce ne fût plus son sens et
son esprit qui le poussât, le dirigeât, le fît parler, mais
que tout s'opérât sous l'influence de la chaleur, du parfum,
de la force du vin. **10.** C'est donc avec raison que même
les juifs « Estiment pleins de vin nouveau / Ceux que
A l'Esprit avait remplis[c] [4] ». Bien sûr, ils étaient enivrés,

les *Sermons* 10, 1724 A ; 37, 1815 B ; 40, 1824 D. Étudiant les
vicissitudes du thème de « L'ivresse spirituelle », dans *Liturgie*
(n° 22-23, 1977, p. 265-276, 334-343), Dom G. Dubois fait remarquer
le recul de la dimension eucharistique à partir du Moyen Âge. Ainsi
par exemple elle est ignorée par un S. Bernard. Chez Isaac en revanche,
l'expérience mystique que connote la « sobre ivresse » est explicitement
reliée à l'Eucharistie, comme le montre la suite du sermon. Cela est
possible parce que dans la synthèse théologique de l'abbé de l'Étoile la
notion augustinienne de sacrement est intégrée à celle d'origine
dyonisienne (cf. *De offic. missae*, 1892 C - 1895 A). — Voir E. Longpré,
« Eucharistie et expérience mystique » dans *DSp*, t. 4, col. 1586-1621.
A. Solignac, « Ivresse spirituelle », dans *DSp*, t. 7, 2ᵉ partie (1971),
col. 2312-2337. E. Dassmann, *Sobria ebbrietà dello spirito. La
spiritualità di S. Ambrogio vescovo di Milano*, Sacromonte 1975.
    4. Derniers vers de la 3ᵉ strophe de l'hymne *Beata nobis gaudia*.
Cette hymne est connue sous deux formes différentes, les nᵒˢ 2339 et
2340 du *Repertorium hymnolog.* d'U. Chevalier ; la 3ᵉ strophe y
est identique. C'est le nᵒ 2339 qui figure à l'ancien bréviaire cistercien
(voir le nᵒ 2340 dans *PL* 86, 693-694).

ubertate domus Dei. Domus nimirum Patris Filius, et
75 domus Filii Pater. *Nescitis*, inquit, *quod Pater in me est,
et ego in Patre?* Ubertas vero et plenitudo utriusque Spiritus
sanctus, torrens quoque *voluptatis* eorum, unde potati isti
erant et inebriati. In Patre et Filio *fons* indeficiens uber-
tatis, pro discipulis torrens *voluptatis*, et ab illis *torrens
80 inundans gloriae* gentium.

11. Spiritus, qui nec vinum nec aqua est proprietate,
utrumque dicitur similitudine : vinum quia inebriat fervore
caritatis, aqua quia refrigerat ab aestu cupiditatis. Hanc
aquam desiderans propheta ait : *Remitte mihi ut refrigerer,
85 priusquam abeam.* Ad hanc invitabat qui stans *clamabat :*
1840 B *Si quis sitit, veniat ad me et bibat, et flumina fluent de
ventre eius aquae vivae. Hoc,* inquit evangelista, *dicebat de
Spiritu, quem accepturi erant credentes in eum.* Ecce, quia
non bibunt hoc vinum sive hanc aquam nisi *credentes in
90 eum,* sicut non comedunt illum panem nisi qui *triduo*
sustinent eum, sustineamus et comedamus, credamus et
bibamus. Comedamus ut *amici* efficiamur ; bibamus ut
caritate *carissimi* facti inebriemur.

12. Caritas etenim sicut vinum miscetur, maxime ubi
95 Sapientia mensam ponit, vinum miscet et ad convivium
parvulos vocat. Sola namque invitatur humilitas ad convivium Sapientiae, ubi panis est veritas et vinum est caritas.

---

76 et² : ac *m* ‖ 79 voluntatis *M* ‖ *post* torrens² *add.* et *M* ‖ 80 gentium : gratiarum *M* ‖ 81 *post* est *add.* in *M* ‖ 84 desider. aquam *m* ‖
mihi *om. M* ‖ 85 abeam : habeam *M* ‖ 86-87 flumina de ventre eius
fl. *m cum Vg.* ‖ 87 dixit *m* ‖ 88 Ecce : et *M* ‖ 92 ut¹ : et *M* ‖ bibamus *om. M* ‖ 97 et *om. m* ‖ est² *om. m*

---

a. Ps. 35, 9 ‖ b. Jn 14, 11 ‖ c. Cf. Ps. 35, 9-10. Is. 40, 28. 66, 12 ‖
d. Ps. 38, 14 ‖ e. Jn 7, 37-39 ‖ f. Cf. Mc 8, 2-3 ‖ g. Cf. Cant. 5, 1 ‖ h.
Cf. Prov. 9, 2-4

---

1. A partir de l'arrière-plan de la théologie du Christ total, les § 11
à 13 de ce sermon esquissent les grandes lignes d'une ecclésiologie

mais « de l'abondance de la maison » de Dieu[a]. Or, la
maison du Père est le Fils, et la maison du Fils est le Père.
« Ne savez-vous pas, est-il dit, que le Père est en moi
et moi dans le Père[b] ? » Et l'abondance et la plénitude
de l'un et de l'autre, c'est l'Esprit-Saint, qui est aussi
le torrent de leurs délices, où les disciples s'étaient abreuvés
et s'étaient enivrés. Dans le Père et le Fils, l'Esprit est
source intarissable d'abondance ; pour les disciples, torrent
de délices ; à partir d'eux, torrent débordant de gloire
pour les nations[c].

11. L'Esprit, qui n'est au sens propre ni vin ni eau,
est appelé de ces deux noms au sens figuré : vin, parce
qu'il enivre de la ferveur de la charité, eau parce qu'il
refroidit l'ardeur de la convoitise. Le désir de cette eau
faisait dire au prophète : « Laisse-moi me rafraîchir avant
que je m'éloigne[d]. » C'est elle qu'offrait celui qui debout
B clamait : « Si quelqu'un a soif, qu'il vienne à moi et qu'il
boive, et de son sein couleront des fleuves d'eau vive.
En disant cela, ajoute l'Évangéliste, il parlait de l'Esprit
que devaient recevoir ceux qui croiraient en lui[e]. » Eh bien !
puisque ne boivent ce vin ou cette eau que « ceux qui
croient en lui », comme ne mangent ce pain que ceux qui
l'attendent trois jours[f], attendons et mangeons, croyons
et buvons. Mangeons pour devenir des amis ; buvons
afin que, devenus très chers par la charité, nous soyons
enivrés[g] [1].

12. La charité, en effet, est apprêtée comme le vin,
surtout quand la Sagesse dresse sa table, apprête son vin
et invite à son banquet les tout petits[h]. Car seule l'humilité
est invitée au banquet de la Sagesse, où le pain est la
vérité et le vin la charité. La charité est également versée

eucharistique, dont Isaac dévoile ensuite l'horizon trinitaire (§ 14-15).
Voir à ce sujet les observations éclairantes de H. DE LUBAC, *Catholicisme*, 4e éd., Paris 1947, p. 70-71 ; *Corpus mysticum*, 2e éd., Paris
1949, chap. 8, p. 189-209.

Caritas quoque velut aqua effunditur, ubi ad ablutionem
1840 C conceditur. **13.** Hic ordo nimirum congruus est, si acces-
100 surus ad mensam, prius manus lavet. *Lavamini*, inquit,
mundi estote. Et alibi : *Si laverit Dominus sordem filiarum*
Sion spiritu iudicii et spiritu ardoris. Hoc desiderans
propheta orat : *Amplius lava me*, Domine, *ab iniquitate*
mea, et a peccato meo munda me. Et alibi : *Lavabo inter*
105 *innocentes manus meas, et* circuibo *altare tuum, Domine*.
Altare Domini mensa est unde manducamus et bibimus
carnem Christi qui *vere est cibus* et sanguinem eius qui
vere est potus. Baptismus abluit, altare pascit ; sed sine
caritate quae *fructus Spiritus est*, neutrum proficit. Caritas
1840 D igitur totum efficit, sine qua non valet quidquid fit.
111 **14.** Caritas ergo aqua est quae lavat, vinum quod inebriat :
lavat a vitiis, inebriat virtutibus ; lavat inquinatos amore
huius mundi, inebriat mundatos amore Dei ; lavat sordi-
datos amore sui, inebriat purgatos amore proximi. Caritas
115 autem Spiritus est, quia Spiritus Caritas est. Itaque Veritas
cibat, Caritas potat, Virtus corroborat. Veritas Filius,
Caritas Spiritus, Pater Virtus. Per Veritatem et Caritatem,
quae ad nos propter nos missae sunt, perveniemus ad
Virtutem, quando ad Patrem. Pater autem omnimodam

---

98 quoque velut : quousque vult *M* ‖ ablutionem : solutionem *M*
‖ 99 si : ut *m* ‖ 101 sordes *M cum Vg.* ‖ 102 *post* Sion *add.* in *m cum Vg*
‖ spiritu² *om. S* ‖ 103 Domine *om. MS cum Vg.* ‖ 104 munda me *om.*
M ‖ 105 circumdabo *m cum Vg.* ‖ 109 Spiritus *om. m* ‖ 110 igitur :
ergo *m* ‖ qua : quo *M* ‖ 111 est aqua *m* ‖ 115 est caritas *m* ‖ 117 veritate *M* ‖ 118 quae : quem *M*

---

a. Is. 1, 16 ‖ b. Is. 4, 4 ‖ c. Ps. 50, 4 ‖ d. Ps. 25, 6 ‖ e. Jn 6, 56 ‖
f. Gal. 5, 22

---

1. Cf. *Serm.* 31, 1793 B-C.
2. Sur l'Esprit-Saint, « Don » et « Charité », voir ci-dessous la
Note complém. 27 (ainsi que l'*Introduction*, au t. I, p. 40). Voir aussi
D. DIDEBERG, « Esprit-Saint et charité. L'exégèse augustinienne

C comme l'eau quand on la donne pour l'ablution. **13.** L'ordre
normal veut que celui qui va se mettre à table se lave
d'abord les mains. « Lavez-vous, est-il dit, purifiez-vous[a]. »
Et ailleurs : « Lorsque le Seigneur aura lavé la saleté des
filles de Sion au souffle du jugement et au souffle de
l'incendie[b]. » C'est ce que désirait le prophète dans sa
prière : « Lave-moi tout entier de mon mal, Seigneur,
et de ma faute purifie-moi[c]. » Et ailleurs : « Je laverai
mes mains au milieu des innocents et tournerai autour
de ton autel, Seigneur[d]. » L'autel du Seigneur est la table
où nous mangeons la chair du Christ, qui « est vraiment
une nourriture », et buvons son sang, qui « est vraiment
une boisson[e] ». Le baptême lave, l'autel nourrit; mais
sans la charité qui « est le fruit de l'Esprit[f] », ni l'un ni
l'autre ne profite. La charité opère donc tout : sans elle
D rien de ce qui se fait n'a de valeur[1]. **14.** La charité est
l'eau qui lave, le vin qui enivre. Elle lave des vices, elle
enivre des vertus; elle lave ceux qui sont souillés par
l'amour de ce monde, elle enivre ceux qui sont purifiés
par l'amour de Dieu; elle lave ceux qui sont salis par
l'amour d'eux-mêmes, elle enivre ceux qui sont purifiés
par l'amour du prochain. Or la charité, c'est l'Esprit,
car l'Esprit est Charité[2]. Ainsi la Vérité nourrit, la Charité
désaltère, la Puissance fortifie. La Vérité est le Fils; la
Charité, l'Esprit; la Puissance, le Père. Par la Vérité
et la Charité, qui ont été envoyées vers nous, à cause de
nous, nous parviendrons à la Puissance, quand nous
parviendrons au Père[3]. Et le Père nous conférera le rassa-

---

de 1 Jn 4, 8 et 16 » dans *Nouv. Rev. Théol.*, 97 (1975), p. 97-109,
229-250.

    3. Isaac se sert de l'attribution de la Puissance au Père, de la
Sagesse au Fils, de la Charité au Saint-Esprit. Elle est classique
chez les théologiens du XIIe siècle : HUGUES DE SAINT-VICTOR,
De Sacram. 1, 2, 6 (176, 208), etc. ; *Summa sent.* 1, 10 (176, 56-58) ;
ROBERT DE MELUN, *Sent.*, 1, 2, 6, etc. ; PIERRE LOMBARD, *Sent.*,
1, 34, 3 et 4 ; RICHARD DE SAINT-VICTOR, *De tribus appropriatis*

120 collaturus est satietatem, sicut scriptum est : *Satiabor,
cum apparuerit gloria tua.*

15. Satietas autem illa mirifica de vultu Patris perfectum
robur conferet, omnem esuriei et sitis passionem auferet,
1841 A sicut scriptum est : *Non esurient neque sitient amplius.*
125 *Omne oblectamentum* aeternum illud convivium et sine
fastidio dabit et sine passione desiderabit. Tunc ibi edemus
et bibemus, sicut hic promittit qui non fallit, Filius, cum
ipso *super mensam* suam *in regno Patris* sui, in sublimi
illo altari, *in conspectu divinae maiestatis*, Veritate lucidi,
130 Caritate fervidi, Virtute validi.

16. Interim ergo de huius altaris inferioris participatione
gustemus cum Christo quod ipse pro nobis gustavit :
sedentes *ad mensam divitis* qui pro nobis factus est pauper,
praeparemus *similia*, ut eius paupertate ditemur et cum
135 ipso fruamur divitiis, cuius verius paupertatem non refugi-
mus hic comedentes et bibentes *frumentum electorum et*
1841 B *vinum germinans virgines*, ipsumque ad nos invitantes ut,
sicut scriptum est, introeat ad nos, et cenet nobiscum.

---

122 autem *om. S* ‖ profectum *M* ‖ 123 confert *S* ‖ aufert *M* ‖
124 est *om. M* ‖ neque sitient *om. M* ‖ 125 oblectamentum : delec-
tamentum *S* ‖ aeternum *om. M* ‖ et *om. m* ‖ 126 Tunc ibi : iter ei
M ‖ 132 cum : quod *M* ‖ pro nobis ipse *Mm* ‖ 133 sedentis *M* ‖ 135
verius *om. Mm* ‖ 136 et[1] : ac *m* ‖ 138 et : ut *M* ac *m*

---

a. Ps. 16, 15 ‖ b. Apoc. 7, 16 ‖ c. Cf. Sir. 30, 16 ‖ d. Lc 22, 30 ;
Matth. 26, 29 ‖ e. Cf. Prov. 23, 1-2 (Vet. lat.). II Cor. 8, 9 ‖
f. Zach. 9, 17

(196, 993-994). L'interprétation d'Abélard, tendant à identifier les
trois personnes divines aux trois attributs (*De unitate*, 1, 3), n'avait
pas réussi à la compromettre. Remarquer qu'Isaac emploie cette
attribution non de manière, pour ainsi dire, abstraite et statique, mais
pour montrer tout le mouvement de la vie chrétienne dans l'Esprit,
par le Fils vers le Père, ce qui est par excellence une idée paulinienne
et patristique.

siement complet, selon qu'il est écrit : « Je serai rassasié
lorsque apparaîtra ta gloire[a]. »

15. Ce merveilleux rassasiement par le visage du Père
conférera une force parfaite, ôtera toute souffrance de
A la faim et de la soif, selon qu'il est écrit : « Ils n'auront
plus ni faim, ni soif[b]. » Ce repas éternel offrira toutes les
délices[c] sans lassitude et les fera désirer sans souffrance[1].
Alors, là-haut, comme nous le promet ici-bas le Fils qui
ne trompe pas, nous mangerons et boirons avec lui, à sa
« table, dans le royaume de son Père[d] », à cet autel sublime,
« en présence de la divine majesté[2] », brillants de la Vérité,
brûlants de la Charité, vaillants de la Puissance[3].

16. D'ici-là, en participant à cet autel inférieur, goûtons
avec le Christ ce qu'il a goûté lui-même pour nous. Assis
à la table du riche qui pour nous s'est fait pauvre, préparons
de semblables mets[4], pour être enrichis de sa pauvreté
et jouir avec lui de ses richesses[e], lui dont il est encore
plus vrai que nous ne refusons pas la pauvreté, quand
nous mangeons et buvons ici « le froment des élus et le vin
B qui fait germer les vierges[f] », et que nous l'invitons chez
nous, pour que, selon l'Écriture, il entre chez nous et soupe

---

1. Cf. S. BERNARD, *De dil. Deo*, 11, 33 (182, 995 A) ; *In Cant.*, 84, 1
(183, 1185 A).

2. Passage de la prière eucharistique romaine commenté dans
le *De offic. missae*, 1894 D - 1895 A.

3. Cf. *ibid.*, 1892 B.

4. Toujours dans le *De offic. missae*, Isaac écrit : « Hinc est quod a
Sapiente dicitur : ' Ad mensam magnam sedisti, diligenter attende
quae apponuntur tibi. Fige cultrum in gutture tuo, sciens quoniam
talia oportet te praeparare '. Mensa magna est altare Domini. Ille
nobis ibi apponitur ad refectionem, qui corpus et animam suam
posuit pro nobis ad redemptionem. Attentendum est quod talia
oportet etiam illi praeparare, id est pro illo nostrum simul et similiter
corpus et animam ponere ». (1893 D, texte corrigé à l'aide des mss).
Ce même verset de *Prov.* 23, 1-2, selon les Vet. lat., est souvent
médité par S. Augustin de façon semblable dans ses sermons pour
les fêtes des martyrs. Voir notamment *Serm.* 304, 1-2 ; 329, 1 ;
332, 2-3 (38, 1395-1396, 1455, 1462).

17. Sed quoniam nos tepidi sumus, et talem convivam aut
140 facile invitare obliviscimur aut contemnimus, *ecce* stat *ad*
ostium, pulsat et, si quis aperit ei, intrat et cenat *cum*
illo. Aperiamus illi, dilectissimi, et *de inopia* nostra eius
libenter et devote reficiamus abundantiam, ut aliquando
repleamur *in bonis domus* suae, ipso praestante qui vivit et
145 regnat Deus per omnia saecula saeculorum. Amen.

SERMO QUADRAGESIMUSQUINTUS

In eodem Festo III

1. *Caritas Dei diffusa est in cordibus nostris per Spiritum*
1841 C *sanctum qui datus est nobis.* Parum erat, dilectissimi, ut
Dei Filius nobis daretur, sicut scriptum est : *Parvulus*
natus est nobis, filius datus est nobis, nisi et Spiritus sanctus
5 etiam nobis donaretur. An et ipse Pater aliquando nobis
donabitur, ut qui nihil sumus, totum accipiamus, et qui
totam humanitatem perdidimus, tota divinitate ditemur ?
Quis audivit talia?
2. Caeci eramus : nata est *in tenebris lux* quae nos
10 illuminaret. Et haec est Christi pro nobis, de nobis, in
nobis nativitas. Quam accepit pro nobis, contulit etiam
nobis. Et hic est Christi pro nobis baptismus, quasi alia

139 et : ac *m* ‖ 140 obliv. aut contemn. invitare *m* ‖ 140-141 ad ostium stat et pulsat *m* ‖ 141 et² : ac *m* ‖ 142 illo : eo *m* ‖ 143 et : ac *m* ‖
144 in *om. m*
Tit. Item sermo unde supra *S* ‖ 2 *ante* nobis *praem.* in *M* ‖ 4 est²
om. M ‖ 4-5 et Spir. sanct. etiam : etiam Spir. sanct. *m* ‖ 7 ditemur :
donemur *Mm* ‖ 10 illuminat *S* ‖ est *om. S* ‖ 12 est *om. S*

a. Cf. Apoc. 3, 20 ‖ b. Cf. Mc 12, 44. II Cor. 8, 9 ‖ c. Cf. Ps 64, 5
a. Rom. 5, 5 ‖ b. Is. 9, 6 (Vet. lat.) ‖ c. Jér. 18, 13. Cf. Is. 66, 8 ‖
d. Cf. Is. 9, 2 ; 58, 10. Jn 1, 5. Lc 1, 79

avec nous. **17.** Mais comme dans notre tiédeur nous oublions facilement d'inviter un tel convive ou le dédaignons, voici qu'il se tient à la porte, il frappe et, si quelqu'un lui ouvre, il entre et soupe avec lui[a]. Ouvrons-lui, mes bien-aimés, et de notre pauvreté venons en aide volontiers et avec élan à son opulence[b], pour qu'un jour nous soyons comblés des biens de sa maison[c], par sa générosité à lui qui vit et règne, Dieu, pour les siècles. Amen.

SERMON 45

Troisième sermon pour le jour de la Pentecôte

Les missions du Fils et de l'Esprit sont complémentaires. Après la Rédemption, il fallait l'Esprit pour donner l'amitié divine. L'Esprit tempère la justice et la sainteté brûlantes de Dieu (les dispositions du cosmos en donnent quelque analogie).

    1. « La charité de Dieu a été répandue dans nos cœurs
C par l'Esprit-Saint qui nous a été donné[a]. » Il ne suffisait pas, mes bien-aimés, que le Fils de Dieu nous fût donné, selon la parole : « Un enfant nous est né, un fils nous a été donné[b] »; il fallait encore que l'Esprit-Saint nous fût également accordé. Et le Père lui-même ne nous sera-t-il pas donné un jour, pour que nous qui ne sommes rien recevions le tout, nous qui avons perdu toute l'humanité soyons enrichis de toute la divinité? « Qui a rien entendu de pareil[c]? »
    2. Nous étions aveugles : dans les ténèbres est née la lumière qui venait nous illuminer[d]. Voilà la naissance du Christ pour nous, de nous, chez nous. Cette naissance qu'il a acceptée pour nous, il nous l'a donnée, à nous. Voilà le baptême du Christ pour nous, comme une autre

quaedam nativitas, qua nasceremur in illo qui natus erat
in nobis. Et sicut ille in nobis, sic et nos in illo : ille per
15 Spiritum sanctum hominis Filius de Maria virgine, nos
1841 D per eundem Spiritum Dei filii de Ecclesia virgine. *Servi
mali* eramus *sub peccato :* ipse bene servivit pro nobis,
oboediens Patri in iustitia, oboedientia sua solvens debitum
obsequii nostri. Et haec est vita Christi pro nobis. *Filii*
20 *mortis* eramus pro peccato, *stipendia enim peccati mors :*
ipse moriens pro nobis, expiavit piaculum reatus nostri.
Et haec est mors Christi pro nobis. **3.** Ecce, dilectissimi,
nobis, quorum nativitas fuit immunda, vita perversa, mors
periculosa, iam per gratiam Christi omnia commutata sunt
25 in melius, sicut habet psalmi titulus : *Pro his qui commu-*
tabuntur. Nativitas est iam sancta, sicut scriptum est :
Quod nascetur ex te sanctum; vita iusta : *Iustus,* inquit,
meus ex fide vivit; mors victoriosa : *Deo autem gratias, qui*
1842 A *dedit nobis victoriam, per Iesum Christum Dominum*
30 *nostrum.*

4. Quid ergo, obsecro, si tanta nobis superioribus
solemnitatibus collatio gratiarum constat, opus erat huius
hodiernae celebritatis indulgentia ? Quid deerat perfecte
reconciliatis quod addi debuisset ? Qui *Filium suum* nobis
35 donavit, *quomodo cum illo non omnia donavit ?* Nonne *sive*
Paulus sive Cephas sive Apollo, omniaque omnino *sunt*
nostri, si nos *Christi ?* Excepto quod mundus iste visi-

14 et² : etiam *m* ‖ 18 sua *om. M* ‖ 21 expiavit : expians *M* ‖ 22
mors : meis *M* ‖ 23 nobis : omnia vobis *m* ‖ mors : mores *M* ‖ 24
Christi gratiam *M* ‖ omnia *om. m* ‖ 26 est : enim *Mm* ‖ 28 victoriosa
scripsi : victoria *MSm* ‖ qui : igitur *M* ‖ 29-30 per Dominum nostrum
I. Chr. *m* ‖ 32 grat. collatio *m* ‖ 33 *ante* celebritatis *praem.* solemni-
tatis vel *M* ‖ indulgentiam *M* ‖ 34 suum *om. m* ‖ 35 *post* omnia *add.*
nobis *m cum Vg.* ‖ 36-37 omniaque — nostri : omnia nostra sunt *m*

a. Cf. Matth. 24, 48. Rom. 6, 20 ; 7, 14 ‖ b. Cf. Phil. 2, 8. Rom. 6,
16 ‖ c. I Sam. 26, 16 ‖ d. Rom. 6, 23 ‖ e. Ps. 44, 1 ‖ f. Lc 1, 35 ‖ g.
Hébr. 10, 38 ‖ h. I Cor. 15, 57 ‖ i. Cf. Jn 3, 16 ‖ j. Rom. 8, 32 ‖ k.
Cf. I Cor. 3, 22-23

naissance qui nous fît naître en lui qui était né en nous.
Ainsi lui en nous et nous en lui : lui, Fils de l'homme, par
l'Esprit-Saint, de la Vierge Marie; nous, fils de Dieu,
D par le même Esprit, de l'Église Vierge[1]. Nous étions de
mauvais serviteurs assujettis au péché[a] : lui a bien servi
à notre place, obéissant au Père dans la justice[b], acquittant
par son obéissance la dette de notre service. Voilà la vie
du Christ pour nous. Nous étions « fils de la mort[c] » à cause
du péché, « car le salaire du péché, c'est la mort[d] » : lui-
même, mourant pour nous, a offert le sacrifice expiatoire
pour notre faute. Voilà la mort du Christ pour nous[2].
3. Vous le voyez, mes bien-aimés, pour nous dont la
naissance était impure[3], la vie perverse, la mort périlleuse,
maintenant, par la grâce du Christ, tout est changé en
mieux, selon le titre d'un psaume : « Pour ceux qui seront
changés[e]. » Maintenant la naissance est sainte, comme
il est écrit : « Ce qui naîtra de toi sera saint[f] »; la vie est
juste : « Mon juste, est-il dit, vit de la foi[g] »; la mort est
A victorieuse : « Grâces soient à Dieu, qui nous a donné la
victoire par Jésus-Christ notre Seigneur[h]! »
4. Mais alors, je le demande, si les solennités précédentes
nous garantissent une telle abondance de grâces, quel
besoin y avait-il que fût octroyée la célébration d'aujour-
d'hui? Que manquait-il à ceux qui ont été parfaitement
réconciliés, qui dût encore être ajouté? Celui qui nous
a donné son propre Fils[i], « comment avec lui n'aurait-il
pas accordé toute faveur[j]? » N'est-il pas vrai que, soit
Paul, soit Céphas, soit Apollos, absolument tout est à nous,
si nous-mêmes sommes au Christ[k]? Sans parler de ce monde

1. Sur la naissance du Christ et notre renaissance, cf. *supra,*
Serm. 27, 1778 D - 1779 A avec la note 1 ; *Serm.* 42, 1832 B-C.
2. Sur la mort du Christ, cf. *supra, Serm.* 15, 1738 D - 1739 A ;
Serm. 36, 1812 B-C ; *Serm.* 42, 1832 B.
3. « Nous dont la naissance était impure, etc. », cf. *supra,*
Serm. 41, 1828 B.

bilis cum omnibus elementis suis, et elementa ipsa
cum omni plenitudine et ornatu suo nobis serviunt, *nonne*
40 et angeli *omnes administratorii spiritus sunt, in ministerium
missi, propter eos qui hereditatem capiunt salutis?* **5.** Parum
1842 B est hoc. Deus, Dei Filius et ipse homo, *hominis Filius, non
venit ministrari* a nobis, *sed ministrare* nobis, et *dilectam
illam animam suam* ponere, quam dedit *redemptionem pro
45 multis.* Quis umquam vidit similia? Dominus noster ubique
est minister noster. Et quis tam sedulus minister? Pro nobis
nascitur, pro nobis vivit, pro nobis moritur, pro nobis
resurgit, pro nobis ascendit, sicut scriptum est : *Si quo
minus dixissem vobis: Vado vobis parare locum* — quibus
50 locum aufert in mundo, locum parat in caelo ; pro
nobis quoque iterum veniet de caelo : *Veniam*, inquit,
iterum ad vos, et accipiam vos ad meipsum. Vere *qui fecit
nos*, omnia facit propter nos. Quare et nos, carissimi, non
omnia propter ipsum?

55   **6.** Sed ecce iterum, quid opus erat hac solemnitate?
1842 C Quid ultra haec faciet alius Paraclitus? Iniuriam fecimus
Deo, sed, sicut vulgo dicitur, rectum ei fecimus, caput
querelae solvimus, vadiumque, ut dicitur, pro forisfacto
dedimus. Abstulimus ei hominem, reddidimus ei meliorem ;
60 rapuimus servum, solvimus Filium. Quid amplius? Causam
inivimus, querelam audivimus, convicti sumus, pro iudicio
cuncta restituimus. Nonne haec sufficere possunt? Utique !
Sed ad redemptionem, non ad gratiam ; ad iustitiam, non

---

38 et *om. m* ‖ 38-39 et elementa — ornatu suo *om. S* ‖ 39 *post*
cum omni plenit. *repet.* cum omni plenitudine *M* ‖ 40 et *om. m* cum
Vg. ‖ omnes *om. M* ‖ sunt spiritus *m* ‖ 43 et : in *M* ac *m* ‖ 44 illam
om. m ‖ ponere quam : quam *M om. S* ‖ 46 Et quis tam sedulus minister ? *om. m* ‖ 47 *post* nascitur *add.* qui *M* ‖ 49 parare vobis *Mm*
cum Vg. ‖ 51 quoque *om. m* ‖ de : e *m* ‖ 53 fecit *S* ‖ carissimi *om.*
m ‖ 55 quid : quis *M* ‖ 56 facit *S* ‖ 57 caput : apud *M* ‖ 58 va-
dumque *S* ‖ 59 ei² *om. MS*

---

a. Hébr. 1, 14 ‖ b. Cf. Matth. 20, 28. Jér. 12, 7. I Jn 3, 16 ‖ c. Cf.
Is. 66, 8 ‖ d. Jn 14, 2 ‖ e. Jn 14, 3 ‖ f. Ps. 94, 6 ‖ g. Cf. Jn 14, 16

visible avec tous ses éléments, de ces éléments eux-mêmes
avec toute leur plénitude et leur beauté qui sont à notre
service, « est-ce que tous les anges ne sont pas des esprits
chargés d'un ministère, envoyés en service pour ceux qui
doivent hériter du salut[a]? » **5.** Et c'est encore peu de
chose. Dieu, Fils de Dieu, lui-même homme, Fils de
l'homme, n'est pas venu pour être servi par nous, mais
pour nous servir, et pour livrer cette âme bien-aimée
qu'est la sienne[1], la donnant en rançon pour la multitude[b].
Qui a jamais rien vu de pareil[c]? Notre Seigneur est en tout
notre serviteur. Et quel serviteur aussi dévoué? C'est
pour nous qu'il naît, pour nous qu'il vit, pour nous qu'il
meurt, pour nous qu'il ressuscite, pour nous qu'il s'élève,
selon la parole : « Autrement vous aurai-je dit : Je pars
vous préparer une place[d]? » — il nous enlève une place
en ce monde et nous en prépare une au ciel. Pour nous
encore, il reviendra du ciel : « A nouveau je viendrai vers
vous, dit-il, et je vous prendrai près de moi[e]. » En vérité,
« celui qui nous a faits[f] », il a tout fait pour nous. Pourquoi
nous aussi, très chers, ne faisons-nous pas tout pour lui?

6. Alors la question se repose : à quoi bon la solennité
d'aujourd'hui? Que pourra faire de plus l'autre Paraclet[g]?
Nous avons causé un préjudice à Dieu, mais, comme on
le dit familièrement, nous lui avons « fait droit », nous
avons concédé « le principal de la querelle » et, comme on dit
encore, nous avons donné « un gage pour le forfait » :
nous lui avons soustrait un homme et lui en avons restitué
un meilleur; nous lui avons enlevé un esclave et nous lui
relâchons son Fils. Que dire de plus? Nous avons été cités;
nous avons entendu la plainte; nous avons été convaincus;
jugés, nous avons tout restitué. N'est-ce pas suffisant?
Oui, certes! Mais pour la rédemption, pas pour la faveur;

---

1. Cf. le 6e répons aux Vigiles du vendredi saint dans la liturgie
cistercienne : « Animam meam dilectam tradidi in manus ini-
quorum..: »

ad amicitiam. **7.** Ecce *iustus* de praeterito, *quid* faciet de
65 futuro, qui *septies* cadit *in die*? Cuius *ab adolescentia
sensus proni sunt* ad *malum*, quis servabit eum in bono?
Aut si ceciderit, quis levabit eum? *Vae soli! Si ceciderit,
non est qui sublevet eum.* Audeo dicere, sine Spiritu solus
1842 D est. Nam sine Spiritu Christum solum habens, solus est.
70 Non enim sine causa post Christum mittitur Spiritus :
Expedit, inquit, *vobis ut ego vadam;* alioquin, *Paraclitus
non veniet.*

8. Dicamus simpliciter, fratres, maxime propter simplices
et illiteratos fratres qui supra sermonem trivii loquentes
75 non intelligunt. Potens quisquam rationem ponit cum
servo suo : accusatum de damno sibi illato convincit ;
convictum tenet, arguit, suffocat, donec reddat *novissimum
quadrantem*, et de iniuria poenam iudiciariam det. Quid
ergo? Dimittitur, sed non diligitur. Dicitur ei : *Vade, et
80 amplius noli peccare, ne deterius tibi contingat.* Liber es,
sed si incideris in manus meas, non sic evades. *Horrendum
est* enim *incidere in manus Domini.* **9.** Sed quis poterit ab
1843 A occasionibus domini sui se servus custodire? Quomodo
poterit durare, si in omnibus vult eum dominus suus
85 observare, si nil donare, si omnia imputare? Infelix
servus, cui dominus suus imputat omne peccatum. Ideo
qui sapiens est servus, postquam domino suo omnia restituit, de caetero eius gratiam quaerit et amorem de reliquo
et bonam pacem in futuro, ne velit adversus eum occasiones

---

65 ab *om. M* ‖ 66 ad : in *m cum Vg.* ‖ a malo *M* ‖ servavit *M* ‖
68 Spiritus *M* ‖ 68-69 *post* solus est *add.* est *S add.* Christus *Mm* ‖
73 fratres *om. m* ‖ 75 intelligant *M* ‖ 79 sed non diligitur *om. m* ‖
post et *add.* iam *m cum Vg.* ‖ 82 est *om. S* ‖ quis : qui *M* ‖ 85 si¹ *om.*
M ‖ 89 in : de *m*

---

a. Cf. Ps. 10, 4. Ps. 118, 164. Prov. 24, 16 ‖ b. Gen. 8, 21 ‖ c. Eccl.

pour la justice, pas pour l'amitié. **7.** Maintenant, l'homme est juste en ce qui regarde le passé : que fera-t-il dans l'avenir, lui qui tombe sept fois le jour[a]? Lui dont « les sens sont dès la jeunesse portés au mal[b] », qui le maintiendra dans le bien? Ou s'il tombe, qui le relèvera? « Malheur à qui est seul! S'il tombe, il n'y a personne pour le relever[c]. » J'ose le dire, sans l'Esprit il est seul. Oui, qui a le Christ

D sans l'Esprit est seul. Ce n'est pas en effet sans raison qu'après le Christ est envoyé l'Esprit : « Il vous est avantageux, dit-il, que je m'en aille; autrement, le Paraclet ne viendra pas[d]. »

    8. Parlons simplement, frères, surtout à cause des frères simples et sans lettres qui ne comprennent pas les gens dont les discours passent le langage commun[1]. Quelqu'un de puissant demande des comptes à son serviteur; il l'accuse de lui avoir fait tort, il le convainc, il le tient, il l'invective, il l'étouffe[e], jusqu'à ce qu'il restitue « le dernier quart d'as[f] » et qu'il subisse une peine judiciaire pour le dommage causé. Qu'en sera-t-il? Le voilà relâché, mais non pas aimé. Il s'entend dire : « Va et ne pèche plus, de crainte qu'il ne t'arrive pire[g]. » Tu es libre, mais si tu retombes entre mes mains, tu n'échapperas pas comme cela. C'est chose effroyable que de tomber aux mains du Dieu vivant[h].

    9. Mais quel serviteur pourra se défendre de toutes les

A surprises de son maître? Comment pourra-t-il tenir si le maître veut tout épier, ne rien pardonner, tout lui imputer? Malheureux le serviteur à qui son maître impute ses péchés[i]! Aussi le serviteur sensé, après avoir tout restitué à son maître, sollicite-t-il sa grâce par ailleurs, son amour quant au reste et sa bonne paix à l'avenir pour lui ôter l'envie de chercher à le prendre en faute

---

4, 10 ‖ d. Jn. 16, 7 ‖ e. Cf. Matth. 18, 23-28 ‖ f. Matth. 5, 26 ‖ g. Jn 8, 11 ; 5, 14 ‖ h. Cf. Hébr. 10, 31 ‖ i. Cf. Ps. 31, 2

---

1. Cf. *Serm.* 37, 1815 B ; *Serm.* 48, 1853 D.

90 quaerere, accusatorem facile recipere ; et post omnia
osculum, quasi et caritatis et pacis signaculum, non
praetermittit.

10. Haec est igitur, dilectissimi, praesentis diei gratia.
Convicti sumus de rapina, et quod solvere non potuimus,
95 solvit pro nobis Christus. Facti sumus liberi, sed nondum
amici. Evasimus de praeterito, sed securi non sumus de
1843 B futuro. Et quis iterum adversus iustitiam eius stare poterit,
si caritas eius nil remittit ? Et quis eum celare quidquam
poterit, si *caritas* eius non *operit* ? **11.** Hoc totum, carissimi,
100 quod tam prolixe tractamus, considerans propheta David,
paucis absolvit : *Ante faciem*, inquit, *frigoris eius*, id est
ante rigorem duritiae eius et inflexibilis iustitiae cuncta
observantis et imputantis, *quis sustinebit? Emittet*, inquit,
verbum suum, id est Christum, *et liquefaciet*, id est solvet,
105 *ea*. Christus enim omnia solvit, qui nimirum *opera diaboli*
solvere venit. *Flabit*, inquit, *spiritus eius*, sicut hodie,
cum *factus est de caelo sonus tamquam advenientis spiritus*,
id est venti, *vehementis, et* quae solutae erant *aquae* per
Verbum, *fluent sine impedimento* per Spiritum *in vitam*
1843 C *aeternam.* **12.** Datur itaque per Spiritum sanctum gratia
111 post iustitiam ; et servus qui dimissus est liber per Filium,
efficitur hodie amicus per Spiritum. Hodie, post iustitiam
de iniuria acceptam, osculatur Dominus servum, immo
amicus amicum *osculo oris sui*. Si enim Filius os Patris
115 recte intelligitur, recte et Spiritus osculum oris dicitur.
Osculum ergo signaculum est in posterum dilectionis et

---

91 et[1] *om. Sm* ‖ 93 igitur *om. m* ‖ 96 sumus : fuimus *Mm* ‖ 98 Et *om.*
m ‖ quidquam *om. m* ‖ 99 eius *om. Mm cum Vg.* ‖ carissimi *om. m* ‖
102 duritiae eius et *om. m* ‖ inflexibus *M* ‖ *post* iustitiae *add.* eius
m ‖ 103 emitte *M* ‖ 105 nimirum *om. m* ‖ 109 per Spiritum *om. m* ‖
113 accepta *M* ‖ immo *om. M* ‖ 115 recte[1] *om. S* ‖ et *om. m* ‖ oris *om. M*

---

a. Cf. I Pierre 4, 8 ‖ b. Ps. 147, 17-18 ‖ c. I Jn 3, 8 ‖ d. Act. 2, 2 ;
Ps. 147, 18 ; Jn 4, 14 ; 7, 38-39. Cf. Ex. 14, 21. Sag. 19, 7 ‖ e. Cf.
Jn 8, 36 ‖ f. Cant. 1, 1

et de prêter facilement l'oreille aux accusateurs; pour
finir, il n'omet pas le baiser en signe de charité et de paix.

10. Telle est donc, bien-aimés, la grâce du jour présent.
Nous avons été convaincus de rapine, et notre dette
insolvable, le Christ l'a soldée pour nous. Nous sommes
devenus libres, mais pas encore amis. Nous avons échappé
B au passé, mais n'avons pas d'assurance pour l'avenir.
Et qui pourra bien affronter de nouveau sa justice, si
sa charité ne pardonne rien? Et qui pourra rien lui céler,
si sa charité ne le couvre[a]? **11.** Toutes ces considérations
si prolixes que nous faisons, très chers, le prophète David
les résume en quelques mots : « Face à sa froidure — c'est-à-
dire face à la rigueur de sa dureté et de l'inflexible justice
qui observe et impute tout — qui pourra tenir? Il enverra,
dit-il, sa parole — le Christ — et fera tout fondre[b] », donc
dissoudra tout. Car le Christ dissout tout cela, lui qui est
venu dissoudre « les œuvres du diable[c] ». « Son esprit,
poursuit-il, soufflera », comme aujourd'hui, lorsque « se fit
entendre du ciel un bruit pareil à celui d'un esprit
—c'est-à-dire d'un vent — venant avec violence ». Et
ces eaux qui par la Parole avaient été liquéfiées, par
l'Esprit couleront sans obstacle jusqu'à la vie éternelle[d].
C **12.** Ainsi par l'Esprit la grâce est donnée après la justice;
et l'esclave qui avait été libéré par le Fils[e] devient aujour-
d'hui ami par l'Esprit[1]. Aujourd'hui, la justice ayant
réparé l'injustice, le maître embrasse son serviteur, ou
plutôt l'ami embrasse son ami « d'un baiser de sa bouche[f] ».
Si en effet le Fils peut être considéré comme la bouche
du Père, l'Esprit peut à son tour être appelé le baiser de
sa bouche[2]. Ce baiser est le sceau de la dilection et de la

---

1. Cf. *Serm.* 53, 1872 C avec la note.
2. Le Saint-Esprit, baiser du Père et du Fils. **Cf.** S. Bernard,
In Cant., 8, 2 (183, 811) ; *De div.* 89, 1 (183, 707 A-B) ; Guillaume de
Saint-Thierry, *Super Cant.*, I, 95-100 (*SC* 82, 220-231) ; *Lettre
d'or*, 263 (*SC* 223, 354). Notons cependant que ces textes se situent
dans la perspective augustinienne qui fait du Saint-Esprit le lien

caritatis. *Caritas* enim *Dei diffusa est in cordibus nostris*
per Spiritum sanctum qui datus est nobis. *Caritas* omnia
operit, caritas nihil imputat, caritas omnia portat, omnia
120 excusat, omnia condonat. *Septies in die* cadit per seipsum
iustificatus per Christum, *septies in die* erigitur per
Spiritum.

13. Itaque hodie dedit nobis Deus, per Christum inter-
1843 D pellantem pro nobis, caritatem et amorem suum, ut sicut
125 per Christum, in quo ipse *erat*, reconciliavit *sibi Deus*
mundum, *non reputans* ei praeterita *delicta*, sic et per
Spiritum, in quo etiam erat, confoederavit sibi recon-
ciliatum, non imputans ei futura. Unde et scriptum est :
Beatus vir cui non imputavit Dominus peccatum. Per
130 Christum omnia condonat, per Spiritum nulla imputat.
Et fortassis non omnibus quibus omnia condonat, nihil
imputat. **14.** Christus itaque mediator quodammodo est
ad iustitiam, Spiritus ad amicitiam. Christus ad veritatem,
Spiritus ad caritatem. Christus ad remissionem, Spiritus
135 ad conservationem. Christus ad indulgentiam, Spiritus ad
perseverantiam. Christus ad absolutionem, Spiritus ad
1844 A colligationem. Omnia tamen Christus, et omnia Spiritus
indivise operantur. Omnia enim Pater et Filius et Spiritus
sanctus simul et siimliter operantur, qui sine confusione

---

117 Dei *om. m* ‖ 119 caritas... caritas *om. m* ‖ 123 Deus *om. S* ‖
124 pro nobis *om. S* ‖ 125 *post* quo *add.* Deus *M cum Vg.* ‖ 126 per
om. M ‖ 127 erat etiam *M* ‖ confoederavit : consideravit *M* ‖ 128
imputabit *M* ‖ 131-132 Et fortassis — imputat *om. S per hom.* ‖
132 est *om. m* ‖ 139 et : ac *m*

---

a. Rom. 5, 5 ‖ b. Cf. I Pierre 4, 8 ‖ c. Cf. Prov. 24, 16. Ps 118,
164 ‖ d. Cf. Hébr. 7, 25 ‖ e. Cf. II Cor. 5, 19 ‖ f. Ps. 31, 2

---

d'amour qui unit le Père et le Fils, situant l'Esprit entre le Père et
le Fils. Isaac, dans sa formule originale, reste fidèle néanmoins à
la conception « linéaire » de la Trinité, familière aux Pères Grecs,
laquelle situe le Fils entre le Père et l'Esprit. Voir à ce sujet la *Note*
complém. 40 dans la *Biblioth. august.*, t. 15, p. 587-588.

charité pour l'avenir. Et « la charité de Dieu a été répandue
dans nos cœurs par l'Esprit-Saint qui nous a été donné[a] ».
La charité couvre tout[b] ; la charité n'impute rien ; la charité
supporte tout, excuse tout, pardonne tout. « Sept fois
le jour » il tombe par sa faute, celui qui a été justifié par
le Christ[c] ; « sept fois le jour » il est relevé par l'Esprit.

13. Aujourd'hui donc, par le Christ qui interpelle pour
nous[d], Dieu nous a donné sa charité et son amour. Ainsi,
par le Christ, en qui il était lui-même, Dieu s'est réconcilié
le monde, ne lui imputant plus ses fautes passées[e]. De
même, par l'Esprit, en qui il était aussi, il s'est allié ce
monde réconcilié, ne lui imputant pas les fautes à venir[1].
De là cette parole : « Bienheureux l'homme à qui le Seigneur
n'a pas imputé le péché[f]. » Par le Christ il pardonne tout ;
par l'Esprit il n'impute rien. Et peut-être n'est-ce pas
à tous ceux auxquels il pardonne tout qu'il n'impute rien.

14. Le Christ est en quelque sorte médiateur pour la
justice ; l'Esprit, médiateur pour l'amitié[2]. Le Christ,
pour la vérité ; l'Esprit, pour la charité. Le Christ, pour la
rémission ; l'Esprit, pour la conservation. Le Christ, pour
l'indulgence ; l'Esprit, pour la persévérance. Le Christ,
pour l'absolution ; l'Esprit, pour l'association. C'est
pourtant le tout que le Christ, et le tout que l'Esprit
opèrent indivisiblement. Car le Père, le Fils et l'Esprit-
Saint opèrent tout ensemble et semblablement[3], eux

---

1. Sur cette distinction entre la mission du Fils et celle de l'Esprit,
cf. HUGUES DE SAINT-VICTOR : « Primum Filius venit ut homines
liberarentur, postea venit Spiritus Sanctus ut homines beatificarentur.
Primum ille a malo liberavit, postea hic ad bona revocavit. Ille
abstulit quod sustinebamus, hic reddidit quod perdideramus ».
De Sacram., 2, 1, 1 (176, 371-372).

2. « L'Esprit médiateur pour l'amitié ». Doctrine admirablement
développée par S. THOMAS D'AQUIN, *Contra Gentiles*, 4, 21-22.

3. La réalité des missions personnelles ne compromet pas l'unité de
l'opération divine. Cf. S. AUGUSTIN, *Serm.* 71, 12, 18 ; 16, 27 (38, 454 ;
460).

140 sunt unum et sine divisione tres. **15.** Filius tamen quodammodo quasi propriam a Patre habet legationem, a quo
solo mittitur ; Spiritus quoque quasi suam ab utroque, qui
mittitur ab utroque. Filius ergo quasi iratum placat
Patrem, et inimicitias solvit ; Spiritus quasi valde iustum
145 temperat et quodammodo mitigat, et amicitias nectit.
Inter iniquitatem rei et aequitatem iudicis, Filius reconci-
liator et advocatus intercedit ; inter infirmitatem reconci-
liati et maiestatem placati, Spiritus delinitor et paraclitus
intervenit.

150   **16.** Sicut enim aer iste fomentum quoddam et quasi
balneum est rerum viventium, ex ipso et sub ipso contem-
1844 B perans eis intolerabilem superioris elementi aestum suae
naturae suavitate et gratia : sic et Spiritus sanctus super
spiritales superfertur aquas, medius quodammodo inter
155 earum torporem et supremae aequitatis rigorem, protegens
eas et confovens et fecundans sua caritate et gratia, ne

142-143 qui mittitur ab utroque *om. m* ‖ 144 valde *om. m* ‖ 145
ante amicitias *praem.* ad ‖ 147 inter *om. Mm* ‖ 147-148 rec. et : reconc-
ciliari ac *m* ‖ 148 *ante* maiestatem *praem.* ad *M* ‖ placari *m* ‖ 151 et :
ac *m* ‖ 155 et : ac *m* ‖ 156 et² : ac *m* ‖ sua : suavi *S*

---

a. Cf. Gen. 1, 2. Sag. 12, 1

---

1. Sur la double mission du Christ et du Saint-Esprit, S. BERNARD
donne ce beau commentaire : « Que personne n'hésite, s'il aime,
à croire qu'il est aimé. Libéralement l'amour de Dieu répond au
nôtre après l'avoir prévenu. Comment tarderait-il à nous payer de
retour, lui qui nous a aimés le premier ? Il a aimé, dis-je, il a aimé.
De cet amour vous avez un gage : l'Esprit ; vous avez un témoin
fidèle : Jésus et Jésus crucifié. O double preuve et combien forte
de l'amour de Dieu pour nous ! Le Christ meurt et mérite d'être aimé ;
l'Esprit touche les cœurs et y éveille l'amour. L'un provoque l'amour,
l'autre le crée. Celui-là nous donne mille preuves de son amour ;
celui-ci nous donne d'aimer. En Jésus nous contemplons celui qu'il
nous faut aimer ; de l'Esprit nous recevons de quoi l'aimer. Ainsi,
la charité doit à l'un l'occasion qui la fait naître ; à l'autre, le sentiment
qui l'anime ... Nous tenons donc deux gages de notre salut, à savoir

qui sont un sans confusion et trois sans séparation. **15.** Le
Fils tient cependant en quelque sorte comme une légation
personnelle du Père, qui seul l'envoie. L'Esprit lui aussi
tient comme la sienne de l'un et de l'autre, étant envoyé
par l'un et par l'autre. Le Fils apaise ce qu'on pourrait
appeler la colère du Père et dénoue les inimitiés ; l'Esprit
en modère pour ainsi dire la justice absolue, il l'adoucit
en quelque manière et noue les liens d'amitié[1]. Entre
l'iniquité du coupable et l'équité du juge, le Fils intercède
comme réconciliateur et avocat ; entre la faiblesse de celui
qui a été réconcilié et la majesté de celui qui a été apaisé,
l'Esprit intervient comme lénificateur et paraclet.

16. De même que l'air est un balsamique et comme un
bain pour les vivants, en adoucissant pour eux, à partir
de lui et au-dessous, par sa suavité et son agrément
B   naturels, la chaleur intolérable de l'élément supérieur[2],
de même l'Esprit-Saint est porté au-dessus des eaux
spirituelles, interposé en quelque sorte entre leur langueur
et la rigueur de la justice suprême, les protégeant, les
couvant et les fécondant par sa charité et sa grâce[a] [3],
de crainte qu'elles ne s'évaporent entièrement et que la

---

la double effusion du sang et de l'Esprit. Or l'une n'est rien sans
l'autre. L'Esprit n'est donné qu'à ceux qui croient au Crucifié ;
la foi est sans valeur si elle n'agit pas par amour ; et l'amour est
un don du Saint-Esprit ». *Epist.* 107, 8-10 (182, 246-247). — Ailleurs,
S. Bernard attribue au Christ l'illumination de l'intelligence (chez
les apôtres et chez nous) et au Saint-Esprit la purification des
affections et l'amour qui triomphe de la tiédeur : *In Ascens. serm.* 3, 2
(183, 305 s.) ; *In Ascens. serm.* 5, 15 (183, 322).

2. Sur le soleil qui illumine mais brûle aussi, cf. S. AMBROISE,
Hexaem., 4, 3, 9 (14, 191) : « At vero sol non solum virtutem illu-
minandi habet, sed etiam vaporandi : igneus est enim. Ignis autem et
illuminat et exurit ». Il doit donc être tempéré : il l'est surtout par
les eaux supérieures (dont parle la Genèse et qui ont provoqué tant
de considérations ingénieuses). Cf. *Hexaem.*, 2, 3, 13 (14, 151). Ces
considérations sont reprises par S. ISIDORE DE SÉVILLE, *De natura
rerum*, 15 (83, 987-988).

3. Cf. *Serm.* 43, 1834 A-B avec la note 2.

prorsus absumantur et terra siccitate fatiscat. **17.** Quod
considerans propheta, ait : *Anima mea sicut terra sine
aqua tibi* — tibi videlicet caelo etig ni consumenti ; *velociter*,
160 *exaudi me, Domine*, intermittendo Spiritum tuum, quia
defecit spiritus meus. Et quia aeri Spiritus assimilatur,
caritas diffundi *per Spiritum* dicitur. *Terra* nimirum proprie
1844 C *deorsum* iacet, ignis acuitur sursum, aqua labitur, aer
diffunditur, quod etiam in odoribus facile dignoscitur.
165 **18.** Dicunt etiam caelum esse volubile, et tanta velocitate
ipsum, quod aplanes dicitur, circumferri ab oriente per
occasum in orientem, ut suo intolerabili impetu cuncta
inferiora citissime subvertisset, nisi opificis providentia
septem stellarum, quas planetas vocant, obvio cursu, id
170 est ab occidente per orientem in occidentem, tardaretur ;
quatenus sicut aer ab aestu, sic planetae ab impetu firma-
menti inferioribus munimini sint et tutelae. Quod totum
huic assertioni facile congruit, et *a creatura mundi per ea*

---

157 et : ac *m* ‖ 159 consumendi M ‖ 160 immittendo *m* ‖ 161 Et *om.*
MS ‖ 162 diffundi *om. S* ‖ 164 *ante* dignoscitur *praem.* discernitur
vel *M* ‖ 169-170 id est *om. S* ‖ 172 munimi *M* ‖ 173 creatura : can-
tura M

---

a. Ps. 142, 6 ‖ b. Cf. Hébr. 12, 29. III Rois, 18, 38 ‖ c. Ps. 142, 7 ‖
d. Cf. Rom. 5, 5 ‖ e. Cf. Prov. 25, 3

---

1. D'après la physique ancienne, entre la terre et le feu, situé
dans la zone supérieure, sont placés comme intermédiaires l'air et
l'eau, qui en tempèrent l'ardeur brûlante. Cf. S. Ambroise, *Hexaem.*, 2,
3, 12 (14, 150) ; 13 (14, 151). Ils sont formés par combinaison
et transmutation du sec et de l'humide, du chaud et du froid.
S. Ambroise, *ibid.*, 3, 4, 18-19 (14, 163-164). Cf. P. Duhem, *Le
système du monde*, t. 2, p. 425-426. Cf. *supra, Serm.* 4, 1701 D. — Dans
le *De anima*, Isaac montre la cohésion entre terre, eau, air, feu,
empyrée qui forme comme une « catena aurea » ; et il en fait l'application au monde spirituel (194, 1885 C).
2. Cf. *De anima*, 1881 A.
3. L'astronomie des anciens admettait que le mouvement du ciel

terre desséchée ne se crevasse[1]. **17.** Il songeait à cela,
le prophète qui disait : « Mon âme devant toi est comme
une terre sans eau[a] », devant toi qui es le ciel et un feu
dévorant[b]. « Hâte-toi, Seigneur, de m'exaucer », en inter-
posant ton Esprit, car « mon esprit a défailli[c] ». Et, parce
que l'Esprit est assimilé à l'air, la charité est dite diffusée
par l'Esprit[d]. La terre en effet a la propriété d'être étendue
en bas[e], le feu s'élance vers le haut, l'eau s'écoule, l'air se
diffuse, ce qu'on reconnaît facilement aux odeurs[2].

4 C

18. Il y en a qui disent aussi que le ciel tourne et que,
bien qu'on l'appelle « fixe », il se meut circulairement de
l'Orient à l'Orient en passant par l'Occident avec une telle
rapidité que par son élan irrésistible il aurait en rien de
temps bouleversé tout ce qui est au-dessous de lui si, grâce
à la providence du Créateur, il n'était pas freiné par les
sept étoiles appelées planètes, allant en sens inverse,
c'est-à-dire de l'Occident à l'Occident en passant par
l'Orient. Ainsi tout comme l'air est pour les êtres inférieurs
une défense et une protection contre la chaleur, les planètes
le sont contre l'impétuosité du firmament[3]. Cette assertion
s'accorde fort bien avec notre propos ; et à partir du monde
créé, à travers ce qui est fait, nous pouvons apercevoir

était freiné par des astres tournant en sens inverse. Cf. *Timée*, 26 bc
(et introduction par A. Rivaud, p. 55 s.). Lucain (cité par S. Isidore de
Séville), y fait allusion : « Sideribus quae sola fugam moderantur
Olympi / Occurruntque polo, diversa potentia prima / Mundi lege
data est... » (10, 199-201). S. Ambroise rappelle ces spéculations, en
parlant des divers cieux, *Hexaem.*, 2, 2, 6-7 (14, 147). S. Isidore de
Séville note : « Tanta celeritate caeli sphaera dicitur currere ut, nisi
adversum praecipitem eius cursum astra currerent quae eam
remorarentur, mundi ruinam facerent *(sic)* ». *Etymol.*, 3, 35 (82, 171).
Cf. *De natura rerum*, 12 (83, 985-986). Cf. *Histoire générale des Sciences*,
t. 1, *La Science antique et médiévale*, Paris 1957, p. 135 et 264, 265.
— Remarquons ce passage du *Fons Philosophiae* de Godefroy de
Saint-Victor, un contemporain d'Isaac : « Motibus planeticis
aplanem tardari, / Probat lunam radiis solis illustrari ». (1, 227 ;
éd. Michaud-Quantin, Namur-Lille, 1956, p. 43).

quae facta sunt intellecta hic conspici possunt. **19.** Septi-
175 formis etenim Spiritus sancti gratia, qua nobis consulit et
paraclisim praestat, obvio quodammodo motu, illam divinae
1844 D velocitatis stabili motu simul cuncta lustrantis et exami-
nantis aequitatem contemperat ; et ne cum servis suis,
qui non possunt *ei respondere unum pro mille, in* cuius
180 *conspectu non iustificabitur omnis vivens nec mundi sunt
caeli, et* qui *in angelis suis reperit pravitatem, in iudicium*
statim intret, retardat. **20.** Sola enim *Dei benignitas*,
quae nobis septempliciter superfertur, eius nobis severitatem
temperat, maiestatem inclinat, ultionem tardat. Et dum
185 se sibi, qui tam bonus est quam magnus, tam pius quam
fortis, quodammodo obicit, peccator paenitendi spatium
invenit, sicut ait apostolus : *An ignoras, quia benignitas
Dei ad paenitentiam te adducit?* **21.** Hanc magnitudinem
et bonitatem simul propheta considerans, ait : *Magnus*
1845 A *Dominus et laudabilis nimis in civitate Dei nostri.* Ex
191 bonitate enim *laudabilis* et amabilis Deus, quantum ex
magnitudine et severitate terribilis. Qui considerat sine
bonitate *severitatem* desperat ; qui sine severitate *bonitatem*, e contrario in spe peccat. Ideo, sicut ait apostolus,
195 *considera bonitatem et severitatem Dei : severitatem in his
qui pereunt, bonitatem in te si permanseris in bonitate,
alioquin et tu excideris.*

22. Vestrae, fratres, exercitationi, qui debetis ex paucis
plura colligere et ex summatim tactis vel perstrictis magna
200 elicere, relinquimus planetarum numero et ordini spirituum

---

175 et *om. M* ‖ 176 paraclesin *m* ‖ obvio : obitio *M* ‖ 177 et : sed
M ‖ 179 respon. ei *m* ‖ 181 caeli *om. M* ‖ 182 retardet *M* ‖ 188-189
bonit. et magnit. *m* ‖ 189 consid. propheta *m* ‖ 200 spiritum *Mm*

---

a. Cf. Rom. 1, 20 ‖ b. Job 9, 3 ‖ c. Ps. 142, 2 ‖ d. Job 15, 15 ‖ e.
Job 4, 18 ‖ f. Cf. Gen. 1, 2 ‖ g. Rom. 2, 4 ‖ h. Ps. 47, 2 ‖ i. Rom. 11,
22 ‖ j. Cf. Is. 11, 2-3

---

1. Cf. S. BERNARD, *In Cant.*, 3, 8 (183, 806 B) : « Recordatio solius

les réalités spirituelles[a]. **19.** La grâce septiforme de l'Esprit,
en effet, cette grâce par laquelle il veille sur nous et nous
apporte la consolation, adoucit, par une sorte de mouvement antithétique, la rigueur de cette rapidité divine qui,
D stable en son mouvement, examine et scrute tout ensemble ;
elle l'empêche d'entrer aussitôt en jugement avec ses
serviteurs qui ne peuvent « lui répondre une fois sur
mille[b] », lui « devant qui nul vivant ne sera justifié[c] »
« et les cieux mêmes ne sont pas purs[d] », et qui « convainc
ses anges d'égarement[e] ». **20.** Seule la bénignité divine,
qui est portée sept fois au-dessus de nous[f], adoucit pour
nous sa sévérité, incline sa majesté, retarde sa vengeance.
Et tandis qu'en un certain sens il s'oppose lui-même
à lui-même, lui dont la bonté égale la grandeur, dont la
pitié égale la force, le pécheur trouve un espace de conversion, comme le dit l'Apôtre : « Ignores-tu que la bénignité
de Dieu te pousse au repentir[g] ? » **21.** En considérant à la
fois cette grandeur et cette bonté, le prophète déclare :
A « Le Seigneur est grand et louable hautement dans la
ville de notre Dieu[h]. » La bonté rend Dieu louable et
aimable, tout autant que la grandeur et la sévérité le
rendent terrible. Qui considère la sévérité sans la bonté
désespère ; qui considère la bonté sans la sévérité pèche
au contraire en son espérance[i]. Aussi, selon la parole de
l'Apôtre, « considère la bonté et la sévérité de Dieu :
sévérité envers ceux qui se perdent, et envers toi bonté,
pourvu que tu demeures en cette bonté ; autrement tu
seras retranché toi aussi[i] ».
22. Puisque, frères, c'est à vous de recueillir beaucoup
à partir de peu, et de tirer de grandes choses à partir de ce
qui a été sommairement touché ou effleuré, nous laissons
à votre perspicacité le soin de faire le rapprochement
entre les grâces des différents esprits[j] et le nombre et

---

iudicii in barathrum desperationis praecipitat, et misericordiae fallax
assentatio pessimam generat securitatem », et tout le passage.

gratias conferre, quatenus, sicut a luna ad Saturnum
gradatim ascenditur, sic a spiritu timoris inchoantes, qui
1845 B multam habet cum ipsa luna similitudinem, quae et infima
et gelida naturaliter est et nocti praesidet, humoribus
205 dominatur et ex alio lumen mutuat, adusque spiritum
sapientiae, qui in senibus est et maturos facit gravesque
et caelo proximos, conferendo ascendatis. 23. Aderit ipse
spiritus intellectus ne a veritate aberretis, et consilii ne
aliena vanitate revocemini, et fortitudinis ne propria
210 infirmitate fatigemini. Quod ipse praestare dignetur qui
cum Patre et Filio, de Patre et Filio, in Patre et Filio,
unus est, vivus et verus, omnipotens Deus, per omnia
saecula saeculorum. Amen.

SERMO QUADRAGESIMUSSEXTUS

In Nativitate sancti Ioannis Baptistae I

1845 C   **1.** *Inter natos mulierum non surrexit maior Ioanne
Baptista.* Testimonium illud, dilectissimi, Domini et Salvatoris nostri de baptista suo Ioanne, adeo nos de excellentia

---

201 ad : a *M* ‖ 202 sic : sicut *M* ‖ spiritu : conspectu *S* ‖ 203 multum *M* ‖ habet *om. S* ‖ et *om. S* ‖ infima : infirma *m* ‖ 205 *post* lumen
add. lumen *M* ‖ 206 qui : quae *MS* ‖ 208 erretis *S* ‖ 209 aliena
scripsi : alia *MS* alio *m* ‖ 211 de Patre et : et de Patre *M* ‖ 212 vivus :
unius *S*

Tit. Sermo in die Sancti Ioannis *M* In nativitate Sancti Ioannis
Baptistae *S* ‖ 2 istud *S*

---

a. Cf. Gen. 1, 16
a. Matth. 11, 11

---

1. Ce curieux rapprochement entre les dons du Saint-Esprit et les
planètes se rencontre également chez Sainte HILDEGARDE DE BINGEN,
dans son *Liber divinorum operum*, 1, 4, 22 (197, 819 B - 820 B) où

l'ordre des planètes. De même qu'on s'élève graduellement de la lune jusqu'à Saturne, ainsi, commençant par l'esprit B de crainte qui a beaucoup de ressemblance avec la lune, laquelle est tout en bas, est naturellement glacée, préside à la nuit[a], gouverne les humeurs et emprunte à un autre sa lumière, élevez-vous, en faisant la comparaison, jusqu'à l'esprit de sagesse, qui se trouve chez les vieillards, donne la maturité, la gravité et rapproche du ciel[1]. **23.** Vous serez assistés par l'esprit même d'intelligence, pour ne pas errer hors de la vérité; par l'esprit de conseil, pour n'être pas arrêtés par la vanité d'autrui; et par l'esprit de force, pour n'être pas fatigués par votre propre faiblesse. Que daigne nous l'accorder celui qui avec le Père et le Fils, du Père et du Fils, dans le Père et le Fils, est un seul Dieu vivant, vrai, tout-puissant, pour les siècles des siècles. Amen.

SERMON 46

Premier sermon pour la Nativité de S. Jean-Baptiste

Grandeur de Jean-Baptiste attestée par le Christ. Sa naissance préfigure celle du Christ. L'union de Zacharie et d'Élisabeth symbolise l'union dans l'être humain de l'esprit et de la chair, mais plus profondément encore celle de la raison et de la volonté, origine du libre arbitre, que seule la grâce peut féconder.

1. « Parmi les enfants des femmes, il n'en a pas surgi C de plus grand que Jean le Baptiste[a]. » Mes bien-aimés, ce témoignage de notre Seigneur et Sauveur sur Jean son baptiseur nous assure tellement l'excellence de sa

ces deux septénaires sont mis en relation avec sept régions qui seraient à discerner dans la calotte du crâne humain.

gloriae ipsius certos efficit, ut non dubitemus eum nemine
5 inferiorem, etsi non, ut quidam putant, omnibus superio-
rem. Nemini quidem, secundum hanc Veritatis attesta-
tionem, est in regno Dei secundus, nec tamen, quantum
haec auctoritas habet, omnium primus. Si non habet
maiorem, quis eum negare audeat, tametsi nec affirmare
10 praesumat, non etiam habere aequalem? **2.** Nam quod
nonnulli verbo adhaerentes quod dixit, *surrexit*, de
prioribus illo sanctis tantummodo intelligunt neminem
fuisse maiorem, non de futuris, sicut novum sic et frivolum
1845 D credimus. Nemo enim sanctorum sic exposuit, nec Ecclesia
15 Christi huc usque audivit. Beato tamen Ambrosio se
muniunt, qui in eius laude sic cecinit : *Maior prophetis
et minor angelis.* O utinam addidisset : solis ! Nec tamen
dixit apostolis, sed *angelis.* Sed nec, inquiunt, dixit maior

4 ipsius : eius *m* ‖ 9 tametsi : tam si *M* ‖ nec *om. S* ‖ 16 sic : se
S ‖ 17 et *om. S* ‖ edidisset *M* ‖ 18 dixit maior *om. Mm*

1. Dans ce passage intéressant et difficile, Isaac souligne avec
insistance que Jean-Baptiste ne peut, vu la netteté de la parole de
Jésus, être considéré comme inférieur à aucun des saints, même
s'il n'est pas dit qu'il soit supérieur à tous. Isaac s'élève contre
l'opinion, donnée comme nouvelle — nous aimerions savoir qui l'a
soutenue —, suivant laquelle la supériorité de Jean ne serait affirmée
que par rapport aux saints de l'Ancien Testament : les arguments
apportés en ce sens ne sont ni fondés en tradition ni valables. — Le
texte classique était celui de S. Jérôme, souvent repris : « Non statim
sequitur, ut si alii maiores eo non sunt, ille maior aliorum sit : verum
ut aequalitatem cum caeteris sanctis habeat ». *In Matth.*, 2, 11, 11
(26, 71). Le plus souvent, les Pères, dans leur commentaire de la
parole sur Jean-Baptiste, insistent avant tout sur la grandeur de
Jean qui fait ressortir l'excellence suréminente de Jésus. Ainsi
S. Augustin, *Serm.* 290, 1 (38, 1312-1313) ; 293, 4 (1329-1330) ;
cf. *Serm.* 289, 5 (1311), etc.

2. « Maior prophetis et minor angelis. » Vers tiré de la 5e strophe de
l'hymne pseudo-ambrosienne *Almi prophetae progenies pia* (17, 1215).

gloire que nous ne doutons pas qu'il ne soit inférieur
à personne, même s'il n'est pas, comme certains le pensent,
supérieur à tous. Selon cette attestation de la Vérité,
il n'est second par rapport à personne dans le Royaume
de Dieu; pourtant, à s'en tenir au texte, il n'y est pas le
premier de tous. S'il n'y en a pas de plus grand que lui,
qui aurait l'audace de nier, quand même il n'aurait pas la
hardiesse de l'affirmer, qu'il n'ait pas non plus d'égal[1]?
2. Pour ce qui est de l'interprétation de quelques-uns
qui, s'appuyant sur le mot « a surgi », entendent qu'il n'y a
personne de plus grand parmi ceux qui l'ont précédé,
mais non parmi les saints à venir, elle est, à notre sens,
D aussi futile que nouvelle. Aucun des saints n'a donné
pareille explication, et jusqu'ici l'Église du Christ n'en a
pas entendu parler. Ils s'abritent pourtant derrière le
bienheureux Ambroise, qui a chanté à sa louange : « Plus
grand que les prophètes et moindre que les anges[2]. »
Ah! si seulement il avait continué : « et qu'eux seuls! »
Et d'ailleurs il n'a pas dit : « moindre que les apôtres »,
mais : « que les anges ». Oui, disent-ils, mais il n'a pas dit

U. Chevalier, *Repertorium hymnolog.*, n° 915, signale que cette
hymne (vraisemblablement carolingienne) figure dans un bréviaire
cistercien daté de 1132 ; on la retrouve dans celui de 1494. — L'idée
même de ce « minor angelis » figure chez S. Ambroise. Dans son
commentaire sur S. Luc il met Jean-Baptiste au-dessous des anges
(c'est ainsi qu'il interprète le « royaume des cieux ») ; il est plus
grand que tous les fils de la femme, mais non que le Fils de la Vierge ;
il est grand autant que peut l'être un homme, mais non comme est
grand le Seigneur. *Exp. Evang. sec. Lucam*, 2, 10-12 (*SC* 45 *bis*, p. 75-
76) ; 5, 110 (*ibid.*, p. 224). S. Ambroise a dans l'esprit les objections
ariennes contre la divinité du Fils. — Idées analogues chez S. Augustin : « Valde inter homines Ioannes est magnus, quo solus inter
homines maior est Christus... Regnum caelorum dixit ubi angeli
sunt : qui ergo inter angelos minor Ioanne maior est ... quisquis ibi
minor est Ioanne maior est. Quo Ioanne ? Quo nemo maior surrexit
in natis mulierum ». *Serm.* 66, 2 (38, 431) ; cf. *Serm. 287*, 1 (38, 1301).
Cf. Bède, *Hom.*, 2, 14 (94, 211).

apostolis, sed *prophetis* simpliciter *maior*, et simpliciter *ange-*
20 *lis minor*. *Nil* igitur *agit exemplum quod litem lite resolvit.*
3. Plurima ergo laude extollitur qui *inter natos mulierum*
nemini supponitur. Nam *dum in hoc corpore* corruptibili
agitur, quod *animam* caelesti desiderio iam levem et
quodammodo evolare gestientem *gravat*, ubi *terrena inha-*
25 *bitatio sensum*, ab uno quod necessarium est ad multa,
1846 A quae eo turbant quo sollicitant et eo sollicitant quo turbant,
deprimit, etiam iam maximus mortalium minor est
minimo angelorum. Unde et de eodem Ioanne dicitur :
Qui minor est in regno caelorum, maior est illo. Cum autem
30 e corporea mole et carnis *carcere caeco*, lucida et libera
anima superas evadet ad auras, haud inficiamur plurimos
sanctorum multa millia transvolare angelorum. **4.** Beatus
tamen, quem nobis opponunt, Ambrosius, quod dictum
est : *Qui minor est in regno caelorum maior est illo*, pro
35 nobis faciens, sic exponit : *Qui minor est*, in oculis suis
videlicet, id est humilior, *in regno caelorum*, hoc est
Ecclesia praesenti, *maior* secundum eundem intellectum
est Ioanne. Quod si omnium est Ioannes humillimus,

---

20 litterae solvit *m* ‖ 22 corpore *om. m* ‖ 25 sensuum *M* ‖ ab uno
om. S ‖ 26 quae eo turbant quo : quae conturbant, quae *m* ‖ quo
sollicitant — turbant *om. M* ‖ 27 iam *om. S* ‖ minor est : in mortem *M* ‖ 28 minimo : minimorum *M* minorum *S* ‖ 31 haud : aut *M*
haut *S* ‖ inficiamur *expungit et add.* non fateamur *S in marg.*
exter. ‖ 32 angelorum transvolare *m* ‖ 33 quem : que *M* ‖ apponunt *M*
‖ quod : qui *M* ‖ 36 hoc : hic *S* ‖ 37 intellecto *S* ‖ 38/39 est Ioannes
— omnium *om. M per. hom*

---

a. Sag. 9, 15 ; II Cor. 5, 6 ‖ b. Cf. Lc 10, 41-42 ‖ c. Matth. 11, 11

---

1. « Nil agit exemplum, litem quod lite resoluit. » Horace,
Sat., 2, 3, 103.
2. Allusion encore plus nette qu'au *Serm.* 40 (1826 A) à Virgile,
En., 6, 734. — Sur le thème doctrinal et littéraire du corps-prison,
ses sources platoniciennes et sa diffusion chez les Pères et les écrivains

non plus : « plus grand que les apôtres », mais simplement :
« plus grand que les prophètes », et simplement : « moindre
que les anges ». « L'argument est donc sans portée, car
il résout un problème par un autre problème[1] ».

3. En tout cas, c'est une louange extraordinaire que
d'affirmer qu'il n'est inférieur à aucun des enfants des
femmes. Pendant qu'il vit en ce corps corruptible, qui
« appesantit l'âme » déjà rendue légère par son désir du
ciel et comme impatiente de s'envoler, alors que « l'habitation terrestre rabaisse l'esprit[a] » de l'unique nécessaire
à la multiplicité qui trouble par le fait qu'elle sollicite
A et sollicite par le fait qu'elle trouble[b], même le plus grand
des mortels est inférieur au moindre des anges. Aussi
est-il dit du même Jean : « Qui est plus petit dans le
Royaume des cieux est plus grand que lui[c]. » Mais lorsque
l'âme échappant à la pesanteur du corps et « à la prison
aveugle » de la chair[2] s'échappera, lumineuse et libre,
vers le ciel, nous ne contestons pas qu'un grand nombre
de saints voleront plus haut que bien des milliers d'anges.

4. D'ailleurs, le bienheureux Ambroise, qu'on nous oppose,
est avec nous lorsqu'il interprète comme suit la parole :
« Qui est plus petit dans le royaume des cieux est plus
grand que lui » : « Qui est plus petit — entendez : à ses
propres yeux, c'est-à-dire plus humble — dans le Royaume
des Cieux — c'est-à-dire l'Église présente — est plus
grand — à ce même point de vue — que Jean[3]. » Si Jean

ecclésiastiques du Moyen Âge, voir P. Courcelle, « Tradition
platonicienne et traditions chrétiennes du corps-prison (*Phédon* 62 b,
Cratyle 400 c) », dans *REL*, 43 (1965), p. 406-443 ; *Connais-toi
toi-même de Socrate à Saint Bernard*, Paris 1975, p. 345-380, 552-562.
    3. « Qui minor est, in oculis suis videlicet, id est humilior, in
regno caelorum, hoc est Ecclesia praesenti, maior secundum eundem
intellectum est Ioanne. » Nous n'avons pu retrouver ni dans les
œuvres authentiques ni dans les œuvres supposées de S. Ambroise
ce texte que lui attribue Isaac. — L'équivalence entre « Royaume des
cieux » et « Église présente » semble indiquer un auteur du xiie siècle.
Cf. la *Glossa ordinaria* d'Anselme de Laon, à propos de ce passage de

1846 B   omnium utique sublimissimus. *Omnis enim qui se humiliat*
40   *exaltabitur,* et quantum *se humiliat,* tantum *exaltabitur.*
Minimus ergo omnium, maximus est universorum, et quo
quisque maior est minimo eo minor est maximo.

5. Praeterea nativitas ista eo plus caeteris sanctorum
natalibus colitur, quod sacramentalis et figurativa esse
45   dignoscitur. Sicut enim praedicatione et baptizatione, sic
et conversatione vitae et qualitate mortis et miraculo
nativitatis vox Verbum praececinit, praecursor Dominum
praecucurrit, propheta venturum praefiguravit, plusquam
propheta praesentem monstravit, angelus quem evange-
50   lizaverat designavit. Neque hoc tantum vivis in mundo,
1846 C   verum etiam mortuis in inferno. **6.** Natus ergo contra
naturam, eum praefiguravit qui nasciturus erat supra
naturam. Hic contra naturae solitum, ille supra naturae
debitum. Hic mirabiliter, ille singulariter. Huius rarum
55   exstiterat antea exemplum, illius omnino nullum. Elisəbeth
sterilitas Mariae virginitatem figuravit. Hinc gravida
sterilitas, hinc fecunda virginitas. Unum edidit anus,
propter unicum quem peperit virgo. **7.** Pater Ioannis

39 *post* utique *add.* est etiam *m* ‖ 40 exaltabitur : se exaltabit *m*
‖ 42 maior est : maiorem *M* ‖ minimo : in imo *M* minimorum *m* ‖ 45
enim *om. S* ‖ sic *om. Mm* ‖ 47 praececinit *scripsi* : praecinit *MSm* ‖ 48
praefiguravit : praedicavit *m* ‖ 50 tantum *om. M* ‖ 50-51 vivis...mor-
tuis : vivus...mortuus *S* ‖ 54 ille : iste *S* ‖ singulariter : figuraliter *M* ‖
55 ante *MS* ‖ 56 sterilis *M* ‖ 57 hinc : hic *M* ‖ 58 unicum : unum *m*

a. Lc 14, 11 ‖ b. Cf. Jn 1, 23 ‖ c. Cf. Matth. 11, 9-10

l'*Évangile de S. Matthieu* : « Regnum caelorum duobus modis
accipitur : aut supernum, in quo nondum sumus ; aut praesens
Ecclesia, in qua adhuc vivimus et iam quodam modo regnamus ».
(114, 120 D - 121 A).

1. Jean a annoncé le Christ aux morts. Cf. Bède, *Hymne* 10 :
« Nam quem manens in corpore / Ostenderat viventibus, / Hunc
mortuis iam mortuus / Christum venire praedicat. / Novo stupescunt
inferi / Ereptionis nuntio ; / Gaudent chori fidelium / Una patrum
cum plebibus ». (94, 630 C-D).

B est le plus humble de tous il est assurément aussi le plus
haut placé. Car « quiconque s'humilie sera exalté[a] », et le
sera autant qu'il s'humilie. Le plus petit de tous est donc
le plus grand de tous; et plus quelqu'un est au-dessus
du plus petit, plus il est au-dessous du plus grand.

5. En outre, cette nativité est plus honorée que ne le
sont les naissances des autres saints, du fait qu'elle apparaît
comme recélant un mystère et une figure. Car non seulement par sa prédication et l'administration du baptême,
mais encore par son genre de vie, la nature de sa mort et
le miracle de sa nativité, la voix[b] a prédit le Verbe, le précurseur a précédé le Seigneur, le prophète a préfiguré
celui qui venait, le plus-que-prophète l'a montré présent,
l'ange[c] a désigné celui dont il était l'évangéliste, et cela
aussi bien aux vivants dans ce monde qu'aux morts dans
C les enfers[1]. **6.** En sa naissance qui contredit la nature,
il a préfiguré celui dont la naissance surpasserait la nature.
L'un a contredit les habitudes de la nature; l'autre est
passé au-dessus des exigences de la nature. L'un est né
de façon extraordinaire; l'autre, de façon unique. Pour
lui, il y avait eu de rares précédents; pour celui-là, absolument aucun. La stérilité d'Élisabeth a préfiguré la virginité
de Marie[2]. Ici, une stérilité enceinte; là, une virginité
féconde. La vieille femme eut un seul fils, à cause de
l'Unique enfanté par la Vierge. **7.** Le père de Jean fut

---

2. La stérilité d'Élisabeth préfigurait la virginité de Marie.
Cf. S. AUGUSTIN : « Merito ergo sterilis peperit praeconem, virgo
judicem. In matre Joannis sterilitas accepit fecunditatem, in matre
Christi fecunditas non corrupit integritatem ». *Serm.* 288, 1 (38,1302).
« Ambo mirabiliter nati, praeco et judex, lucerna et dies, vox et
verbum, servus et Dominus. De sterili servus, de virgine Dominus.
Ipse Dominus fecit sibi servum in utero sterili, de sene patre et de
anicula matre : et idem ipse Dominus fecit sibi carnem in utero
virginis sine homine patre, qui fecit primum hominem sine patre
et matre ». *Serm.* 290, 1 (38, 1312-1313). De même *Serm.* 287, 2-3
(38, 1301) ; 289, 1 (1308) ; 290, 1 (1316) ; 293, 1 (1327). Cf. S. JEAN
DAMASCÈNE, *Homélies mariales. Sur la Nativité*, 2-3 (*SC* 80, p. 48).

supra aetatem vetulus, Christi pater in omni aetate nullus.
60 Sicut enim silentium genealogiae Melchisedech in Scripturis ineffabilitatem generationis Christi praesignat, sic
et Zachariae senectus in Christo paternae generationis
defectum notat. Hic ergo genuit vetus, ibi nullus. Hic
dono gratiae genuit qui natura non potuit ; ibi nec natura
65 nec gratia quisquam genuit, ubi dator gratiae qui et
1846 D auctor naturae solus totum effecit. **8.** Sic nimirum decuit,
ut in figura ubique minus et in veritate ubique magis
inveniretur. Mane enim et vespere corporibus suis longiores
sunt umbrae, meridie autem breviores. Mane prophetia,
70 vespere memoria, meridie Christi praesentia. Ideo et
crescente Christo oportebat *minui* Ioannem, Christumque
morte *exaltari* et Ioannem capite *minui*, Christumque
crescente die nasci et Ioannem decrescente.

9. Praeterea coniugium Zachariae et Elisabeth, unde per
75 naturam nullus et per gratiam tantus generatur, quod
Ioannem quidem parit et Iesum promittit, aliud quoddam
altius et secretius in hominibus coniugium mystice signat.
1847 A Sicut enim exterius inter hominem et mulierem notum
istud et usitatum est matrimonium inter carnem et carnem,
80 quod nihil generat super carnem, sic interius in homine
et muliere aliud exstat inter carnem et spiritum, generans
in carne per spiritum ; adhuc quoque intimius tertium in

---

59 pater Christi *m* ‖ 64 non potuit — natura *om. m per hom.* ‖ 65-
66 et auctor : exactor *m* ‖ 66 sic...decuit : si...docuit *M* ‖ 67 in[1] *om.*
M ‖ 70 memoria *om. M* ‖ 71 Christo cresc. Ioann. minui oport. *m* ‖
72 et : ac *m* ‖ Christum *m* ‖ 73 et *om. m* ‖ 75 et *om. m* ‖ 76 pariet *M*
‖ Iesum : Christum *m* ‖ 77 altius et : ac *m* ‖ 78 hominem : virum *m* ‖
79 et[1] : ac *m* ‖ et carnem *om. M* ‖ 81 et...et : ac...ac *m* ‖ inter : in *M* ‖
82 per *om. M* ‖ quoque : autem *M*

---

a. Cf. Hébr. 7, 3 ‖ b. Cf. Jn 3, 30 ‖ c. Cf. Jn 3, 14

---

1. Le Christ doit être exalté, Jean doit être diminué. Cf.
S. Augustin, *In Ioan.*, 14, 5 (35, 1504-1505) ; *Serm.* 287, 4 (38, 1302) ;
Bède, *Hom.*, 2, 20 (94, 241).

un vieillard ayant passé l'âge; il n'y eut aucun père du Christ, à aucun âge. Tout comme le silence de l'Écriture sur la généalogie de Melchisédech désigne l'ineffabilité de la génération du Christ[a], ainsi la vieillesse de Zacharie marque dans le cas du Christ l'absence de génération paternelle. Ici, un homme âgé engendra; là, aucun homme. Ici, un homme qui en était incapable par nature engendra par un don de la grâce; là, aucun homme n'engendra ni par nature ni par grâce : le donateur de la grâce, qui est aussi l'auteur de la nature, a tout réalisé à lui seul.

8. Assurément, il convenait qu'à tout point de vue on trouvât moins dans la figure, et à tout point de vue davantage dans la réalité. Car le matin et le soir les ombres sont sont plus longues que les objets, tandis qu'à midi elles sont plus courtes. Au matin, c'est la prophétie du Christ; au soir, sa mémoire; à midi, sa présence. Il fallait donc que, le Christ grandissant, Jean diminuât[b] [1]; que, dans la mort, le Christ fût élevé[c] et Jean diminué de la tête; que le Christ naquît à la croissance des jours et Jean à leur décroissance.

9. De plus, le mariage de Zacharie et d'Élisabeth, qui par nature n'engendre aucun être et par grâce en engendre un si grand, qui produit Jean et promet Jésus, désigne mystérieusement un autre mariage plus profond et plus secret dans le genre humain. Il y a en effet extérieurement entre l'homme et la femme ce mariage notoire et usuel entre la chair et la chair, qui n'engendre rien qui dépasse la chair. De même, intérieurement, en l'homme et la femme il existe un autre mariage entre la chair et l'esprit, engendrant dans la chair par l'esprit[2]. En outre, on en trouve encore un troisième, plus intime, dans l'âme

2. Le mariage entre la chair et l'esprit : cf. *supra*, *Serm.* 9, 1720 D - 1721 A, où Isaac met longuement en parallèle les trois unions nuptiales, dont la 3e est cette fois celle qui fait de l'homme un seul esprit avec Dieu.

ipsa hominis et mulieris anima rationali invenitur, totum
in spiritu, quod liberum arbitrium dicitur, ubi ratio est
85 Zacharias et Elisabeth voluntas. Liberum quippe arbitrium
quid aliud est quam libera cum ratione voluntas? Ex
ratione nimirum arbitrium et ex voluntate liberum.

10. Ratio itaque non solum tamquam vir regere debet
cordis affectum et omnem corporis et animae motum, sed
90 tamquam Domini sacerdos ad sancta sanctorum penetrare
1847 B et *revelata facie* speculari quod populis fas non est, et
praestolantibus foris turbis sensuum et imaginationum,
intus revelatione erudiri. Voluntas vero animi sive affectus
cordis oboedire debet et obtemperare rationi et tamquam
95 mulier subdita esse viro et sine eius complacito nihil in
subditis audere, nil in extraneis praesumere ; de viro
tantum fecundari, et adulterinos omnimodis horrere
amplexus. **11.** Composita quippe interior domus tua est,
si inconsulta ratione nil praesumat affectus. Affectus
100 quidem operi nomen imponit, ut secundum ipsum dicatur
opus bonum aut pravum. Affectum ratio iure regit sicut
vir uxorem, ut secundum rationem dicatur affectus lucidus
aut tenebrosus, legitimus aut illegitimus. Qui enim *sapientes
sunt ut malum faciant*, inordinatam habent conscientiam,

---

83 et : ac *m* ‖ 84 ratio est : ratione *M* ‖ 85 et *om. m* ‖ quippe :
enim *m* ‖ 86 libera *om. S* ‖ Ex : e *M* ‖ 87 nimirum *om. m* ‖ et *om. m* ‖
88 itaque non solum tamquam : ergo tanquam non solum *MS* ‖
89 et[1] : ac *m* ‖ 91 et[1] : ac *m* ‖ fas non est populis *m* ‖ 92 sens. et
imag. turbis *m* ‖ 93-94 cordis affect. *m* ‖ 94 debet : deberet *M* ‖
debet oboed. *m* ‖ et obtemperare *om. m* ‖ ratione *M* ‖ 95 et : ac *m* ‖
placito *M* ‖ 97 et *om. m* ‖ omnimodis : omnino *m* ‖ 103 aut[1] : ut *M*

---

a. II Cor. 3, 18 ‖ b. Cf. Éphés. 5, 22 ‖ c. Jér. 4, 22

---

1. Sur le symbolisme de l'homme et de la femme, voir *Note
complém.* 22 (t. 2, p. 343-345), H. DE LUBAC, *Exég. méd.*, 2ᵉ partie, 2,
p. 138-139.
2. La définition qu'Isaac donne du libre arbitre ne s'apparente
à aucune de celles qui ont cours chez les maîtres du xiiᵉ s. Cf.

rationnelle même, chez l'homme et la femme, tout entier
dans l'esprit, qu'on appelle le libre arbitre : la raison y est
Zacharie, et la volonté Élisabeth[1]. Qu'est-ce justement
que le libre arbitre, sinon la volonté libre unie à la raison[2]?
Bien sûr, du fait de la raison, il est arbitre, et du fait
de la volonté il est libre.

10. La raison ne doit pas seulement, comme le mari,
diriger les affections du cœur et tous les mouvements
du corps et de l'âme ; mais, semblable au prêtre du Seigneur,
elle doit pénétrer dans le Saint des Saints, contempler,
« à visage découvert[a] », ce qui est interdit aux peuples et,
tandis que la troupe des sens et des imaginations attend
au-dehors, être instruite au-dedans par la révélation.
Au contraire, la volonté de l'âme, ou l'affection du cœur[3],
doit obéir et obtempérer à la raison et lui être soumise
comme la femme au mari[b] ; et sans son consentement elle
ne doit rien oser vis-à-vis de ses subordonnés, rien entreprendre au-dehors. Elle ne doit avoir de fécondité que
par son mari ; elle doit abhorrer absolument les étreintes
adultères. **11.** Oui, ta demeure intérieure est en ordre
si les affections n'entreprennent rien sans l'avis de la raison.
Et c'est l'affection qui qualifie l'action[4] : c'est d'après elle
qu'on la dit bonne ou mauvaise. Il est juste que la raison
dirige l'affection, comme le mari dirige la femme ; c'est
d'après la raison que l'affection est dite lumineuse ou
ténébreuse, légitime ou illégitime. De fait, « ceux sont
sages pour accomplir le mal[c] » ont une conscience déréglée :

O. Lottin, « La nature du libre arbitre. I. De saint Anselme à
Guillaume d'Auxerre », dans *Psychologie et morale aux XII[e] et
XIII[e] siècles*, t. 1, Gembloux 1942, p. 12-63.
   3. « Voluntas animi sive affectus cordis » : même conception
englobante de la volonté dans *Serm.* 4, 1703 D ; 5, 1707 A ; *De
anima*, 1880 B.
   4. Sentence venant de S. Ambroise, *De officiis*, 1, 30 (16, 147),
qu'Isaac cite à plusieurs reprises : cf. *Serm.* 3, 1697 C ; 17, 1747 D ;
De anima, 1878 D.

1847 C ubi ratio servit et dominatur affectus, praeit voluntas et
106 ratio sequitur, utitur quoque ratione contra rationem cordis
concupiscentia. **12.** Haud ita Zacharias iste et uxor eius
Elisabeth. *Erant enim ambo iusti et* processerant *in diebus
suis*, sed sine fetu, sed sine fructu. Ideo quippe magis sine
110 fetu, quia *in diebus suis*. Ideo magis steriles, quia senes.
Novitas namque vel nova vel innovata fructificat. Novitas
nova in Virgine parit Christum, renovata in sterili parit
Ioannem. *Iusti* tamen *erant*, quia ordinati et compositi
erant ; sed fecundi per se esse non poterant, quia de
115 vetustate veteris Adae adhuc veteres erant. **13.** In philo-
sophis olim et sapientibus huius saeculi, composita esse
poterat et ordinata interioris hominis domus, ubi nec
1847 D confuse familia domesticorum motuum perstreperet, nec
irruptio peregrinorum turbaret, nec mulier procax virum
120 impeteret aut blanda deciperet ; sed fecunda aeternitati
et quae salutis praeconem ederet, esse omnino non poterat.
    14. Liberum enim arbitrium, sine quo nemo salvatur, in
plurimis plurimum valet, sed ad salutem absque Dei gratia
in omnibus nihil valet. *Gratiam et gloriam dabit Dominus*,
125 quia Ioannem sequitur Christus. Datur autem libero
arbitrio, quia solum salvatur ; sed ideo datur, quia sine
gratia non salvatur. Liberum arbitrium suscipit gratiam,

---

105 praeit : periit *M* ‖ et² *om. m* ‖ 106 utiturque *Mm* ‖ 107 Haud :
aut *M* ‖ haut *S* ‖ 109 Ideo quippe : ideoque *S* ‖ 111 namque : quippe
m ‖ 112 Christum parit *Mm* ‖ 115 venustate *M* ‖ 118 motum *M* ‖
121 esse *om. MS* ‖ 126 ideo : omnino *S* ‖ 127 suscepit *M*

---

a. Lc 1, 6-7 ‖ b. Ps. 83, 12

---

1. Inutilité des efforts humains pour le salut. Cf. S. Augustin sur
les « vertus » des philosophes païens. *In Ioan.*, 45, 1, 3 (35, 1719-1720).
2. Cf. S. Bernard : « Quid igitur agit, ais, liberum arbitrium ?
Breviter respondeo : Salvatur. Tolle liberum arbitrium : non erit
quod salvetur ; tolle gratiam : non erit unde salvetur ... Deus auctor
salutis est, liberum arbitrium tantum capax : nec dare illam nisi

en eux, la raison est esclave et l'affection commande, la volonté a l'initiative et la raison suit, et aussi la convoitise du cœur se sert de la raison contre la raison. **12.** Il n'en est pas ainsi de Zacharie et de son épouse Élisabeth. « Tous deux, en effet, étaient justes et ils étaient avancés en âge[a] », mais dépourvus de rejeton, mais dépourvus de fruit. D'autant plus dépourvus de rejeton qu'ils étaient âgés; d'autant plus stériles qu'ils étaient des vieillards. Car c'est la nouveauté, soit nouvelle, soit renouvelée, qui fructifie. La nouveauté, nouvelle dans la Vierge, enfante le Christ; renouvelée dans la femme stérile, elle enfante Jean. Pourtant, ils étaient justes, car leur vie était régulière et ordonnée; mais ils ne pouvaient avoir de fécondité par eux-mêmes, parce qu'ils étaient encore vieux de la vieillerie du vieil Adam. **13.** Chez les anciens philosophes et les sages de ce siècle, la maison de l'homme intérieur pouvait être rangée et ordonnée. En elle aucun vacarme confus dans la domesticité des mouvements intérieurs; aucun désordre provenant de l'intrusion d'étrangers; pas de femme effrontée s'en prenant à son mari, ni de femme caressante pour le circonvenir. Mais cette maison ne pouvait nullement être féconde pour l'éternité, ni capable de donner le jour au héraut du salut[1].

14. Chez un très grand nombre, en effet, le libre arbitre, sans lequel personne n'est sauvé, a une très grande efficacité; mais sans la grâce de Dieu il n'a chez personne la moindre efficacité pour le salut. « Le Seigneur donnera la grâce et la gloire[b] », car après Jean, vient le Christ. Ce don est fait au libre arbitre, parce qu'il est seul à être sauvé; et il lui est fait précisément parce que sans la grâce il n'est pas sauvé[2]. Le libre arbitre reçoit la grâce, la grâce

Deus, nec capere valet nisi liberum arbitrium ... Et ita gratiae operanti salutem cooperari dicitur liberum arbitrium, dum consentit, hoc est dum salvatur. Consentire enim salvari est ». *De grat. et lib. arb.*, 2 (182, 1002 B).

gratia praecurrit salutem. Liberum arbitrium nec quando
vult nec qualem vult suscipit gratiam, nec Zacharias
1848 A quando vult aut qualem vult generat prolem. Zacharias
131 et Elisabeth nihil, etiam multum conati, per se gignunt,
quia ratio et voluntas in hominibus, etiam multo conatu,
sine gratia nihil proficiunt. **15.** Visitat ergo quos vult,
quando vult et quomodo vult Deus et per gratiam, id est
135 gratis dat gratiam, qui prius promittat sanctae conversationis spe, et postmodum exhibeat beatae visionis re
salutem. Ideo et Ioannes quibus voluit et quando voluit
et quomodo voluit Deus exhibitus, et nascendo et vivendo
praecucurrit et promisit Iesum et tandem digito ostendit.
140 De Zacharia quidem et Elisabeth, nec per naturam suam
sed per Dei operationem, Ioannes generatur ; et non nisi
de libertate arbitrii consensus bonus, nec sua tamen efficacia
sed munificentia Dei procreatur.

1848 B   **16.** Elisabeth domi est aut fortasse foris praestolatur
145 cum populo, dum Zacharias ad sancta sanctorum ingressus
angelum cernit ; et Sara domi exspectat dum *in fervore
diei* Abraham angelis occurrit ; populus quoque universus
deorsum praestolatur, dum *Moyses solus ad Deum* in
montem *ascendit.* Sed *ad haec quis tam idoneus?* Ubique
150 viri, ubique sacerdotes, ubique praelati, relictis uxoribus
et turbis, ad caelestia et sublimia soli aut ingrediuntur
aut occurrunt aut ascendunt. Sed in sanctis sanctorum
unus tantum angelus nec sine multo timore conspicitur.

---

131 multum : multi *M* ‖ gignit *M* ‖ 134 et *om. m* ‖ 135 qui : quia *M*
quae *m* ‖ 138 *post* exhibitus *add.* est *m* ‖ et² : *ac m* ‖ 139 praemisit *M*
‖ et² : ac *m* ‖ 141 per Dei operationem : Dei operatione *m* ‖ nec nisi
m ‖ 142 tamen sua *S* ‖ 144 fortasse : fortassis *S* forte *m* ‖ 145 dum :
cum *M* ‖ Zacharia *M* ‖ 146 cernit : init *M* ‖ in fervorem *M* ‖ 148
Deum : Dominum *m* ‖ 151 et¹ : ac *m* ‖ 152 *post* Sed *add.* ne *M* ‖ in
sanctis sanctorum : in sancta sanct. *m* ad altare incensi *S* ‖ 153
timore multo *m*

---

a. Gen. 18, 1 ‖ b. Cf. Ex. 19, 3 ; 24, 2 ‖ c. II Cor. 2, 16

devance le salut. Le libre arbitre ne reçoit la grâce ni
quand il veut ni telle qu'il la veut ; pas plus que Zacharie

A n'engendre de postérité quand il veut ou telle qu'il la veut.
Zacharie et Élisabeth, en dépit de tous leurs efforts,
n'engendrent rien par eux-mêmes, car la raison et la volonté
chez les hommes, en dépit de tous leurs efforts, n'obtiennent
sans la grâce aucun résultat. **15.** Dieu visite donc ceux
qu'il veut, quand il veut et comme il veut[1] ; et par grâce,
c'est-à-dire gratuitement, il donne la grâce, qui puisse
d'abord promettre le salut dans l'espérance d'une vie sainte,
et ensuite le procurer dans la réalité de la vision bienheureuse. Voici pourquoi, accordé à ceux à qui Dieu a voulu,
quand il l'a voulu, comme il l'a voulu, Jean a précédé
et promis Jésus par sa naissance et sa vie, et finalement
l'a montré du doigt. C'est bien de Zacharie et d'Élisabeth
que Jean est engendré, non par leur nature, mais par
l'action de Dieu ; ainsi c'est uniquement du libre arbitre
qu'est engendré le consentement bon, non toutefois de par
sa propre efficacité, mais de par la munificence de Dieu.

B **16.** Élisabeth reste à la maison ou peut-être attend avec
le peuple au-dehors, tandis que Zacharie entré dans le
Saint des Saints aperçoit l'ange. Sara elle aussi attend
à la maison, tandis que « dans la chaleur du jour » Abraham
rencontre les anges[a]. Le peuple entier attend lui aussi
en bas, tandis que Moïse monte seul vers Dieu sur la
montagne[b]. Mais « qui est capable de comprendre ces
mystères[c] ? » En tout lieu, des hommes, en tout lieu, des
prêtres, en tout lieu, des supérieurs, quittant les épouses
et les foules, tout seuls, pénètrent vers les réalités célestes
et sublimes, ou vont au-devant d'elles, ou s'élèvent jusqu'à
elles. Dans le Saint des Saints un seul ange se fait voir,
non sans causer une grande frayeur. « Dans la chaleur du

1. Cf. *De offic. missae*, 1890 B.

In fervore vero *diei* et in aeris libertate et campo spatioso
155 tribus cum fiducia et alacritate occurritur. In monte
quidem cum ipso Deo, *tamquam a viro cum proximo suo*,
1848 C a Moyse sermo contexitur. **17.** Taceo quod etiam relictis
discipulis Iesus ipse *ascendit in montem solus* loqui ad
Patrem. Si autem, dilectissimi, ista voluerimus prosequi,
160 nec nos poterimus sufficere sermoni, nec hora, ut scitis,
sermocinanti. Ideo, quod ad praesentem solemnitatem
attinet, de Zacharia pauca persolvamus. Iecimus enim vobis
hic quasi fundamenta quaedam meditationis, et occasionem dedimus sapienti ut, meditando in his, sapientior fiat.
165   **18.** Itaque Zacharias angelum videt et timet, promit-
tentem audit et diffidit ; ideoque silentio mulctatur usque ad
tempus promissionis solutae. Ratio namque humana, cum
de sacramentis caelestibus et sponsionibus divinis ea audit
1848 D quae non comprehendit, miratur et haesitat, et quomodo
170 fieri possit investigat. Sed quoniam *nec oculus vidit, nec
auris audivit, nec in cor hominis ascendit, quod praeparavit
Deus diligentibus se*, etiamsi credat, muta usque ad visionem exstat, et tunc *cum* apparuerit *quid erimus — filii
enim Dei sumus, sed nondum apparet quid erimus —*,
175 exsultatione exsultabit modo inenarrabili, dicens : *Benedictus Dominus Deus Israel, quia visitavit et fecit redemptionem plebis suae.* **19.** Interim autem ratio fide gignit
quod eloqui nequit, et voluntas caritate concipit quod oculo

---

154 vero : autem *m om. S* ‖ campi spatio *M* spatioso campo *m* ‖
155 alacrite *m* ‖ 156 ipso *om. m* ‖ Deo *om. M* ‖ 158 ipse solus ascend.
in mont. *m* ‖ 159 dilectissimi *om. m* ‖ 162 vobis *om. m* ‖ 163 hic *om.
S* ‖ quaedam quasi fundamenta *m* ‖ 164 meditanto in his *om. m* ‖
166 ideo *Mm* ‖ 169 comprehendi *M* ‖ mirantur *M* ‖ et[2] : ac *m* ‖ 172
muta : multa *M* ‖ 174 apparuit *m cum Vg.* ‖ 176 quia : qui *M* ‖ 178
et *om. m*

---

a. Cf. Ex. 33, 11 ‖ b. Matth. 14, 23 ‖ c. Cf. Prov. 1, 5 ‖ d. Cf. Lc 1,
20 ‖ e. Cf. Lc 1, 34 ‖ f. I Cor. 2, 9 ‖ g. I Jn 3, 2 ‖ h. Lc 1, 68

---

1. Cf. *Serm.* 1, 1691 B-C.

jour », à l'air libre et dans la vaste plaine, la rencontre
a lieu avec trois anges, dans la confiance et l'entrain.
Sur la montagne, Moïse engage le dialogue avec Dieu lui-

C même comme un homme avec son ami[a]. **17.** Je passe sous
silence que Jésus laisse même ses disciples et « gravit
seul la montagne » pour parler à son Père[b] [1]. Mais si nous
voulions, bien-aimés, poursuivre sur ce sujet, nous ne
suffirions pas au discours, et l'heure, vous le savez, ne
suffirait pas non plus au discoureur. Alors, pour ce qui
regarde la solennité présente, concluons en peu de mots
sur Zacharie. Nous avons, pour ainsi dire, jeté ici des
fondements à votre méditation et donné au sage l'occasion
de devenir, en méditant là-dessus, plus sage encore[c].

18. Zacharie voit donc l'ange et craint; il entend sa
promesse et manque de foi; aussi est-il puni par le mutisme
jusqu'au temps de l'accomplissement de la promesse[d].
Et en effet, quand la raison humaine, à propos des mystères

D célestes et des promesses divines, entend dire des choses
qu'elle ne comprend pas, elle s'étonne, hésite et se demande
comment cela est possible[e] [2]. Mais, puisque « l'œil n'a pas
vu, l'oreille n'a pas entendu et que n'est pas monté au
cœur de l'homme ce que Dieu a préparé pour ceux qui
qui l'aiment[f] », même si la raison croit, elle reste muette
jusqu'à ce qu'elle voie. Et lorsque apparaîtra ce que nous
serons — nous sommes en effet fils de Dieu, mais « ce que
nous serons n'apparaît pas encore[g] » —, elle exultera
d'une exultation ineffable, disant : « Béni soit le Seigneur,
le Dieu d'Israël, de ce qu'il a visité et délivré son peuple[h]. »
19. Entre-temps, la raison engendre par la foi ce qu'elle
ne peut exprimer, et la volonté conçoit par la charité ce
qu'elle n'aperçoit pas encore de ses yeux; quant à l'espé-

---

2. Cf. GUILLAUME DE SAINT-THIERRY : « Tu ergo, o fidelis anima,
cum in fide tua naturae trepidanti ingeruntur occultiora mysteria,
audi et dic, non studio occurrendi sed amore sequendi : ' Quomodo
fiunt ista ? ' Quaestio tua oratio tua sit, amor sit, pietas sit et humile
desiderium ». *Speculum fidei*, 71 (*SC* 301, p. 136).

nondum cernit ; longanimitate vero spes in utero mentis
180 baiulat quod videre desiderat. *Primitias Spiritus — fructus
etenim Spiritus caritas est — in utero habens, ingemiscit*
1849 A *Elisabeth et parturit usque* ad *revelationem gloriae filiorum
Dei. Mulier quidem cum parit, tristitiam habet ; cum autem
peperit gaudio gaudet, et in nativitate* talis pueri *multi*
185 *gaudebunt. Gaudebunt* quidem interioris et exterioris
hominis simul omnia et congloriabuntur cum conglorifica-
buntur. **20.** Interim *ex parte* cognoscit, *et ex parte* pro-
phetat Zacharias. *Cum autem venerit quod perfectum est,
et promissum tenebris, apparueritque quid erimus,* tunc
190 cognoscet sicut cognitus est, solveturque *vinculum linguae* et replebitur os eius iubilo, ad benedicendum
Deum pro gratia, quae nunc occulte agit in natura, etiam
ignorante ipsa natura, quae tunc manifesta erit et cognita.
21. *Omnes enim a minimo usque ad maximum cognoscent*
195 *gratiam* et veritatem *Dei* in die illa, pleni per omnia
gratia et veritate, exsultatione et laude. Quod in nobis
1849 B adimplere dignetur ipsa Dei gratia, ut et nos in manifes-
tatione eius cum omnibus sanctis gaudeamus per omnia
saecula saeculorum. Amen.

179 vero *om. m* ‖ 180-181 baiulat, quod vid. desid., primitias Spiritus. Fructus enim Spir. car. est. In utero habens ingemiscit *m* ‖
181 enim *m* ‖ 185 gaudebunt² : gaudent *S* ‖ quidem *om. m* ‖ 185-186
interioris hominis et exter. *M* ‖ 186 et *om. m* ‖ cum : *om. M* et *m* ‖
189 et promissum — quid erimus *om. m* ‖ 190 agnoscit *S* ‖ *post* sicut
add. et *m cum Vg.* ‖ 192-193 etiam ignorante ipsa natura *om. m* ‖
195 verit. et grat. *M* ‖ per omnia *om. m* ‖ 196 laudem *M* ‖ Quod :
quae *M* ‖ 197 et nos *om. m* ‖ 198 cum omnibus sanctis *om. m*

a. Cf. Rom. 8, 25 ‖ b. Gal. 5, 22 ‖ c. Rom. 8, 19, 21-23 ; Matth. 1,
18 ‖ d. Jn 16, 21 ; 3, 29 ‖ e. Lc 1, 14 ‖ f. Cf. Rom. 8, 17 ‖ g. Cf. I Cor.

rance, elle porte par la longanimité dans le sein de l'âme
ce qu'elle désire voir[a]. « Ayant dans son sein les prémices
de l'Esprit » — car « le fruit de l'Esprit est la charité[b] » —,
A Élisabeth « gémit en travail d'enfantement » jusqu'à « la
révélation de la gloire des fils de Dieu[c] ». « La femme sur le
point d'accoucher s'attriste, mais quand elle a enfanté,
elle exulte de joie[d] », « et beaucoup se réjouissent de la
naissance[e] » d'un tel enfant. Oui, ce sera la joie simultanée
pour tout l'homme intérieur et extérieur; ensemble ils
se féliciteront lorsque ensemble ils seront glorifiés[f]. 20.
Entre-temps Zacharie connaît partiellement, et partiellement il prophétise[g]. « Mais quand viendra ce qui est
parfait[h] » et objet de promesse pour les ténèbres[i], et
« qu'apparaîtra ce que nous serons[j] », alors il connaîtra
comme il est connu[k]; le « lien de sa langue » sera dénoué[l]
et sa bouche remplie de jubilation pour bénir Dieu[m] de la
grâce qui maintenant agit secrètement dans la nature,
fût-ce à l'insu de la nature elle-même, et qui alors sera
manifestée et connue. 21. « Car tous, du plus petit jusqu'au
plus grand, connaîtront[n] », en ce jour, la grâce et la vérité
de Dieu[o], totalement remplis de grâce et de vérité[p],
d'exultation et de louange. Daigne le réaliser en nous
B la grâce même de Dieu, pour que dans sa manifestation
nous nous réjouissions nous aussi avec tous les saints
durant les siècles des siècles. Amen.

13, 9 ‖ h. I Cor. 13, 10 ‖ i. Cf. Éphés. 5, 8 ‖ j. I Jn 3, 2 ‖ k. Cf. I Cor.
13, 12 ‖ l. Mc 7, 35 ‖ m. Cf. Ps. 70, 8. Job 8, 21 ‖ n. Jér. 31, 34 ‖ o. Cf.
Col. 1, 6 ‖ p. Cf. Jn 1, 14

SERMO QUADRAGESIMUSSEPTIMUS

In eodem Festo II

1. *Qui habet sponsam sponsus est; amicus autem sponsi stat et audit et gaudio gaudet propter vocem sponsi.* Aliorum, dilectissimi, sanctorum aut abstinentiae, aut solitudines, aut opera misericordiae, aut virtutes signorum, aut huius-
5 modi quae ad faciem sunt, sanctimoniae eorum testimonio valent. In nonnullos autem Domini et Salvatoris promulgatur auctoritas, qualiter de beato apostolo Petro dicitur : *Beatus es, Simon Bar-Iona, quia caro et sanguis non revelavit tibi, sed Pater meus qui est in caelis. Et ego dico*
10 *tibi quia tu es Petrus, et super hanc petram aedificabo*
1849 C *Ecclesiam meam,* etc. De coapostolo quoque eius Paulo : *Vas electionis mihi est iste, ut portet nomen meum coram gentibus et regibus et filiis Israel.* 2. In beatum vero Ioannem plurima et prophetarum oracula et ipsius per
15 seipsam Veritatis testimonia coacervantur. Beatus etenim propheta Isaias de eo sic ait : *Vox clamantis in deserto: Parate viam Domini,* etc. Cui et beatus evangelista Marcus in Evangelii sui exordio concinit. Ieremias quoque : *Priusquam te formarem in utero, novi te; et antequam exires*

Tit. Item de Sancto Iohanne Baptista *S* Sermo abbatis Ysaac cister. de Sancto Iohanne Baptista *S*ᵃ ‖ 3 solitudines : sollicitudines *m* ‖ 7 Petro apost. *m* ‖ 8 *post* Simon *add.* Petrus *S* ‖ 9 revelant *S* ‖ 10 es *om. M* ‖ 11 etc. *om.* *S*ᵃ*m* ‖ 12 iste mihi est *S* *S*ᵃ est mihi iste *m cum Vg.* ‖ 15 seipsum *S*ᵃ ‖ etenim : et *S* *S*ᵃ ‖ 16 Isaias : Ias *M om.* *SS*ᵃ ‖ 17 Domino *M* ‖ et *om. m*

---

a. Jn 3, 29 ‖ b. Cf. Rom. 15, 19 ‖ c. Matth. 16, 17-18 ‖ d. Act. 9, 15 ‖ e. Is. 40, 3 ‖ f. Cf. Mc 1, 3

SERMON 47

Deuxième sermon pour la Nativité de S. Jean-Baptiste

La sainteté de Jean-Baptiste est fondée sur l'humilité. Il se proclame seulement l'ami de l'Époux. Si nous voulons être les amis de l'Époux, le Verbe, nous avons à reconnaître et à aimer la voix de l'Époux, mais également la voix de l'Épouse, l'Église. La voix de l'Épouse, c'est la parole et le commandement de l'autorité ecclésiastique ; la voix de l'Époux, c'est tout événement voulu ou permis par Dieu.

1. « Qui a l'épouse est l'époux; mais l'ami de l'époux se tient là et l'entend, et il est ravi de joie à la voix de l'époux[a]. » Pour les autres saints, mes bien-aimés, ce sont leurs vies austères ou solitaires, ou leurs œuvres de miséricorde, ou leurs puissances miraculeuses[b], ou d'autres marques visibles qui rendent témoignage à leur sainteté. Quelques-uns ont par ailleurs la garantie solennelle de notre Seigneur et Sauveur. Du bienheureux apôtre Pierre, par exemple, il est dit : « Heureux es-tu, Simon Bar-Jonas, car cette révélation t'est venue non de la chair et du sang, mais de mon Père qui est dans les cieux. Et bien! moi, je te le dis : ' Tu es Pierre, et sur cette pierre je bâtirai mon Église, etc.[c].' Et de Paul, son compagnon d'apostolat : « Cet homme m'est un instrument de choix pour porter mon nom devant les nations païennes, les rois et les enfants d'Israël[d]. » **2.** Au sujet du bienheureux Jean, c'est une ample accumulation d'oracles des prophètes et de témoignages rendus directement par la Vérité en personne. Le bienheureux prophète Isaïe parle ainsi de lui : « Voix de celui qui crie dans le désert : Préparez le chemin du Seigneur, etc.[e].» Et le bienheureux évangéliste Marc lui fait écho dans l'exorde de son Évangile[f]. Jérémie dit de son côté : « Avant même de te former au ventre

20 *de vulva, sanctificavi te et prophetam in gentibus dedi te.*
Sed nec hoc beatus evangelista Lucas praetermisit. **3.** Ipsa

1849 D autem Veritas, quae nec fallere nec falli potuit, de eo sic
ait : *Inter natos mulierum non surrexit maior Ioanne
Baptista.* Et alibi : *Quid existis videre in deserto? Prophe-*
25 *tam? Amen dico vobis, et plus quam prophetam. Hic est
enim de quo* dictum *est: Ecce mitto angelum meum ante
faciem tuam*, etc. Alias quoque : *Ipse erat lucerna ardens
et lucens.* Unde et beatus David : *Paravi lucernam Christo
meo.* Beatum itaque Ioannem et nascendi miraculum et
30 vitae singularitas et qualitas mortis, prophetarum quoque,
ut diximus, oracula et ipsius Veritatis testimonia Ecclesiae
Christi commendarunt.

4. Mecum ergo, carissimi, reputans et *conferens in corde*
1850 A *meo* haec et his similia de beato Ioanne sublimium testi-
35 monia sublimia et ipsius de seipso responsa humilia,
liquide colligo quod vere in humilitate *virtus perficitur;*
et eo quisque maximus a Veritate appellatur, quo a
semetipso minimus aestimatur. *Quanto*, ait Sapientia,
magnus es, humilia te in omnibus. Et utique quanto humi-
40 liaveris te, tanto maior eris in omnibus. O bona humilitas !
Excelsus quidem *Dominus*, sed *humilia respicit.* O humilitas Deo amabilis ! *Respexit*, inquit, *humilitatem ancillae
suae.* Spiritus quoque sanctus minime requiescit, *nisi super
humilem et mansuetum et trementem* ad verba Dei.

20 vulva : ventre *m* ‖ 24 in deserto videre *S* in desertum videre
*S*ᵃ*m cum Vg.* ‖ 25 Amen : etiam *m cum Vg.* ‖ 26 enim *om.* Sᵃ ‖ dictum : scriptum *m cum Vg.* ‖ *post* Ecce *add.* ego Sᵃ *cum Vg.* ‖ 28 beatus *om. m* ‖ 29 et *om. m* ‖ 31 et : ac *m* ‖ 31-34 Ecclesiae — testimonia
om. SSᵃ *per hom.* ‖ 33 carissimi *om. m* ‖ 36 liquido *m* ‖ vere *om.*
m ‖ humilitate : infirmitate *m cum Vg.* ‖ 43 minime : non *m* ‖ 44
ad *om. m cum Vg.*

a. Jér. 1, 5 ‖ b. Cf. Lc 1, 14-15 ‖ c. Matth. 11, 11 ‖ d. Matth. 11,
7-10 ‖ e. Jn 5, 35 ‖ f. Ps. 131, 17 ‖ g. Cf. Lc 2, 19 ‖ h. Cf. II Cor. 12, 9 ‖
i. Sir. 3, 20 ‖ j. Ps. 137, 6 ‖ k. Lc 1, 48

maternel, je t'ai connu; avant même que tu sois sorti du sein, je t'ai consacré; comme prophète des nations, je t'ai établi[a]. » Et cela également, le bienheureux évan-
D géliste Luc ne l'a pas omis[b]. **3.** Quant à la Vérité en personne, qui ne peut ni tromper ni être trompée, elle parle ainsi de lui : « Parmi les enfants des femmes, il n'en a pas surgi de plus grand que Jean le Baptiste[c]. » Et ailleurs : « Qu'êtes-vous allés voir dans le désert? Un prophète? Amen, je vous le dis, et plus qu'un prophète. C'est celui dont il est écrit : 'Voici que j'envoie mon ange en avant de toi...[d]' » Et encore : « Il était la lampe qui brûle et qui luit[e] ». Ce qui explique la parole du bienheureux David : « J'ai préparé une lampe à mon Christ[f]. » Ainsi, pour le bienheureux Jean, c'est sa naissance miraculeuse, la singularité de sa vie, son genre de mort, et aussi, comme nous le disions, les oracles des prophètes et les témoignages de la Vérité en personne qui l'ont recommandé à l'Église du Christ.

4. Alors, bien-aimés, quand je considère ces témoignages
A sublimes et d'autres semblables rendus par des hommes sublimes au bienheureux Jean, et qu'en mon cœur je les rapproche[g] de ses humbles réponses à son propre sujet, j'en tire cette conclusion évidente que réellement la vertu se perfectionne dans l'humilité[h], et que la Vérité déclare quelqu'un d'autant plus grand qu'il s'estime plus petit. « Autant tu es grand, dit la Sagesse, humilie-toi en tout[i]. » « Et bien sûr, autant tu te seras humilié, autant tu seras grand en tout. Ô la bonne humilité! « Très haut est le Seigneur », sans nul doute, mais « il regarde les humbles[j]. » Ô l'humilité aimable à Dieu! « Il a regardé, est-il dit, l'humilité de sa servante[k]. » L'Esprit-Saint également ne se repose « que sur l'humble, le doux, celui qui tremble

45 **5.** Ideo, carissimi, beatus iste Ioannes, et eo beatior quo humilior, eoque humilior quo beatior, cum tanti ab hominibus pro verbo doctrinae et districtione vitae haberetur, 1850 B ut Christus ipse putaretur, *elegit*, ut beatus ait Gregorius, per humilitatem *solide subsistere in se*, quam per vanitatem 50 opinionis vanae *inaniter rapi super se*. Non enim *sicut pulvis* fuerat, *quem proicit ventus a facie terrae*. Quamvis autem vanitantium vento in caelum usque raperetur, humidus tamen et gravis terrae adhaerebat, illius sententiae memor : *Terra es, et in terram ibis.* **6.** Ubi sunt qui de 55 nihilo inflantur et de modico multum tument, eo vaniores quo inaniores ? Quid habes, in comparatione Ioannis, qui plus Ioanne gloriaris ? Aut si habes, *quid habes quod non accepisti?* Aut quod accepisti, quare per inanem gloriam efflando, temetipsum evacuasti ? Non enim qui inflatus est, 60 plenus veraciter, sed inaniter tumidus est.

1850 C   **7.** Ergo Ioannem audiamus, quanto maiorem, tanto humiliora loquentem. *Non sum*, inquit, *Christus, non* sum

---

45 carissimi *om. m* ‖ *post* Ioannes *add.* est *m* ‖ et : ac *m* ‖ 48 ipse *om. m* ‖ 50 Non : aut *M* ‖ 51 fuerat : erat *m* ‖ 53 humidus : fecundus *S*ᵃ humilis *m* ‖ 54 de *om. S*ᵃ ‖ 59 efflando : inflando *m* ‖ 62-63 non sum Elias, non sum proph. *m*

---

a. Is. 66, 2 (Vet. lat.) ‖ b. Ps. 1, 4 ‖ c. Gen. 3, 19 ‖ d. I Cor. 4, 7 ‖ e. Cf. Sir. 3, 20

---

1. Le verset d'Isaïe 66, 2, sur l'humilité et la douceur attirant la faveur de Dieu, est cher aux auteurs médiévaux qui le citent de préférence selon l'ancienne version attestée par S. Jérôme : « Et super quem respiciam, nisi humilem et quietum, et trementem sermones meos ». Ici, comme dans le *Serm.* 30, 1788 A-B, où il s'agit de l'humilité du Christ, Isaac l'entend spécialement de l'Esprit-Saint trouvant son repos dans les cœurs humbles et doux (par rapprochement avec *Is.* 11, 2 : « Requiescet super eum spiritus Domini »). Déjà dans le *Serm.* 46, 1846 A-B, Isaac insistait sur la valeur de l'humilité qui fait la grandeur de Jean-Baptiste. — Ce thème est cher aux Pères, spécialement à S. Augustin. « Ideo magnus homo,

aux paroles de Dieu[a] [1]. » **5.** Pour ces motifs, mes très chers,
notre bienheureux Jean — d'autant plus heureux qu'il
est plus humble et d'autant plus humble qu'il est plus
heureux —, lui qui était si fort estimé par les hommes
pour son enseignement et l'austérité de sa vie qu'on le
regardait comme le Christ lui-même, « a choisi, comme
B le dit le bienheureux Grégoire, de demeurer solidement
en lui-même par l'humilité, plutôt que d'être frivole-
ment entraîné au-dessus de lui-même par la vanité d'une
vaine opinion[2] ». Il n'était pas « comme la poussière
qu'emporte le vent de sur la terre[b] ». Et quoique le vent
de qui le vantaient l'entraînât jusque dans le ciel, lui
cependant, humide et lourd, ne se détachait pas de la
terre, au souvenir de la grande sentence : « Tu es terre et
tu retourneras à la terre[c]. » **6.** Où sont-ils ceux qui s'enflent
d'un rien, qui se boursouflent tant pour peu de chose,
d'autant plus vains qu'ils sont plus vides? Qu'as-tu,
en comparaison de Jean, toi qui te glorifies plus que Jean?
Ou si tu as quelque chose, « qu'as-tu que tu n'aies reçu[d]? »
Ou pourquoi, en laissant s'éventer par la vaine gloire
ce que tu as reçu, t'es-tu vidé toi-même? Car celui qui
est enflé n'est pas réellement plein, mais gonflé de vide.
C **7.** Écoutons donc les paroles de Jean, d'autant plus
humbles que lui est plus grand[e] : « Je ne suis pas le Christ,

quo major in hominibus non fuit, perhibuit ei testimonium Ioannes,
subditus, inclinatus, humiliatus. » *Serm.* 290, 3, 5 (38, 1313). « Tanta
excellentia erat in Ioanne ut posset credi Christus, et in eo probata
est humilitas eius, quia dixit se non esse cum posset credi esse. »
In Ioan., 4, 3 (35, 1406-1407). Cf. *Serm.* 288, 2 (38, 1302-1303) ;
289, 3 (1309) ; 292, 2, 2 (1321) ; 293, 4 (1329). — Les exclamations
d'Isaac rappellent les formules célèbres de S. Augustin, sur la voie
qui mène à la vérité : « Ea est autem prima humilitas ; secunda,
humilitas ; tertia, humilitas ; et quoties interrogares, hoc dicerem ».
Epist. 118, 22 (33, 442).
    2. S. Grégoire le Grand, *In Evang. hom.* 7, 1 (76, 1099 C) :
« Ioannis humilitas commendatur, qui cum tantae virtutis esset ut
Christi credi potuisset, elegit solide subsistere in se, ne humana
opinione raperetur inaniter super se ».

propheta, *non sum* Elias. Praeco sum, *vox clamantis sum
in deserto*, praecursor sum. *Parate viam Domino. Venit
65 post me fortior me, cuius non sum dignus procumbens solvere
corrigiam calceamenti eius.* Et cum multum ab instantibus
angeretur, in spiritu veritatis et cordis puritate exsultans,
quod supra posuimus ait : *Qui habet sponsam, sponsus
est* — ac si diceret : Nec sponsam habeo nec sponsus dici
70 debeo —, *amicus autem sponsi stat et audit, et gaudio
gaudet propter vocem sponsi.* Hoc etenim, si scire vultis,
sum et hoc facio ; et ideo sum, quia facio ; et ideo
facio, quia sum.

8. Sponsus, ut scitis, Christus est, et Sponsa Christi
1850 D Ecclesia. Sponsus Verbum Dei est, Sponsa anima fidelis.
76 Sponsa igitur sicut habet adulescentulas et amicas, sic et
Sponsus paranymphos et amicos, de qualibus ad Sponsam
loquens, ait : *Fac nos audire vocem tuam : amici auscultant.
Amicus* ergo *stat* et auscultat *et audit vocem* non solum
80 *Sponsi* sed et Sponsae. **9.** Non enim potest Sponsam
contemnere qui Sponsum voluerit audire : aut utrumque
contemnet aut utrumque audiet. Nemo potest alteri sine
altero amicus exsistere. *Quod Deus coniunxit, homo non
separet. Qui vos*, inquit, *audit, me audit ; et qui vos spernit,
85 me spernit. Qui vero me* audit, audit *eum qui me misit.* Ecce
per Christum quomodo iuncti sumus Deo : *caput mulieris
1851 A vir, caput viri Christus, caput Christi Deus.*

---

63 sum³ *om. M* ‖ 64 praecursor sum *om. m* ‖ 65 fortior me post me
m ‖ sum *om.* Sᵃ ‖ 66 eius *om. m* ‖ 66-67 angeretur ab inst. *m* ‖ 70 et
audit *om. m* ‖ 72 ideo : omnino *M* ‖ 74 et *om. m* ‖ 76 adulesc. habet
M ‖ 77 qualibus : quibus *m* ‖ 78 nos : me Sᵃ ‖ 79 non solum vocem
*MSS*ᵃ ‖ 80 potest *om.* Sᵃ ‖ 82 audiet aut utrumque contemnet *m* ‖ 85
vero *om.* SSᵃ ‖ misit me *m post* misit *add.* ergo per Christum Sᵃ ‖ 87
caput viri Christus *om.* Sᵃ ‖ *post* caput² *add.* vero *M*

---

a. Cf. Jn 1, 20-21.23.27 ‖ b. Jn 3, 29 ‖ c. Cant. 8, 13 ‖ d. Cf. Jn 3,
29 ‖ e. Matth. 19, 6 ‖ f. Lc 10, 16 ; Matth. 10, 40 ‖ g. I Cor. 11, 3

---

1. A propos de tout ce passage sur le Corps mystique du Christ,

dit-il, je ne suis pas le prophète, je ne suis pas Élie. Je suis
le héraut, je suis la voix qui crie dans le désert, je suis
le précurseur. Préparez le chemin du Seigneur. Derrière
moi vient un plus puissant que moi, et je ne suis pas digne
de me courber pour délier la courroie de sa sandale[a]. »
Et comme on le pressait avec beaucoup d'insistance,
exultant dans l'esprit de vérité et la pureté du cœur,
il prononça les paroles citées plus haut : « Qui a l'épouse
est l'époux — comme pour dire : « Je n'ai pas l'épouse,
et ne dois pas être appelé l'époux » —, mais l'ami de l'époux
se tient là et l'entend, et il est ravi de joie à la voix de
l'époux[b]. » Voilà ce que je suis, si vous tenez à le savoir,
et voilà ce que je fais; et je le suis parce que je le fais,
et je le fais parce que je le suis.

8. L'Époux, vous le savez, c'est le Christ, et l'Épouse,
D l'Église du Christ. L'Époux, c'est le Verbe de Dieu, et
l'Épouse, l'âme fidèle[1]. L'Épouse a ses demoiselles d'honneur et ses amies, l'Époux a ses garçons d'honneur et ses
amis. Il en parle à l'Épouse et dis : « Fais-nous entendre ta
voix : mes amis écoutent[c]. » L'ami se tient donc là et écoute,
et il entend la voix non seulement de l'Époux[d] mais aussi
de l'Épouse. **9.** Il ne peut en effet dédaigner l'Épouse, celui
qui veut entendre l'Époux : ou bien il dédaignera l'un et
l'autre, ou bien il écoutera l'un et l'autre. Personne ne peut
être ami de l'un sans l'être de l'autre. « Ce que Dieu a uni,
l'homme ne doit pas le séparer[e] ». « Qui vous écoute
m'écoute, dit-il; qui vous rejette me rejette. Mais qui
m'écoute écoute celui qui m'a envoyé[f]. » Voici comment
par le Christ nous sommes unis à Dieu : « Le chef de la
A femme, c'est l'homme; le chef de l'homme c'est le Christ;
le chef du Christ, c'est Dieu[g]. »

voir au t. 1 la *Note complém.* 13. On songe ici à la remarque que fait
S. Augustin sur la célébration des noces du Christ et de l'Église :
« Non quomodo in nuptiis carnalibus alii frequentant nuptias, et
alia nubit, in Ecclesia qui frequentant, si bene frequentant, sponsa
fiunt ». *In Ep. Ioan.*, 2, 2 (*SC* 75, p. 154).

10. Itaque, dilectissimi, si Sponsi cupimus esse amici et per ipsum Dei, audiamus Sponsam et obaudiamus his 90 per quos loquitur et iubet Sponsa, id est praelatis et praepositis nostris. Nos etenim qui subiecti sumus eis, tamquam mulier simpliciter sumus. Ordo autem praelatorum quasi vir noster, qui nos regere, instruere, pascere, fecundare et in omnibus et ad omnia disponere debet. *Caput* quoque 95 nostrum est, et ipsius *Christus*, et ipsius *Deus*. Unde et per praepositos nostros subditi sumus et adhaeremus Christo et Deo.

11. *Amicus* ergo *sponsi stat et audit;* Sponsus vero sedet et docet. Magistrorum siquidem est loqui et iubere ; audire 100 autem et oboedire discipulis convenit. Et cum hilaritate, quoniam *hilarem datorem diligit Deus.* Et cum gaudio, 1851 B sicut hic *amicus Sponsi audit et gaudet.* Et hoc *propter vocem Sponsi.* Multi ad multa quae audiunt gaudent, sed non *propter vocem Sponsi.* Multi ad multa quae iubentur 105 libenter oboediunt, sed non *propter vocem Sponsi.* Cum enim audiunt quod volunt, gaudent propter seipsos, et in hoc iam *receperunt mercedem suam.* Et cum iubentur quod exspectabant et desiderabant, libenter oboediunt, sed propriis concupiscentiis, et non habent quid a Sponso propter 110 id nisi fortasse inimicitias exspectent. Quod enim propter ipsum non fit, ab ipso remunerabile omnino non erit.

---

88 dilectissimi *om. m* ‖ et *om. m* ‖ 90 et[1] : ac *m* ‖ id est *om.* S[a] ‖ 91 enim *m* ‖ 94 et[1] : ac *m* ‖ 95 noster S[a] ‖ et[a] *om. m* ‖ 96 et adhaer. : adhaerentesque *m* ‖ 97 et : ac *m* ‖ 99 et docet *om. M* ‖ et[1] : ac *m* ‖ est siquidem *m* ‖ 101 et : set *M* ‖ 102 Et[a] *om. M* ‖ 105 sed *scripsi* (*vide l.* 103-104) : et *MSS*[a]*m* ‖ 106 quod volunt audiunt *m* ‖ 108 exspectabant et *om. m* ‖ 109 et non : nec *m* ‖ a : ad *M* ‖ 109-110 propter — inimicitias *om. m* ‖ 110 forte *M* ‖ 111 omnino *om. m*

---

a. Cf. Hébr. 13, 17 ‖ b. Jn 3, 29 ‖ c. Cf. Lc 5, 17 ‖ d. II Cor. 9, 7 ‖ e. Jn 3, 29 ‖ f. Matth. 6, 2 ‖ g. Cf. Rom. 6, 12

10. Si donc, mes bien-aimés, nous désirons être les amis de l'Époux, et par lui les amis de Dieu, écoutons l'Épouse et obéissons à ceux par qui l'Épouse parle et commande, c'est-à-dire à nos pasteurs et supérieurs[a]. Nous, leurs sujets, nous sommes simplement comme la femme; l'ordre des pasteurs est pour nous comme le mari qui doit nous gouverner, nous instruire, nous nourrir, nous donner la fécondité et disposer de nous en tout et pour tout. Il est notre chef; le sien est le Christ; celui du Christ est Dieu. Et de la sorte, par nos supérieurs nous sommes soumis et nous adhérons au Christ et à Dieu.

11. « L'ami de l'Époux se tient debout et écoute[b] »; l'Époux, lui, est assis et enseigne[c]. Aux maîtres il appartient de parler et de commander; aux disciples il revient d'écouter et d'obéir[1]. Et de le faire avec joie, car « Dieu aime celui qui donne avec joie[d] [2]. » Et de le faire avec allégresse comme cet « ami de l'Époux écoute dans l'allégresse ». Et cela « à cause de la voix de l'Époux[e] ». Beaucoup sont dans l'allégresse pour bien des paroles qu'ils entendent, mais non pas « à cause de la voix de l'Époux ». Beaucoup obéissent volontiers à beaucoup d'ordres qu'ils reçoivent, mais non pas « à cause de la voix de l'Époux ». Quand ils entendent les paroles qu'ils veulent, ils sont dans l'allégresse à cause d'eux-mêmes; et par là « ils ont déjà reçu leur récompense[f] ». Et quand ils reçoivent un ordre qu'ils attendaient et désiraient, ils obéissent volontiers, mais à leurs propres convoitises[g]; et par cela ils n'ont rien à attendre de l'Époux, sinon peut-être l'inimitié. Car ce qui n'est pas fait à cause de lui ne méritera de lui

---

1. Allusion à deux passages de la *Règle* de S. Benoît : « Nam loqui et docere magistrum condecet, tacere et audire discipulum convenit ». (6, 6) ; « Sed sicut discipulos convenit oboedire magistro, ita et ipsum provide et iuste condecet cuncta disponere. » (3, 6).

2. Cf. *Règle* de S. Benoît, au chapitre de l'obéissance (5, 16) : « Et cum bono animo a discipulis praeberi oportet, ' quia hilarem datorem diligit Deus ' ».

12. Itaque vox Sponsae omnis est ordo et institutio ecclesiastica ; quam qui diiudicat aut contemnit, amicus Sponsae esse nequaquam poterit. Vox Sponsae sermo est
115 et praecepta praepositorum ; quae si quis audire contemnit
1851 C aut audita negligit, ad inimicitias procul dubio erumpit ; aut si *tepide* et *tarde*, et timide, *cum* rancore cordis et oris *murmure* perficit, necdum quidem ad amicitias pervenit, neque enim *gaudio gaudet propter vocem* Sponsae.

120 **13.** Sponsus siquidem, ut diximus, Verbum est Dei ; vox vero Verbi omnis eventus rei. Quidquid enim in rerum universitate per omnem temporis tractum obtingit, ab aeterno simul in Deo Verbo fuit. Nobis vero miseris et caecis internus liber, ubi angeli cernunt et legunt, clausus
125 est ; et tantummodo in exteriori legimus et discimus quae in interiori continentur. Cum enim hoc vel hoc contigisse foris cernimus, tunc quid intus dispositum erat cognoscimus. Omnia enim sic fiunt, quomodo aut facit aut fieri permittit sine cuius dispositione et voluntate nihil fit.
130 Eventus igitur rei foris est vox Verbi ; ad quam foris non murmurat, qui quod intus est dispositum amat.
1851 D Omnia vero quaecumque contingunt, a bono bene dispo-

---

112 ordo et *om. m* ‖ 114 nequaquam : non *m* ‖ 115 si quis audire : qui *m* ‖ 116 audita *om. m* ‖ procul dubio *om. m* ‖ 117 et ... et timide *om. m* ‖ 118 quidem *om. m* ‖ amicitias : inimicitias *M* ‖ 119 neque : nec *m* ‖ gaudio *om. m* ‖ 120 siquidem ut diximus *om. m* ‖ Dei est *m* ‖ 121 vero *om. m* ‖ verbi : eius *m* ‖ rei *om. m* ‖ *post* vero *add.* vero *M* ‖ 121-123 in rerum — obtingit : in tempore fit *m* ‖ 122 tractum : tuum *M* ‖ 123 Dei *m* ‖ 123-124 miseris et caecis internus *om. m* ‖ 125 tantummodo : solum *m* ‖ 126 Cum : quod *m* ‖ enim : autem *S* ‖ hoc vel hoc *om. m* ‖ 126-127 foris contig. *m* ‖ 127 tunc quid *om. m* ‖ intus : imus *M* ‖ erat : fuisse *m* ‖ 128 quomodo *om. m* ‖ aut : ut *m* ‖ fieri *om. m* ‖ 129 et voluntate *om. m* ‖ 130 igitur : ergo *S*ᵃ*m* ‖ est rei foris *M* ‖ foris *om. m* ‖ 131 dispos. est *m* ‖ 132 quicumque *M* quae *m* ‖ bene *om. m* ‖ 132-135 bene disposita — amanda sunt : disposita sunt, ac suo modo bene fiunt, ac propterea a bonis amanda sunt *m*

---

a. Cf. Apoc. 5, 1

absolument aucune récompense. **12.** La voix de l'Épouse,
c'est tout l'ordre et l'institution ecclésiastique : qui la
juge ou la dédaigne ne pourra aucunement être l'ami de
l'Épouse. La voix de l'Épouse, c'est la parole et le commandement des supérieurs : qui dédaigne de les écouter ou
C néglige ce qu'il a entendu se jette sans aucun doute dans
l'inimitié; ou bien s'il accomplit ces ordres avec tiédeur,
retard, crainte, déplaisir au cœur et murmure des lèvres[1],
il n'est en tout cas pas encore parvenu jusqu'à l'amitié,
puisqu'il n'est pas « ravi de joie à la voix » de l'Épouse.

13. L'Époux, nous l'avons dit, c'est le Verbe de Dieu;
la Voix du Verbe, c'est tout événement. Tout ce qui arrive
dans l'univers tout au long du temps a existé éternellement
tout à la fois en Dieu par le Verbe. Mais pour nous,
misérables et aveugles, le livre intérieur que voient et
lisent les anges reste fermé. Et c'est seulement au livre
extérieur que nous lisons et apprenons ce qui est contenu
au livre intérieur[a] [2]. Quand nous voyons se produire
au-dehors ceci ou cela, nous connaissons ce qui était
disposé au-dedans. Car tout se produit comme le veut
ou le permet celui sans la disposition et la volonté duquel
rien ne se produit. L'événement qui arrive au-dehors
est donc la voix du Verbe; elle ne provoque pas au-dehors
le murmure de qui aime la disposition du dedans. Ou
D tout ce qui arrive à tout point de vue est bien disposé

---

1. Autre allusion à la *Règle* (5, 14) : « Sed haec ipsa oboedientia
tunc acceptabilis erit Deo et dulcis hominibus, si quod iubetur, non
trepide, non tarde, non tepide aut cum murmurio vel cum responso
nolentis efficiatur... » — Les § 11 et 12 de ce sermon d'Isaac sont cités
par G. Penco dans son étude sur le témoignage de la tradition
monastique au sujet du saint Précurseur : « S. Giovanni Battista nel
ricordo del monachesimo medievale », dans *Studia Monastica*, 3
(1961), p. 7-32 (voir p. 22).

2. Sur cette lecture du « livre extérieur », voir au t. I la *Note
complém.* 11, « Les six livres où l'homme s'instruit ». Voir aussi
Serm. 22, 1764 D - 1765 A ; *Serm.* 24, 1769 B-C.

sita sunt, et suo loco et tempore et modo bene fiunt ;
et propter bonum, a quo bene fiunt, a bonis bene
135 amanda sunt.

14. Summa ergo omnis religionis et oboedientiae est
amare quod amat Deus, quia id amat Deus ; odire quod
odit Deus, quia id odit Deus ; velle quod vult Deus, quia
id vult Deus ; nolle quod non vult Deus, quia id non vult
140 Deus. Haec autem omnia cum in rebus foris addiscimus,
quasi per vocem Dei voluntatem audimus. Et si amici
Sponsi esse volumus, etiamsi propter aliud in aliquibus
dolemus, tamen *propter vocem* quae nobis loquitur voluntatem *Sponsi*, gaudeamus. *Bonus est*, inquit *amicus*
145 *quidam Sponsi*, etiam de temporali incommodo suo, *sermo
Domini. Dominus est ; quod bonum est in oculis suis faciat.*
15. Utique cum malo mali servi bonus est sermo boni
1852 A Domini. Si malum male perdit, iustus est, et omne iustum
bonum est ; et quicumque iustitiam non amat, malus est,
150 et hoc ipsum etiam bonum est. Si malo pie parcit, pius est,
et omne pium bonum est ; et qui pietatem non amat
impius est, et hoc ipsum etiam pium est. Si bonum bene
remunerat, iustus est ; si probat et castigat, benignus est ;
et qui utrumque non amat, malignus est, et hoc ipsum
155 iuste benignum est, et benigne iustum est. **16.** Hae sunt
omnes viae Domini, misericordia videlicet *et veritas*, per quas
inter filios hominum graditur, occidendo et vivificando,
percutiendo et sanando, elevando et deprimendo, dando

---

137 odisse *m* ‖ 139 id² *om. M* ‖ 139-140 quia id non vult Deus
om. m ‖ 141 audiamus *M* ‖ 142 volumus : nolumus *M* ‖ 144 gaude-
mus *MS* ‖ est *om. SS*ª ‖ 144-145 quidam amicus *S*ª ‖ 149 non amat
iust. *m* ‖ 150-151 Si malo — bonum est *om. M per hom.* ‖ 155 et : ac
m ‖ 156 videlicet *om. S*ª ‖ 158 et … et : ac … ac *m*

---

a. IV Rois, 20, 19 ‖ b. I Sam. 3, 18 ‖ c. Cf. Matth. 21, 41 ‖ d. Ps. 24,
10 ‖ e. Cf. Deut. 32, 39 ‖ f. Cf. Lc 1, 52. I Sam. 2, 6-7 ‖ g. Cf. Job 1, 21

---

1. Sur cette attitude spirituelle d'abandon confiant et joyeux dans

par l'Être bon, est bien fait par lui en son lieu, en son temps, en son mode, et, à cause de l'Être bon par qui il est bien fait, doit bien être aimé par les bons.

14. Ainsi donc, la somme de toute vie religieuse et de toute obéissance, c'est d'aimer ce qu'aime Dieu, parce que Dieu l'aime ; de haïr ce que Dieu hait, parce que Dieu le hait ; de vouloir ce que Dieu veut, parce que Dieu le veut ; de ne pas vouloir ce que Dieu ne veut pas, parce que Dieu ne le veut pas. Lorsque tout cela nous est signifié du dehors par les choses, nous entendons comme de vive voix la volonté de Dieu. Et si nous voulons être amis de l'Époux, quand même ici ou là nous sommes dans la peine pour quelque autre raison, soyons pourtant dans l'allégresse à cause de la voix qui nous exprime la volonté de l'Époux. « Bonne est la parole du Seigneur[a] », déclare « un ami de l'Époux », même à propos de son épreuve temporelle. « Il est le Seigneur ; qu'il fasse ce qui est bon à ses yeux[b] [1]! » **15.** Oui, même le mal du serviteur mauvais est compatible avec la bonté de la parole du Seigneur bon. S'il perd misérablement le misérable[c], il est juste, et tout ce qui est juste est un bien ; et quiconque n'aime pas la justice est mauvais, et cela même est aussi un bien. S'il épargne en sa bonté le misérable, il est bon, et toute bonté est un bien ; et qui n'aime pas la bonté est sacrilège, et cela même est aussi bonté. S'il récompense bien celui qui est bon, il est juste ; s'il l'éprouve et le châtie, il est bienveillant ; et qui n'aime pas l'un et l'autre est méchant ; et cela même est une bienveillance juste et une justice bienveillante. **16.** Telles sont « toutes les voies du Seigneur, la miséricorde et la vérité[d] », par lesquelles il s'avance parmi les fils des hommes, tuant et vivifiant, frappant et guérissant[e], élevant et abaissant[f], donnant et reprenant[g],

la souffrance, les difficultés, les tribulations, voir S. AUGUSTIN, *In Ps. 31*, 25-26 (36, 273-275). DOROTHÉE DE GAZA, *Instruction* 13 (*SC* 92, p. 403-419). ÉVAGRE LE PONTIQUE, *Traité de l'oraison*, 31-33 (Éd. I. Hausherr, Paris 1960, p. 49-51).

et auferendo, terrendo et blandiendo ; et nihil fortuitu
160 aut ipso ignorante aut nolente aut non curante contingit,
1852 B sed omnia bene per tempus regit, sicut ante tempora
bene omnia disposuit ; et in omnibus propter eius disposi-
tionem et voluntatem *gaudio gaudet*, qui ab eo in nullo
dissidet. *Ea demum amicitia* vera *est*, cum amico propter
165 amicum, *idem velle et nolle.*

17. *Amicus* ergo *Sponsi* assistit Sponso *et audit*, oboedire paratus ad omnia, *et gaudio gaudet* in omnibus *propter
vocem Sponsi*, quamvis propter aliud contristetur in
plurimis. Hoc etenim etiam habet vox Sponsi. Nam et
170 ipse Sponsus aliquando irascitur et contristatur, lacri-
matur et dolet ; in quibus tamen omnibus propter eum
cuius est Verbum gaudet, qui cum gaudio *propositum*
sibi *certamen* currit. **18.** Ubi sunt qui contra rerum even-
tum murmurant et in Deum blasphemant, qui ipsius
1852 C ordinationem non amant ? Nonne si a Deo est, bene est ?
176 Et si bene est, quid murmuras ? Non possum, inquis,
damnum meum, aut amici mei amare iacturam. Sed
neque Dei debes odire iustitiam aut disciplinam. Utique
nec Deus cuiusquam diligit iacturam. *Caritas* enim *non
180 gaudet super iniquitate*, sed suam amat veritatem et tuam
punit iniquitatem. *Caritas* enim *congaudet veritati*, cui
si non congaudes, sine caritate es, ac per hoc sine Deo et
cum diabolo, qui odit iustitiam quae ipsius condemnat
malitiam. Hoc etenim est perpetuum eius peccatum,
185 quod perpetuum meretur supplicium.

159 et² : ac *m* ‖ nihilque *m* ‖ fortuito *S*ᵃ ‖ 161 ante tempora : pro
tempore *SS*ᵃ ‖ 162 eius *om. M* ‖ 163 et : ac *m* ‖ 165 *post* et *add.* idem *m* ‖
166 et : ac *m* ‖ 168 vocem *om. S*ᵃ ‖ 169 enim *m* ‖ et *om. m* ‖ 170 et
om. m ‖ 171 et : ac *m* ‖ 173 cucurrit *MSS*ᵃ ‖ 174 et : ac *m* ‖ 175 est¹ *om.
M* ‖ 176 inquit *MSm* ‖ 180 iniquitatem *M* ‖ 181 enim : autem *M m
cum Vg.* ‖ 182 si *om. S*ᵃ ‖ caritate : iniquitate *S*ᵃ ‖ 183 ipsius : eius
*SS*ᵃ ‖ 185 quod : qui *S*ᵃ

a. Cf. Job 9, 34. Is. 66, 13 ‖ b. Jn 3, 29 ‖ c. Cf. Hébr. 12, 1-2.
Rom. 8, 37 ‖ d. Cf. Ps. 49, 17 ‖ e. I Cor. 13, 6

effrayant et rassurant[a]. Rien n'arrive par hasard, ni à
son insu, ni contre sa volonté, ni sans sa sollicitude, mais
avec le temps il régit tout d'une manière bonne, de même
qu'avant tous les temps il a tout bien disposé; et celui
qui est en plein accord avec lui est toujours « ravi de joie »,
à cause de ses dispositions et de sa volonté. L'amitié
véritable, c'est précisément d'avoir, avec l'ami, à cause
de l'ami, un même vouloir et non-vouloir[1].

17. « L'ami de l'Époux » se tient donc près de l'Époux
« et l'écoute », prêt à obéir en tout « et il est toujours ravi
de joie à cause de la voix de l'Époux[b] », bien que, pour
d'autres raisons, il soit souvent contristé. La voix de
l'Époux inclut cela aussi. Car il arrive parfois à l'Époux
lui-même d'être en colère et de s'attrister, de pleurer
et de se plaindre; mais en tout cela il trouve sa joie à cause
de celui dont il est le Verbe, courant avec joie au combat
qui lui est proposé[c]. **18.** Où sont-ils, ceux qui murmurent
contre les événements et blasphèment contre Dieu, qui
n'aiment pas ses ordres? Si cela vient de Dieu, n'est-ce
pas bien? Et si c'est bien, pourquoi murmurer? Je ne peux,
répliques-tu, aimer le dommage qui m'est fait ou la perte
de mon ami. Mais tu ne dois pas non plus détester la justice
de Dieu ou sa discipline[d]. Assurément, Dieu non plus
n'aime la perte de personne. « La charité ne se réjouit pas
de l'iniquité »; mais elle aime sa propre vérité et punit
ton iniquité. « La charité met sa joie dans la vérité[e] »,
et si tu n'y mets pas ta joie, tu es sans la charité et par le
fait même sans Dieu; tu es avec le diable qui hait la justice
condamnant sa propre malice. Là est son péché éternel,
qui mérite un supplice éternel.

---

1. Cf. SALLUSTE, *De coniur. Catilinae*, 20, 4 : « Nam idem velle
atque idem nolle, ea demum firma amicitia est ». Texte plusieurs
fois cité par S. JÉRÔME, v.g. *Epist.* 130 (22, 1117). Ces mots, proches
de ceux de CICÉRON, *De amicitia*, 25, ont servi à S. BERNARD à
exprimer l'« unitas spiritus » en laquelle se consomme l'union de
l'âme à Dieu : *In Cant.*, 83, 3 (183, 1182 C). Sur l'enjeu théologique
capital de la notion d'amour d'amitié, utilisée par les cisterciens, pour

19. Itaque in bonis quae agit Deus, diligamus, dilectissimi, ipsum opus totum, quoniam a bono bonum est et 1852 D bene fit et ad bonum. In malis autem, quae permittit bonus etiam bene et ad bonum, diligamus, non malitiam 190 quam odit Deus, sed causam quare permittit Deus. Permissio siquidem Creatoris est malitia creaturae. **20.** Haec est, carissimi, pax bona et tranquillitas cordis : stare in aequanimitate et audire cum reverentia omnia quae fiunt sub caelo, et in omnibus benedicere omnia disponenti; 195 nolle mutari quae bene fiunt et decori universitatis concinunt, salva in omnibus caritate, quae, ut dictum est, *non gaudet super iniquitate, congaudet autem veritati.* Quod in nobis operari dignetur qui vivit et regnat Deus per omnia saecula saeculorum. Amen.

SERMO QUADRAGESIMUSOCTAVUS

In eodem Festo III

1853 A   **1.** *Paravi lucernam Christo meo. Inimicos eius induam confusione; super ipsum autem efflorebit sanctificatio mea.*

187 et : ac *m* ‖ 188 autem *om. S*ᵃ ‖ 188-189 In malis autem — et ad bonum *om. M per hom.* ‖ 189 etiam : et male et *S*ᵃ ‖ 191 malitia : permissio *S*ᵃ ‖ 194 et : ac *m* ‖ 195 et : ac *m* ‖ 196 *ante* quae *praem.* et *M* ‖ autem *om. S*ᵃ

Tit. Item unde supra *S* ‖ 1-2 Inimicos — sanctificatio mea *om. m* ‖ 2 et florebit *M*

a. Cf. Eccl. 1, 14 ‖ b. Cf. I Cor. 13, 6
a. Ps. 131, 17-18

qualifier la relation avec Dieu, voir J. CHYDENIUS, *The symbolism of love in Medieval Thought,* Helsinki 1970.

1. Dieu, souverain bien et providence, dispose tout « bene » et « ad bonum ». Cf. *supra*, 1851 D. Cf. BOÈCE, *Philos. cons.*, 4, 6, 21.

19. Dans les choses bonnes faites par Dieu, aimons donc, mes bien-aimés, l'œuvre tout entière, puisqu'elle est bonne, vient de l'Être bon, est bien faite et pour le bien[1]. Quant
D au mal que permet l'Être bon d'une manière bonne aussi et pour le bien, aimons, non point la malice que Dieu hait, mais le motif pour lequel Dieu la permet[2]. Car c'est une permission du Créateur que la malice de la créature. **20.** La bonne paix et la tranquillité du cœur, la voici, mes très chers : se tenir dans l'égalité d'âme, écouter avec respect tout ce qui se passe sous le ciel[a] et bénir en tout celui qui dispose de tout; ne pas vouloir changer ce qui est bien fait et concourt à la beauté de l'univers, étant sauvegardée en tout la charité qui, nous le disions, « ne se réjouit pas de l'iniquité, mais met sa joie dans la vérité[b] ». Que daigne l'opérer en nous celui qui vit et règne, Dieu, pour les siècles des siècles. Amen.

SERMON 48

Troisième sermon pour la Nativité de S. Jean-Baptiste

Le prédicateur explique dans une « apologie » pourquoi il a changé sa manière : il ne veut plus, en s'attachant aux méthodes nouvelles, prônées par certains docteurs très en vogue, légitimer les audaces à venir. Il critique également les procédés des ordres militaires, dont pourront s'autoriser plus tard les ennemis de l'Église. Quelques mots sur le rôle de Jean-Baptiste préparant la venue du Christ.

A   **1.** « J'ai apprêté une lampe pour mon Christ. Ses ennemis, je les vêtirai de honte, mais sur lui fleurira ma sanctification[a]. »

---

55 (*CCL* 94, p. 81 et 84). P. Courcelle, *La Consolation de Philosophie dans la tradition littéraire*, Paris 1967, p. 203-208.

2. Cf. Augustin, *In Ps. 61*, 22 (36, 746).

Olim, dilectissimi, cernimus vos plus solito tepidos et
quasi accidiosos factos ad audiendum. Unde et nos tepi-
5 diores et imbecilliores, fateor, facti sumus ad loquendum.
Attentio namque discipuli diligentiam adhibet doctori.
Et quo devotius quisque auditur, eo studiosius loquitur.
Sed quaerimini nos stilum, nescitis qua ratione, mutasse.
Et qui subtiliter solebamus aut invenire prorsus nova,
10 aut eleganter innovare vetera, nunc communia tantum
terimus et sermone trivii trita replicamus. 2. Quo, inquiunt
vestrum nonnulli, demersus est homo iste ? *Quomodo*
1853 B *obscuratum est aurum* intelligentiae suae, *mutatus est*
color optimus eloquentiae suae ? Qui solebat mirabiliter
15 mira dicere et singulariter inaudita excogitare, obscura
luculenter diffinire, involuta distincte dividere, divisa
patenter exemplis declarare, quomodo nunc omnia con-
fundit, omnia permiscet, omnia ubique tangit et nihil
ad exspectatum usque finem perducit ? Quomodo *vinum*
20 eius *mixtum est aqua* et *argentum versum est in scoriam?*
Quomodo non aut silet aut loquitur ?

4 acediosos m occidiosos M ‖ nos : vos M ‖ 5 et : ac m ‖ 11 et :
ac m ‖ Quo : quomodo m ‖ 15 et om. m ‖ 18 permiscit S ‖ 20 et om.
m ‖ est² om. M ‖ 21 non : no M nunc m

a. Cf. Hébr. 5, 11 ‖ b. Cf. Lam. 4, 1 ‖ c. Cf. Dan. 5, 16 ‖ d. Is. 1, 22

1. S. Bernard nous fait part lui aussi d'une expérience pareille :
« Magna mihi consolatio est, fratres mei, in verbo illo Domini :
' Qui ex Deo est, verba Dei audit. ' Propterea enim vos libenter
auditis, quia ex Deo estis... In vobis, fratres, — Deo gratias ! — vere
invenio aures audiendi : nimium cum in emendatione vestra sine
mora appareat fructus verbi, sed etiam inter loquendum, fateor,
nonumquam sentire mihi videor fervorem studii vestri. Etenim
quanto abondantius sugitis, tanto amplius replet ubera mea dignatio
Spiritus sancti ; et tanto copiosius datur quod propinem vobis,
quanto citius quod propinatur hauritis. Propterea saepius loquor
vobis, etiam praeter consuetudinem ordinis nostri. Scio enim quis

Depuis quelque temps, mes bien-aimés, nous vous voyons,
plus qu'à l'ordinaire, nonchalants et comme lassés d'écouter.
Cela nous a rendus, nous aussi, je l'avoue, plus tièdes et
plus malhabiles à parler[a]. L'attention du disciple stimule
le zèle du maître. Et plus on vous écoute avec complaisance,
plus on sait parler avec compétence[1]. Seulement, vous
vous plaignez que nous ayons, on ne sait pourquoi, changé
de style. Nous qui d'habitude mettions notre subtilité,
soit à trouver de l'inédit, soit à renouveler l'ancien avec
bonheur, à présent nous ne faisons que ressasser des
lieux communs et rabâcher des banalités avec des mots
usés. **2.** Où donc, disent quelques-uns d'entre vous, cet
homme-là est-il allé s'enliser? Comment l'or de son
intelligence s'est-il terni? Comment son éloquence a-t-elle
perdu son brillant éclat[b]? Lui qui d'habitude exprimait
à merveille des choses merveilleuses et avait d'originales
trouvailles, qui définissait avec netteté ce qui est obscur,
analysait avec précision ce qui est complexe[c], illustrait
avec des exemples parlants ce qu'il venait de préciser,
comment à présent confond-il tout, mêle-t-il tout, touche-
t-il à tout, à propos de tout, sans rien mener jusqu'au
terme attendu? Comment son « vin s'est-il mélangé d'eau »,
et son « argent s'est-il changé en scorie[d] »? Que ne décide-t-il,
ou bien de se taire, ou bien de parler?

dixerit : ' Si quid supererogaveris, cum rediero, reddam tibi ' ». *In
Septuag. serm.* 1, 1.2 (183, 161-162 D, 164 A-B). — Déjà S. Augustin
avait analysé ce phénomène, en traitant des causes de dégoût chez le
prédicateur : « Facit etiam loquenti taedium auditor immobilis vel
quia non movetur affectu, vel quia nullo motu corporis indicat se
intelligere vel sibi placere quae dicuntur. Non quia humanae laudis
nos esse avidos decet, sed quia ea quae ministramus Dei sunt : et
quanto magis diligimus eos quibus loquimur, tanto magis eis cupimus
ut placeant quae ad eorum porriguntur salutem. Quod si non succedit,
contristamur et in ipso cursu debilitamur et frangimur, quasi frustra
opera conteramus ». *De catech. rud.*, 10, 14 (40, 321).

3. Et ecce silebimus, sed vobis; et loquemur, sed non
vobis. Curiosi auditores omnes vos estis. Et ideo permu-
tavimus dicendi modum, quia vos non imposuistis curio-
25 sitati vestrae modum. Nova tantum captatis. Et unde
iugiter nova cudimus ? Antiqua et quae inveniri possunt
1853 C in scripturis exsufflatis. Et quare libros transcribimus ?
Si dicimus quod ante nos dictum sit, vel scriptum inveniri
possit, aut nausiam vobis aut bilem movet, non quia
30 non sit verum et bonum et congruum, sed quia non est
omnino recens et novum. Si dicimus quod dixit Augustinus,
quod Ambrosius, quod alicubi scriptum legitur, statim
ad libros curritur : quod dictum est alteri ab altero
scriptum ostenditur, et hac sola causa ab utroque fasti-
35 ditur.

4. Ego, ego, fateor, in causa vobis ex parte sum
huius insolentiae. Ita enim vos in talibus educavimus,
ad talia assuevimus, ut alium praeter nos vix audire
possetis, nec nos iam in aliis audire curetis. Quare igitur
1853 D et nos aut ante curiosi talia sectando fuimus, aut modo
41 usitata relinquendo leves facti sumus ? Utriusque rei
ratio in promptu est.

22 Et ... et *om. m* ‖ loquimur *S* ‖ 24 posuistis *m* ‖ 25 Et : at *m* ‖ 26
nova iug. *m* ‖ 28 si : sed *M* ‖ quod : qui *M* ‖ 29 aut[1] *om. m* ‖ mover *M* ‖
29-30 quia non : qui ante *M* ‖ 30 et[1] *om. m* ‖ et[2] : ac *m* ‖ 31 recens et *om.*
m ‖ 32 scriptum *om. m* ‖ legitur : legi *M* ‖ 33 est *om. S* ‖ 34 ostend.
script. *m* ‖ 36 ego[2] : ergo *m* ‖ *ante* vobis *praem.* a *M* ‖ 38 assuefeci-
mus *m* ‖ nos : vos *M* ‖ audire : adire *M* ‖ 39 curaretis *m* ‖ Quare
igitur : qua regni *M* ‖ 40 et *om. S* ‖ aut *om. M* ‖ 41 Utrius *M* ‖ 42
inproptum *M*

1. Toute la première partie de ce sermon — qu'Isaac appelle plus
loin du nom d'apologie — est bien révélatrice du climat intellectuel
qui régnait dans la communauté de l'Étoile, ainsi que des goûts et
des préoccupations personnelles de l'orateur.

2. Chez d'autres prédicateurs du xiie siècle on trouve des allusions
aux exigences des auditeurs. Par exemple chez GILBERT DE HOYLAND :
« Improbi exactores estis et nimis instanter repetitis debitum
vestrum, etc. » *In Cant.* 7 (184, 42-43). Cf. GUERRIC D'IGNY, *In*
nativ. apostol. serm. 3 (*SC* 202, p. 396-398).

3. Et bien! nous nous tairons, mais pour vous; et nous parlerons, mais pas pour vous. Auditeurs curieux, que vous êtes tous! Aussi avons-nous modifié notre manière de parler[1], puisque vous n'avez pas su imposer une mesure à votre curiosité[2]. Vous ne gobez que du nouveau. Mais avec quoi forger sans cesse du nouveau? Ce qui est ancien et qu'on peut trouver dans les textes, vous en faites fi. Alors, pourquoi recopions-nous des livres? Si nous disons ce qui a été dit avant nous ou peut être trouvé dans un écrit, cela excite en vous la nausée ou la bile; non que ce ne soit vrai, bon et opportun, mais parce que ce n'est pas tout à fait à la page et inédit. Si nous disons ce qu'a dit Augustin, ce qu'a dit Ambroise, ce qui se lit autre part, aussitôt on se précipite sur les livres : l'un montre à l'autre que ce qui a été dit est déjà écrit, et il n'en faut pas plus pour que l'un et l'autre s'en dégoûtent[3].

4. C'est moi, je le confesse, c'est moi qui suis en partie responsable chez vous de cette outrecuidance. Nous vous avons en effet si bien formés avec de telles méthodes, accoutumés à un tel style qu'à peine pouvez-vous écouter un autre que nous et que, même nous, vous ne vous donnez plus la peine de nous écouter parler sur un autre ton. Mais alors comment expliquer que de notre côté nous ayons fait preuve, soit de curiosité en nous attachant précédemment à de telles méthodes, soit de légèreté en renonçant maintenant à nos habitudes? La raison de cette double attitude est facile à donner.

---

3. Sur l'accueil fait par les « jeunes » aux citations des anciens auteurs, JEAN DE SALISBURY, contemporain, ami et peut-être condisciple d'Isaac aux écoles de Chartres et de Paris, a ces remarques savoureuses : « Si sapis auctores, veterum si scripta recenses, / Ut statuas, si quid forte probare velis, / Undique clamabunt : ' Vetus hic quo tendit asellus ? / Cur veterum nobis dicta vel acta refert ? / A nobis sapimus, docuit se nostra iuventus, / Non recipit veterum dogmata nostra cohors... ' / ' Temporibus placuere suis veterum bene dicta ; / Temporibus nostris iam nova sola placent... ' » *Entheticus*, 41-46, 59-60 (159, 966 A-C).

5. Emerserunt olim quidam, quorum nomina taceo, spectabilis ingenii homines et exercitationis mirae, qui
45 Scripturas sanctas non quidem ut haeretici pervertentes, sed earum legitimum sensum ad manum minus habentes, ad sua studia elegantissime accommodarunt, et de authenticis litteris, non sine multorum admiratione et plurima morum aedificatione, suavissime, ut omnium pace loqua-
50 mur, nugati sunt. Nihil autem contra fidem et veritatem, omnia ad utilitatem et honestatem vitae et morum, mirabili novitate, ut scitis et nos deseruisse quaerimini, attraxerunt. Et quod mirabile dictu est, inopia sensus
1854 A sensatissimi facti sunt. **6.** Hos igitur secuti sumus, quia
55 eos sequebatur mundus. Omnis mundus abibat post eos, et aestimatione hominum numquam sic locuti sunt homines. Qui sic non loquebatur, irridebatur, contemnebatur, deserebatur. Si quis vero obloquebatur, invidus habebatur. Ne igitur aut invidia obloqui aut inopia ingenii non sic
60 loqui putaremur, animum appulimus. Et, ut scitis, non omnibus in huiusmodi inferiores fuimus. *Neque enim*

43 Et merserunt *S* ‖ 44 exercationis *M* ‖ 47 studia : custodia *M* ‖ 51 utilitatem : humilitatem *MS* ‖ 53 abstraxerunt *S* ‖ dictum *M* ‖ 54 sensuatissimi *M* ‖ igitur : ergo *m* ‖ 57 contemnebatur *om. S* ‖ 58 Si quis — habebatur *om. m* ‖ invidus : immundus *S* ‖ 60 Et : sed *M*

a. Cf. Jn 12, 19 ‖ b. Cf. Jn 7, 46

1. On aimerait savoir quels sont les maîtres dont Isaac a été naguère l'admirateur et l'émule, et sur lesquels maintenant il s'exprime avec un humour discret, accompagné de bienveillance. Ce qu'il en dit, fait penser spécialement à Pierre Abélard et à certains maîtres audacieux de l'école de Chartres, tels Guillaume de Conches, Thierry de Chartres ou Gilbert de la Porrée, devenu ensuite évêque de Poitiers. Voir en ce sens les témoignages contemporains cités par G. RACITI, « Isaac de l'Ét. et son siècle », dans *Cîteaux*, t. 12 (1961), p. 289 et 292-296. — Par son appréciation prudente et le bilan foncièrement positif qu'il dresse de l'enseignement donné par ces maîtres du second quart du XIIᵉ s., Isaac semble prendre ses

5. Il a surgi naguère des gens dont je tairai les noms[1], hommes d'une intelligence remarquable et d'une étonnante habileté qui, sans détourner, certes, de leur sens les saintes Écritures, comme font les hérétiques, mais s'attachant de moins près à leur sens authentique, les ont accommodées avec beaucoup d'art à leurs vues personnelles; et qui dans l'emploi des autorités patristiques[2] — soit dit sans aucune malveillance — ont jonglé d'une manière très agréable, en suscitant l'admiration et la profonde édification de beaucoup de monde. Ils n'ont rien déduit contre la foi et la vérité, mais ont mis le tout, de façon étonnamment nouvelle, au service du progrès et de l'honnêteté de la vie et des mœurs, comme vous le savez, puisque vous vous plaignez que nous les ayons délaissés. Et l'admirable, c'est que leur pauvreté quant au sens les a rendus fort sensés. **6.** Nous les avons donc suivis parce A que le monde les suivait. Le monde entier courait après eux[a], et, au jugement des hommes, jamais hommes n'avaient parlé comme cela[b]. Qui ne parlait pas ainsi était tourné en dérision, méprisé, délaissé. Et si quelqu'un venait à contester, on le tenait pour jaloux. Alors, pour ne pas avoir l'air, soit de contester par jalousie, soit de ne pas parler ainsi faute d'esprit, nous nous y sommes mis. Et, vous le savez, nous n'avons pas été le tout dernier en ce genre. « Car ma fibre n'est pas de corne », affirme

distances par rapport à l'attitude plus intransigeante, adoptée par S. Bernard et surtout par le secrétaire de celui-ci, Geoffroy d'Auxerre. Cf. *art. cit.*, p. 296-300.

2. Littéralement : « les lettres authentiques ». Expression qui, de par son étymologie, marque à la fois l'idée d'origine et la valeur d'autorité, et qui est utilisée par les théologiens des xiie-xiiie s. en références à leurs sources patristiques et canoniques. A partir du second tiers du xiie s., dans les recueils et les citations, on voit également apparaître, à côté des « authentica », des textes de « magistralia » : les « sententiae » de maîtres contemporains. A ce sujet, et sur la technique des « autorités » au xiie s., voir M.-D. CHENU, *La Théologie au XIIe s.*, Paris 1957, p. 351-365.

mihi cornea fibra est, ait poeta. Verum nunc dicimus quod ab initio conceperamus, sed ne, ut diximus, aut invidiae aut inscitiae notaremur, utentes tempore, nunc usque
65 suppressimus.

7. *Instabunt*, igitur, *tempora periculosa*, et intrabunt subversores veritatis, Scripturarum dicta suis sensibus accommodantes, quibus haec nostra licentiosa libertas
1854 B fore poterit perniciosa auctoritas. Quare non deserent,
70 novitatis suae gratia, Patrum veteres expositiones, si id ante eos consuevit Ecclesia ? Quomodo obicietur eis : Sic et sic exposuit Ambrosius, Augustinus, Hieronymus, Gregorius ? Nonne inquient : Sic aliis licuit, et nobis quare non licebit ? Nonne sicut ab istis ipsi audivimus,
75 et illi dicturi sunt : *Ubi spiritus Domini, ibi libertas*, non sumus addicti *iurare in verba magistri?*

8. Huic simile et eadem ferme tempestate, cuiusdam novae militiae obortum est monstrum novum — cuius, ut lepide ait quidam, ordo de quinto evangelio est —, ut lanceis

---

63 concsperamus *M* ‖ 64 utententes *M* ‖ 73 *ante* sic *praem.* si *m* ‖ et *om. m* ‖ 77 Huius *Mm* ‖ eademque *m* ‖ ferme : fine *M* ‖ 78 novuum *M*

---

a. II Tim. 3, 1 ‖ b. Cf. I Cor. 8, 9 ‖ c. II Cor. 3, 17

---

1. PERSE, *Sat.* 1, 45-47 : « Non ego, cum scribo, si forte quid aptius exit / — Quando hoc ? Rara avis est —, si quid tamen aptius exit, / Laudari metuam, neque enim mihi cornea fibra est. » Le sens est ici : « Je ne suis pas insensible aux éloges mérités ». Cf. la citation du même vers par S. AUGUSTIN, *Epist.* 231, 2 (33, 1023).

2. S. JÉRÔME : « Taceo de meis similibus, qui si forte ad Scripturas sanctas post saeculares litteras venerint et sermone composito aurem populi mulserint, quicquid dixerint, hoc legem Dei putant, nec scire dignatur quid prophetae, quid apostoli senserint, sed ad sensum suum incongrua aptant testimonia, quasi grande sit et non vitiosissimum dicendi genus depravare sententias, et ad voluntatem

le poète[1]! La vérité que nous disons maintenant, nous l'avons conçue dès le début; seulement, pour ne pas être taxé — je le répète — soit de jalousie, soit de stupidité, nous pliant aux circonstances, nous l'avons tue jusqu'à présent.

7. Or « surviendront des temps périlleux[a] » et paraîtront des destructeurs de la vérité, accommodant à leurs propres sens, les paroles de l'Écriture[2] : ceux-là risquent de s'autoriser dangereusement de cette liberté que nous nous permettons[b]. Pourquoi n'abandonneraient-ils pas les anciennes explications des Pères au profit de leurs nouveautés, si cette coutume s'est établie avant eux dans l'Église? Comment leur objectera-t-on : c'est comme ceci et comme cela qu'ont interprété Ambroise, Augustin, Jérôme, Grégoire[3]? Ne répondront-ils pas : cette liberté a été permise à d'autres, et pourquoi ne le serait-elle pas à nous? Ne diront-ils pas, eux aussi (ce que nous avons entendu nous-mêmes de la bouche de ces gens-là : « Où est l'Esprit du Seigneur, là est la liberté[c] ») : nous ne sommes pas contraints « à ne jurer que par un maître[4] »?

8. Du même genre et presque au même moment est apparu ce monstre nouveau : une nouvelle milice[5], dont l'observance, comme quelqu'un le dit spirituellement, « relève du cinquième évangile » : à coup de lances et de

---

suam Scripturam trahere repugnantem ». *Epist.* 53, 7 (à Paulin de Nole ; 22, 554).

3. Au sujet de cette liste classique des quatre grands docteurs de l'Église latine, voir J. DE GHELLINCK, *Le Mouvement théologique du XIIe siècle*, Bruges-Paris 1948, ch. 5, appendice 3, p. 514-517 ; H. DE LUBAC, *Exég. méd.*, 1re partie, 1, p. 26-31.

4. HORACE, *Epist.*, 1, 1, 14 : « Nullius addictus jurare in verba magistri... »

5. « Monstrumnovum » : allusion à OVIDE, *Metam.*, 1, 437. Sur cette satire inattendue de la « nouvelle chevalerie », curieusement — ou peut-être habilement — rapprochée de la critique des nouveautés en matière d'exégèse et de théologie, voir la *Note complém.*, 28, p. 310 s.

80 et fustibus incredulos cogat ad fidem, et eos qui Christi
nomen non habent, licenter exspoliet et religiose trucidet ;
1854 C si qui autem de eo in depopulatione talium ceciderint,
Christi martyres nuncupent. Nonne et isti futuro illi
perditionis filio contra christianos crudelitatis suae auctori-
85 tatem nutriunt ? Quomodo ei obicietur Christi mansuetudo et patientia et forma praedicandi ? Quare non
faciet libenter quod factum reperiet licenter ? Quomodo
non dicet : Qualia fecit Ecclesia, talia facite illi ?

9. Quid igitur ? Et hos cum aliis damnamus ? Absit.
90 Neutros quidem damnamus, sed neutros in hoc laudamus.
Laudamus autem, sed in hoc non laudamus ; nec quia
fortasse omnino sint mala quae agunt, sed quia fore
malorum occasiones queunt. Nam, quod miserabile est,
fere mala omnia de rebus bonis inoleverunt. Et virtutes
95 vitia nutriunt et ab alumnis suis iam grandiusculis
effetatae absorbentur.

1854 D   10. Plurima igitur, dilectissimi, cautela opus est et
circumspectione. Omnia enim sive bona sive mala ventura
ante se habent quasi matrices quasdam causas quare
100 veniant, et praeparatores quosdam et quasi nutricios modos
quomodo proveniant, et signa quaedam sui adventus
quando evenire debeant. *Parasti*, inquit, *cibum illorum,
quoniam ita est praeparatio eius.* Et istud quod proposuimus:

80 et^1 : ac *m* ‖ et^2 : ut *M* ‖ 81 et : ac *m* ‖ 85 obicietur ei *m* ‖ 86
et^1 *om. m* ‖ et^2 : ac *m* ‖ 87 reperit *m* ‖ 89 dapnamus *M* ‖ Absit *om. m* ‖
90 quidem *om. m* ‖ 90-91 sed neutros — Laudamus autem *om. m* ‖
92 sunt *Mm* ‖ 93-94 est fere : ferre *M* ‖ 94 omnia fere mala *m* ‖ Et :
ac *m* ‖ 95 ab *om. S* ‖ gradiusculis *M* ‖ 96 effectare *M* ‖ 97 et : ac *m* ‖ 100
venient *S* ‖ et^1 : ac *m* ‖ praeparatorios *M* ‖ nutricios : nuntios *m* ‖ 101
et : ac *m* ‖ 103 istud : id *m* ‖ quod *om. S* ‖ posuimus *m*

a. Cf. II Thess. 2, 3 ‖ b. Cf. II Cor. 10, 1 ‖ c. Cf. I Cor. 11, 22 ‖
d. Ps. 64, 10

1. Comparer la finale du *De anima* où Isaac évoque les épidémies
et la famine de cette année-là : « Quorum quidem praeterito anno

gourdins, forcer les incroyants à la foi; ceux qui ne portent pas le nom du Christ, les piller licitement et les occire religieusement; quant à ceux qui de ce fait tomberaient durant ces brigandages, les proclamer martyrs du Christ. Est-ce que ceux-là aussi ne fomentent pas pour ce fils de perdition qui doit venir[a] de quoi autoriser sa cruauté contre les chrétiens? Comment lui objecter la mansuétude du Christ, sa patience[b], son mode de prédication? Pourquoi ne fera-t-il pas à plaisir ce qu'il constatera fait à loisir? Comment ne dira-t-il pas : ce que l'Église a fait, faites-le lui?

9. Quoi donc? Est-ce à dire que nous condamnions les les uns comme les autres? Loin de là! Nous ne condamnons, bien sûr, ni les uns ni les autres, mais sur ce point nous ne louons ni les uns ni les autres. Nous les louons, mais, sur ce point, ne les louons pas[c]; et non parce que leurs actes risquent d'être mauvais absolument, mais parce qu'ils peuvent être les occasions de maux futurs. En effet, et c'est triste à dire, presque tous les maux ont poussé sur des biens. Même les vertus nourrissent les vices, et une fois épuisées elles sont étouffées par leurs rejetons si peu qu'ils aient déjà grandi.

10. Il est donc besoin, mes bien-aimés, d'une extrême prudence et circonspection. Toutes choses qui doivent advenir soit en bien soit en mal sont précédées de certaines causes, pour ainsi dire mères, du fait desquelles elles adviendront; de certaines circonstances préparatoires, et pour ainsi dire, nourricières, suivant lesquelles elles se produiront; de certains signes de leur venue indiquant le moment de l'événement[1]. « Tu as préparé leur nourriture, est-il écrit, car telle est sa préparation[d]. » Et le texte que

signa vidimus et notavimus, scientes omnis rei eventus causas habere, unde proveniant; et praeparationes, quomodo; et signa, quando; et finales commoditates, quare contingant : nihil enim a Sapientia fit, nisi sapienter; et a summo Bono, nisi bonum, et bene, et ad bonum ». (1890 A). Cf. *Serm.* 33, 10 (1799 A).

Paravi lucernam Christo meo. **11.** Nihil enim frustra, nihil
105 confusum, nihil subitum. Saepe tamen numero miseris
mortalibus aliarum rerum omnia haec omnibus occulta ;
aliarum omnia omnibus manifesta ; aliarum vero quibusdam manifesta, quibusdam sunt occulta ; et aliquando
quidem quaedam manifesta, quaedam occulta. Unde et
110 apostoli, de secundi adventus Dominici causa et modo
edocti, de signis autem solliciti, dicunt : *Dic nobis quando
haec* fient *et quod* erit *signum adventus tui.*

1855 A   **12.** Adventus igitur Christi in carnem causa est humana
miseria ; praeparatio, virginitas coniugata Mariae ; signum,
115 stella de caelo, emanatio olei de terra. Adventus Christi
ad baptismum causa, humana ad Deum coniunctio ;
praeparatio, baptismus Ioannis. Venienti etenim luci
praeparabatur lucerna, ut oculi in tenebris educati adsues-
cerent, ex modico lumine, magnum intueri.

120   **13.** Dicitur ergo cum de Ioanne prophetatur voce
Patris : *Illuc producam cornu David;* id est gloriam illius
populi, cuius rex erat *David, producam* usque ad *lucernam*
quam praeparavi *Christo meo.* Nam, sicut ait ipse Christus,
Lex et prophetia, in quibus erat gloria populi illius, *usque ad*
125 *Ioannem;* quem etiam ipse lucernam dicit ardentem et
1855 B lucentem. *Super ipsum,* id est Christum, cui paratur
lucerna, *efflorebit sanctificatio mea.* Ipse etenim solus

---

105 subditum *M* ‖ 105-109 Saepe tamen — quaedam occulta :
multa tamen mortalibus sunt occulta, alia manifesta *m* ‖ 109 et *om.*
*M*m ‖ 110 dominici *om. m* ‖ 111 edocti *om. M* ‖ 112 erit *om. Sm cum*
Vg. ‖ 113 igitur : itaque *m* ‖ 116 coniunctio : convenientia *M* ‖ 117
enim *m* ‖ 118 praeparabitur *M* ‖ oculi : multi *m* ‖ 123 paravi *Sm*
cum Vg.

---

a. Ps. 131, 17 ‖ b. Matth. 24, 3 ‖ c. Cf. Nombr. 24, 17 ‖ d. Cf. Deut.
32, 13 ‖ e. Ps. 131, 17 ‖ f. Matth. 11, 13 ‖ g. Jn 5, 35 ‖ h. Ps. 131, 18

---

1. C'est une conviction ferme chez Isaac. Voir encore *Serm.* 37, 7
(1813 D) ; *Serm.* 47, 16-19 (1852 A-B, D ; voir *supra,* p. 148). La

nous avons cité en commençant : « J'ai apprêté une lampe
pour mon Christ[a]. » **11.** Rien n'est sans motif, rien indéter-
miné, rien inopiné[1]. Pourtant, à maintes reprises, tout ce
qui prépare certains événements reste caché à tous les
malheureux mortels; tout ce qui en prépare d'autres est
manifeste à tous, tandis que ce qui en prépare d'autres
encore est manifeste pour les uns et caché pour les autres,
voire parfois en partie manifeste et en partie caché.
Les apôtres instruits de la cause et des circonstances du
second avènement du Seigneur, mais préoccupés de ses
signes, demandent : « Dis nous quand cela aura lieu, et
quel sera le signe de ton avènement[b]. »

A   **12.** La cause de l'avènement du Christ dans la chair,
c'est la misère humaine; sa préparation, le mariage virginal
de Marie; son signe, l'étoile dans le ciel[c], l'huile jaillissant
de la terre[d]. La cause de la venue du Christ au baptême,
c'est l'union de l'homme avec Dieu; sa préparation, le
baptême de Jean. Pour la lumière qui venait, était préparée
une lampe, afin que les yeux éduqués dans les ténèbres
s'habituent, à partir d'une faible lumière, à en contempler
une grande.

13. Aussi est-il dit, quand la prophétie parle de Jean
par la voix du Père : « Jusque-là j'étendrai la corne de
David. » C'est-à-dire, la gloire de ce peuple dont David
était le roi, je l'étendrai jusqu'à « cette lampe que j'ai
préparée pour mon Christ[e] ». Comme le dit le Christ lui-
même, « la Loi et la prophétie — en lesquelles résidait
la gloire de ce peuple — ont duré jusqu'à Jean[f] »; et il
l'appelle, lui aussi, une lampe qui brûle et qui éclaire[g].
B   « Sur lui — c'est-à-dire le Christ pour lequel est apprêtée
la lampe — fleurira ma sanctification[h]. » Lui seul est la

problématique philosophique médiévale sur cette question est
examinée par P. Michaud-Quantin, « Notes sur le hasard et la
chance », dans *La Filosofia della natura nel Medioevo*, Milan 1966,
p. 156-163.

sanctitatis flos et fructus, *sanctus sanctorum*, sanctus et
sanctificans ipse, natus sanctus, generans sanctos. *Inimicos*
130 *eius*, id est lucernae, tamquam nimia lux *induam confu-*
sione, quia neglexerunt lucernam adsuescere, ut possent
lumen sustinere. Duo etenim sunt quae oculum a visione
confundunt : nulla lux et subita magna lux. **14.** Sed
audiamus ex ipso Evangelio quatenus per Christum
135 confunderit Pater inimicos Ioannis et Christi et Patris.
Cum autem interrogassent pharisaei Iesum de potestate
eius, mirantes, invidentes, indignantes, respondit : *Et*
ego interrogo vos unum sermonem, quem si dixeritis mihi,
1855 C *et ego dicam vobis in qua potestate haec facio.* Si enim
140 suscipitis lucernam, ostendo vobis lucem. *Baptismus*
Ioannis de caelo est, *an ex hominibus?* Et illi confusi,
quos Deus sprevit, quia spreverunt lucernam eius, quoniam
veritatem fateri nolunt et mentiri tenebrae de lucerna
non audent, *recte* mentiuntur *in caput* suum, et mentitur
145 *iniquitas sibi.* Nam *dicunt: Nescimus.* Si enim dixissent,
quod verum erat : *De caelo*, obiceretur eis quare ei non
crederent de luce attestanti. Sin autem dixissent : *Ex*
hominibus, incidissent in manus turbae quae eum, quod
vere erat, sicut propheta habebant.
150   **15.** Modicum istud de tanta vobis hodie solemnitate
locuti — in superiori quippe apologia horam impendimus —,

130-131 confusio *M* ‖ 131 quia : quam *M* ‖ lucernae *m* ‖ 134 *post*
Christum *add.* et *S* ‖ 135 et[1] *om. m* ‖ 136 autem *om. m* ‖ 141 est :
erat *m cum Vg.* ‖ 142 quos : quod *M* ‖ 143 *post* lucerna *add.* temere
m ‖ 144 auderent *M* ‖ et : ac *m* ‖ 145 dixisset *M* ‖ 147 Sin autem : Si
nam *M* ‖ 148 quae : quod *M* ‖ quod : qui *M* ‖ 151 expendimus *S*

---

a. Dan. 9, 24 ‖ b. Cf. Lc 1, 35 ‖ c. Ps. 131, 18 ‖ d. Matth. 21,
24-25 ‖ e. Cf. Dan. 13, 55 ‖ f. Ps. 26, 12 ‖ g. Cf. Matth. 21, 25-26

---

1. Cf. *Serm.* 22, 1761 D, avec la note.
2. Jean-Baptiste est « lucerna », mais non « lumen ». Comme les

fleur et le fruit de la sainteté, « le saint entre les saints[a] »,
lui même saint et sanctifiant, saint en sa naissance[b] et
faisant naître les saints. « Ses ennemis » — les ennemis de
la lampe — moi, tel une excessive lumière, « je les couvrirai
de confusion[c] », parce qu'ils ont négligé de s'habituer à la
lampe pour pouvoir supporter la lumière. Deux choses
rendent en effet la vue totalement confuse : l'absence de
lumière et l'éclat soudain d'une grande lumière[1]. **14.** Mais
entendons des paroles même de l'Évangile comment par
le Christ le Père a confondu les ennemis de Jean, du Christ
et du Père. Lorsque les pharisiens, surpris, haineux,
indignés, interrogèrent Jésus sur son autorité, il leur
répondit : « Je vous poserai une seule question. Répondez-
C moi, et je vous dirai par quelle autorité je fais cela — car
si vous acceptez la lampe, je vais vous montrer la
lumière[2] — ; le baptême de Jean est-il du ciel ou des
hommes[d] ? » Ils restent confondus : Dieu les a méprisés,
parce qu'ils ont méprisé sa lampe. Comme ils refusent
de reconnaître la vérité et que les ténèbres n'osent pas
mentir au sujet de la lampe, leur mensonge leur retombe
sur la tête[e] et « l'iniquité ment contre elle-même[f] ». Car
ils répondent : « Nous l'ignorons ». S'ils avaient dit, ce qui
était vrai : « Du ciel », il leur aurait demandé pourquoi
ils ne croyaient pas à son témoignage sur la lumière.
Si au contraire ils avaient répondu : « Des hommes », ils
seraient tombés aux mains de la foule qui, à juste titre,
tenait Jean pour un prophète[g].

15. Nous ne vous disons aujourd'hui que ces quelques
mots sur une aussi grande solennité, car le temps prévu,
nous l'avons consacré à notre apologie de tout à l'heure.

---

prophètes, et comme après lui les apôtres et les saints, il n'est
qu'une lampe rayonnant le reflet de la Lumière qui est le Christ :
cf. S. AUGUSTIN, *In Ioan.*, 23, 3 (35, 1583-1584) ; 54, 4 (1782) ;
Serm. Morin Guelferbyt. 22 (*PLS* 2, 594-596). — Par ailleurs, tout
ce § 14 semble résumer S. AUGUSTIN, *Serm.* 293, 4 (38, 1329-1330).

id dilectionem vestram exoratam simul et admonitam
1855 D cupimus in fine, quatenus, sicut ait prophetes, *interrogetis
de semitis antiquis quae sit via bona* et sanctorum pedibus
155 *trita, et ambulate in ea.* Curiositas enim mater est omnis
vanitatis. Veritas omnis solida, nec solum antiqua sed
aeterna. **16.** Praeterea *cum simplicibus sermocinatio* nostra,
et maxime in his diebus solemnibus, cum laicorum turba
undique cogitur. Non deerit forsan familiarior collatio,
160 ubi vobiscum poterimus altius aliquid et subtilius per-
scrutari. Sermones vero isti solemnes simplicibus simplices
sunt, et *pedestri sermone* effusi propter eos qui nondum
adsumpserunt pennas, sed pedites sequuntur ambulantem
1856 A *Iesum. Cui* cum Patre et Spiritu sancto *gloria et imperium*
165 per *omnia saecula saeclorum. Amen.*

153 sicut : ut *m* ‖ propheta *Mm* ‖ 155 et ambulate : ambuletisque
m ‖ enim *om. M* ‖ 156 nec : flet *M* ‖ 159 deerat *M* ‖ 160 ubi *om. M* ‖
162 sunt : sinto *S* ‖ 164 sancto Spiritu *S* ‖ 165 per : in *m cum Vg.*

a. Jér. 6, 16 ‖ b. Prov. 3, 32 ‖ c. Cf. Is. 40, 31. Ps. 54, 7 ‖ d. I
Pierre 4, 11

1. Dans le langage médiéval, les « simplices » sont les chrétiens
qui possèdent les seuls rudiments de la religion, par opposition
à ceux qui ont une culture intellectuelle. Cf. S. PIERRE DAMIEN,
Opusc. 45. De sancta simplicitate scientiae inflanti anteponenda,
Prol. (145, 695). Ou bien encore ce sont les chrétiens aux connaissances
et à la vie spirituelle élémentaires par opposition aux contemplatifs.
Cf. BAUDOUIN DE FORD, *Lib. de Sacram. altaris,* 2, 4 (*SC* 94, 346-348
et 524-526). Ce peuvent être aussi les moines, par opposition à ceux qui
ont reçu la formation des écoles des villes. Cf. J. LECLERCQ, *L'amour
des lettres et le désir de Dieu,* p. 195. Dans ce passage il est certainement
question des convers qui sont venus des granges à l'occasion de la
fête et auxquels l'abbé doit se consacrer davantage : cf. *Serm.* 50,
1858 D (*infra,* p. 180 s.) : « In hoc apostolorum natali, undique fratrum
numerus solito copiosior affluxit ». *Serm.* 45, 1842 D (*supra,* p. 102 s.) :
« Dicamus simpliciter, fratres, maxime propter simplices et illiteratos
fratres, qui supra sermonem trivii loquentes non intelligunt ».

Pour conclure, notre désir est que votre Charité soit à la fois
D priée et avertie d'avoir, comme le dit le prophète, « à se
renseigner sur les sentiers de jadis, sur la bonne voie »,
celle frayée par les saints, « et à la suivre[a] ». La curiosité
est mère de toute vanité. Toute vérité est inébranlable,
elle est non seulement ancienne mais éternelle. **16.** De
plus, notre « conversation est avec les simples[b] », et surtout
durant ces jours de solennité, où une foule de laïcs se
presse de toutes parts[1]. L'occasion ne manquera sans doute
pas d'avoir un entretien plus familier[2], où nous pourrons
approfondir avec vous quelque sujet de façon plus péné-
trante et plus subtile[3]. Les sermons de ces solennités sont
simples à l'usage des simples et dispensés en un langage
terre à terre[4], destinés qu'ils sont à ceux qui n'ont pas
encore déployé leurs ailes[c], mais suivent pédestrement
A la marche de Jésus[5]. Avec le Père et l'Esprit-Saint, « à lui
gloire et puissance dans les siècles des siècles! Amen[d]. »

L'expression d'Isaac s'inspire heureusement de *Prov.* 3, 32, qui dit
de Dieu lui-même : « Et cum simplicibus sermocinatio ejus ».

2. « Familiarior collatio ». Voir J. LECLERCQ, « La récréation et le
colloque dans la tradition monastique », dans *RAM*, 43 (1967),
p. 3-20.

3. Cf. S. AUGUSTIN, à propos de S. Jean : « Altius multoque
sublimius aliis tribus erexit praedicationem suam ». *In Ioan.*, 36, 1
(35, 1662).

4. Cf. HORACE, *Ars Poet.*, 95 : « Et tragicus plerumque dolet
sermone pedestri ».

5. La marche à pied est le propre de la vie active, voler est le
symbole de la vie contemplative. Voir *Serm.* 3, 1700 C ; 17, 1748 A-B ;
20, 1756 D - 1758 A ; 22, 1761 D - 1763 B. Parmi les contemporains de
notre auteur, Pierre Comestor, s'appuyant sur Jean Scot Érigène,
distingue deux genres d'hommes : le genus « deividum » et le « genus
pedisequum », ces derniers : « Deum cognoscere non possunt per
intelligentiam Scripturarum, sed vestigia eius quoquo modo indagant
per visibilia huius mundi ». Au contraire le « genus deividum » est
celui « qui Deum videt per intelligentiam Scripturarum, ut sunt
scholares et litterati claustrales ». A ceux-ci on peut proposer des
passages de la Bible plus difficiles « ut laborent in iusta significatione

SERMO UNDEQUINQUAGESIMUS

In natali apostolorum Petri et Pauli

1. *Hi sunt viri misericordiae, quorum iustitiae oblivionem
non acceperunt. Cum semine eorum permanent* <*bona*>,
haereditas sancta nepotes eorum. Natale, dilectissimi,
colitur apostolorum Petri et Pauli ; et congrue et satis
5 congrue dicitur mors talis natale, quae gignit ad vitam.
Unde et nativitas qua nati sumus ad mortem, mors
convenientius diceretur quam natale. Incipimus enim mori
quando nascimur, et vivere quando morimur. Unde sicut
vita ista dicitur mortalis, sic et mors illa dici deberet vitalis.
10 Quamdiu ergo hic vivimus, morimur ; et quando vita

Adest O a l. 1 *ad l.* 80, *paucis omissis*

Tit. In natali apostolorum Petri et Pauli *O* ‖ 1-3 quorum — nepotes
eorum : et cet. *O* ‖ 2 bona *supplevi* (cf. *l.* 92) *om. M* ‖ 2-3 Cum semine
— nepotes eorum : etc *m* ‖ 4 et congrue *om. Om* ‖ 4-5 et congrue satis
O ‖ 9 sic *om. MO* ‖ et *om. m* ‖ deberet dici *M* ‖ 10 ergo *om. O*

---

a. Sir. 44, 10-12

---

verborum illorum, praetermittentes superficiem eorum... » *Serm.* 10
(198, 1749 B-C). RICHARD DE SAINT-VICTOR distingue les actifs,
les spéculatifs et les contemplatifs : « Alii itaque veniunt eundo, alii
currendo, alii autem volando. De primis dictum putes : ' Ibunt de
virtute in virtutem '. Eorum autem est currere qui possunt cum
Propheta dicere : ' Qui posuit pedes meos tamquam cervorum '. Illi
vero debent et solent volare qui, secundum Isaiam, ' assumunt
pennas ut aquilae ', vel qualis Psalmista desiderabat accipere :
' Quis, inquit, dabit mihi pennas sicut columbae ? ' Activorum est
ire, speculativorum currere, contemplativorum volare ». *Super ad me
clamat ex Seir*, 17 (*Opusc. théol.*, éd. J. RIBAILLIER, Paris 1967, p. 279-
280). Sur le thème des ailes et de l'envol de l'âme, cf. P. COURCELLE,
Connais-toi toi-même, t. 3, Paris 1975, p. 562-623.

SERMON 49

Premier sermon pour la fête des SS. Pierre et Paul

Notre vie terrestre est une mort : la mort est le commencement de la vraie vie. On parvient à cette vie par la miséricorde, dont les degrés sont de donner ce qu'on peut, de
donner en une fois tout ce qu'on a, de se donner soi-même
pour sauver les autres ; et c'est ce qu'ont fait les apôtres.

1. « Voici des hommes de miséricorde dont les justices
n'ont pas encouru l'oubli. Avec leur semence demeurent
les biens ; leur héritage saint, ce sont leurs petits-enfants[a]. »
Nous célébrons, bien-aimés, le jour de naissance des
apôtres Pierre et Paul ; et il convient, il convient tout
à fait que pareille mort soit appelée naissance, puisqu'elle
engendre à la vie. Par suite, la nativité qui nous a fait
naître pour la mort serait appelée plus exactement mort
que naissance. Oui, nous commençons à mourir à l'heure
de notre naissance, et à vivre à l'heure de notre mort.
Et comme cette vie est dite mortelle, ainsi cette mort
devrait être dite vitale[1]. Tant que nous vivons ici-bas,
nous mourons ; et à l'instant où nous achevons notre vie,

---

1. Sur ce thème qui revient souvent dans la prédication d'Isaac,
voir la *Note complém.* 4 (t. 1, p. 334-335). Références classiques,
patristiques et médiévales chez P. COURCELLE, *Connais-toi toi-même*,
t. 2, p. 303, n. 30 ; p. 318, n. 142 ; t. 3, p. 536-544, 558-560. — Ajoutons
ce commentaire de GEOFFROY D'AUXERRE, citant la lettre 307 de
S. Bernard : « Quibus diebus cum ad litteras venerabilis Hugonis
Ostiensis episcopi rescriberet, ait : ' Verum est quod audistis.
Infirmatus sum usque ad mortem, sed interim ut sentio revocatus ad
mortem ; atque hoc, ut me sentio, non diu '. Vitam quippe mortalem
mortem magis quam vitam reputans, non a morte sed ad mortem
revocatum se sentiebat cum ab exitu revocaretur, licet sentiens haud
diutius differendum ». *S. Bernardi vita prima*, 5, 1, 3 (185, 353 A).

1856 B defungimur, simul et morte privamur. **2.** Odibilis vita quae
sine morte esse non potest, et optabilis mors quae vitae
falsitatem terminat et inchoat veritatem. Res mirabilis :
vita mortem confert, et mors vitam ; vita natalis est
15 mortis, et mors vitae. Sicut facula igne succensa consumit
a quo consumpta est ignem, sic et vita ista, ab initio
suo morte succensa, ipsam tandem ab eadem consumpta
consumit ; vel sicut *vapor ignis*, semel immissus stipulae,
ipsam vorando semetipsum consumit, ita et mors, quae
20 cum vita seminatur et concipitur, ipsam necando, se
quoque simul interimit. *Vapor* etenim *est* vita praesens,
et fumus *ad modicum parens*. Quae vero postea vita est,
sola est et sine mortis consortio vita, unde et vitalis in
1856 C posterum exsistit. Haec est ergo mortalis, illa vitalis.
25 **3.** Praeterea quod ad praesentem attinet statum, vita
ista mortem gignit, et mors ipsa vitam interimit. Secundum hanc, *visi sunt sapientes oculis insipientium mori;*
illi autem sunt in pace, ubi, morte hic iam mortua, sine eius
conflictu vivitur vita sola. *Iustorum*, inquit, *animae in*
30 *manu Dei sunt; et non tanget illos tormentum malitiae.*
Tormentum malitiae, tentatio Satanae, quae hic quidem,
dum cum morte confligitur, neminem non tangit, sed
sanctos non frangit ; ibi autem sicut non franget, ita nec
tanget. Avulsi enim sunt ab eo plus iactu lapidis, unde ad

---

12 et *om. m* ‖ 13 veritatem : vitam *O* ‖ 14 et *om. m* ‖ 15 et *om.*
m ‖ 15-24 Sicut facula — exsistit *om. O* ‖ 16 et *om. m* ‖ 17 suo *om. m* ‖
19 et *om. m* ‖ 20 et : ac *m* ‖ 21 enim *m* ‖ 22 est vita *m* ‖ 23 et[1] : ac *m* ‖ 24
exsistit : extitit *M* ‖ Haec est ergo : vita ista *O* ‖ 26 ipsam *O* ‖ 27
visi : vi *M* ‖ 28-35 ubi morte — malitiae *om. O* ‖ 28 iam hic *m* ‖ 29
sola vita *m* ‖ 31 Tormentum malitiae *om. m per hom.*

---

a. Sir. 38, 29 ‖ b. Jac. 4, 15 ‖ c. Sag. 3, 2-3 ‖ d. Sag. 3, 1 ‖ e.
Cf. Lc 22, 41

---

1. Même image chez S. BERNARD, mais simplement pour souligner
la finitude inhérente à la condition humaine : « Accenditur cereus :

B nous sommes du même coup dépouillés de la mort.
2. Haïssable la vie qui ne peut être sans la mort! Et
désirable la mort qui met un terme à la fausseté de la vie
et en inaugure la vérité! Merveille! La vie confère la mort,
et la mort la vie. La vie est naissance de la mort, et la
mort l'est de la vie. Une torche allumée par le feu consume
le feu par lequel elle est consumée : de même notre vie,
allumée dès son début par la mort, consume finalement
celle-même qui l'a consumée[1]. « La vapeur du feu[a] »,
une fois mise dans la paille, en la dévorant se consume
elle-même; ainsi la mort, qui est inséminée et conçue avec
la vie, en la tuant, se détruit du même coup. Car la vie
présente « est une vapeur » et une fumée « qui ne paraît
qu'un instant[b] ». Tandis que la vie qui vient ensuite n'est
que vie, sans rien de commun avec la mort : par là elle
reste vitale pour l'avenir. Celle-ci est donc mortelle,
C celle-là vitale.

3. Quant à ce qui concerne l'état actuel, cette vie
engendre la mort et la mort elle-même tue la vie. C'est
selon cette vie que les gens sensés, « aux yeux des insensés,
ont paru mourir; mais eux sont en paix[c] » là où, une fois
morte la mort ici-bas, on vit, sans conflit avec elle, de la
seule vie. « Les âmes des justes, est-il dit, sont dans la
main de Dieu, et le tourment de la malice ne les atteindra
pas[d]. » « Le tourment de la malice », c'est la tentation de
Satan. Ici-bas, il est vrai, au temps du conflit avec la
mort, il n'est personne qu'elle n'atteint, mais elle ne brise
pas les saints; là-haut, pas plus qu'elle ne les brisera,
elle ne les « atteindra ». Ils se sont éloignés de lui de plus
qu'un jet de pierre[e], si bien que la baliste de « la malice

non purum lumen est, sed lucerna ; siquidem ignis ipse propria
fomenta consumit, nec nisi ipsa consumptione fovetur. Porro
deficiente materia, etiam ipse deficiet, et ubi illam videris prorsus
exustam, hunc quoque nihilominus exstinctum esse reperies ». *De
div.* 1, 8 (183, 541 D).

35 eos usque lapidem non mittet balista *malitiae*. **4.** Ecce quo
perveniunt sancti ab hac mortali vita per hanc vitalem
1856 D mortem, ad vitam videlicet vitalem in manu Vitae viven-
tis. Pater, inquit Christus, est Vita vivens. Sed quare
perveniunt ? Quia misericordes sunt, et sibi prius, et
40 secundum illam regulam proximo. *Miserere*, inquit, *animae
tuae*, *placens Deo*, et subveniens utique proximo. *Beati*
enim *misericordes, quoniam ipsi misericordiam consequentur*.
Quantum vero misericordes, tantum <*misericordiae conse-
quuntur*. Quantum autem immisericordes, tantum> iudicii
45 sustinebunt. *Iudicium* vero *sine misericordia* immisericordibus. *Qua* enim *mensura mensi* fuerunt, remetietur eis.

5. *Viri* itaque *misericordiae* sunt in misericordia viriles.
Tres etenim sunt misericordium differentiae. Primi de
suis subveniunt, *non ut* ipsis *sit tribulatio* et *aliis remissio*,
50 sed ut de eorum *abundantia* aliorum suppleatur inopia,
ubi cum intentione animi metitur Veritas de quanto,
1857 A potius quam quantum tribuatur. Hi sunt qui *capillis
capitis sui Iesu pedes* tergunt, accepti ex eo quod habent,
non ex eo quod non habent, usque ad *calicem aquae*

---

35 mittet : iactet *M* ‖ 36 sancti *om. O* ‖ 37 in manu *om. O* ‖ 38
Pater — vivens *om. m* ‖ vivens vita *O* ‖ 39 et¹ *om. m* ‖ 40 illam : hanc *m*
‖ *post* proximo *add.* christiano *O* ‖ 41 et : ac *m* ‖ 42 misericordiam :
eam *MO* ‖ 43-46 Quantum — remetietur eis *om. O* ‖ 43-44 <miseri-
cordiae — tantum> *supplevi* (*vide l.* 80-82) *om. Mm per hom.* ‖ 45-46
Iudicium — immisericordibus *om. M* ‖ 46 remetientur *m* ‖ 48 enim
M ‖ miseric. differentiae sunt *O* ‖ 53-54 habent non ex eo quod *om.
MO per hom.*

---

a. Cf. Jn 6, 58 ; 5, 26 ‖ b. Cf. Matth. 22, 39 ‖ c. Sir. 30, 24 ‖ d.
Matth. 5, 7 ‖ e. Jac. 2, 13 ‖ f. Cf. Matth. 7, 2 ‖ g. Sir. 44, 10 ‖ h. Cf. II
Cor. 8, 13-14 ‖ i. Lc 7, 38 ‖ j. Cf. II Cor. 8, 12

---

1. La phrase doublement antithétique par laquelle Isaac résume
les rapports entre « vie » et « mort » aboutit à une formule de frappe
johannique, donnée comme une citation : « Pater, inquit Christus, est
vita vivens ». En fait, il n'y a là qu'une réminiscence de *Jn* 6, 58 :
« Sicut misit me vivens Pater... » rapproché de *Jn* 5, 26 : « Sicut enim

ne lancera pas de pierre jusqu'à eux. **4.** Voilà où les saints
parviennent, de cette vie mortelle, par cette mort vitale :
D à cette vie vitale qui est en la main de la Vie vivante.
« Le Père, dit le Christ, est la Vie vivante[a] [1]. » Mais
pourquoi y parviennent-ils? Parce qu'ils sont miséricordieux, pour eux d'abord et, conformément à la grande
règle[b], pour le prochain. « Aie pitié de ton âme, est-il écrit,
en plaisant à Dieu[c] », et assurément en subvenant à ton
prochain[2]. « Bienheureux en effet les miséricordieux, car
eux-mêmes obtiendront miséricorde[d]. » Et autant ils
seront miséricordieux, autant ils obtiendront miséricorde.
Et autant ils seront sans miséricorde, autant ils subiront
le jugement. Oui, « le jugement sera sans miséricorde »
pour ceux qui n'ont pas eu de miséricorde[e]. Car de la
mesure dont ils auront mesuré, on mesurera pour eux
en retour[f].

5. « Les hommes de miséricorde[g] » sont ceux qui sont
virils en leur miséricorde. Il y a en effet trois classes de
miséricordieux[3]. Les premiers fournissent de leurs biens,
non afin que ce soit une gêne pour eux en même temps
qu'un soulagement pour autrui, mais en vue de suppléer
de leur superflu à la pénurie d'autrui[h] : dans ce cas, la
Vérité mesure, avec l'intention de l'âme, l'importance des
ressources d'où provient le don plutôt que la somme
A elle-même. Ceux-là essuient « les pieds de Jésus avec leurs
cheveux[i] »; on leur sait gré de ce qu'ils ont — sans leur
demander ce qu'ils n'ont pas[j] —, fût-ce « un verre d'eau

Pater habet vitam in semetipso... ». Isaac a si bien assimilé l'Écriture
qu'il la prolonge inconsciemment en restant fidèle à son contenu et
à son style. — Des expressions assez proches se rencontrent chez
S. BERNARD, *In Cant.*, 81, 4 (183, 1172-1173). Le thème est présent
chez Guillaume de Saint-Thierry, suivi par Hadewijch et Ruusbroec
(cf. *Dsp* 12, 721-722).

2. Au sujet de la « miséricorde bien ordonnée », voir *infra, Serm.* 52,
1868 D - 1869 A et la note 2.

3. Ce beau et important passage reprend la distinction des
trois degrés de miséricorde exposée au *Serm.* 3, 1700 A-B.

55 *frigidae*, vel bonam tantum voluntatem, quae sola satis
sufficit si aliud non invenit. **6.** Secundi omnia sua distri-
buunt, et de caetero sicut in commune acquirunt, ita in
commune expendunt ; ubi nihil suum dicunt, sed omnibus
omnia pro necessitate et ratione *communia* exsistunt ; ubi
60 *qui plus, non abundavit, et qui minus, non minoravit.* Et
hic nimirum metitur Veritas potius quid habere noluerint,
quam quid relinquere potuerint. Omnia enim relinquunt
qui nil habere volunt, et quantum quisque non cupit,
tantum deserit ; omnibusque omnino omnia dimittit qui
65 nemini quidquam impedit. Hi sunt qui *centuplum* acci-
1857 B pient *et vitam aeternam* possidebunt. **7.** Tertii vero non
solum omnia impendunt, sed ipsi superimpenduntur et
semetipsos dedunt in periculum carceris et proscriptionis et
mortis, ut alios a periculo revocent animarum, sui supra
70 modum prodigi et aliorum cupidi. Et hos metitur Veritas
secundum *caritatem*, qua *nemo maiorem habet ut animam
suam ponat quis pro amicis suis. Isti* ergo in misericordia
viriles, *sunt viri misericordiae* et in misericordia summi.

8. Tales sunt, dilectissimi, gloriosi isti principes terrae et
75 caeli ministri, quorum hodie, post longas inedias *in fame et
siti, in frigore et nuditate*, et durissimos labores et peri-
cula *in genere* et *gente* et *falsis fratribus*, victoriosissimae
mortes celebrantur. De qualibus bene sequitur : *Quorum*

---

57 ita : sic *m* ‖ 59 pro rat. ac necess. *m* ‖ 61 nimirum *om*. *m* ‖
noluerint : nolunt *M* nolint *m* ‖ 64 deserit : relinquit *m* ‖ omnibus *m*
‖ 67 et : ac *m* ‖ 68 dedunt : dederunt *MO* ‖ periculo *O* ‖ et¹ *om*. *m* ‖
70 et *om*. *m* ‖ 74 dilectissimi *om*. *Om* ‖ isti gloriosi *O* ‖ 74-75 caeli
terraeque *m* ‖ 76 *ante* siti *praem*. in *O* ‖ *ante* nuditate *praem*. in *O* ‖
76 et¹ : ac *m* ‖ 77 in genere — fratribus *om*. *m* ‖ et ... et : in ... in *O*
‖ victorissime *M* ‖ 78 qualibus : quibus *m* ‖ sequitur : dicitur *O*

---

a. Matth. 10, 42 ‖ b. Cf. Act. 2, 45 ; 4, 32 ‖ c. II Cor. 8, 15. Cf.
Ex. 16, 18 ‖ d. Cf. Matth. 19, 29 ‖ e. Cf. II Cor. 12, 15 ‖ f. Cf. II
Cor. 11, 23 ‖ g. Jn 15, 13 ‖ h. Sir. 44, 10 ‖ i. II Cor. 11, 26-27

froide[a] », ou seulement la bonne intention qui suffit à elle
seule si elle ne dispose de rien d'autre. **6.** Les seconds
distribuent tous leurs biens, et dorénavant ils acquièrent
en commun, tout comme ils dépensent en commun; il
n'est rien qu'ils disent leur, mais tout, compte tenu du
nécessaire et du raisonnable, se trouve commun à tous[b] :
« Qui eut plus n'eut rien de trop, et qui eut moins ne
manqua de rien[c]. » Dans ce cas, n'est-ce pas, la Vérité
mesure ce qu'ils ont refusé de posséder plutôt que ce qu'ils
ont bien pu abandonner[1]. Car c'est tout abandonner
que de vouloir ne rien posséder; autant on s'abstient de
désirer, autant on abandonne; c'est laisser totalement
tout à tous que de ne refuser rien à personne. Ceux-là
B recevront le centuple et possèderont la vie éternelle[d].
7. Quant aux troisièmes, non seulement ils dépensent
tout, mais ils se dépensent eux-mêmes tout entiers[e] et
ils se livrent en personne au péril de la prison, de la proscrip-
tion et de la mort[f], pour retirer les autres du péril de leurs
âmes, démesurément prodigues d'eux-mêmes et avides
des autres. Ceux-là, la Vérité les mesure d'après cette
charité que « personne ne surpasse : donner sa vie pour
ses amis[g] ». Virils en leur miséricorde, ils sont « les hommes
de miséricorde[h] et les plus élevés en miséricorde.

8. Tels sont, bien-aimés, ces glorieux princes de la terre
et serviteurs du ciel, dont aujourd'hui, après les longues
privations « de la faim et de la soif, du froid et de la nudité »,
et les très dures fatigues et « les dangers de leurs compa-
triotes, des païens et des faux frères[i] », nous célébrons
les morts magnifiquement victorieuses. A de tels hommes

---

1. Sur le détachement total qui a plus de valeur que la « quantité »
même du don, cf. S. Grégoire le Grand parlant des premiers
disciples qui quittent tout ; « Cor namque et non substantiam pensat ;
nec perpendit quantum in eius sacrificio, sed ex quanto proferatur ».
In Evang. hom. 5, 2 (76, 1093). Cf. *In Evang. hom.* 38, 10 (1288).

1857 C *iustitiae oblivionem non acceperunt. Oblivionem non acce-*
80 *perunt iustitiae*, quia non sunt obliti misericordiae. Et
quantum memores exstisterunt misericordiae, tantum
non accipient *oblivionem iustitiae*. **9.** Quorumdam enim
iniquitates in oblivionem veniunt, et iustitiae eorum
tantum recordatur Deus ; et quorumdam iustitiae in
85 oblivionem veniunt, et eorum iniquitatum tantum recordatur Deus. Sed eorum recordatur iustitiae, qui non
sunt obliti misericordiae ; et eorum recordatur inius-
titiae, qui non meminerunt misericordiae. Soli etenim
misericordes misericordem invenient Deum. Et quos
90 misericordia non commendabit, iustitia condemnabit.
Et quantum misericordia commendabit, tantum misericordia glorificabit.

10. *Cum semine eorum permanent bona.* Cum hominibus
1857 D hic nec *bona* nec mala *permanent,* sed vicissim et quasi
95 caecis casibus perfundunt bonos et malos. In futuro vero
cum solis bonis bona sola et cum solis malis sola mala
permanebunt. Hinc etenim dictum est : *Cum semine*
eorum, potius quam : cum illis; sicut et alibi : *Anima*
eius in bonis demorabitur et non amplius vicissim permuta-
100 bitur, *et semen* illius, quod colligetur novum de veteri,
haereditabit terram, id est corpus immortale quod amodo
non perdet. *Seminatur*, inquit, *animale,* sed *surget spirituale,*
de veteri semente novum semen, de mortali immortale,
de corruptibili incorruptibile. Et cum ipso quod permanere
105 poterit, permanebunt *bona.*

11. *Haereditas sancta nepotes eorum. Filii filiorum*

79 oblivione *m* ‖ 79-80 ceperunt *M* ‖ 83 in obliviones *M* ‖ 84 Deus :
Dominus *m* ‖ 86 Deus : Dominus *m* ‖ 91-92 Et quantum — glorificabit *om. m* ‖ 95 et : ac *m* ‖ 96 solis ... et ... solis *om. m* ‖ 97 etenim *om.*
m ‖ 99 et non : nec *m* ‖ 100 illius : eius *m cum Vg.*

a. Sir. 44, 10 ‖ b. Cf. Matth. 5, 7 ‖ c. Cf. Jac. 2, 13 ‖ d. Sir. 44, 11 ‖
e. Ps. 24, 13 ‖ f. I Cor. 15, 44 ‖ g. Cf. I Cor. 15, 42.53 ‖ h. Sir. 44, 12 ‖
i. Prov. 17, 6

C s'applique bien ce qui suit : « Dont les justices n'ont pas
encouru l'oubli[a] ». Et « l'oubli, leurs justices ne l'ont pas
encouru », parce qu'ils n'ont pas oublié la miséricorde.
Et autant ils se sont souvenus de la miséricorde, autant
leurs justices n'encourront pas l'oubli. **9.** Pour certains
en effet, leurs iniquités tombent dans l'oubli et Dieu se
souvient seulement de leurs justices; et pour d'autres,
leurs justices tombent dans l'oubli et Dieu se souvient
seulement de leurs iniquités. Mais il se souvient de la
justice de ceux qui n'ont pas oublié la miséricorde, et il
se souvient de l'injustice de ceux qui ne se sont pas
souvenus de la miséricorde. Car seuls les miséricordieux
trouveront Dieu miséricordieux[b]. Ceux que ne recommandera pas la miséricorde, la justice les condamnera[c].
Et plus la miséricorde recommandera, plus la miséricorde
glorifiera.

    10. « Avec leur semence demeurent les biens[d]. » Ici-bas,
D ni les biens ni les maux ne demeurent avec les hommes :
alternativement et comme par un hasard aveugle, ils
se déversent sur les bons et les mauvais. Dans la vie
future au contraire, seuls les biens demeureront avec les
seuls bons, et seuls les maux demeureront avec les seuls
mauvais. Aussi il a été dit : « Avec leur semence », plutôt
que : « Avec eux »; de même qu'il est dit ailleurs : « Son
âme sera établie dans les biens » — sans plus de vicissitudes
ni de changement — « et sa semence » — la nouveauté
qui proviendra de la vieillerie — « aura la terre en héritage[e] », c'est-à-dire un corps immortel qu'elle ne perdra
plus. « Il est semé animal, est-il dit, mais il ressuscitera
spirituel[f] », semence nouvelle tirée des vieilles semailles;
immortelle, des mortelles; incorruptible, des incorruptibles[g]; et avec cette semence capable de demeurer demeureront les biens.

    11. « Leur héritage saint, ce sont leurs petits-enfants[h]. »
« Les enfants des enfants[i] », ce sont les fruits des œuvres.

1858 A   fructus operum. Opera peribunt, fructus permanebunt
immobiles, et haereditate sancta, id est firma et aeterna,
possidebuntur. *Dicite*, inquit, *iusto* cuius *iustitiae oblivionem*
110 *non acceperunt*, quia misericordiam non deseruerunt,
quoniam bene. Et quare *bene*? Quia *fructus adinventionum
suarum comedet. Labores* etenim *manuum* suarum mandu-
cabit, *et* ideo *bene* ei *erit*. **12.** *Impio* autem *vae in malum*,
quoniam *retributio manuum suarum fiet illi*. Sicut enim
115 rapuit, sic rapietur. *Vae*, inquit, *qui praedaris; nonne
praedaberis?* Et sicut percussit, sic percutietur. Et sicut
clausit manum suam mendico, sic claudetur ipsi mendicanti.
Haereditas igitur avari, *nepotes* illius, maligna erit illi.
Haereditas avari *spelunca hyaenae* fiet illi. *Haereditas* avari,
1858 B   cui mori non potest, *ignis inexstinguibilis* illi. **13.** Miseri-
121 cordibus autem *funes ceciderunt in praeclaris; etenim
haereditas* eorum *praeclara* erit illis. Ad quam nos perducere
dignetur misericors et benignus Iesus, qui cum Patre et
Spiritu sancto vivit et regnat Deus per omnia saecula
125 saeculorum. Amen.

SERMO QUINQUAGESIMUS

In eodem Festo II

1. Nolumus vos, fratres carissimi, conversationis vestrae
formulam et vitae auctoritatem prorsus ignorare. Multi

---

110 quia : quoniam *m* ‖ misericordia *M* ‖ 113 ideo *om. m cum Vg.* ‖
114 quoniam retrib. : retrib. enim *m cum Vg.* ‖ enim *om. m* ‖ 115 inquit
om. m ‖ 116 Et² *om. m* ‖ 117 suam *om. M* ‖ sic *om. M* ‖ 118 igitur :
ergo *m* ‖ 120 cui : qui *m*
1 Vos *om. M* ‖ fratres *om. m*

---

a. Sir. 44, 10 ‖ b. Is. 3, 10 ‖ c. Cf. Ps. 127, 2 ‖ d. Is. 3, 11 ‖ e. Is. 33,
1 ‖ f. Jér. 12, 9 (Vet. lat.) ‖ g. Cf. Mc 9, 44 ‖ h. Ps. 15, 6

Les œuvres périront, leurs fruits demeureront immuables et seront possédés comme un saint héritage, c'est-à-dire affermi et éternel. Il est écrit : « Dites au juste — à celui dont « les justices n'ont pas encouru l'oubli[a] », parce qu'elles n'ont pas délaissé la miséricorde — que tout va bien. » Et pourquoi « bien »? Car « il se nourrira du fruit de ses actes[b]. » Du labeur de ses mains il se nourrira, et ainsi tout ira bien pour lui[c]. **12.** Mais « malheur au méchant! car il sera traité selon l'œuvre de ses mains[d] »; comme il a pillé, il sera pillé. « Malheur à toi qui rançonnes, est-il dit, ne seras-tu pas rançonné[e]? » Et comme il a frappé, ainsi sera-t-il frappé; et comme il a fermé sa main au mendiant, ainsi lui fermera-t-on la main quand il mendiera. L'héritage de l'avare, ses petits-enfants, sera donc pour lui pernicieux. L'héritage de l'avare deviendra pour lui « une caverne d'hyène[f] ». L'héritage de l'avare, auquel il ne peut mourir, sera pour lui un feu inextinguible[g]. **13.** Mais aux miséricordieux, « le sort a fait un heureux partage, et leur héritage sera pour eux magnifique[h] ». Que daigne nous y conduire le miséricordieux et bienveillant Jésus, qui vit et règne avec le Père et l'Esprit-Saint, car il est Dieu, pour les siècles des siècles. Amen.

SERMON 50

Deuxième sermon pour la fête des SS. Pierre et Paul

Justification de l'observance cistercienne : travail, silence, obéissance, abstinence, solitude, vie de communauté. A la différence des faux ermites et pseudo-moines, les vrais cénobites continuent l'idéal de vie de l'Église primitive.

1. Nous ne voulons pas, frères très chers, que vous ignoriez tout à fait l'idéal de votre existence et la valeur

namque alienae vitae curiosi et suae mortis securi, simpli-
ciores quos reperiunt, inanibus quaestiunculis fatigant,
5 et serpentina voce ad primam parentem assumpta : Quare,
inquiunt, praeceptum est vobis sic laborare, sic abstinere,
1858 C sic hominibus oboedire, sic ab hominibus silere, sic seorsum
conventicula cogere, sic communem vitam hominum
spernere ? O aut otiosa aut malitiosa curiositas ! *Quare*,
10 inquit diabolus ad Evam, *praecepit vobis Deus, ne come-
deretis ex ligno scientiae boni et mali?* Simplicem mulier-
culae sensum astuta malignitas tali cavillatione pertusum
irrepsit ; et cum nesciret tenera simplicitas divinae
iussionis rationem reddere, non valuit callidae persuasionis
15 allegationem refellere.

2. Ideo, dilectissimi, sicut beatus apostolus Petrus ait,
paratos vos cupimus, et edoctos *omni poscenti vos rationem*
reddere ex *ea quae in vobis est* conversatione et oboedientia.
1858 D Olim vero, nisi vobis exciderit, de re ista verbum vobis
20 fecimus ; sed quoniam in hoc apostolorum natali, undique
fratrum numerus solito copiosior affluxit, repetere nobis
haud erit pigrum quod vobis credimus necessarium.

---

3 et *om. M* ‖ 10 Deum *M* ‖ 12 pertusum : percusum *M* ‖ 16 ait
apost. Petrus *m* ‖ 18 ex : de *m cum Vg.* ‖ 19 excidit *m* ‖ 20 quoniam :
quia *m* ‖ 21 copiosorum *M* ‖ repetere : repente *M* ‖ 22 haud : aut *M*

---

a. Gen. 3, 1 ; 2, 17 ‖ b. I Pierre 3, 15

---

1. Il est possible que le présent sermon ait été prononcé le même
jour que le précédent et se soit conservé avec lui ; il répond bien en
tout cas à l'idée qu'Isaac nous donne, au sermon 48, des exhortations
plus simples qu'il avait coutume d'adresser à la communauté grossie
des frères venus des granges. Non seulement le sujet est adapté
à cet auditoire, mais le style se fait beaucoup plus simple qu'à
l'ordinaire et garde trace de tournures familières, calquées sans
doute sur la langue romane (Cf. *Introd.*, t. 1, p. 34). De toute façon,
nous ne sommes pas à Ré mais à l'Étoile, dans une abbaye relative-

de votre genre de vie[1]. C'est que nombre de gens curieux de la vie d'autrui et bien tranquilles sur leur propre mort, quand ils rencontrent des frères plus simples, les harcèlent de questions oiseuses et frivoles et disent en prenant la voix du serpent parlant à notre première mère : Pourquoi vous est-il prescrit de travailler ainsi, de faire abstinence, d'obéir à des hommes, de vous taire avec les gens, de vous rassembler à l'écart en petits groupes, de mépriser ainsi la vie ordinaire des hommes? Ô la curiosité vaine ou fourbe! « Pourquoi, dit à Ève le diable, Dieu vous a-t-il prescrit de ne pas manger de l'arbre de la science du bien et du mal[a]? » L'astucieuse malignité a pénétré dans l'esprit simple de cette pauvre femme, transpercé par un tel sophisme; et la simplicité naïve, ne sachant rendre raison de l'ordre divin, a été incapable de réfuter l'allégation habilement persuasive.

2. Aussi, mes bien-aimés, comme le dit le bienheureux apôtre Pierre, nous désirons que vous soyez prêts et instruits à rendre raison « à quiconque vous interroge » du genre de vie « qui est le vôtre » et de votre obéissance[b] [2]. Une autre fois, à vrai dire, si toutefois vous ne l'avez pas oublié, nous vous avons déjà touché un mot à ce sujet[3]; mais, puisque, en ce jour de la naissance des apôtres, les frères venus de partout ont afflué en plus grand nombre que de coutume, il ne sera pas fâcheux pour nous de répéter ce que nous estimons nécessaire pour vous.

---

ment nombreuse et active, avec granges, « famille » et troupeaux. — L'Ordre de Cîteaux s'est déjà étendu au monde, mais son austérité continue à intriguer les badauds. Isaac en résume ici tout l'esprit.

2. Cf. *Règle* de S. BENOÎT, 58, 17 : « Suscipiendus autem in oratorio coram omnibus promittat de stabilitate sua et conversatione morum suorum et oboedientiam... »

3. Il ne semble pas qu'Isaac fasse ici allusion à l'un des sermons parvenus jusqu'à nous. Une occasion toute naturelle de traiter des observances monastiques a pu être la fête de S. Benoît.

3. Itaque quod manibus laborantes terram operamur,
forma est protoparentis Adae, non quidem in paradiso
25 peccantis, sed extra paenitentis. In paradisi namque otio
et rerum omnium opulentia oborta est culpa quae Dominum
irritavit. Extra paradisum suscepta est poena quae servum
iuste mulctavit. Melior igitur poena in exsilio quam
culpa in paradiso. **4.** Ideo ergo quia peccatores et filii
30 peccatoris secundum carnem adhuc sumus in carne,
sententiam damnatae carnis non respuimus, et *in sudore
vultus* nostri *pane* nostro vescimur. Praeterea ne sit
1859 A *omnis labor hominis in ore eius*, manibus nostris operosius laboramus ut sit *unde* tribuamus *necessitatem*
35 *patienti*.

5. Quare cum silentio ? Quia *in multiloquio non* effugietur
peccatum ; quia hoc admonuit apostolus ; quia ante apostolum propheta dixit : *Obmutui et humiliatus sum et silui*
etiam *a bonis, et dolor meus renovatus est.* Nihil magis
40 extra se cor hominis effundit, quam multiloquium. Nihil
citius incurrit vaniloquium aut stultiloquium aut etiam
turpiloquium quam multiloquium. Ideo propter multiloquium fugiendum silemus etiam *a bonis*, ne detur occasio
malis. **6.** *Tectus magis*, ait poeta, *aestuat ignis.* Unde et
45 motus animi, si verbositate foris non effunditur,
1859 B iugi rotatu, sicut flamma ignis, intus circumvolvitur,

32-33 Praeterea — hominis : ne autem totus lab. hom. sit *m* ‖ 32
ne : ve *M* ‖ 34 laboramur *M* ‖ 36 effugietur : deest *M* (cf. *Vg.*) ‖ 39
etiam *om. M cum Vg.* ‖ 40 effundit *om. M* ‖ 43 fugiendum *om. M* ‖
44 ait poeta *om. m* ‖ et *om. m* ‖ 45 foras *m*

a. Gen. 3, 19 ‖ b. Eccl. 6, 7 ‖ c. Éphés. 4, 28 ‖ d. Prov. 10, 19 ‖ e.
Cf. Jac. 1, 19.26 ‖ f. Ps. 38, 3

1. Les deux passages de l'Écriture cités par Isaac se trouvent
également dans la *Règle* de S. BENOÎT, au chapitre « De taciturnitate »
(6, 1 et 4) ; cf. aussi 7, 56-57. Voir le commentaire qu'en donne
S. BERNARD, *De div.* 17, 2-7.

3. Le travail de nos mains pour cultiver la terre a son modèle en notre premier père Adam, non certes au paradis où il pèche, mais hors du paradis où il fait pénitence. Dans le loisir du paradis et l'opulence de tous les biens s'est produite la faute qui a irrité le Seigneur. Hors du paradis a été supportée la peine qui a frappé justement le serviteur. Mieux vaut par conséquent la peine dans l'exil que la faute au paradis. **4.** Puisque pécheurs et fils de pécheurs selon la chair, nous sommes encore dans la chair, nous ne répugnons donc pas à la sentence de condamnation de la chair, et nous mangeons notre pain « à la sueur de notre front[a] ». D'autre part, « afin que tout le travail de l'homme n'aille pas à sa bouche[b] », nous travaillons de nos mains plus activement pour avoir « de quoi secourir le nécessiteux[c] ».

5. Pourquoi en silence ? Parce que « abondance de paroles ne va pas sans péché[d] »; parce que l'Apôtre nous en a avertis[e]; parce que, avant l'Apôtre, le prophète a dit : « Je me suis tû et me suis humilié, et j'ai gardé le silence même à propos du bien, et ma douleur a été renouvelée[f] [1]. » Rien ne répand davantage hors de soi le cœur de l'homme que l'abondance de paroles[2]. Rien ne mène plus vite au vain discours, ou au sot bavardage, ou même aux propos grossiers que l'abondance de paroles. Alors, pour fuir l'abondance de paroles, nous gardons le silence même « à propos du bien », pour que l'occasion ne soit pas offerte au mal. **6.** « Couvert, le feu brûle davantage », dit le poète[3]. Le mouvement de l'âme, s'il ne se répand pas au-dehors par la verbosité, tournoie intérieurement en une ronde continuelle, comme une flamme

---

2. Cf. S. Grégoire le Grand, *Moral.*, 8, 17, 59 (75, 800-801).
3. Ovide, *Metam.*, 4, 64 (à propos de Pyrame et Thisbé) : « Quoque magis tegitur, tectus magis aestuat ignis ».

omniaque interioris conscientiae perlustrans, ea offendit
de quibus dolor ei compunctionis salubriter renovatur.
Cor quoque quia foris non evaporat, intus concalescens ex
50 igne compunctionis urente, ignem creat lucentem, quem
in meditatione sursum dirigit. Et *in meditatione mea*,
inquit, *exardescet ignis*. Sicque fit ut qui hominibus silere
foris didicit, ipsi Deo intus loqui incipiat. *Locutus sum*,
inquit, *in lingua mea : Notum fac mihi, Domine, finem meum.*
55 Praesentium contemptor et *quae retro sunt* oblitus, de
fine interrogat. Ecce quare cum silentio.

7. In oboedientia autem quare ? Istud *quare* primum
adinvenit diabolus. Diabolus etenim oboedientiae praecep-
1859 C tum prior discutere coepit : *Quare*, inquit, *praecepit vobis*
60 *Deus, non comedere de ligno scientiae boni et mali?* Antehac
homo simplex simpliciter oboedierat, non tam propter
praecepti rationem, quam propter praecipientis auctoritatem. Sicut enim *fides non habet meritum, cui ratio humana*
praebet experimentum, sic nimirum oboedientia a virtute
65 humilitatis eo evacuatur, quo ei ratio praecepti astipulatur.

---

48 ei dolor *m* ‖ 50 quam *M* ‖ 51 Et *om. m* ‖ 51-52 inquit mea *m* ‖
52 Sic *m* ‖ 52-53 silere foris hom. *m* ‖ 55 comptor *M* ‖ 57 autem *om.*
M ‖ 58 enim *m* ‖ 59 prior : primus *m* ‖ 62 propter : ob *m* ‖ praecipientis : recipientis *M* ‖ 63 humana ratio *m* ‖ 64 nimirum *om. m* ‖ 65 eo
om. m ‖ quo : cum *m*

---

a. Ps. 38, 4 ‖ b. Ps. 38, 5 ‖ c. Phil. 3, 13 ‖ d. Gen. 3, 1 ; 2, 17

---

1. Cf. ce que dit ADAM DE PERSEIGNE, en parlant de la méditation
de la passion de Jésus-Christ : « Sic saepe cogitando et contemplando,
gratia Spiritus Sancti eruditis interest cogitationibus et urit illas, et
accenditur per illas cor, et emergit ineffabilis dilectio et secretior
admiratio ex memoria patientis et recogitatione morientis. Edax
sanctae devotionis flamma et rapacitas ignis volitat interius per pectus
et medullas, et spargitur ignis et circuit angulos, et singultat animus
et turbatur spiritus, et ebullit aqua et exit foras per oculos, quia non
potest se ab intus continere prae fortitudine ignis aestuantis ». *Liber de*

de feu et, passant en revue tous les replis de la conscience, trouve de quoi renouveler en lui la douleur d'une salutaire componction[1]. Pareillement, le cœur, puisqu'il ne s'évapore pas au-dehors, s'échauffe intérieurement au feu brûlant de la componction, produisant un feu lumineux que dans sa méditation, il dirige vers le haut. « Et dans ma méditation, est-il dit, le feu s'embrasera[a] [2]. » Ainsi arrive-t-il que celui qui a appris à se taire au-dehors avec les hommes, commence intérieurement à parler à Dieu lui-même. « De ma langue, est-il dit, j'ai parlé : Seigneur, fais-moi connaître ma fin[b]. » Contempteur du présent et oublieux « de ce qui est en arrière[c] », il interroge sur sa fin. Voilà pourquoi en silence.

7. Et pourquoi dans l'obéissance? Le premier inventeur de ce « pourquoi » est le diable. C'est le diable qui le premier a commencé à discuter le précepte de l'obéissance : « Pourquoi, dit-il, Dieu vous a-t-il prescrit de ne pas manger de l'arbre de la science du bien et du mal[d]? » Auparavant l'homme simple avait obéi simplement, moins par égard à la raison du précepte que par égard à l'autorité de qui prescrivait. En effet, comme « il n'y a pas de mérite à la foi si la raison humaine lui fournit des preuves[3] », de même, n'est-ce pas, l'obéissance perd la vertu de l'humilité du moment que le motif du précepte prend sa place.

mutuo amore, 20, 66 (*Studia cisterciensia R. P. Ed.Mikkers oblata*, t. 1 = *Cîteaux*, t. 31, 1980, p. 333).

2. Répondant à Guigues le Chartreux, S. Bernard cite, dans un contexte semblable, le même verset du psaume 38 : « Sanctitatis vestrae litteras tam laetus accepi, quam avidus et olim desideraveram. Legi eas, et quas volvebam in ore litteras, scintillas sentiebam in pectore : quibus et concaluit cor meum intra me, tamquam ex illo igne quem Dominus misit in terra. O quantus in illis meditationibus exardescit ignis, e quibus huiusmodi evolant scintillae ! » *Epist.* 11, 1 (182, 108).

3. S. Grégoire le Grand : « Nec fides habet meritum cui humana ratio praebet experimentum ». *In Evang. hom.* 26 (76, 1197).

8. Vis tamen audire quare ad alienum aut laboramus aut pausamus arbitrium et imperium ? Quia in hoc nimirum *imitatores* sumus Christi, *sicut filii carissimi*, et ambulamus *in dilectione* qua *dilexit* nos, qui ad omnia *factus* est *oboe-*
70 *diens* propter nos, non solum ad remedium sed etiam ad *exemplum*, *ut quemadmodum* ille fuit, sic et nos simus in
1859 D hoc mundo. *In hoc enim*, sicut beatus ait Ioannes, *est fiducia.* **9.** *Factus* est ergo *oboediens* per omnia, non solum Patri *usque ad mortem*, sed Mariae et Ioseph usque ad
75 praelationem. Cum enim — paterna vocatione dicente : *Hic est Filius meus dilectus in quo mihi bene complacuit : ipsum audite* — ad praelationem vocaretur, tunc primum coepit aliis praeesse, qui diu didicerat aliis subesse ; coepit iubere, qui didicit oboedire. **10.** Praeterea recom-
80 pensatio iusta videtur, ut qui in paradiso dedignatus est regnare dominus sub Domino, in exsilio iam serviat servus sub conservo. Conditio enim naturae statuit hominem sub Domino ; transgressio oboedientiae subiugavit eum
1860 A inimico ; reconciliatio vero gratiae supposuit fratri conservo.
85 Natura subdidit eum Deo, culpa diabolo, reconciliatio vero homini amico.

11. Et quare, inquis, in abstinentia ciborum quos creavit Deus ad hominum usus ? Et hoc audi breviter.

---

67 arbitrium et *om. M* ‖ 70 etiam *om. m* ‖ 72 sicut : ut *m* ‖ 74 et *om. M* ‖ 80 est *om. M* ‖ 82 conservo : servo *M* ‖ 85 reconciliatio : recompensatio *M* ‖ 87 inquit *M*

---

a. Cf. Éphés. 5, 1-2 ‖ b. Cf. Phil. 2, 8 ‖ c. Cf. Jn 13, 15. I Pierre 2, 21 ‖ d. I Jn 4, 17 ; 5, 14 ‖ e. Phil. 2, 8 ‖ f. Cf. Lc 2, 51 ‖ g. Matth. 17, 5. Cf. 3, 17

---

1. Cf. *Règle* de S. Benoît, 5, 12 : « ... ut non suo arbitrio viventes vel desideriis suis et voluptatibus oboedientes, sed ambulantes alieno iudicio et imperio in coenobiis degentes abbatem sibi praeesse desiderant ».

8. Veux-tu cependant savoir pourquoi c'est au jugement et sous l'ordre de quelqu'un d'autre[1] que soit nous travaillons, soit nous nous reposons? Parce que, ce faisant, nous sommes vraiment les imitateurs du Christ[2], comme des fils très chers, et que nous marchons dans l'amour dont il nous a aimés[a], lui qui en tout s'est fait obéissant[b] à cause de nous, non seulement pour nous servir de remède mais pour nous servir d'exemple, afin que nous nous comportions en ce monde comme lui s'est comporté[c]. « C'est bien là, nous dit le bienheureux Jean, que se trouve l'assurance[d]. » **9.** Il s'est donc « fait en tout obéissant », non seulement au Père « jusqu'à la mort[e] », mais à Marie et à Joseph jusqu'à ce qu'il reçût la dignité de chef[f]. En effet, à l'appel du Père qui disait : « Celui-ci est mon Fils bien-aimé, qui a toute ma faveur, écoutez-le[g] », il fut appelé au premier rang. Alors il commença à diriger les autres, lui qui longtemps avait appris à se soumettre aux autres ; alors il commença à ordonner, après avoir appris à obéir. **10.** De plus, cela semble une juste réparation que celui qui a dédaigné au paradis de régner comme seigneur soumis au Seigneur, serve désormais en exil comme serviteur soumis à un compagnon de service. La condition de nature a placé l'homme au-dessous du Seigneur ; la violation de l'obéissance l'a fait passer sous le joug de l'ennemi ; la réconciliation par la grâce l'a assujetti à son frère compagnon de service. La nature l'a soumis à Dieu ; la faute, au diable[3] ; la réconciliation, à un homme qui lui veut du bien.

11. Et pourquoi, dis-tu, dans cette abstinence des aliments que Dieu a créés à l'usage de l'homme? Voici en deux mots la réponse. Parce qu'il nous est arrivé jadis

2. Sur l'obéissance à l'exemple du Christ, cf. S. BERNARD, *In Cant.*, 19, 7 (183, 866).

3. Le pécheur est sous l'esclavage du diable. Cf. *Serm.* 5, 1704 C, avec la note ; *De offic. missae,* 1892 C.

Quia illicitis licenter et licitis illicenter aliquando usi
90 sumus, illicitis modo numquam et licitis parcius utimur.
Quia *sine Cerere et Baccho friget Venus, carnisque superbiam
cibi potusque parcitas* terit, etiam a concessis temperamus.
Omnia equidem *licent, sed non omnia expediunt.* Paulus
castigat *corpus* suum *et in servitutem* redigit. Et quomodo
95 voratores carnium et vini, *in quo est luxuria,* potatores
1860 B de castitate sibi blandiuntur ? Utique *non invenitur
in terra suaviter viventium.* Et nos *mollibus* induti, et in
pluma defossi, tota stertimus nocte? **12.** Vis audire
ieiunii virtutem? Dirissimum daemoniorum *genus non*
100 eicietur, *nisi in ieiunio et oratione.* Salvator quoque cum
diabolo ieiunus confligit in deserto. Audi etiam breviter
unius abstinentiae fructum triplicem. Beatus canit Papa
Gregorius : *Qui corporali ieiunio vitia comprimis, mentem
elevas, virtutem largiris et praemia.* Ecce abstinentiae
105 nostrae ratio.

13. Sed dicis : Si tanta est in cibo et veste ariditas et
districtio, quare in laboribus tanta est corporis *exercitatio,*
tanta in acquirendis rebus negotiatio ? Quoniam qui

---

89 licenter : libenter *M* ‖ 90 modo : vero *M* ‖ et *om. m* ‖ 91 Cere
M ‖ *post* Baccho *add.* [Libero] *m* ‖ 92 potus cibique *m cum liturgia*
‖ 93 quidem *m* ‖ 95 ac *m* ‖ 98 tota...nocte *scripsi* : totam...noc-
tem *Mm* ‖ stertimus : sternimus *M* ‖ 99 durissimum *M* ‖ 100 eicitur
m cum Vg. ‖ 101 confligit : confugit *M* ‖ 102-103 Beatus canit Papa
Gregorius *om. m* ‖ 105 nostrae : vestrae *M* ‖ 106 et¹ : ac *m*

---

a. I Cor. 6, 12 ‖ b. Cf. I Cor. 9, 27 ‖ c. Cf. Matth. 11, 19 ‖ d. Éphés.
5, 18 ‖ e. Job 28, 13 ‖ f. Cf. Lc 7, 25 ‖ g. Cf. Job 11, 18 ‖ h. Cf. Matth.
17, 21 ; Mc 9, 29 ‖ i. Cf. Matth. 4, 2 ‖ j. Cf. I Tim. 4, 8

---

1. S. Grégoire notait que seul ne commet pas l'illicite celui
qui sait se priver parfois du licite : *Moral.,* 5, 10, 17 (75, 688). Il note
ailleurs (avec les expressions qu'emploie Isaac) : « Quisquis illicita
nulla commisit, huic iure conceditur ut licitis utatur. At si quis in
fornicationis culpam (...) lapsus est, tanto a se licita debet abscindere
quanto se meminit et illicita perpetrasse ». *In Evang. hom.* 20, 8
(76, 1163). Et encore : « Qui se illicita meminit commisisse a quibusdam

d'user avec licence de ce qui est illicite et sans licence
de ce qui est licite, maintenant nous n'usons plus jamais
de ce qui est illicite et usons parcimonieusement de ce qui
est licite[1]. Parce que « sans Cérès et Bacchus, Vénus se
refroidit[2] » et que « peu d'aliments et de boisson rabaisse
l'orgueil de la chair[3] », nous gardons une juste mesure
même en ce qui nous est concédé. « Tout est permis,
sans doute, mais tout n'est pas profitable[a] ». Paul châtie
son corps et le réduit en servitude[b]. Et comment des
dévoreurs de viande et des buveurs de vin[c], « où l'on
trouve la luxure[d] », peuvent-ils se flatter de chasteté ?
B « On ne la trouve certainement pas sur la terre de ceux
qui vivent dans les délices[e]. » Et nous, vêtus d'habits
délicats[f] et ensevelis dans la plume, nous ronflerions toute
la nuit[g] ? **12.** Veux-tu connaître la vertu du jeûne ? Les
démons de la plus cruelle espèce ne seront chassés que
par le jeûne et la prière[h]. C'est également à jeun que le
Sauveur affronte le diable au désert[i]. Écoute encore dans
une brève formule le triple fruit de l'unique abstinence.
Le bienheureux pape Grégoire chante : « Toi qui, par
le jeûne corporel, réprimes les vices, élèves l'âme, donnes
la vertu et sa récompense[4]. » Telle est la raison de notre
abstinence.

13. Mais tu demandes : Si la nourriture et le vêtement
comportent tant de restriction et de rigueur, pourquoi
tant de fatigue physique[j] à travailler, tant d'activité
pour acquérir ? Puisque celui qui travaille beaucoup et

---

etiam licitis studeat abstinere, quatenus per hoc conditori suo
satisfaciat, ut qui commisit prohibita sibimetipsi abscindere debeat
etiam concessa, et se reprehendat in minimis qui se meminit in
maximis deliquisse » ; et il donne l'exemple de David pénitent :
In Evang. hom. 34, 16 (76, 1256-1257).

2. TÉRENCE, *Eunuch.*, v. 732. Citation qui figure déjà au *Serm.* 6,
1710 B, avec la note.

3. Vers 11-12 de l'hymne de Prime, *Iam lucis orto sidere* (17, 1188).

4. Préface du mercredi des Cendres dans le Sacramentaire
grégorien, étendue ensuite à tout le carême (78, 55 C).

ideo multum laborat et multum acquirit ut multum ves-
110 catur, *ventri suo* tantum servit et illi soli negotiatur,
1860 C ergo *ut* sit *unde* tribuatur *necessitatem patienti*, ut alii
possint *in labores* nostros aut nobiscum aut post nos
introire.

14. Quare seorsum ab hominibus ? Quia *colloquia*
115 prava *corrumpunt bonos mores*. Et quare plures simul ?
Ideo simul, quia nondum sufficimus ad solitudinem. Ideo
simul, ut si ceciderit quis, non desit qui sublevet eum. Ideo
simul, quia *frater fratrem adiuvans* exaltabitur *sicut civitas*
munita et *fortis*. Ideo denique simul, quia *bonum* est
120 *et iucundum habitare fratres in unum*.

15. Quod ergo, ut diximus, manibus operantes, *in
sudore vultus* nostri vescimur *pane* nostro, forma est
paenitentis Adae ; quod super hoc familiam habemus et
pecora, Patriarcharum est imago. *Patres* etenim *nostri*,
125 ut ait quis, *pastores ovium* fuerunt. Itaque de labore
1860 D proprio et familiae et nutrimento pecorum vitam transigere,
sicut non est a rectitudine devium, sic non est ab auctoritate
vacuum. Quid igitur negotiantur quidam et mendicant,
stipantes nundinas et curias frequentantes ? Breviter
130 respondeo : *Quod amplius est, a malo est*.

---

109 ideo *om. m* ‖ et *om. M* ‖ 111 ergo : ideoque *m* ‖ 115 prava : mala
m cum Vg. ‖ mores bonos *M cum Vg.* ‖ 116 Ideo simul[1] *om. m* ‖ 116-
117 Ideo simul : et *m* ‖ 117-118 non desit — simul quia : habeat suble-
vatum se ; item *m* ‖ 119 Ideo ... simul *om. m* ‖ 121 ut diximus *om.*
m ‖ 124 enim *m* ‖ 125 ut *om. M* ‖ 126 et[1] : ac *m* ‖ 127 sic : sicut *M* ‖
ab *om. m* ‖ actoritate *M* ‖ 129 et *om. m*

---

a. Cf. Rom. 16, 18 ‖ b. Éphés. 4, 28 ‖ c. Cf. Jn 4, 38 ‖ d. I Cor. 15,
33 ‖ e. Cf. Eccl. 4, 10 ‖ f. Cf. Prov. 18, 19 ‖ g. Ps. 132, 1 ‖ h. Gen. 3,
19 ‖ i. Gen. 47, 3 ‖ j. Matth. 5, 37

---

1. Voir à ce propos, J. LECLERCQ, « Le travail ascèse sociale,
d'après Isaac de l'Étoile », *Collectanea cist.*, 33, 1971, p. 159-166.

et acquiert beaucoup à seule fin de manger beaucoup n'est au service que de son ventre[a] et s'active pour lui
C   seul, c'est donc pour qu'il y ait « de quoi secourir le nécessiteux[b] »; pour que d'autres puissent avoir part au fruit de nos travaux, soit avec nous, soit après nous[c] [1].

14. Pourquoi à l'écart des hommes? Parce que « les conversations mauvaises corrompent les bonnes mœurs[d]. » Et pourquoi plusieurs ensemble? Ensemble, à cause de ce que nous ne sommes pas encore assez forts pour la solitude. Ensemble, de crainte que si l'un vient à tomber, il n'ait personne pour le relever[e]. Ensemble, pour la raison que le frère aidant son frère sera exalté comme une cité fortifiée et puissante[f]. Ensemble, finalement, parce qu'« il est bon et il est doux d'habiter en frères dans l'unité[g] ».

15. Nous avons dit que le travail manuel, qui nous fait manger notre pain « à la sueur de notre front[h] », se modèle sur la pénitence d'Adam. Si en plus nous avons des familiers et des troupeaux, c'est à l'exemple des patriarches. Car « nos pères[2] », affirme quelqu'un, furent « des pasteurs
D   de brebis[i] ». Vivre donc de son propre travail, et de celui des familiers[3], ainsi que de l'élevage du bétail, ce n'est pas s'écarter du droit chemin, ni non plus agir sans des précédents autorisés. Mais alors, pourquoi certains se livrent-ils au trafic ou à la mendicité, encombrant les foires et fréquentant les cours? Je réponds d'un mot : « Ce qui est de plus vient du Mauvais[j]. »

---

2. Ce verset de la Genèse est cité par Isaac en écho à ce passage de la *Règle* de S. Benoît, au chapitre du travail manuel, 48, 8 : « Quia tunc vere monachi sunt, si labore manuum suarum vivunt, sicut et patres nostri et apostoli ». Avec plusieurs commentateurs, Isaac identifie les « pères », dont parle la *Règle*, avec les patriarches de l'Ancien Testament (cf. *infra*, 1861 C).

3. Quelques années plus tard, à l'île de Ré, Isaac semble découvrir un sens nouveau de la nécessité du travail, assuré sans l'aide de familiers ou de journaliers : *Serm.* 14, 1737 B-C. Cf. *DSp*, t. 7, 2033-2034.

16. Nuper tamen duplex religiosorum genus emersit,
et quod retro saecula nescierunt, haec ferventia nostra
tempora pepererunt. Sicut enim eorum qui trutanni
dicuntur duo sunt genera — alii namque circumeunt et
135 perambulant terram, mendicantes ubique et semper
mendici, multis et miris modis simulationum et dissimu-
lationum falsi et fallentes ; alii vero in triviis et in ingres-
sibus templorum tabernacula figunt, omni astu simulationis
1861 A et dolositatis priores exsuperantes —, sic religiosorum non-
140 nulli, sub obtentu sanctitatis, fictis verbis de mundo cui
mortui sunt, vivacissime negotiantur. **17.** Omnia penetran-
tes, omnia pererrantes, *nihil intentatum* relinquunt, a quibus
ipse mundus *vim patitur et violenti diripiunt* illum, qualibus
etsi non ex eo quod amici sunt, homines ex improbitate
145 tamen surgunt et donant plus quam tres panes. Isti vero
sicut semper mendicantes, ita et semper manduci, quippe
quod de facili eis constat, facile profligantes. **18.** Alii vero
opulentam captantes viciniam, prope refertas urbes et
oppida populosa nemusculis se immergunt, fossatis cin-
150 gunt, et summopere caventes ab hominibus, arte mirifica,
quo se arctius occulunt, carius se vendunt. Manibus
1861 B modicum laborant, omnino nihil nutriunt ; alienis semper
manibus inhiantes, nihil respuunt. Evangelicae volucres
quae *nec serunt nec metunt nec in horrea congregant, et*
155 *Pater caelestis pascit* eas. Pascit quidem, dilectissimi,

---

132 nostro *M* ‖ 133 trutanni : ///anni *M* ‖ 134 namque : enim *m* ‖
135-136 et semper mendici *om. m* ‖ 137 et² : ac *m* ‖ in² *om. M* ‖ 139
et : ac *m* ‖ 143 ipse *om. m* ‖ patititur *M* ‖ qualibus : quatenus *m* ‖
146 manduci : mendici *M* ‖ 148 opulentiam *M* ‖ 153 inhiniant *M*

---

a. Cf. Job, 1, 7 ‖ b. Matth. 11, 12 ‖ c. Cf. Lc 11, 5-8 ‖ d. Matth.
6, 26

---

1. Sur cette satire des moines mendiants gyrovagues et des
faux ermites, voir la *Note complém.* 29, p. 311 s.

16. Récemment ont pourtant surgi deux espèces de religieux, et ce que les siècles passés ont ignoré, notre époque d'ébullition l'a engendré[1]. De même en effet que ceux qu'on appelle truands sont de deux espèces — les uns font le tour de la terre et la parcourent[a], mendiants qui toujours et partout mendient, trompeurs qui savent tromper par mille tours surprenants de simulation et de dissimulation, tandis que les autres plantent leur tente aux carrefours et aux portes des temples, surpassant les premiers de toute l'astuce de leur hypocrisie et four-

A berie —, de même certains religieux, sous le couvert de la sainteté et avec des paroles mensongères sur le monde auquel ils sont morts, trafiquent fièvreusement. **17.** Pénétrant partout, allant et venant partout, ils ne laissent rien sans l'avoir tenté[2]; de leur part le monde lui-même « souffre violence, et des violents le prennent de force[b] ». Même si ce n'est pas par amitié, c'est au moins à cause de leur impudence que les gens se lèvent et leur donnent plus que trois pains[c]. Ceux-là d'ailleurs sont toujours aussi gros mangeurs qu'ils sont grands mendiants, car ils gaspillent sans peine ce qui leur coûte si peu de peine. **18.** Les autres, jetant leur dévolu sur quelque riche voisinage, se terrent dans les fourrés à proximité des villes opulentes et des bourgs populeux, s'enferment dans une enceinte de fossés et, tout en se gardant farouche-ment des hommes, ont un art prodigieux pour se vendre d'autant plus cher qu'ils se cachent plus jalousement. Ils travaillent un petit peu de leurs mains, ne font absolu-

B ment aucun élevage, restent toujours la bouche béante à la main d'autrui, ne refusent rien. Oiseaux de l'Évangile, qui « ne sèment ni ne moissonnent ni ne recueillent en des greniers » et que « le Père céleste nourrit[d] ». Sans doute,

2. Réminiscence d'Horace, *Ars poet.*, 285 : « Nil intentatum nostri liquere poetae ».

Dominus aves, sed tamen hominibus importunae sunt, quorum laboribus insidiantur !

19. Ideo magis attendamus ad illam nobilem Veritatis sententiam qua dicitur *beatius magis* esse *dare quam* 160 *accipere*, et cum multo sudore laboremus quod cum multa caritate donemus. Nutriamus etiam diligenter quod tribuamus libenter. De nostro potius quam de alieno aedificemus Deo templum et servitoribus eius congruum habitaculum, magis semper exsultantes et gratias agentes 1861 C cum dederimus quam cum receperimus, alios quoque cum 166 susceperimus, quam cum suscepti ab aliis fuerimus, sicut scriptum est : *Date eleemosynam, et omnia munda erunt vobis;* et alibi : *Frange esurienti panem tuum, et egenos vagosque induc in domum tuam.* Ita et patres nostri, 170 hospitalitatis gratiam sectantes, etiam angelos hospitio excipere meruerunt.

20. Quod autem castimoniam professi, absque coniugibus et liberis, etiamque absque proprietate in commune vivimus, uni omnes oboedientes, et ab eo, prout cuique 175 necessarium est, omnia exspectantes, beatorum aposto-lorum et illius in Ierusalem primitivae Ecclesiae procul

---

165 acceperimus *m* ‖ 166 ab aliis susc. *m* ‖ 169 vagosque *om. M* ‖ 171 suscipere *M* ‖ 173 etiam *m* ‖ 176 illius : ipsius *m*

---

a. Act. 20, 35 ‖ b. Lc 11, 41 ‖ c. Is. 58, 7 ‖ d. Cf. Hébr. 13, 2. Gen. 18, 2-3 ‖ e. Cf. Act. 2, 44-45 ; 4, 35

---

1. « En ces quelques lignes très denses, où nous trouvons déjà ce que deviendra la formule classique des trois vœux de religion, l'obéissance est liée au fait du célibat et de la désappropriation ; elle est considérée comme permettant de réaliser cette unité dont le chef de la communauté est à la fois l'instrument et le symbole. L'ordre chronologique selon lequel sont apparus les grands engage-ments religieux est respecté : le célibat fut et reste premier ; le renoncement à la propriété privée vint ensuite, comme un complément de ce sacrifice fondamental ; l'obéissance est apparue comme une

bien-aimés, le Seigneur nourrit les oiseaux, mais tout de même ils importunent les hommes en guettant leurs labours!

19. Attachons-nous donc davantage encore à cette notable sentence où la Vérité déclare : « Il y a plus de bonheur à donner qu'à recevoir[a] », et travaillons avec bien des sueurs à ce que nous pourrons donner avec bien de la charité. Élevons aussi avec grand soin ce que nous pourrons distribuer de grand cœur. Sur nos ressources plutôt que sur celles d'autrui élevons à Dieu un temple et à ses serviteurs un logement convenable, en ayant toujours plus d'allégresse et de reconnaissance pour avoir C donné que pour avoir reçu, pour avoir accueilli les autres que pour avoir été accueillis par d'autres, car il est écrit : « Faites l'aumône et tout sera pur pour vous[b]. » Et ailleurs : « Partage ton pain avec l'affamé et fais entrer dans ta maison les pauvres et les errants[c]. » C'est ainsi que nos pères, en pratiquant le bienfait de l'hospitalité, ont mérité d'héberger jusqu'à des anges[d].

20. Que, de plus, ayant voué la chasteté[1], sans femmes ni enfants, sans même rien qui nous soit propre, nous vivions en commun, en obéissant tous à un seul et en attendant tout de lui selon les nécessités de chacun[e], c'est là, assurément, se conformer à l'idéal des bienheureux apôtres et de cette insigne Église primitive de Jérusalem[2] :

exigence de la vie commune, et elle doit demeurer... l'expression et l'aliment de la charité, l'occasion d'une rencontre dans l'amour. » J. Leclercq, *art. cité*, p. 165. — Sur la lente apparition de la trilogie des vœux de religion, voir J. M. R. Tillard, *Devant Dieu et pour le monde. Le projet des religieux*, Paris 1975, p. 119-126, 387-397.

2. « Primitivae Ecclesiae forma. » La référence de l'idéal monastique à la communauté de l'Église primitive se trouve déjà chez Origène, *In Matth.*, 15, 15 (*PG* 13, 1296 B - 1297 A). Dans la tradition latine, le grand docteur de cette doctrine est S. Augustin. Voir P. Gregh, « The Augustinian Community and the Primitive Church », dans *Augustiniana*, t. 5 (1955), p. 459-470. *DSp*, t. 10, col. 1551-1552. — Pour le xiie siècle, voir G. Miccoli, « Ecclesiae primitivae forma »,

dubio forma est, quibus cum communione substantiae
erat etiam *cor unum et anima una.* Quorum inaestimabilis
1861 D fervor, de camino in Ierusalem a Spiritu sancto die sancto
180 Pentecostes succenso — sicut scriptum est : *Cuius ignis in
Sion et caminus in Ierusalem* —, longo temporis tractu,
refrigescente caritate et abundante iniquitate, de die in
diem evaporatus, adhuc in huiusmodi coenobiis tenuiter
fumat, et exstincti ferme incendii nonnulla quasi vestigia
185 indicat, et magnorum carbonum minutias quasdam
monstrat.

21. Hae sunt ergo, carissimi, hodie, *sagittae potentis
acutae cum carbonibus desolatoriis,* quas apposuimus vobis
ad linguam dolosam <eorum> qui in omnibus quare hoc et
190 hoc facimus *labiis iniquis et lingua dolosa* quaeritant, et
quare facti sint ipsi non curant. Ita non praesumptiones
novitatum secutus, *super fundamentum apostolorum et
1862 A prophetarum* aedificatus est Ordo noster, cuius *aedificatio,*
toto ferme terrarum orbe, sicut est dies haec, *constructa,*
195 crevit *in templum sanctum in Domino; in quo et vos* loco
et tempore vestro *coaedificamini in habitaculum Dei,*

---

179 die sancto *om. M* ‖ 180 Pentecosten *M* ‖ 183 die *M* ‖ 184 fere
m ‖ 187 ergo *om. m* ‖ hodie cariss. *m* ‖ 189 <eorum> qui *scripsi* :
quae *Mm* ‖ 190 linguam dolosam *M* ‖ 191 sunt *M* ‖ 194 ferme :
finem *M*

---

a. Act. 4, 32 ‖ b. Is. 31, 9 ‖ c. Cf. Matth. 24, 12 ‖ d. Ps. 119, 2-4

---

dans *Chiesa gregoriana,* Florence 1966, p. 225-299. Gl. OLSEN, « The
idea of ' Ecclesia primitiva ' in the Writings of the twelfth-Century
Canonists », dans *Traditio,* t. 26 (1970), p. 61-86.
1. Cf. AUGUSTIN, *Enarr. in Ps. 104,* 13 (37, 1397) ; *Serm.* 71, 19
(38, 455). — M. AUBINEAU, « Exégèse patristique de Mt. 24, 12 :
' Quoniam abundavit iniquitas, refrigescet charitas multorum ' »,
dans *Studia Patristica,* 4, 2 (1961), p. 3-19.
2. Monachisme comme relais et, dans une certaine mesure,

eux qui mettaient en commun leurs ressources et n'avaient
non plus « qu'un cœur et qu'une âme[a] ». Leur inestimable
ferveur, puisée à la fournaise allumée à Jérusalem par
l'Esprit-Saint le saint jour de la Pentecôte — selon qu'il
est écrit : « Son feu est en Sion et sa fournaise en Jérusalem[b] » —, s'est évaporée de jour en jour durant une longue
période où la charité s'est refroidie et où l'iniquité a
abondé[c] [1]. Elle fume encore faiblement en des commu-
nautés comme celle-ci, et fait voir pour ainsi dire quelques
traces de l'incendie presque éteint, et montre comme de
minimes parcelles du puissant brasier[2].

21. Telles sont donc aujourd'hui, très chers, « les flèches
aiguës du puissant avec des charbons dévorants » que nous
avons fournies « contre la langue trompeuse » de ceux qui
continuellement, « de leurs lèvres injustes et de leur langue
trompeuse[d] », s'informent pourquoi nous faisons ceci et
cela, sans s'inquiéter de savoir pourquoi eux-mêmes
ont été faits. Ce n'est donc pas sous l'inspiration de pré-
somptueuses nouveautés, mais « sur le fondement des
apôtres et des prophètes » que s'est édifié notre Ordre[3].
Sa construction qui s'élève par le monde presque tout
entier, aussi loin qu'atteint cette lumière du jour, a grandi
pour être « un temple saint dans le Seigneur. En lui vous
aussi », à votre place et en votre temps, « vous êtes intégrés
à la construction pour devenir une demeure de Dieu, dans

continuation de la Pentecôte. ODON DE CLUNY en avait développé
l'idée dans son poème *Occupatio* (éd. A. SWOBADA, Leipzig, 1900,
l. 6, 567-608). Cf. J. LECLERCQ, *Témoins de la spiritualité occidentale*,
t. 2, Paris 1965, p. 129-130.
    3. Sur l'idéal de la vie cistercienne, « ordo noster », voir la *Note
complém.* 30, p. 312 s. — A propos de l'accent mis par les cisterciens
sur une lecture plus « communautaire » de l'idéal de vie proposé
par la *Règle* de S. BENOÎT, voir C. W. BYNUM, « The cistercian
conception of community : An Aspect of Twelfth-Century Spiri-
tuality », dans *Harvard Theol. Rev.*, t. 68 (1975), p. 273-286.

in Spiritu sancto, ipso operante *qui omnia operatur in omnibus Deus, cui honor et gloria per omnia saecula saeculorum. Amen.*

SERMO QUINQUAGESIMUSPRIMUS

In Assumptione Beatae Mariae

1. *In omnibus requiem quaesivi, et in haeriditate Domini morabor,* etc. De hodierna solemnitate, id est beatae semper Virginis Assumptione, quid proprie dici queat, difficile invenitur. Patrum namque inclusi limitibus, quos praetergredi prohibitum est, nihil aliud definire audemus, nisi quod hodierna die, sive cum corpore sive sine corpore, *nescio, Deus scit,* non ad tempus rapta, nec *ad tertium* tantum *caelum,* si plures sunt caeli, sed ad

1862 B
6

198 *post* cui *add.* est *m*
Adest O a l. 88 *ad* l. 145, *paucis omissis*
    Tit. De libro Sapientiae *M* ‖ In Assumtione gloriosae Virginis Mariae. Sermo abbatis Ysaac *S* ‖ In Assumptione beatae virginis Mariae *O* ‖ 2 etc. : tunc praecepit et dixit mihi *MS* ‖ hodiernae solemnitatis *S* ‖ 6 cum : in *S cum Vg.* ‖ 8 caelum *om. MS*

---

a. Éphés. 2, 20-22 ‖ b. I Cor. 12, 6 ‖ c. Rom. 16, 27
a. Sir. 24, 11 ‖ b. Cf. Prov. 22, 28 ‖ c. Cf. II Cor. 12, 2

---

1. On remarque la prudence avec laquelle Isaac parle de l'assomption corporelle de Marie. Comparer ce qu'il dit au *Serm.* 53, 1870 D.
2. Cette utilisation des termes mêmes employés par S. Paul pour parler de son propre ravissement (*2 Cor.* 12, 2), se rencontre aussi sous la plume d'AELRED DE RIEVAULX : « Si auderem, dicerem beatissimam Dei genitricem Mariam carnem primo reliquisse, deinde in ipsa carne in aeternam vitam resurrexisse. Sed licet haec non audeam affirmare, quia non habeo unde possim, si quis resistat, convincere, audeo tamen opinari ; affirmare autem indubitanter audeo quia

l'Esprit-Saint[a] », par l'opération de celui « qui opère tout en tous, Dieu[b] », « à qui soient honneur et gloire pour les siècles des siècles. Amen[c] ».

SERMON 51

Premier sermon pour le jour de l'Assomption

Marie, l'Église, chaque âme fidèle et le mystère de l'engendrement du Christ total. La Sagesse cherche son repos dans tous les humains, car tous ont été marqués de l'image et de la ressemblance divine. L'Histoire du salut. Action et contemplation.

1. « J'ai cherché en tous le repos et je demeurerai dans l'héritage du Seigneur[a], etc. » De la solennité d'aujourd'hui, l'Assomption de la bienheureuse toujours Vierge, il est malaisé de trouver ce qu'on peut dire en termes propres[1]. Car pour rester dans les limites qu'ont fixées les Pères et qu'il est interdit d'outrepasser[b], nous n'osons rien formuler de plus que ceci : aujourd'hui — soit en son corps, soit sans son corps, je ne sais, Dieu le sait[2] —, elle a été enlevée, non dans un ravissement passager, ni seulement au troisième ciel[c], s'il en est plusieurs[3],

hodierna die beata Virgo, sive in corpore sive extra corpus, nescio, Deus scit, caelum conscenderit... » *Serm.* 18 (195, 315 B). Mais quelques années plus tard, Aelred osera se prononcer plus fermement (*Sermones inediti*, éd. TALBOT, Rome 1952, p. 162 et 175) ; cf. Ch. DUMONT, « Aspects de la dévotion du bienheureux Aelred à Notre-Dame. », dans *Collectanea Cist.*, 20 (1958), p. 318-319.

3. « Si plures sunt caeli. » Comme le fait remarquer le P. de Lubac, en citant ce passage d'Isaac, les vrais mystiques ont toujours compris que la foi chrétienne n'est pas d'essence cosmologique. La distinction des cieux étagés n'a pour Isaac « qu'une valeur symbolique, même si l'Écriture en fait mention ... Relativement aux réalités de la fin dernière, la première pensée médiévale, considérée dans ses représentants les plus réfléchis, demeure donc conforme au principal

perpetuam et felicem mansionem, ad summum caelorum
10 caelum assumpta sit. **2.** Assumpta quidem ab eo qui de
ea carnem sumpsit in terris, cui soli eam subordinaret in
caelis. Post ipsum etenim ventris sui fructum sic eam
credimus ordinatam in caelis et locatam vel adhuc, si
nondum surrexit, locandam, ut proxime post illius dilectam
15 animam, et ipsius anima disponatur ad sapientiam, et
post illius corpus, ipsius quoque corpus, ad gloriam. Ipsa
ergo iure in generatione iustorum prima residet, quae
primogenitum omnium proprie generavit.

1862 C **3.** Ipse quippe *primogenitus* est *in multis fratribus*, qui
20 cum esset natura unicus, gratia conciliavit sibi plures qui
cum eo sint unus. *Dedit* enim *potestatem filios Dei fieri* his
qui recipiunt eum. O amabilis et admirabilis potestas ! O
si liceret et potis esset pauper et ignobilis, locupletem et
generosum sibi pro voluntate eligere genitorem, quis non
25 curreret, quis non festinaret ad reges et principes homines ?
4. Et quidem filii Dei fieri possunt quotquot volunt. Et
quare hoc, rogo, nisi quia Filius Dei fieri filius pauperis
voluit, ut sua paupertate multos ditaret ? Sed et hoc
quis faceret filius regis et divitis, ut gratis semetipsum
30 exinaniret et fieret ipse propter alios filius egeni
1862 D et ignobilis ? Factus autem egenus, quomodo posset
alios ditare ? Factus ignobilis, quomodo nobilitare ?
5. Manens igitur nobilis nollet descendere ; factus ignobilis
non posset sublimare. Dei vero et caritas incomparabilis

---

11 carnem *om. MS* ‖ 13-14 si nondum adhuc *m* ‖ 17 generationi-
bus *m* ‖ 21 enim : eis *M cum Vg.* ‖ 23 potis esset : posset *S* ‖ 25 hominum *m* ‖ 26 quidem filii : qui de filiis *M* ‖ 27 paup. fil. *m* ‖ 31 *post*
egenus *add.* et *S* ‖ 34 et *om. m*

---

a. Cf. Lc 1, 42 ‖ b. Cf. Col. 1, 15 ‖ c. Rom. 8, 29 ‖ d. Jn 1, 12 ‖ e. Cf.
II Cor. 8, 9 ‖ f. Cf. Phil. 2, 7

mais à son heureuse demeure pour toujours, au suprême ciel des cieux. **2.** Elle a été enlevée par celui qui d'elle a pris sur terre la chair à laquelle seule il voulait la subordonner dans les cieux. Nous croyons en effet qu'après le fruit même de ses entrailles[a] elle occupe — ou, si elle n'est pas encore ressuscitée, elle occupera — un rang et une place tels que son âme à elle vienne aussitôt après son âme bénie à lui quant à la sagesse, et son corps à elle aussitôt après son corps à lui quant à la gloire. Elle occupe à bon droit la première place dans la génération des justes, elle qui a engendré véritablement le premier d'entre eux tous[b].

C   **3.** Oui, il est « le premier-né d'une multitude de frères[c] », lui qui, unique par nature, s'est associé par sa grâce un grand nombre de frères pour qu'ils ne soient qu'un avec lui. Car à ceux qui l'accueillent « il a donné pouvoir de devenir fils de Dieu[d] ». Aimable et admirable pouvoir! Oh, s'il était permis et possible à un pauvre et à un roturier de se choisir à son gré comme père un riche et un noble, qui donc n'accourrait, qui ne s'empresserait auprès des rois et des grands! **4.** Or voilà que tous ceux qui le veulent peuvent devenir fils de Dieu. Et pourquoi, je le demande, sinon parce que le Fils de Dieu a voulu devenir fils de pauvre afin d'enrichir une multitude par sa pauvreté[e]? Mais quel est le fils de roi et de riche qui en viendrait à se dépouiller de lui-même gratuitement et à se faire lui-même, pour les autres, fils de pauvre et de roturier[f]?

D   Et puis, devenu pauvre, comment pourrait-il enrichir les autres? Devenu roturier, comment les anoblirait-il? **5.** Ainsi donc, restant noble, il refuserait de descendre; devenu roturier, il ne pourrait élever les autres. Mais Dieu, dans sa charité incomparable et sa puissance inesti-

courant patristique, bien qu'elle s'accorde assez mal avec l'idée augustinienne de la résurrection des corps ». *Exég. méd.*, 2ᵉ partie, 2, p. 153-154.

35 et potestas inaestimabilis, quasi et hoc sicut voluit, potuit,
et sicut potuit, voluit. Sicut enim *quod stultum est Dei
sapientius est hominibus et quod infirmum est Dei fortius
est hominibus :* sic et quod egenum est Dei locupletius
est hominibus, et quod ignobile est Dei nobilius est homi-
40 nibus. **6.** Factus igitur filius pauperis, multos fecit filios
divitis ; factus filius ancillae, multos fecit filios nobilis ;
factus denique hominis Filius, multos fecit Dei filios.
Multos igitur conciliavit sibi, ut dictum est, sua caritate
et potestate unicus, qui cum carnali generatione in seipsis
1863 A sint plures, divina tamen regeneratione cum ipso, in ipso
46 sunt unus.

7. Unus enim et totus et solus Christus, caput et corpus.
Unus autem is, unius Dei in caelis et unius matris in terris,
et multi filii et unus filius. Sicut namque caput et membra
50 unus filius et plures filii, sic Maria et Ecclesia una mater
et plures, una virgo et plures. Utraque mater, utraque
virgo, utraque de eodem Spiritu sine libidine concipit,

---

37 sapientius est hominibus *om. m* ‖ 37-39 et quod infirmum est —
est hominibus *om. M per hom.* ‖ 38 et *om. m* ‖ 43 consiliavit *S* ‖ 45
sunt *S* ‖ in ipso *om. m* ‖ 47 et totus et : totus ac *m* ‖ Christi *m* ‖ 49
et³ : ac *m*

---

a. I Cor. 1, 25

---

1. « Par lui, devenu fils de l'homme, beaucoup sont devenus
fils de Dieu... » Doctrine traditionnelle, dont les Pères grecs en
particulier avaient donné des formules définitives : S. Irénée :
« Le Verbe de Dieu s'est fait homme, le Fils de Dieu s'est fait Fils
de l'homme, pour que l'homme, en se mélangeant au Verbe et en
recevant ainsi l'adoption filiale, devienne fils de Dieu. Car il nous était
impossible d'avoir part à l'incorruptibilité et à l'immortalité, si
nous n'étions unis à l'incorruptibilité et à l'immortalité. Mais comment
aurions-nous pu être unis à l'incorruptibilité et à l'immortalité, si
l'incorruptibilité et l'immortalité ne s'étaient préalablement faites
cela même que nous sommes, afin que ce qui était corruptible fût
absorbé par l'incorruptibilité, et ce qui était mortel, par l'immortalité,

mable, a pu cela comme il l'a voulu, et comme il l'a pu l'a voulu. Car de même que « ce qui est folie de Dieu est plus sage que les hommes, et ce qui est faiblesse de Dieu est plus fort que les hommes[a] », de même aussi ce qui est pauvreté de Dieu est plus opulent que les hommes, et ce qui est bassesse de Dieu est plus noble que les hommes.

6. Par lui, devenu fils de pauvre, beaucoup sont devenus fils de riche; par lui, devenu fils de servante, beaucoup sont devenus fils de noble; en somme, par lui, devenu fils d'homme, beaucoup sont devenus fils de Dieu[1]. Par sa charité et sa puissance, avons-nous dit, l'Unique s'est associé une multitude. En eux-mêmes, de par la génération charnelle, ils sont plusieurs, de par la régénération divine, avec lui, en lui, ils sont un.

7. Il n'y a qu'un unique et total et seul Christ, tête et corps. Et cet unique — du Dieu unique dans le ciel et d'une mère unique sur la terre — est à la fois multitude de fils et unique Fils. Et comme la tête et les membres sont un seul Fils et plusieurs fils, Marie et l'Église sont une seule mère et plusieurs, une seule vierge et plusieurs[2]. L'une et l'autre est mère; l'une et l'autre, vierge. L'une

---

pour que nous recevions l'adoption filiale ? » *Adv. haer.*, 3, 19, 1 (*SC* 211, p. 375) ; « À cause de son surabondant amour, le Verbe de Dieu, Jésus-Christ notre Seigneur, s'est fait cela même que nous sommes pour faire de nous cela même qu'il est. » *Ibid.*, 5, *praef.* (*SC* 153, p. 15). S. ATHANASE : « Il s'est lui-même fait homme pour que nous soyons faits Dieu ; et lui-même s'est rendu visible par son corps, pour que nous ayons une idée du Père invisible ; et il a supporté lui-même les outrages des hommes, pour que nous ayons part à l'incorruptibilité ». *De Incarnatione*, 54, 3 (*SC* 199, p. 459). Cf. S. GRÉGOIRE DE NYSSE, *Or. catechet.*, 25 (*PG* 45, 65-68).

2. Ce beau texte sur Marie, Vierge et Mère, figure de l'Église, est indiqué parmi les références du ch. VIII de la Constitution *Lumen Gentium* du IIe Concile du Vatican (note 20, au § 64). Il y est rapproché d'autres de S. AMBROISE : *Exp. Evang. sec. Lucam*, 2, 7 (*SC* 45 bis, p. 74) ; 10, 24-25 (*SC* 52, p. 164 s.) ; de S. AUGUSTIN : *In Ioan.*, 13, 12 (35, 1499) ; *Serm.* 191, 3 (38, 1010) ; de BÈDE : *In Luc.*, 1, 2 (92, 330).

utraque Deo Patri sine peccato prolem fundit. Illa *absque*
omni peccato corpori caput peperit ; ista *in* omnium *pecca-*
55 *torum remissionem* capiti corpus edidit. Utraque Christi
mater, sed neutra sine altera totum parit. **8.** Unde et in
Scripturis divinitus inspiratis, quod de virgine matre
Ecclesia universaliter, hoc de virgine <matre> Maria sin-
1863 B gulariter, et quod de virgine matre Maria specialiter, id de
60 virgine matre Ecclesia generaliter iure intelligitur. Et cum
de alterutra sermo texitur, fere permixtim et indifferenter de
utraque sententia conficitur. Unaquaeque etiam fidelis
anima et Verbi Dei sponsa, et Christi *mater* et *filia et soror*,
et virgo et fecunda suapte ratione intelligitur.
65   **9.** Dicitur ergo et universaliter pro Ecclesia et specialiter
pro Maria, singulariter quoque pro fideli anima, ab ipsa Dei
Sapientia quae Patris est Verbum : *In omnibus requiem*
quaesivi, etc. Ubique et *in omnibus* divina Sapientia est,
quae *a fine usque ad finem*, id est ab omnium principio adus-
70 que omnium finem, attingens, sua ubique pressit vestigia,
1863 C quibus investigari et inveniri possit ; sed in solis mentibus
sua imagine et similitudine praeditis requiescit et iucunda-
tur aut laborat et molestatur. **10.** Unde et de quibusdam
conqueritur dicens : *Laboravi sustinens;* et alibi : *Quia*
75 *molesti estis et Deo meo.* De aliis quidem cum quibus pausat

---

54 in : impietate vel iniquitate *S* ‖ 55 remissionem : remissione
m remissa *S* ‖ capitis *M* ‖ 56 et *om. m* ‖ 57 divinitus : divinis *M* ‖ 58
<matre> *supplevi* (*vide l.* 59) *om. MSm* ‖ 61 permistim *m* ‖ 62
conficitur : intelligitur *m* ‖ 63 et[1, 2, 3] *om. m* ‖ et[4] *om. S* ‖ 64 suapte :
sub aperta (*corr. ex* suapte) *M* ‖ 65 et *om. m* ‖ 67 quae : quod *Mm* ‖
68 est div. sap. *M* ‖ 69 *post* adusque *add.* ad *M* ‖ 72 et[2] : ac *m* ‖ 73
et *om. m* ‖ 75 et Deo : in Deo *M*

---

a. Cf. Hébr. 4, 15 ‖ b. Cf. Act. 2, 38 ‖ c. Cf. Matth. 12, 50 ‖ d. Cf.
I Cor. 1, 24 ‖ e. Sir. 24, 11 ‖ f. Sag. 8, 1 ‖ g. Cf. Gen. 1, 26 ‖ h. Is. 1,
14 ‖ i. Is. 7, 13

---

1. Cf. *supra, Serm.* 27, 1778 D - 1779 A, et la *Note complém.* 21 :
« La maternité de Marie et de l'Église » (t. 2, p. 342-343). Sur la

et l'autre, sans trouble charnel, conçoit du même Esprit ; l'une et l'autre, sans péché, donne une progéniture à Dieu Père. L'une, hors de tout péché[a], a mis au monde la tête de ce corps ; l'autre, dans la rémission de tous les péchés[b], a donné le jour au corps de cette tête. L'une et l'autre est mère du Christ, mais aucune des deux ne l'enfante tout entier sans l'autre. **8.** Aussi, c'est à bon droit que dans les Écritures divinement inspirées, ce qui est dit universellement de l'Église, Vierge-mère, est compris singulièrement de Marie Vierge-mère ; et ce qui est dit spécialement de Marie, Vierge-mère, est compris généralement de l'Église, Vierge-mère. Et quand un texte parle de l'une ou de l'autre, son contenu s'applique presque sans distinction à l'une et à l'autre[1]. Chaque âme fidèle, également, peut être reconnue, à sa manière propre, comme épouse du Verbe de Dieu, comme mère, fille et sœur du Christ[c], comme vierge et féconde.

9. C'est donc à la fois l'Église, universellement, Marie, spécialement, et encore l'âme fidèle, singulièrement, que vise la Sagesse même de Dieu, qui est le Verbe du Père[d], en disant : « J'ai cherché en tous le repos, etc.[e] » Partout et en tous est la Sagesse divine. Elle s'étend « d'une extrémité à l'autre[f] », c'est-à-dire du commencement absolu jusqu'à la consommation suprême, et imprime partout ses traces qui permettent de la dépister et de la découvrir[2]. Mais c'est seulement dans les âmes portant son image et ressemblance[g] qu'elle trouve repos et joie, ou au contraire difficulté et désagrément. **10.** Il en est dont elle se plaint en disant : « J'ai peiné à les supporter[h] », et ailleurs : « Vous fatiguez même mon Dieu[i]. » Parlant d'autres en compagnie desquels elle trouve tranquillité et repos, elle

mariologie et l'ecclésiologie d'Isaac, dans le contexte du mouvement théologique du xiie s., voir la bibliographie rassemblée dans *DSp* 7, col. 2026.

2. Cf. *De anima,* 1885 C-D.

et quiescit, dicit : *Noli mihi molestus esse: ecce pueri mei mecum sunt in cubili.* Sicut enim similia de similitudine in consimilibus naturaliter magis gaudent, sic de dissimilitudine in consimilibus inventa plus naturaliter dolent.

80   **11.** Quomodo ergo sic falli potuit Sapientia, ut *in omnibus,* mentibus videlicet, *requiem* quaereret, quam in paucis aut omnino nullis plene inveniret? Sed quod mirabilius est, eo usque incrassata est et impinguata, quae de subtilitate

1863 D   cerebri Iovis nata est, illa Minerva, ut in arbore etiam ficus
85   fructum quaereret, et fortasse non in tempore fructus, et non inveniret? *Tempus* est enim *omni rei sub caelo.* Nam super caelum sicut nec temporalia ita nec tempus.

12. In solis ergo sapientibus requiescit Sapientia. *Thesaurus desiderabilis,* ait sapiens de Sapientia loquens,
90   *requiescit in ore sapientis.* Stulto autem gravis est et contraria, et ideo odit eam, ac substantiam quam cum patre et fratre posset domi habere quietam et opimam, *in regione longinqua* profugus, *luxuriose vivendo* profligat. Sapientem autem non solum rerum facit cognitio, sed et
95   bonarum electio et malarum reprobatio. Hinc etenim de butyri et mellis alumno rite dicitur : *Ut sciat reprobare*

1864 A   *malum et eligere bonum.* **13.** Tale siquidem rationalis animae triclinium, ubi habitaret et requiesceret, *aedificavit sibi*

---

76 ac requiescit *m* ‖ 77 de simil. : in simil. *M* ‖ 78 dissimilitudine : similitudine *Mm* ‖ 79 plus : plures *Mm* ‖ 85 fructum : fructus *M* ‖ 87 temporalis *m* ‖ ita : ista *M* ‖ 89 ait — loquens : ut sapiens de sap. loquitur *O* ‖ 93 longinquam *M* ‖ profligat : profugat *S* ‖ 94 facit rerum *m* ‖ et *om. m* ‖ 95-96 de butyri : debituri *M* ‖ 97 talis *M* ‖ 98 quiesceret *MS*

---

a. Lc 11, 7. Cf. Is. 8, 18 ‖ b. Sir. 24, 11 ‖ c. Cf. Deut. 32, 15 ‖ d. Cf. Mc 11, 13 ‖ e. Eccl. 3, 1.17 ‖ f. Prov. 21, 20 (Vet. lat.) ‖ g. Cf. Sag. 2, 12.15 ‖ h. Lc 15, 13 ‖ i. Is. 7, 15 ‖ j. Prov. 9, 1

---

1. Cf. *De anima,* 1881 C : « Similia enim gaudent similibus... » Ce principe, « cher aux préscolastiques » (R. JAVELET, *Image et ressemblance au douzième siècle de saint Anselme à Alain de Lille,*

dit : « Ne m'importune pas; voici que mes enfants et moi sommes au lit[a]. » Autant en effet les semblables jouissent davantage par nature de la ressemblance en leurs semblables[1], autant ils souffrent davantage par nature de la dissemblance découverte en leurs semblables.

11. Comment donc la Sagesse a-t-elle pu se tromper au point de chercher « le repos en tous[b] » — entendez : toutes les âmes —, pour ne le trouver pleinement qu'en quelques-uns, voire nulle part? Mais ce qui est encore

D plus étrange, comment cette Minerve, née du cerveau subtil de Jupiter, s'est-elle empâtée et épaissie[c] [2] au point de chercher des fruits sur un figuier — peut-être même hors du temps des figues — et de ne pas en trouver[d]? Car « il y a temps pour toute chose au-dessous du ciel[e] ». Tandis qu'au-dessus du ciel il n'y a rien de temporel, ni non plus aucun temps.

12. La Sagesse se repose donc uniquement dans les sages. « Le trésor désirable, dit le Sage parlant de la Sagesse, repose dans la bouche du sage[f]. » Pour l'insensé elle est à charge et antipathique[g]; aussi la déteste-t-il, et la richesse dont, à la maison, il pourrait avoir avec son père et son frère la possession paisible et opulente, il la dilapide, fugitif « en une région lointaine », « en vivant dans l'inconduite[h] ». Quant à ce qui fait le sage, ce n'est pas seulement la connaissance des choses, mais aussi le choix de celles qui sont bonnes et la réprobation de celles qui sont mauvaises. Et à juste titre, à propos de l'enfant nourri de beurre et de miel, il est dit : « Pour

A qu'il sache réprouver le mal et choisir le bien[i]. » **13.** Telle est en effet la salle au triple lit que « la Sagesse s'est bâtie[j] »

t. 1, Université de Strasbourg 1967, p. 153), se transmettait depuis Empédocle (H. DIEL, *Doxographi graeci*, p. 398 ; STOBÉE, *Anthologium*, éd. Wachsmuth-Hense, t. 1, Berlin 1958, p. 477).

2. L'expression « crassa Minerva » d'HORACE, *Sat.*, 2, 2, 3, est ici rapprochée de *Deut.* 32, 15 : « incrassatus, impiguatus », et appliquée audacieusement à la divine Sagesse.

Sapientia, id est rationale, irascibile, concupiscibile,
100 quatenus per rationem discerneret inter amicum et inimicum, inter virum et moechum ; et per irascibilitatem
utrumque hostem aut non admitteret aut incaute admissum
zelo forti eiceret ; per concupiscibilitatem solum amicum
et legitimum virum desideraret, admitteret diligeretque, et
105 ei soli secum requiem praestaret. **14.** Ideo igitur factus est
spiritus rationalis, ut congaudeat et condelectetur Deo
de Deo et de omnibus in ipso solo. Rationalis quidem
factus, ut ipsum Deum in se et in omnibus investiget ;
concupiscibilis, ut solum ipsum <diligat> et desideret ;
110 irascibilis, ut cuncta huic contemplationi et delectationi
adversantia reprobet, sicut scriptum est : *Ut sciat*, videlicet
per rationalitatem, *reprobare* per irascibilitatem *malum, et
eligere* per concupiscibilitatem *bonum.* De ratione igitur
scientia oritur, de irascibilitate reprobatio, de concupisci-
115 bilitate electio. **15.** Sapiens ergo qui scit per rationem
bona et mala, et reprobat oditque per zelum omnia mala,
1864 B eligit autem amatque per concupiscibilitatem sola bona,
Sapientiae in se domum aedificat et requiem praestat.
Thalamum quoque collocat aut cubile parat, ubi secretius
120 delicietur et pauset, iuxta quod studiosiorem et ferven-
tiorem et affectuosiorem in istis se exhibet.

16. *In omnibus* igitur iure *requiem* quaerit, qui omnes in

---

102 utrumque : utrarumque *MSm* ‖ *post* hostem *add.* puta rationis
et concupiscentiae *m* ‖ 104 *post* virum *add.* et *m* ‖ 105 praestaret : praepararet *O* ‖ 105-113 Ideo igitur factus — per concupiscibilitatem bonum *om. MSm* ‖ 106 condelectetur *scripsi* (cf. Serm. 25,
l. 37-38, t. 2, p. 118) : delectetur *O* ‖ 109 diligat *supplevi* (cf. Serm.
25, *l.* 40) *om. O* ‖ 118 sapientia *M* ‖ praestat : parat *O* ‖ 122 ergo *M* ‖
iure : mie *M*

---

a. Sir. 24, 11

---

1. Voir le commentaire de ce verset des *Proverbes* dans le *De
anima,* 1882 A.

dans l'âme raisonnable pour y habiter et s'y reposer[1] :
le raisonnable, l'irascible, le concupiscible, afin que par
la raison elle discernât entre l'ami et l'ennemi, entre
l'époux et l'adultère; que par l'irascible, ou bien elle tînt
en respect l'un et l'autre adversaire, ou bien l'expulsât
avec un zèle vigoureux, si une imprudence l'avait laissé
pénétrer; que par le concupiscible elle désirât, admît
et aimât seulement l'ami et époux légitime et lui procurât
à lui seul le repos en sa compagnie. **14.** L'esprit raisonnable
a donc été créé précisément pour qu'il se réjouisse et qu'il
se délecte avec Dieu de Dieu et de toutes choses en lui
seul. En vérité il a été créé raisonnable pour rechercher
Dieu lui-même en soi et en toutes choses; il a été créé
concupiscible pour l'aimer et le désirer lui seul; il a été
créé irascible pour repousser tout ce qui s'oppose à cette
contemplation et délectation, selon la parole : « Pour
qu'il sache », par le rationnel, « réprouver le mal », par
l'irascible », et, par le concupiscible, « choisir le bien »[2].
De la raison vient donc la connaissance; de l'irascible,
la réprobation; du concupiscible, l'élection. **15.** Ainsi le
sage, qui par la raison connaît le bien et le mal, qui par
le zèle réprouve et déteste tout le mal, et qui par le
concupiscible choisit et aime le seul bien, bâtit en lui-
même une demeure pour la Sagesse et lui procure le repos.
Il dispose aussi une chambre ou prépare un lit où elle
jouisse et se repose plus secrètement, à mesure que dans
ces domaines il témoigne plus d'application, d'ardeur
et d'attachement.

16. Il a donc raison de chercher « en tous son repos[a] »

2. Sur l'âme humaine qui est essentiellement « rationnelle,
irascible, concupiscible », et sur le rôle que jouent ces « facultés » dans
la conversion et l'exercice de la vertu, cf. *supra Serm.* 4, 1703-1704;
Serm. 17, 1746 D - 1747 C avec l'annotation, *Serm.* 25, 1773 A-B, et
De anima (194, 1877-1879). Cf. B. McGinn, *The Golden Chain. A
Study in The Theological Anthropology of Isaac of Stella*, Washington
1972, p. 146-156.

quibus requiescere posset, tales creavit. Sed *in omnibus*
requiem minime invenit, quoniam non omnis in eo quod
125 acceperat, permansit. Ipse autem quod commendarat,
quare non repeteret? Quod exhibuerat, quare non exigeret?
Ubi posuerat, quare non quaereret? Ubi seminarat, quare
non meteret? **17.** Sic nimirum Adam, quem ante peccatum
in paradisi claritate et luce posuerat, post peccatum ibidem
130 quaesivit. Quem cum ibi minime reperisset — fugerat enim
1864 C propter peccatum ad latebras — clamore prosecutus ait :
Adam, ubi es? Ac si diceret : Ubi te posui, non es ; et ubi
es, non te posui. Non sequor ad tenebras, non sequor ad
umbram quem in luce et claritate dimisi.

135   **18.** Sed quid facimus, fratres? Utique omne commissum
nec simpliciter sed cum fenore, quia multiplicandum
tradidit omne quod donavit, Sapientia per iustitiam iuste
exigit, et quod posuit quaerit. Lascivia quidem *cum mere-*
tricibus luxuriose vivendo totum profligavit ; *infirmata in*
140 *paupertate virtus* nostra, quod consumptum est, vel
simpliciter et sine lucro, reportare nequit. Procul dubio
quos iustitia veraciter accusat, iudicium districte condem-
1864 D nat, nisi sola clementia misericorditer intercedat. Iustitia
totum exigit, malitia totum absumpsit, infirmitas nihil
145 restituit, iudicium nil remittit.

    19. Veniat igitur et interveniat misericordia, obvians
iustitiae, *quoniam tempus miserendi venit* et *tempus faciendi,*

---

125 acceperat : accepit *MS* ‖ 127 Ubi posuerat, quare non quaereret
om. m ‖ Ubi[1] : nisi *M* ‖ 129 claritatis *S* ‖ ibidem : idem *S* ‖ 131 prosecutus : persecutus *m* ‖ 134 quem : quam *M* ‖ 137 tradidit ; omne
m ‖ per iustitiam *om. m* ‖ 139 vivendo luxuriose *O* ‖ 140 vel *om. m* ‖
143 clementia : misericordia *m* ‖ 146 obviam *m* ‖ 147 tempus[1] *om.*
M ‖ venit et tempus faciendi *om. m*

---

    a. Cf. Matth. 25, 24 ‖ b. Gen. 3, 9 ‖ c. Lc 15, 13.30 ‖ d. Ps. 30,
11 ‖ e. Ps. 101, 14 ‖ f. Ps. 118, 126

---

    1. Cf. S. Augustin : « Quid est : ' Non novi vos ? ' Non vos video
in luce mea, non vos video in illa iustitia quam novi. Sic et hic

celui qui les a tous créés tels qu'il puisse trouver en eux son repos. Néanmoins, il ne trouve nullement le repos en tous, car tous ne se sont pas tenus fidèlement à ce qu'ils avaient reçu. Mais pourquoi ne redemanderait-il pas ce qu'il avait prêté? Pourquoi n'exigerait-il pas ce qu'il avait avancé? Pourquoi ne chercherait-il pas là où il avait placé? Pourquoi ne récolterait-il pas là où il avait semé[a]? **17.** Lorsqu'il s'agissait d'Adam, qu'avant le péché il avait placé dans la clarté et la lumière du paradis, c'est en ce même lieu qu'il le chercha après le péché. Et, puisque il ne l'y trouva pas, car il s'était enfui dans un lieu obscur à cause de son péché, il le poursuivit en criant : « Adam, où es-tu[b]? » Comme s'il disait : Tu n'es pas où je t'ai mis; et où tu es, je ne t'ai pas mis. Je ne te suis pas jusqu'aux ténèbres, je ne te suis pas jusque dans l'ombre, toi que j'ai laissé dans la lumière et la clarté[1].

18. Mais que faisons-nous, mes frères? Assurément la Sagesse a le droit d'exiger en justice chaque dépôt, de redemander ce qu'elle a placé et non seulement tel quel, mais moyennant un intérêt, car tout ce qu'elle a donné a été confié pour le faire fructifier. Or la débauche a tout dilapidé, « en vivant dans l'inconduite avec des courtisanes[c] ». Et notre « vigueur, exténuée par le dénuement[d] », ne peut restituer ce qui a été dissipé, pas même tel quel et sans intérêt. Sans aucun doute, ceux que la justice accuse véridiquement sont condamnés impitoyablement par le jugement, à moins que n'intercède miséricordieusement la seule clémence. La justice exige tout, la malice a tout gaspillé, la faiblesse ne restitue rien, le jugement ne remet rien.

19. Que vienne donc et qu'intervienne la miséricorde au-devant de la justice, « car il est venu le temps de faire miséricorde[e] », et « le temps d'agir[f] », s'il est vrai qu'il y a

tanquam nesciens talem peccatorem, dixit : ' Ubi posuistis eum ? ' Talis est vox Dei in paradiso postquam homo peccavit : ' Adam, ubi es ? '. » *In Ioan.*, 49, 20 (35, 1756).

iuxta quod tempus et *tempus omni rei sub caelo*, et prose-
quens apprehendat Adam errantem sicut ovem pereuntem
150 in deserto, quem persecuta olim iustitia deprehendit sub
arbore latitantem in paradiso. Veniat prope adusque
tenebras et umbram mortis misericordia *quaerere quod*
perierat, quia in luce manens iustitia, in umbra absconsum,
perditum a longe per clamorem increpat : *Adam,* inquiens,
155 *ubi es?* **20.** Ubi est miseria, veniat misericordia, quia ubi
est iniustitia, non potest venire iustitia. Veniat denique
1865 A ipsa *Sapientia* praeparare *misericordiae solium*, quae olim
aedificavit iustitiae *domum. In misericordia,* inquit, *prae-*
parabitur tibi solium. In iustitia namque in sanctis angelis
160 praeparavit sibi Sapientia *solium excelsum,* in hominibus
vero in misericordia *elevatum.* Unde et Isaias iustum et
misericordem *Dominum sedentem* contemplatur *super*
solium excelsum et elevatum.

21. Veniat ergo misericordia, et de vetusta ac ruinosa
165 domo ventis et pluviis patula, volucribus caeli et bestiis
silvae exposita, in qua homo habitare non audet et Filius
hominis non quiescit, novum sibi arte nova renovet habitaculum, *ubi Filius hominis caput reclinet*, et interim paulu-
lum pauset, sicut scriptum est : *Dormite iam et requiescite ;*

---

148 et : ut *m* ‖ 150 persecutam *S* ‖ 151 usque ad *m* ‖ 153 *post*
absconsum *repet.* absconsum *M* ‖ 154 inquiens *om. m* ‖ 156 venire
non pot. *m* ‖ iustitiam *M* ‖ 157 olim : omnibus *S* ‖ 160 paravit *Mm* ‖
sapientiam *M* ‖ excelsum solium *M* ‖ 165 et[1] : ac *S* ‖ et[2] : ac *m*

---

a. Eccl. 3, 1.17 ‖ b. Cf. Lc 15, 4. Ps. 118, 176 ‖ c. Cf. Gen. 3, 8 ‖
d. Cf. Lc 1, 79 ‖ e. Lc 19, 10 ‖ f. Gen. 3, 9 ‖ g. Cf. Prov. 9, 1 ‖ h.
Is. 16, 5 ‖ i. Is. 6, 1 ‖ j. Matth. 8, 20 ‖ k. Cf. Mc 6, 31

---

1. La brebis perdue de l'Évangile et du Ps. 118, 176 est la nature
humaine unique. Pour venir à sa recherche, le bon Pasteur, le Verbe
de Dieu, laisse sur les montagnes éternelles le troupeau des anges. Voir

un temps « et un temps pour chaque chose sous le ciel[a] ».
Qu'elle poursuive et rejoigne Adam, errant comme la
brebis perdus au désert[b] [1], Adam que poursuivit jadis
la justice et qu'elle atteignit caché sous un arbre au paradis[c].
Que la miséricorde s'avance jusqu'aux ténèbres et à
l'ombre de la mort[d] pour y « chercher ce qui était perdu[e] »,
puisque la justice, restant dans la lumière, interpelle de
loin celui qui, dissimulé dans l'ombre, était perdu, et lui
crie : « Adam, où es-tu[f] [2] ? » **20.** Là où est la misère vienne
la miséricorde, puisque là où est l'injustice ne peut venir
la justice. Vienne enfin la Sagesse elle-même préparer
A   un trône de miséricorde, après avoir autrefois bâti une
demeure[g] de justice. « Dans la miséricorde, est-il dit,
te sera préparé un trône[h]. » De fait, si chez les saints
anges la Sagesse s'est préparé dans la justice un trône
sublime, en revanche, chez les hommes elle s'est préparé
dans la miséricorde un trône élevé. C'est pourquoi Isaïe
contemple le Dieu juste et miséricordieux « assis sur un
trône sublime et élevé[i]. »

21. Que vienne la miséricorde et, de la maison vétuste
et ruineuse, béante aux vents et à la pluie, livrée aux
oiseaux du ciel et aux bêtes de la forêt, où l'homme n'ose
habiter, où le Fils de l'homme ne se repose pas, qu'elle
se crée à neuf avec un art nouveau une habitation nouvelle
où « le Fils de l'homme puisse reposer la tête[j] » et goûter
un moment de relâche[k], comme il est écrit : « Dormez
maintenant et reposez-vous », et aussitôt après : « Levez-

les textes parallèles d'Isaac : *Serm.* 32, 1795 D - 1796 A ; *Serm.* 35,
1806 C - 1807 A, avec l'annotation. — Nombreuses références
patristiques et médiévales dans H. de Lubac, *Catholicisme*, 4e éd.,
p. 4, n. 1.

2. « Adam ubi es ? » Sur Adam, perdu loin de lui-même et donc
aussi de Dieu, étranger à lui-même et errant, voir le beau commentaire
de Gen. 3, 9 par Hugues de Saint-Victor, *In Eccles. hom.* 8 (175,
165 D - 169 D).

170 et continuo : *Surgite* et *eamus hinc.* Modica etenim hic et
1865 B brevis requies est sanctorum, labor vero magnus et fere
continuus.

22. Veniat tandem ad vetustum Aeternus, et ut veterem
renovet innovans omnia, quodammodo ipse inveterascat.
175 Et sicut arte nova et inaudita, inclinata est aeterna
maiestas, ut in nos novi capitis altitudo totum corpus
innovans superveniret ; obscurata quodammodo et obumbrata lux, ut caecis de antiquis tenebris nova lux oriretur :
sic quodammodo aeternitas inveterata est, ut inde vete-
180 ribus novitas nasceretur. **23.** Et sicut sua exinanitione vacuum replevit, sua paupertate egenum ditavit, sua stultitia
fatuum erudivit, sua infirmitate debilem roboravit, sua
captione captivum redemit, suis vinculis ligatum solvit,
sua denique morte mortuum vivificavit : sic et sua vetus-
1865 C tate veterem innovavit. Ubique etenim quod minus est Dei,
186 maius est hominibus. Novus igitur per vetustatem Dominus
novam de vetere haereditatem in qua moraretur, et
tabernaculum ubi requiesceret, arte nova renovavit, qui
in omnibus ante *requiem* quaesivit et nusquam invenit.
190 **24.** Unde et sequitur : *Et in haereditate Domini morabor.*
Haereditas enim Domini, universaliter Ecclesia, specialiter
Maria, singulariter quaeque fidelis anima. *In tabernaculo*

---

170 et² *om. m cum Vg.* ‖ 170-171 enim et brevis hic est *m* ‖ 171
vero : vere *M* ‖ et : ac *m* ‖ 173 tandem : tamen *M* ‖ ut *om. S* ‖ 174
ipse *om. S* ‖ 175 ac inaudita *m* ‖ inclinata *om. M* ‖ 177 superveniet
M ‖ 178 de : et *Mm* ‖ 180 exinanitione : inatione *M* ‖ 183 capti-
vitate *m* ‖ 184 et *om. m* ‖ 185 enim *Mm* ‖ Dei : Deo *m* dicitur *M* ‖
186 Novus : nonne *m* ‖ 190 unde et : unet *M* ‖ 192 quaeque : quoque *M*

---

a. Matth. 26, 45-46 ; Jn 14, 31 ‖ b. Cf. Sag. 7, 27. Col. 3, 9-10 ‖
c. Cf. Is. 9, 2 ‖ d. Cf. Phil. 2, 7 ‖ e. Cf. II Cor. 8, 9 ‖ f. Cf. I Cor. 1, 25
‖ g. Sir. 24, 11

---

1. Allusion à l'antienne de Laudes, le jour de l'octave de l'Épiphanie ; « Veterem hominem renovans Salvator venit ad baptismum,
ut naturam quae corrupta est, per aquam recuperaret : incorruptibili
veste circumamictans nos. »

vous et partons d'ici[a] ! » Insuffisant et de courte durée
B est en effet ici-bas le repos des saints, tandis que le labeur
est grand et presque continuel.

22. Que vienne donc l'Éternel jusqu'à ce qui est vétuste
et, pour rénover le vieil homme en renouvelant toute
chose[b] [1], que lui-même en quelque sorte vieillisse. Oui,
par un art nouveau et inouï la majesté éternelle s'est
abaissée[2] pour nous grandir en ajustant sur nous une
tête nouvelle qui renouvelât le corps tout entier. La
lumière s'est comme obscurcie et voilée, pour qu'aux
yeux aveugles se levât des antiques ténèbres une lumière
nouvelle[c]. De même, l'éternité a pour ainsi dire vieilli,
afin que par là naquît pour les hommes vieillis la nouveauté.
23. Par son anéantissement il a rempli le vide[d], par sa
pauvreté il a enrichi l'indigent[e], par sa folie il a instruit
l'insensé[f], par sa faiblesse il a fortifié le chétif, par son
arrestation il a racheté le captif, par ses chaînes il a libéré
l'enchaîné, et finalement par sa mort il a vivifié le mort :
C de même, par son vieillissement il a renouvelé celui qui était
vieux. En tout domaine en effet, l'amoindrissement de
Dieu est plus grand que les hommes. Ainsi le Seigneur,
nouveau de par sa vétusté, a, par un art nouveau, rénové
à partir de ce qui était vieilli un héritage nouveau où
demeurer et un tabernacle où se reposer, lui qui avait
auparavant cherché « en tous le repos » sans le trouver
nulle part.

24. Aussi est-il dit ensuite : « Et je demeurerai dans
l'héritage du Seigneur[g]. » L'héritage du Seigneur, c'est
universellement l'Église, spécialement Marie, singulièrement chaque âme fidèle. Dans le « tabernacle » du sein

---

2. Dans ces deux paragraphes, Isaac reprend de façon personnelle
des formules caractéristiques de S. Léon. Cf. *In nativ.* 1, 2 (*SC* 22 bis,
p. 70) ; *In nativ.* 5, 5 (*ibid.*, p. 132-134) ; *In nativ.* 7, 1 et 2 (*ibid.*,
p. 152 et 154) ; *De pass.* 4, 4 (*SC* 74, p. 39) ; *De pass.* 10, 5 (*ibid.*,
p. 72), etc.

uteri Mariae moratus est Christus novem mensibus ; *in*
tabernaculo fidei Ecclesiae *usque ad consummationem*
195 *saeculi*, in cognitione et dilectione fidelis animae in saecula
saeculorum morabitur.

25. Unde et sequitur : *Tunc praecepit et dixit mihi*
1865 D *Creator omnium*, etc. Vox ipsius haereditatis. Cum enim
ubique, sicut dictum est, *requiem* quaesisset et nusquam
200 invenisset, tunc sequestravit *sibi* populum Iudaeorum *in*
haereditatem, cui per Moysen *praecepit et dixit*, id est
praecepta dictavit. *Et qui creavit* hac secunda creatione
Synagogam matrem Ecclesiae, *requievit in tabernaculo*
suo, id est in tabernaculo foederis. In Ecclesia autem
205 similiter nunc in sacramento sui Corporis. **26.** Cum etiam
per omnes mulieres de qua nasceretur quasi quaesisset,
selectim assumpsit sibi Mariam, unde et *benedicta* dicitur
in mulieribus ; et *tunc* per Spiritum sanctum intus *praecepit*
illi de contemptu commixtionis carnalis, de amore virgi-
1866 A nitatis, *et* per archangelum Gabrielem *dixit* ei foris quod
211 Christum conciperet et de Spiritu sancto, quem iam intus
habebat. Et postea qui creaverat eam novam creaturam
in seipso, *requievit* in utero suo Christus. **27.** Unicuique
etiam fideli animae ad salutem praedestinatae, quando vult
215 et quomodo vult, et intus per propriam rationem qua
illuminat omnem hominem venientem in hunc mundum, et
per inspirationem gratiae qua *pluviam voluntariam* segregat

---

197 et[1] *om. m* ‖ 199 quaesivisset *m* ‖ 200 in : ut *S* ‖ 201 cui : sibi
M ‖ 203 Ecclesiae *om. S* ‖ 204 in[1] *om. S* ‖ 207 selectim : se lectum
M ‖ 208 intus *om. S* ‖ 210 Gabrielem dixit *om. S* ‖ 211 et *om. m* ‖
214 fidelis *M*

---

a. Sir. 24, 12 ; Matth. 28, 20 ‖ b. Sir. 24, 12 ‖ c. Cf. Ps. 32, 12 ‖
d. Sir. 24, 12 ‖ e. Lc 1, 28 ‖ f. Cf. Lc 1, 35‖ g. Cf. II Cor. 5, 17 ‖ h. Jn
1, 9 ‖ i. Ps. 67, 10

---

1. Cf. *Serm.* 55, 5 (*infra*, p. 266 s.).
2. S. AUGUSTIN : « Credimus ergo in Iesum Christum Dominum

de Marie le Christ a demeuré neuf mois; dans le « tabernacle » de la foi de l'Église il demeurera « jusqu'à la fin
du monde[a] »; dans la connaissance et l'amour de l'âme
fidèle il demeurera pour les siècles des siècles[1].

25. Le texte continue : « Alors le Créateur de l'univers
D m'a commandé et m'a parlé[b]. » C'est l'héritage lui-même
qui le dit. Ayant en effet, comme nous le disions, cherché
partout « le repos », et ne l'ayant trouvé nulle part, la
Sagesse s'est alors réservé comme son héritage le peuple
juif[c], auquel par Moïse il a commandé et parlé, c'est-à-dire
il a dicté ses préceptes. Et celui qui par cette seconde
création a créé la Synagogue, la mère de l'Église, « s'est
reposé dans son tabernacle[d] », dans le tabernacle de
l'Alliance. Maintenant, dans l'Église, il repose de la
même manière dans le sacrement de son Corps. **26.** Et,
comme il avait aussi cherché, pour ainsi dire, parmi
toutes les femmes celle de qui il naîtrait, il s'est choisi
tout spécialement Marie, qui depuis est appelée « bénie
entre toutes les femmes[e] ». Alors, par le Saint-Esprit,
il lui commanda intérieurement de se détourner de tout
commerce charnel, d'aimer la virginité, et par l'archange
A Gabriel il lui dit extérieurement qu'elle concevrait le
Christ et que ce serait du Saint-Esprit qu'elle possédait
déjà intérieurement[f] [2]. Enfin le Christ, lui qui l'avait
créée nouvelle créature en lui-même[g], vint reposer en son
sein. **27.** C'est également à chaque âme fidèle prédestinée
au salut que la Sagesse, quand elle veut et comme elle veut,
commande et parle soit intérieurement par l'intelligence
naturelle, par laquelle elle « illumine tout homme venant
en ce monde[h] », et par l'inspiration de la grâce, par laquelle
il réserve « à son héritage une pluie toute gratuite[i] »;

nostrum, natum de Spiritu Sancto ex Virgine Maria. Nam et ipsa
beata Maria, quem credendo peperit, credendo concepit... Illa fide
plena, et Christum prius mente quam ventre concipiens : ' Ecce,
inquit, ancilla Domini, fiat mihi secundum verbum tuum ' ». *Serm.*
215, 4 (38, 1074). Cf. aussi S. Léon, *In nativ.* 1, 1 (*SC* 22 bis, p. 68).

haereditati suae, et foris per doctrinam et creaturam, ubi
per ea quae facta sunt intellecta conspiciuntur, praecipit
220 et dicit Sapientia. Et quae sic creat et format eam *in
Christo Iesu in operibus bonis*, requiescit in conscientia
ipsius.

28. Sequitur : *Et dixit mihi : In Iacob inhabita*, etc. Vox
1866 B Patris ad Sapientiam Christum. Sapientia habitat *in
225 Iacob*, haereditatur *in Israel*, sed in solis *et in* omnibus
electis Patris sui mittit *radices. Omnis* enim *plantatio,
quam non plantavit Pater caelestis*, quantumvis crescat,
quantumvis floreat, tandem *eradicabitur*. Neque enim
Filii *est dare* regnum, nisi *quibus paratum est a Patre*. Non
230 igitur ubique ubi habitat Sapientia haereditatur, nec
ubicumque haereditatur, *radices* mittit. *Cadent* enim ab
haereditate *mille, et* de habitaculo *decem millia*, ad electos
vero *non* approximabit ruina. *Generatio* enim caelestis
tamquam radix fortissima *conservat* eos. **29.** Vel si placet,
235 in activis habitat qui, supplantatis vitiis, bonis desudant
in operibus, et in contemplativis iam quasi haereditatur,
1866 C qui bonam *partem* elegerunt *quae non auferetur ab* eis.
In utrisque vero *electis* mittit *radices*, quae contra omnem
impetum et *vim ventorum* servaverat utrosque. Et secun-
240 dum hunc modum caeterae distinctiones, licet ordinibus
permutatis, facile currunt. **30.** Verumtamen in Ecclesia

---

218 *post* ubi *add.* quae *m* ‖ 220 sicreat *M* ‖ 223 Sequitur *om. m* ‖
etc. : et in Israel haereditare *m* ‖ 225 haereditabit *M* ‖ 230 ubique —
Sap. : ubicumque sap. habit. *m* ‖ 230-231 nec ubicumque haereditatur *om. M per hom.* ‖ 231 mittit radices *m* ‖ 233 approximabit : appropinquabit *S cum Vg.* ‖ 235 in activis *om. M* ‖ 238 vero *om.
M* ‖ *post* radices *add.* sapientia *m* ‖ 239 servarat *S* ‖ 240 ordin. licet *m*

---

a. Rom. 1, 20 ‖ b. Éphés. 2, 10 ‖ c. Sir. 24, 13 ‖ d. Matth. 15, 13 ‖
e. Matth. 20, 23 ‖ f. Cf. Ps. 90, 7 ‖ g. Cf. I Jn 5, 18 ‖ h. Cf. Lc 10, 42 ‖
i. Cf. Sir. 24, 13 ‖ j. Cf. Sag. 7, 20

soit au-dehors par la doctrine et par la création, lorsque
« à travers ce qui a été fait on aperçoit les réalités spirituelles[a] [1] ». Et la Sagesse, qui crée et forme ainsi cette
âme « dans le Christ Jésus en la faisant bien agir[b] », vient
reposer en sa conscience.

28. Le texte continue : « Et il m'a dit : Habite en
Jacob, [et possède ton héritage en Israël, et pousse

B tes racines en mes élus[c].] » Ici, le Père s'adresse à la
Sagesse, au Christ. La Sagesse habite en Jacob, possède
son héritage en Israël, mais c'est dans les seuls élus du
Père, et en eux tous, qu'elle pousse ses racines. Car « tout
plant que n'a pas planté le Père céleste » a beau croître,
a beau fleurir, il « sera finalement déraciné[d] ». Et au Fils
il n'appartient pas de donner le royaume, sinon « à ceux
pour lesquels il a été préparé par le Père[e] ». La Sagesse
ne possède donc pas son héritage partout où elle habite,
et elle ne pousse pas ses « racines » partout où elle possède
son héritage. De l'héritage mille tomberont et de l'habitation dix mille, mais la ruine ne menacera pas les élus[f].
C'est que la génération céleste, telle une racine très
vigoureuse, est pour eux une sauvegarde[g]. **29.** Ou, si vous
préférez, la Sagesse habite dans les actifs qui, ayant
dompté les vices, se dépensent en bonnes œuvres, et elle
possède comme son héritage chez les contemplatifs,

C lesquels ont choisi la bonne part qui ne leur sera pas
enlevée[h]. Mais elle pousse ses racines[i] chez les uns et les
autres des élus, puisqu'elle aura gardé les uns et les
autres contre toute l'impétuosité des vents déchaînés[j].
Dans cette perspective les autres traits se déduisent
facilement, avec les transpositions voulues. **30.** De toute

1. La Sagesse parle à l'homme par sa propre raison, par l'inspiration intérieure, par la bouche d'autrui, par l'univers créé. Cf.
Serm. 9, 1719 C - 1720 A ; *Serm.* 22, 1765 A ; *Serm.* 28, 1783 C-D ;
Serm. 44, 1238 C-D. Voir aussi la *Note complém.* 5 : « Le monde
révélation de Dieu » (t. 1, p. 335-336).

actio et contemplatio duae vitae, in Maria circa Christum
duo plenissima officia, in singulis nobis utilissimae permu-
tationes et vicissitudines necessariae. Quod enim caret
245 alterna requie interim durabile non est. Quod et in nobis
adimplere dignetur, per intercessionem Mariae, Christus
qui cum Patre et Spiritu sancto vivit et regnat Deus per
omnia saecula saeculorum. Amen.

SERMO QUINQUAGESIMUSSECUNDUS

In eodem Festo II

1866 D   **1.** *Quae est ista, quae ascendit de deserto deliciis affluens,
innixa super dilectum suum?* Ferme in principio epithalamii
huius apparet nescio quae mirabilis quasi in deserto iacens,
ardens et fumans, ignem in se retinens occultum, fumum
5 sursum dirigens manifestum tamquam virgulam, odori-
ferum quoque tamquam *ex aromatibus myrrhae et thuris
et universi pulveris pigmentarii*, de qua dicitur : *Quae est
ista, quae ascendit per desertum, sicut virgula fumi?* **2.** In

---

246 implere S ‖ *ante* Mariae *praem.* beatae *m*
    Tit. In Assumptione Beatae Virginis Mariae S ‖ 2 *post* suum *add.*
etc. *MS* ‖ epytalamie *M* epithamie S ‖ 4 ardens *om.* S ‖ retinens in se
M ‖ 8 *post* fumi *add.* etc. *MS*

---

a. Cant. 8, 5 ‖ b. Cant. 3, 6

---

1. Sur l'action et la contemplation, voir *supra*, *Serm.* 25, 1774 A-B
et *Note complém.* 19, (t. 2, p. 339-341). — A propos des « deux vies »
cf. *DSp*, « Marthe et Marie », t. 10, col. 665-673. Sur Marie, modèle
accompli de vie active et contemplative, voir *ibid.*, col. 669, ainsi que
J. Leclercq, « Maria contemplativa ed attiva », dans *Miles Imma-
culatae*, 3 (1967), p. 425-429.

façon, l'action et la contemplation sont dans l'Église deux vies; en Marie, deux devoirs très pleinement remplis à l'égard du Christ; en chacun de nous, deux états dont le changement est fort utile et l'alternance nécessaire. Tout ce qui en effet ignore le repos que procure le changement ne saurait durer en notre condition présente[1]. Que daigne le réaliser en nous aussi, par l'intercession de Marie, le Christ qui avec le Père et l'Esprit-Saint vit et règne, Dieu, pour les siècles des siècles. Amen.

SERMON 52

Deuxième sermon pour le jour de l'Assomption

La femme qui, dans le Cantique, monte du désert symbolise Marie montant au ciel. A un autre niveau de lecture, on peut discerner les grandes étapes de la vie spirituelle. Cinq degrés de la justice, qui rayonnait en saint Bernard et qui est réalisée pleinement en Marie.

1. « Qui est celle-ci qui monte du désert, enivrée de délices, appuyée sur son Bien-aimé[a] ? » Presque au début de cet épithalame[2], apparaît je ne sais quelle créature admirable, qui semble étendue dans le désert. Elle est ardente et fumante : gardant en elle un feu secret, elle dégage une fumée qui s'élève en volutes odoriférantes, où semblent se mêler les arômes de la myrrhe et de l'encens et de toutes les poudres de senteur. D'elle il est dit : « Qui est celle-ci qui monte par le désert, comme une volute de fumée[b] ? » **2.** Plus loin, en voici une autre — à moins

---

2. Sur ce sermon, en tant que commentaire succinct du Cantique des Cantiques, voir F. OHLY, *Hohelied-Studium. Grundzüge, Geschichte der Hoheliedauslegung des Abenlandes bis um 1200*, Wiesbaden 1958, *passim* et surtout p. 202-204.

processu vero alia quaedam, aut fortasse propter profectum
10 virtutis eadem, *quae* iam *consurgens progreditur*, nec tota
statim clara aut lucida, sed *quasi aurora*, quae de confinio
1867 A noctis subobscura diescit in claram lucem. *Pulchra* quoque
ut luna, quae tota non est pulchra. *Electa* etiam *ut sol*,
qui licet totus lucidus, non tamen totus placidus. Fulget
15 enim et torret ; et quantum quidem ex fulgore placet,
tantum quandoque ex fervore nocet. Sunt enim aliqua
in rerum naturis quae lucem solis eligunt, sed calorem
refugiunt ; et nonnulla quae calore foventur, luce autem
offenduntur ; quibus calor amicus, splendor contrarius ;
20 splendor amicus, calor contrarius. *Terribilis* tandem, *ut
castrorum acies ordinata*, sed nondum pacata. *Acies* quidem
ordinata esse potest, sed dum acies est, secura et omnino
pacifica vel pacata esse nequaquam potest. **3.** Circa finem
vero tertia caeteris mirabilior et excellentior apprime, nec
1867 B iacens et fumans *per desertum*, nec *consurgens* et progre-
26 diens de deserto, apparet, sed virtute multa et alacritate
mira ascendens *de deserto*, tota non dico circumdata aut
plena *deliciis*, sed superabundans et *affluens*, *prae nimia
teneritudine* seipsam *non sustinens*, sicut Esther illa regina
30 ascendens *de triclinio feminarum* in palatium *regis Assueri*,
innixa et incumbens *super dilectum suum.* **4.** Et haec
fortasse est ista *regina mundi*, quae *hodie de* hoc mundo
et *saeculo nequam eripitur;* quae *de* praesentis Ecclesiae

---

9 processu : progressu *m* ‖ profectum : processum *M* ‖ 12 subobscura *om. Mm* ‖ 15 quantum : tantum *S* ‖ 18 quae : etiam *S* ‖
19 offenduntur : ostenduntur *M* ‖ 21 placata *MS* (*sed vide l.* 23) ‖
27 de *om. M* ‖ 29 teneritudine : temeritate *M* ‖ 33 de *scripsi* (*vide
l.* 30, 32, 52, 55) : in *MSm*

---

a. Cant. 6, 9 ‖ b. Cant. 8, 5. Cf. Cant. 3, 6 ; Esther 2, 13.16 ; 15, 6

---

1. Le soleil est tout entier lumineux mais il est brûlant. Cf. *supra,*

que ce ne soit la même qui a progressé en vertu — qui, cette fois, « se lève et avance ». Non point d'emblée tout entière lumineuse ou brillante, mais « pareille à l'aurore » qui, pâle encore aux frontières de la nuit, devient le jour

A en sa claire lumière. Elle est « belle aussi comme la lune », qui n'est pas toute belle; « choisie comme le soleil », qui, tout entier lumineux, n'est pourtant pas tout entier paisible. Il est en effet éclatant et brûlant : autant il plaît par son éclat, autant parfois il nuit par son ardeur[1]. (Dans la nature il y a des êtres qu'attire la lumière du soleil, mais qui fuient sa chaleur; et il y en a quelques-uns qui sont réchauffés par sa chaleur, mais blessés par sa lumière : aux uns, la chaleur est amicale et la splendeur contraire; aux autres, la splendeur amicale et la chaleur contraire). Elle est également « redoutable comme une armée rangée[a] », mais non encore apaisée. Une armée peut être bien rangée; mais tant qu'elle est une armée, elle ne peut absolument pas être rassurante et tout à fait pacifique ou apaisée. **3.** Or vers la fin une troisième

3 apparaît, nettement plus merveilleuse et plus excellente que les autres, non plus étendue et fumant par le désert, ni se levant et s'avançant du désert, mais montant du désert avec une plénitude de force et un entrain admirable, tout entière, je ne dis pas entourée ou remplie, mais surabondant et « débordant de délices »; à ce point délicate qu'elle ne peut se soutenir elle-même, telle la reine Esther montant de la salle commune des femmes au palais du roi Assuérus, penchée et « appuyée sur son Bien-aimé[b] ». **4.** Cette dernière apparition pourrait bien être celle de « la Reine de l'univers qui aujourd'hui est enlevée à ce monde et à ce siècle mauvais[2] ». En un plus haut rang

Serm. 45, 1844 A-B avec la n. 2. Voir S. Bernard, *in Ps. Qui habitat* serm. 4, 4 (183, 195 B-C).

2. « Regina mundi nostri de saeculo nequam eripitur » : verset du répons après la dernière lecture à l'office cistercien des Vigiles en la fête de l'Assomption.

triclinio super coniuges et viduas cum virginibus lota et
35 ornata, et his omnibus amplius — quia si *multae filiae
congregaverunt divitias*, ista *supergressa* est *universas* —,
hodie rogatura *pro populo suo* ingreditur *ad regem* Filium
1867 C et sponsum suum, cuius faciem maiestatis nec ipsa mater
tolerat, *nisi ei rex in signum clementiae auream virgam
40 porrexerit.* Nisi enim divinam immensam maiestatem connaturalis et coaequalis contemperaverit bonitas, intolerabilis
et inaccessibilis est omni creaturae. **5.** Ante hanc quippe
prophetae corruunt, et cum ab ipsa per clementiam tandem
eriguntur, diu languent et marcescunt ; *virtutes* quoque
45 *caelorum* in fine *movebuntur* et tremebunt. Securius tamen
omnibus mater ad filium ingreditur, nec tam quia ipsa
sola genuit, quam quia singulariter dilexit. *Innixa*, inquit,
non super filium, sed *super dilectum*. Potest enim filius
esse vel frater vel pater vel sponsus vel quilibet huiusmodi,
1867 D et non diligi ; dilectus autem omnino non potest esse et
51 non diligi.

6. *Ascendit* igitur *hodie Maria de* mundi huius *deserto*
non sine admiratione caelestium virtutum, quae tale
aliquid antehac non viderunt, ut *supra* omnium earum
55 *choros* et sedes de hoc mundo aliquis evolaret ac resideret.
Unde et dictum est : *Quae est ista, quae ascendit de deserto*

---

35 quia si : quasi *M* quia etsi *m* ‖ 37 suo *om. m* ‖ 38 mater ipsa *m* ‖
39 ei : et *m* ‖ 40 *post* divinam *add.* ac *m* ‖ connaturalis : et naturalis
M ‖ 45 trement *m* ‖ 46 ipsa *om. Mm* ‖ 49 vel pater vel frater *M* ‖
54 ante hanc *S* ‖ earum omnium *m*

---

a. Prov. 31, 29 ‖ b. Cf. Esther 15, 1 ‖ c. Esther 4, 11. Cf. 15, 9 ‖
d. Cf. Is. 21, 3. Dan. 8, 17 ‖ e. Cf. Dan. 8, 27. Is. 21, 4 ‖ f. Lc 21, 26 ‖
g. Cant. 8, 5

---

1. Reviennent ici les mêmes expressions utilisées par Isaac au
Serm. 45, 1844 B, à propos de l'action de l'Esprit-Saint.
2. Cf. la Préface commune de la Messe romaine, selon le Sacramentaire grégorien (78, 25).

que les épouses et les veuves, elle quitte la salle commune de l'Église d'ici-bas, en compagnie des vierges, lavée et parée, mais bien plus qu'elles toutes, car « si beaucoup de jeunes filles ont amassé des trésors », elle les a « toutes surpassées[a] ». Pour intercéder en faveur de son peuple, C elle pénètre aujourd'hui auprès du Roi[b], son fils et son époux. Même pour elle, sa mère, la face majestueuse de ce Roi serait un spectacle insoutenable, « à moins qu'en signe de clémence, il ne lui ait d'abord tendu son sceptre d'or[c] ». En effet, à moins que l'infinie majesté divine n'ait d'abord été tempérée par la bonté qui lui est connaturelle et qui l'égale, elle demeure insoutenable et inaccessible à toute créature[1]. **5.** En sa présence, les prophètes tombent à terre[d], et lorsque enfin elle les relève par sa clémence, longtemps ils demeurent languides et défaillants[e]. Devant elle aussi, à la fin, « les puissances des cieux seront ébranlées[f] » et frémiront[2]. Néanmoins, avec plus d'assurance qu'eux tous, la mère pénètre auprès de son fils, non point tant parce qu'elle est seule à l'avoir mis au monde que parce qu'elle l'a aimé de façon unique. « Elle s'appuie », est-il dit, non sur son fils, mais « sur son Bien-aimé[g] ». On peut être fils ou frère ou père ou époux, et D ainsi de suite, et n'être pas aimé; on ne peut aucunement être le bien-aimé et n'être pas aimé.

6. Ainsi donc, « aujourd'hui Marie s'élève » du désert[3] de ce monde, et non sans provoquer l'admiration des puissances célestes, qui jusque-là n'ont rien vu de pareil : quelqu'un s'envoler de ce bas monde et prendre place plus haut que tous leurs chœurs[4] et leurs trônes. C'est pourquoi il est dit : « Qui est celle-ci qui monte du désert,

---

3. Contamination entre une autre partie du répons déjà cité à la note 3 (« Hodie Maria Virgo caelos ascendit ») et *Cant.* 8, 5 qui se rencontre également dans les répons de la même fête.

4. Cf. *supra*, « super choros angelorum » dans plusieurs répons des vigiles de l'Assomption.

deliciis affluens? Deliciae sunt virtutum fructus, quae dum
pullulant aut florent aut immaturos adhuc fructus formant,
habent aliquid amaritudinis et difficultatis et *moeroris*, sed
60 *exercitatis* ad extremum *per* eas *pacatissimum* ac suavis-
simum ferent *iustitiae fructum.* **7.** Sicut enim tempore
maturitatis, reiectis corticibus, apertis testis, ad nuclei
1868 A tandem suavitatem ac dulcedinem pervenitur, et quod diu
elaboratum et exspectatum est, cum suavitate et laetitia
65 carpitur, sic nimirum post hanc vitam, exercitiis virtutum
omnimodis evacuatis, in ipsis solis et puris et nudis deliciabi-
mur. In quibus quoniam in hac vita beata Virgo Maria plus
omnibus floruit, unde merito in Nazareth de ipso Spiritu
sancto immediate concepit, in illa caelesti sede, tamquam in
70 domo panis, abundantius omnibus *deliciis* affluit, *innixa*
ubique *super dilectum*, quem felicius fide et dilectione corde
quam carne gestavit. Unde et dictum est : *Quinimmo beati
qui audiunt verbum Dei et custodiunt illud.* Interim autem
donec metat *myrrham* suam maturam Sponsus *cum aroma-*
1868 B *tibus* suis, frequenti visitatione descendit *in hortum nucum*,
76 ut inspiciat si florent vineae et germinant *mala punica.*
    8. Praeterea, carissimi, in nobis ipsis per profectum
spiritualis conversationis ascensiones huiusmodi non incongrue quotidie deprehenduntur, iuxta quod scriptum est :

59 et[1] *om. MS* ‖ 64 et exspectatum *om. Mm* ‖ cum laet. et sua-
vit. *M* ‖ 66 *post* ipsis *add.* ipsi *M* ‖ deliciamur *S* ‖ 67 vita *om. M* ‖
68 ipso *om. S* ‖ 71 quem : quam *M* ‖ 75 descendat *m* ‖ nucum : et
vicum *M* ‖ 76 germinent *M*

a. Cant. 8, 5 ‖ b. Cf. Hébr. 12, 11 ‖ c. Cf. I Cor. 13, 10 ‖ d. Cant.
8, 5 ‖ e. Lc 11, 28 ‖ f. Cf. Cant. 5, 1 ‖ g. Cf. Cant. 6, 10

1. La fleur et le fruit des vertus : cf. *Serm.* 3, 1698 D - 1699 A.
2. Nazareth, « flos ». Cf. S. Jérôme, *Lib. de nom. hebr.* (23, 842) ;
Epist. 46 (22, 491). Ailleurs : « florida ». — Sur Nazareth, symbole du
progrès dans la vertu, voir Aelred de Rievaulx, *De Jesu puero
duodenni* (SC 60, p. 72, 74, 93-96) ; Adam de Perseigne, *Lettres* à
l'abbé de Turpenay ; SC 66, p. 90).

enivrée de délices[a] ? » Les délices sont les fruits des vertus :
tant que celles-ci poussent ou fleurissent ou forment des
fruits non encore mûrs, il y a en elles quelque chose d'amer,
de rebutant, d'affligeant; mais pour ceux qui par elles
seront exercés jusqu'au bout, elles porteront dans une
très grande paix un fruit de justice[1] tout à fait délicieux[b].

7. A la saison des fruits mûrs, l'écorce une fois jetée et la
coquille ouverte, on parvient enfin à la douceur et à la
A   suavité de l'amande et on récolte avec joie et délices
ce qui a été longtemps travaillé et attendu. De même,
n'est-ce pas, après la vie présente, une fois totalement
abolis[c] les exercices qu'exigent les vertus, c'est en elles,
seules, simples et nues, que nous trouverons nos délices.
Et, puisque la bienheureuse Vierge Marie, durant cette vie,
a fleuri plus que tous en ces vertus (il est donc bien juste
que ce soit à « Nazareth[2] » qu'elle ait conçu immédiatement du Saint-Esprit lui-même), aussi, dans cette demeure
céleste, comme en la « maison du pain[3] », elle est comblée
de délices plus abondamment que tous, « appuyée en tout
sur son Bien-aimé[d] » que, par sa foi et sa dilection, elle a
plus heureusement porté en son cœur qu'en sa chair.
D'où ce texte de l'Écriture : « Bienheureux plutôt ceux
qui écoutent la parole de Dieu et la gardent[e]. » Quant à
l'Époux, en attendant le moment de cueillir sa myrrhe
B   une fois mûre et ses aromates[f], il descend fréquemment
visiter le jardin des noyers, pour examiner si la vigne
fleurit et si se forment les grenades[g].

8. Outre ce sens, très chers, il n'est pas hors de propos
de reconnaître chaque jour en nous-mêmes des ascensions
semblables dues au progrès de notre vie spirituelle[4],

3. Allusion à l'étymologie « Bethlehem », « domus panis »,
S. Jérôme, *Epist.* 108, 10 (22, 885) ; Isidore, *Etymol.*, 15, 1, 23
(82, 530 A). — Même rapprochement entre Nazareth et Bethléem
au *Serm.* 6, 1711 A.
4. Sur les démarches de retour du pécheur à Dieu, cf. *supra,*
Serm. 11, où Isaac insiste sur la confession que le pécheur doit faire

80 *Ascensiones in corde suo disposuit*, etc. Et alibi : Qui
conregnare fecit nos, *et consedere* secum *in caelestibus*. Est
igitur animae rationalis sicut mystica quaedam mors, sic et
navititas et resurrectio et ascensio et regnum. Et omnia
ferme intus celebrantur mysterialiter, quae foris aguntur
85 historialiter. **9.** Moritur ergo anima Deo per inoboedien-
tiam, et nascitur diabolo et mundo. Unde est : *Maledictus
qui nuntiavit patri meo, dicens : Natus est tibi puer masculus.*
1868 C Malum est ut nascatur filia diabolo, peius ut nascatur
masculus. Bonum est ut nascatur filia Deo, melius ut
90 nascatur masculus. Moritur quoque anima diabolo et
nascitur Deo per paenitentiam.

10. Primus itaque motus est in peccatis mortui ad vitam
contritio cordis. Quae dum iugi praecedentium malorum
inspectione compungitur et dolore accenditur, quasi quem-
95 dam intus gehennae ignem creat, qui sursum per confessionem oris fumat. Et quoniam sicut contritio cordis
absque confessione oris non sufficit, sic confessio oris sine
emendatione operis non proficit, apponuntur aromata, ut
fumum bene redolere faciant, et confitentem peccata sua
100 operum suavi redolentia correctum cunctis ostendant ;
maxime autem *myrrhae et thuris*, quia omnium *daemo-*
1868 D *niorum* dirissimum *genus ieiunio et oratione* facile *eicitur ;*
universi etiam *pulveris pigmentarii*, quia post compunc-

---

80 etc. *om. S* ‖ 81 nos conregn. fecit *m* nos fecit conregn. *M* ‖
secum : fecit *M cum Vg.* ‖ 82 et *om. m* ‖ 83 et¹‧ ² *om. m* ‖ et ascensio
om. S ‖ regnum. Et : regent *M* ‖ 84 ferme : fine *M* ‖ celebr. intus *m*
‖ 86 *post* maledictus *add.* vir *m cum Vg.* ‖ 89-90 Bonum — masculus *om. m per hom.* ‖ 89 est *om. M* ‖ 90 nascatur *om. S* ‖ 92 est *om. S* ‖
93 dum : cum *M* ‖ 94 compungitur : coniungitur *M* ‖ 96 quoniam *om.*
M ‖ 97 sicut *S* ‖ 99 fumunt *M* ‖ 100 suavi : suam *M* ‖ correptum *S* ‖
101 autem *om. S* ‖ 102 durissimum *MS* ‖ 103 pulvis *M*

---

a. Ps. 83, 6 ‖ b. Cf. Éphés. 2, 6 ‖ c. Jér. 20, 15 ‖ d. Cf. Tob. 6,
8. Mc 9, 29. Matth. 17, 21 ‖ e. Cant. 3, 6

conformément à la parole : « Il a disposé des ascensions dans son cœur[a]. » Et ailleurs : Il nous a fait régner avec lui et nous asseoir avec lui dans les cieux[b]. Il y a donc pour l'âme raisonnable comme une mort mystique ; il y a aussi une naissance, une résurrection, une ascension et un règne. Et presque tout ce qui se passe au-dehors dans l'histoire se célèbre intérieurement dans le mystère. **9.** Par la désobéissance l'âme meurt à Dieu et naît au diable et au monde. D'où la parole : « Malheur à celui qui porta cette nouvelle

C à mon père : Il t'est né un enfant mâle[c]. » C'est un malheur qu'il naisse au diable une fille, un malheur pire qu'il lui naisse un mâle. C'est un bonheur qu'il naisse à Dieu une fille, un bonheur plus grand qu'il lui naisse un mâle. Et par la pénitence l'âme meurt au diable et naît à Dieu.

10. Ainsi, le premier mouvement qui se produit vers la vie au sein de la mort du péché, c'est la contrition du cœur. Et comme celle-ci est touchée de componction et enflammée de douleur par le continuel examen des maux antérieurs, elle produit au-dedans comme un feu d'enfer qui, par la confession orale, fait s'élever une fumée. Et parce que, pas plus que la contrition du cœur ne suffit sans la confession des lèvres, la confession des lèvres ne profite sans l'amendement des œuvres, on ajoute des parfums pour qu'ils donnent une bonne odeur à la fumée et que celui qui confesse ses péchés manifeste à tous son amendement par le suave parfum de ses œuvres. Il s'agit surtout « de la myrrhe et de l'encens », puisque par le

D jeûne et la prière on expulse facilement la plus cruelle engeance de démons[d] ; mais également de « toutes les poudres de senteur[e] », puisque, après la componction du

à l'Église, Épouse du Christ. Voir également *Serm.* 38, 1820 B-C avec la note. Dans les *Serm.* 16 et 17, il a analysé longuement le processus de la conversion, en commentant la parabole des ouvriers à la vigne : souvenir des péchés, componction, exercices de mortification : *supra*, 1744 C - 1745 A, 1746 C - 1749 A. Cf. S. BERNARD, *In vig. nativ. Dom. serm.* 3, 4 (183, 96).

tionem cordis et confessionem oris, carnis quoque afflic-
105 tionem et puram ad Deum orationem, negligi non oportet
eleemosynarum largitatem quae, tamquam pulvis de
terrena substantia quae necessitati superfluit, minutatim
disperguntur. **11.** *Dispersit,* inquit, et *dedit pauperibus.*
Et quid sequitur? *Iustitia eius manet in saeculum saeculi.*
110 Ergo talem conversationem paenitentis sequitur iustitia, de convalle *lacrimarum consurgens* et progrediens
videlicet *aurora. Date,* ait Salvator, *eleemosynam et omnia
munda sunt vobis.* Verumtamen ea est eleemosyna ordinata,
quae seipsam minime praeterit, quae suimet prius meminit,
1869 A sicut scriptum est : *Miserere animae tuae placens Deo.*
116   **12.** Itaque, frater, per contritionem et confessionem et
mortificationem et orationem tui et Dei optime memineris,
per eleemosynam vero proximi pie recordaris, et per paenitentiae gratiam cuncta restauras, qui per transgressionis
120 offensam et te et Deum et proximum profligaras. Quemque
compunctio de mortuis ad vitam in vulva concepit,
confessio edidit ; cui abstinentia umbilicum praecidit,
oratio lavit, eleemosyna sale salivit ; iustitia tandem
mundum suscipit et virtutum pannis involvit, vestitumque
125 de tenebris ad lumen trahit. **13.** Fumus namque odoris
quidpiam habere potest, sed splendoris nil potest. *Aurora*
vero aliquid habet lucis, quae primus est ad gloriam iustitiae

---

105 Dominum *m* ‖ 107 superflue *M* ‖ 108 dispergitur *m* ‖ et *om.*
m ‖ 109 Et quid sequitur *om. S* ‖ 110 iustitiam *M* ‖ 111 valle *Mm*
cum Vg. ‖ 112 Salvator ait *M* ‖ *post* et *add.* ecce *M cum Vg.* ‖ 114
praeteriit *S* ‖ 115 est *om. S* ‖ 116 contritionem : continentiam *S* ‖
et … et *om. m* ‖ 118 recorderis *m* ‖ 120 et te et : te ac *m* ‖ profuga-
ras *S* ‖ Quemque : Quecumque *M* ‖ 123 oratio : ratio *m* ‖ 124 suscepit *M* ‖ 125 lumen : lucem *S* ‖ 125-126 quidpiam odoris *M* ‖ 127
prima *MS*

---

a. Ps. 111, 9 ‖ b. Cf. Cant. 6, 9 ‖ c. Cf. Ps. 83, 7 ‖ d. Lc 11, 41 ‖ e.
Sir. 30, 24 ‖ f. Cf. Ez. 16, 4 ‖ g. Cf. I Pierre 2, 9. Ps. 106, 14

---

1. Cf. *Règle* de S. Benoît, 20, 4.

cœur et la confession des lèvres, après aussi la mortification
corporelle et la prière pure[1] tournée vers Dieu, on ne doit
pas négliger la libéralité des aumônes qui, semblables
à la poussière provenant de la matière terrestre dont elle
est le superflu, sont dispersées en menues parcelles. **11.**
« Il a dispersé, est-il dit, et il a donné aux pauvres. »
Et qu'y a-t-il ensuite ? « Sa justice demeure au siècle des
siècles[a]. » Une telle conversion du pécheur est donc suivie
de la justice, véritable aurore qui se lève et s'avance[b]
du fond de la vallée des larmes[c]. « Donnez l'aumône,
dit le Sauveur, et voilà que tout est pur pour vous[d]. »
Mais en fait, l'aumône bien réglée[2] est celle qui ne s'oublie
nullement elle-même, qui se souvient d'abord d'elle-même,
ainsi qu'il est écrit : « Prends pitié de ton âme en te rendant
agréable à Dieu[e]. »

A

12. Ainsi, frères, par la contrition, la confession, la
mortification et la prière tu te souviens excellemment
de toi et de Dieu, par l'aumône tu te rappelles avec bonté
le prochain, et par la grâce de la pénitence tu restaures
tout, alors que par l'offense de la transgression tu avais
ruiné et toi-même et Dieu et le prochain. Toi que la
componction a, d'entre les morts, conçu en son sein pour
la vie, la confession t'a enfanté ; toi à qui l'abstinence
a coupé le cordon, la prière t'a lavé, l'aumône t'a frotté
de sel ; finalement, la justice te prend purifié, elle t'enve-
loppe des langes des vertus[f] et, maintenant vêtu, elle
te fait passer des ténèbres à la lumière[g]. **13.** La fumée
en effet peut bien avoir quelque odeur, mais elle ne peut
avoir aucune splendeur. L'aurore a quelque lumière, et
c'est le premier pas de la justice vers la gloire. La lune

---

2. « Eleemosyna ordinata. » Isaac en a déjà parlé au *Serm.* 49,
1856 D ; Cf. *Serm.* 16, 1743 C. Cette conception de la miséricorde
envers soi-même vient de S. Augustin : *Enchir.*, 76 (40, 268) ;
Serm. 106, 4 (38, 626-627) ; *De civ. Dei*, 21, 27, 2 (41, 747). S. Bernard
s'en inspire librement : *In Cant.*, 18, 3-4 (183, 860-861) ; *De consid.* 1,
5, 6 (182, 734 A - 735 B).

1869 B progressus. *Luna* autem fere tota lucet. *Sol* quidem
tenebrarum nil habet. *Acies* autem etiam *ordinata* terret.
130 Ita quippe primus est iustitiae gradus, in semetipso per
innocentiam iustitiae lumen habere ; secundus, per operationem bonam aliis ut ipsum sequantur lumen praebere ;
tertius, iustitiae zelo in lucidos ut plus luceant fervere ;
quartus, sua incomparabili luce et intolerabili quadam
135 maiestate *terribilis* apparere. **14.** Verumtamen vix innocentia hic plena possidetur et vera quae nec sibi nec
cuiquam nocet, nec operatio absque omni fuco facile
splendet, zelusque sine omni impetu difficile fervet, *ordina-*
*ta*que virtutum congeries auctoritate pacifica rarissime
140 terret. Unde necesse fuit apparere adhuc tertiam, quae tota
1869 C *deliciis* affluat, neminem sicut *sol* urat *per diem* aut ut *luna*
per noctem, id est aut operatione aut increpatione scandali-
zet, cunctos sua mansuetudine et venustate demulceat et
placeat, de quali scriptum est : *Et invenit gratiam in cons-*
145 *pectu omnis carnis. Magnificavit eum in timore inimicorum,*
et in verbis suis monstra placavit.

15. Vidimus tamen hominem habentem utique aliquid
super hominem. De cuius operatione aut increpatione cum
aliqui perusti contra absentem murmurassent, tanto placore
150 simul et terrore divina ei quaedam amanda maiestas et
reverenda caritas rutilabat in vultu, et *in labiis* tanta erat
gratia diffusa, ut in eius aspectu illico deliniti, semetipsos

---

129 etiam ordinata *scripsi* (*vide l.* 20-23 *et* 138-139) : ordinata
etiam *m* ordinata est, etiam *MS* ‖ 132 lumen *scripsi* (*cf.* ipsum) :
lucem *Mm* lucere *S* ‖ praebere *om. MS* ‖ 134 luce : zelo *M* ‖ intole-
rab. : inratioabili *(sic) M* ‖ 135 terribilem *m* ‖ 136 nec[1] : nunc *M* ‖
137 foco *M* ‖ 139 virtutum *om. Mm* ‖ 140 appare *M* ‖ 141 ut *om.*
MS ‖ 145 timore : conspectu *m* ‖ 146 placuit *M* ‖ 149 perusti :
perversi *S* ‖ 150 et[1] *om. M* ‖ 152 conspectu *M*

---

a. Cf. Cant. 6, 9 ‖ b. Cf. Cant. 8, 5 ‖ c. Cf. Ps. 120, 6 ‖ d. Sir. 44,
27 ; 42, 1 ‖ e. Sir. 45, 2 ‖ f. Ps. 44, 3

B est presque tout entière brillante. Le soleil n'a aucune
ténèbre. L'armée, si rangée soit-elle, inspire tout de même
la crainte[a]. Ainsi précisément le premier degré de la justice
est d'avoir en soi-même, par l'innocence, la lumière de
la justice; le second est d'éclairer les autres par une bonne
conduite pour qu'ils la suivent; la troisième est de brûler
du zèle de la justice envers ceux qui sont déjà lumineux,
pour qu'ils le soient davantage encore; le quatrième est
d'inspirer une crainte révérentielle par une lumière incomparable et une sorte de majesté insoutenable. **14.** A vrai
dire, ici-bas, à peine possède-t-on l'innocence pleine et
vraie qui ne nuit ni à elle-même ni à personne; la conduite
ne resplendit pas facilement sans aucun fard; le zèle
bouillonne difficilement sans aucune passion; et il est très
rare qu'une quantité de vertus bien ordonnées se fasse
redouter par un prestige tout pacifique. C'est pourquoi
était nécessaire la présence d'une troisième créature,
celle qui tout entière déborde de délices[b], qui ne brûle
C personne comme le soleil pendant le jour, comme la lune
pendant la nuit[c] — c'est-à-dire qui ne scandalise personne
par ses gestes ou ses reproches —, qui charme et pacifie
tout le monde par sa douceur et sa bonne grâce. De pareille
créature il est écrit : « Et il trouva faveur aux yeux de
tout le monde[d]. » « Il le rendit puissant pour la terreur
des ennemis, et par sa parole il apaisa les prodiges[e]. »
   15. Nous avons cependant vu un homme qui sans
nul doute avait quelque chose de surhumain[1]. Ses gestes
ou ses reproches faisaient parfois murmurer contre lui,
en son absence, certains qu'ils brûlaient; mais une sorte
de majesté divine forçant l'amour et de charité forçant
le respect resplendissait sur son visage, avec quelque chose
de si pacifiant et de si redoutable à la fois, et il y avait
une « telle grâce répandue sur ses lèvres[f] » qu'aussitôt

---

1. Cf. Jean Scot Érigène, *Homélie sur le prologue de S. Jean*, 5
(*SC* 151, p. 220).

quod eum reprehendissent reprehenderent, ipsius omnia
1869 D amarent, laudarent, praedicarent. Cuius sancta anima vere
155 *deliciis* affluebat, sicut in eius scripturis facile est dignos-
cere et maxime in his quae in Canticis Canticorum dixit.
Sanctum namque Bernardum abbatem Claraevallis loquimur. Ergo quibus absens erat *sol et luna* et *acies terribilis*,
praesens perfundebat quibus ipse semper affluebat *deliciis* :
160 ita cunctis et amore *terribilis* et terrore amabilis, ut nemo
in eius verbo vel disciplina ulla pusillanimitate deficeret,
aut impatientia ureretur, aut tabesceret invidia.

16. Hic igitur, dilectissimi, est in hac vita supremus
iustitiae gradus. Primus etenim est innocentia, quae nemini
165 malum facit. Secundus munificentia, quae quibus potest
bene facit, omnibus autem bene cupit ; quibus valet
1870 A benefica, omnibus benevola. Sicut enim eleemosyna peccatoris peccata redimit, sic misericordia iusti ipsum ad maiorem iustitiam excolit, ut *qui iustus est iustificetur adhuc;*
170 peccatoris autem avaritia eum deorsum semper mergit, ut
qui in sordibus est sordescat adhuc. Tertius zelus, ubi para-

---

154-155 deliciis vere *m* ‖ 156 dixit : scripsit *m* ‖ 157 Bernardum
om. M ‖ 158 erat absens *Mm* ‖ *post* acies *add.* erat *m* ‖ 163 ergo *M* ‖
167 beneficia *M* ‖ 171 est *om. M* ‖ ubi : verbi (?) *M*

---

a. Cf. Cant. 8, 5 ‖ b. Cf. Cant. 6, 9 ‖ c. Cf. Sag. 6, 25 ‖ d. Apoc.
22, 11

---

1. JEAN DE FORD, deuxième continuateur officiel, après Gilbert de
Hoyland, du commentaire sur le *Cantique* commencé par S. Bernard,
écrit ceci : « Sic, inquam, post magnum illum virum, beatum loquor
Bernardum, currere exopto : non quasi aemulus gloriae sed pedisequus
viae... Non adambulans lateri sed vestigia praecedentis adorans.
Habeat sibi vir ille excellentissimus, cuius laus est in epithalamio,
privilegium gloriae suae, ut quae singulariter per spiritum caritatis
expertus est, ceteris fragrantius per spiritum sapientiae eructare
meruit ». *Super extr. partem Cant. Cantic., Prol.* 4 (*CCCM*, t. 17, p. 35,
l. 99-108). — Voir d'autres témoignages du XIIe siècle, réunis par

charmés dès qu'ils le voyaient ils se faisaient des reproches
D de lui en avoir fait, et ils aimaient, louaient, célébraient
tout en lui. Son âme sainte était véritablement comblée
de délices[a], comme il est facile de le reconnaître dans ses
écrits et surtout en ce qu'il a dit sur le *Cantique des
Cantiques*[1]. Car c'est bien de saint Bernard, abbé de
Clairvaux, que nous parlons[2]. Ceux donc pour qui, absent,
il était soleil, lune et armée redoutable[b], se sentaient en
sa présence comme inondés par les délices dont lui-même
était sans cesse comblé. Pour tous il était si exigeant
en son amour, si aimable en son exigence que personne,
à sa parole ou sous sa conduite, ne se laissait décourager
par aucune pusillanimité, ni consumer d'aucune impatience,
ni ronger d'aucune jalousie[c] [3].

16. Tel est donc, bien-aimés, le degré suprême de justice
en cette vie présente. Le premier degré est l'innocence
qui ne fait de mal à personne. Le second, la munificence
qui fait le bien à qui elle peut, désire le bien à tous, bien-
faisante pour qui elle peut, bienveillante pour tous[4].
A (Car de même que l'aumône du pécheur rachète ses péchés,
de même la miséricorde du juste l'éduque à une justice
meilleure, en sorte que « le juste devienne encore plus
juste »; tandis que l'avarice du pécheur l'engloutit toujours
plus profondément, en sorte que « l'homme souillé se
souille encore davantage[d] »). Le troisième degré est le zèle,

J. Leclercq, *Études sur S. Bernard et le texte de ses écrits* (= *Anal.
S.O.C.*, t. 9, 1953, p. 122-124).
2. « Sanctum Bernardum abbatem Claraevallis loquimur. » Cette
phrase porte à croire que ce sermon n'a pu être rédigé qu'après
la canonisation de S. Bernard, le 18 janvier 1174. Isaac semble effectivement en parler comme d'un personnage décédé déjà depuis
assez longtemps (1153).
3. A propos de cet extraordinaire éloge de la sainteté de l'abbé
de Clairvaux, voir, *Note complém.* 31, p. 313 s., diverses indications
sur d'autres témoignages convergents.
4. Cf. *supra, Serm.* 3, 1699 A.

nymphus, amore Sponsi fervens, Sponsam ab amore tepere
non sinit. Quartus auctoritas, quae absque alia potestate,
sola virtutis gratia et sanctimoniae fama, venerabilis
175 cunctis exsistit. Quintus caritas, quae *super omnia* omnibus
gratiosa et amabilis exsistit ; *speciosa facta* per profectum
iustitiae *et suavis* per summum *in deliciis* suis, sicut ista
sancta Dei Genitrix in vita sua, et amplius hodie in morte
sua, quae ad Filium suum *hodie ascendit*, ubi pro nobis
1870 B orare dignetur ipsum, qui cum Patre et Spiritu sancto
181 vivit et regnat Deus per omnia saecula saeculorum. Amen.

SERMO QUINQUAGESIMUSTERTIUS

In eodem Festo III

1. *Tenuisti manum dexteram meam, et in voluntate tua
deduxisti me, et cum gloria suscepisti me.* Tria dixit : tenuit,
deduxit, suscepit. Tenuit ne caderet, deduxit ne erraret,
suscepit ne deficeret. Tenuit igitur ad statum, deduxit
5 ad profectum, suscepit ad perfectum. Sed quis quem tenuit,
et quomodo aut deduxit aut suscepit ? Tenuit, inquit

---

173 finit *M* ‖ 176 facta *om. m* ‖ 180 Spiritu sancto : suo spiritu *M*
‖ 181 omnia — Amen *om. S*
    Tit. Item alius de Assumptione Virginis Mariae *S* ‖ In Assumptione
Mariae sermo *M in marg.* ‖ 2-3 tenuisti, deduxisti, suscepisti *M et
sic deinceps* ‖ 3 *post* deduxit *add.* et *S* ‖ 6 aut[1] *om. m*

---

a. Col. 3, 14
a. Ps. 72, 24

---

1. « Speciosa facta es et suavis — In deliciis tuis, sancta Dei
Genitrix. » Verset après l'hymne de Laudes et de Vêpres à l'office
cistercien de l'Assomption.

qui pousse le garçon d'honneur, tout brûlant de l'amour de l'Époux, à ne pas laisser l'Épouse tiédir dans l'amour. Le quatrième, l'autorité, qui sans autre pouvoir, par le seul prestige de la vertu et le seul renom de la sainteté, se rend vénérable à tous. Le cinquième, la charité, qui « par-dessus tout[a] » se présente à tous comme gracieuse et aimable, rendue belle par ses progrès dans la justice et suprêmement suave en ses délices, comme l'est cette sainte Mère de Dieu[1] en sa vie et plus encore aujourd'hui en sa mort. Elle monte aujourd'hui[2] auprès de son Fils :
B qu'elle daigne là-haut le prier pour nous, lui qui avec le Père et l'Esprit-Saint vit et règne, Dieu, dans tous les siècles des siècles. Amen.

SERMON 53

Troisième sermon pour le jour de l'Assomption

Le cas exemplaire de Marie qui a été soutenue par Dieu dans l'épreuve, conduite dans une parfaite obéissance, et qui, ayant accueilli Dieu mieux que tout autre, a été accueillie d'une manière unique. L'amour de Dieu est toujours premier : il réconcilie, il fait devenir des justes, il donne sa gloire.

1. « Tu m'as tenu la main droite, et tu m'as conduit selon ta volonté, et tu m'as accueilli avec gloire[a]. » L'affirmation est triple : il a tenu, conduit, accueilli. Il a tenu pour parer aux chutes, conduit pour parer aux errements, reçu pour parer aux défaillances. Il a donc tenu pour la stabilité, conduit pour le progrès, accueillie pour la perfection. Mais qui a tenu qui, et comment y a-t-il eu conduite et accueil? Il a tenu, est-il dit, la droite, et a conduit selon

2. Cf. *supra*, note 3, p. 225.

dexteram et deduxit *in voluntate* et suscepit in *gloria*. Tenuit
ergo in virtute, deduxit in voluntate, suscepit in claritate.
Tenuit in fide, deduxit in spe, suscepit in re. **2.** Vox
10 etenim interim est fidelis animae ereptae *de laqueo venan-*
1870 C *tium*, quae, laqueo contrito liberata et assumpta, gratias agit
liberatori suo, donec et haec simul omnis Ecclesia in fine
psallat, considerans ubi iacuerit et qualis, qua transierit
et quomodo, ubi locata sit et a quo, quo demersa fuerit
15 et quare. Horum siquidem omnium contemplatio ei valebit,
et quasi semper ad gratiarum actiones de novo instaurabit.
His etenim articulis omnis Scriptura divina distinguitur,
maximeque psalterium, quod additis duobus, id est unde
primum in casum venerit et qualiter, decachordum plenis-
20 sime invenitur. *In psalterio*, inquit, *decem chordarum*
psallite illi.

     3. Dicat igitur et altius psallat Virgo Mater Maria, quae
1870 D *supergressa* est *universas*, gratias agens filio carnis suae,
fratri gratiae suae, secundum quod *primogenitus* est *in*
25 *multis fratribus*, patri naturae suae, domino vitae suae,
redemptori animae suae, tentori tandem status sui, ductori
profectus sui, susceptori hodie spiritus sui et, si carne
surrexit, etiam corporis sui, dicat igitur : *Tenuisti manum*
dexteram meam, etc. **4.** Sinistra manus vita carnis et prospe-

7 et … et *om. m* ‖ et² *om. M* ‖ 7-8 in gloria — suscepit *om. Mm per*
hom. ‖ 10 etenim : enim *M om. m* ‖ 11 liberata *scripsi* : liberata est
MSm ‖ 12 et haec *om. m* ‖ *post* in fine *add.* haec *m* ‖ 13 iacuerat *MS* ‖
post qualis *add.* erat *M* ‖ transierat *M* ‖ 14 locuta *M* ‖ quo² *om.*
M ‖ demersa fuerit : demersi sunt infideles *S* ‖ fuerit *om. M* ‖ 15
ei valebit : convalebit *M* ‖ 16 et quasi : ac *m* ‖ 21 illi : ei *m* ‖ 22 ergo
m ‖ 23 universos *M* ‖ 24 est primog. *m* ‖ 26 status sui et tandem *S* ‖
27-28 et si carne — corporis sui *om. m* ‖ 28 dicat igitur : dicatur *M*
dicat *m* ‖ 29 etc. *om. m* ‖ *post* carnis *add.* est *M sup. l.*

a. Ps. 90, 3 ; 123, 7 ‖ b. Ps. 32, 2 ‖ c. Prov. 31, 29 ‖ d. Rom. 8, 29 ‖
e. Ps. 72, 24

1. « Susceptori spiritus sui ' et, si carne surrexit, etiam corporis
sui ' ». Ces derniers mots, très importants, donnés par les deux

sa volonté, et a accueilli dans sa gloire. Il a donc tenu
en sa force, conduit en sa volonté, accueilli en sa clarté.
Il a tenu dans la foi, a conduit dans l'espérance, a accueilli
dans la réalité. **2.** Il s'agit, pour l'instant, de la voix de
l'âme fidèle qui s'est échappée « du filet de l'oiseleur ».
C Le filet une fois rompu, se trouvant libérée[a] et reçue,
elle rend grâces à son libérateur, en attendant qu'à la fin
toute l'Église ensemble chante ce psaume, considérant
où elle gisait et en quel état, par où elle est passée et
comment, où elle a été placée et par qui, où elle avait été
plongée et pourquoi. La contemplation de tous ces points
sera pour elle saisissante, et toujours, pour ainsi dire,
ravivera des actions de grâces toutes nouvelles. Ce sont
en effet les points suivant lesquels on peut répartir toute
la divine Écriture et surtout le psautier. Celui-ci, si l'on
ajoute encore deux points, à savoir, d'où elle est d'abord
tombée et comment, apparaît très complètement comme
un décachorde. « Sur le psalterion à dix cordes, est-il dit,
chantez-le[b]. »

   3. Que Marie Vierge et Mère dise ces mots et chante
ce psaume à voix plus haute, elle qui a « surpassé toutes
D les créatures[c] »! Qu'elle rende grâces au fils de sa chair,
au frère de sa grâce en tant que « premier-né de beaucoup
de frères[d] », au père de sa nature, au seigneur de sa vie,
au rédempteur de son âme; bref, à celui qui a maintenu
sa stabilité, qui a guidé son progrès, qui aujourd'hui
accueille son esprit, et, si elle a ressuscité en sa chair,
également son corps[1]. Qu'elle dise donc : « Tu m'as tenu
la main droite[e]. » **4.** La main gauche, c'est la vie de la chair

manuscrits existants (M et S), ne figurent pas dans le texte de Tessier-
Migne. Rien ne permet de les considérer comme une interpolation.
Bien au contraire, convenablement coupés et ponctués, ils traduisent
exactement la pensée d'Isaac sur l'Assomption de Marie, telle qu'il
l'exprime au début du *Serm.* 51 : sans exclure l'hypothèse d'une
assomption corporelle, et tout en étant porté à en envisager, comme
ici, la convenance, il tient à n'en parler que sous forme conditionnelle,
retenu qu'il est par le silence des Pères.

30 ritas ipsius. Hanc quodammodo dimisit, qui eam pauper-
tati, dolori, infirmitati, morti exposuit ; sed ubique *dexteram* tenuit, qui in omnibus animam servavit, patientiam
dedit, meritum auxit. Quorumdam igitur sinistram Deus
tenet et dexteram dimittit ; quorumdam dexteram tenet et
35 sinistram dimittit ; quorumdam utramque dimittit ; pau-
corum omnino utramque tenet. **5.** *Tenuit* ergo, inquit,
dexteram meam. Ubi sunt qui de sinistra conqueruntur ?
1871 A Mater Christi de sola dextera gloriatur, et pro suavitate et
abundantia gloriae in qua suscepta est, etiam quae passa
40 est inter lucra enumerat. *Experimento* enim iam didicit
quomodo *diligentibus Deum omnia cooperantur in bonum.*
6. Talis et quidam populi patrum iudex inventus est, *qui
utraque manu* in praelio Domini *utebatur pro dextera,* unde
et ambidexter dictus est. Talis et apostolus Paulus, qui
45 *ubique et in omnibus* instructus est, qui scit *abundare et
penuriam pati,* qui gloriatur *in tribulationibus et infirmitatibus libenter,* qui *per infamiam et bonam famam, per
gloriam et ignobilitatem* medius incedit, ubique faciens de
necessitate virtutem. **7.** Ioannes quoque Baptista, non sicut
50 arundo flexibilis vento circumfertur favoris vel vituperii.

31 *post* infirmitati *add.* et *M sup. l.* ‖ 33 igitur *om. m* ‖ Dominus
m ‖ 34 et[1] : ac *m* ‖ 40 enim *om. S* ‖ didici *M cum Vg.* ‖ 41 quomodo :
quoniam *M cum Vg.* quod *m* ‖ 42 et *om. m* ‖ populi *om. m* ‖ 44 et[1] *om.
m* ‖ 45 instructus : institutus *m cum Vg.* ‖ 48-49 ubique faciens de
necess. virt. *om. m* ‖ 48 ubique : ut qui (*corr. ex* quod) *M* ‖ 49 sicut :
ut *m* ‖ 50 vituperii : imperii *S*

a. Cf. Gen. 30, 27 ‖ b. Rom. 8, 28 ‖ c. Jug. 3, 15 ‖ d. Phil. 4, 12 ‖
e. Rom. 5, 3 ; II Cor. 6, 8 ; 12, 9 ‖ f. Cf. Matth. 11, 7. Jac. 1, 6.
Éphés. 4, 14

1. Ce paragraphe résume l'enseignement de l'abbé Théodore dans
le long chapitre 10 de la 6e des *Conférences* de CASSIEN, En voici la
conclusion : « Erimus igitur ambidextri, quando nos quoque rerum
prasentium copia vel inopia non mutari et nec illa nos ad voluptates

et sa prospérité. Il la lui a en quelque sorte lâchée, puisqu'il l'a exposée à la pauvreté, à la souffrance, à la faiblesse, à la mort ; mais partout il a tenu la droite, puisqu'il a gardé en tout son âme, lui a donné la patience, a augmenté son mérite. A certains Dieu tient la main gauche et lâche la droite ; à certains il soutient la main droite et lâche la gauche ; à certains il lâche les deux mains ; à d'autres, tout à fait rares, il les tient toutes les deux. **5.** Elle dit donc : « Il a tenu ma droite. » Où sont-ils ceux qui se lamentent au sujet de leur main gauche? La Mère du Christ se glorifie au sujet de sa seule main droite et, devant la douceur et l'abondance de la gloire qui l'a accueillie, elle énumère parmi ses gains même ce qu'elle a souffert. Elle sait désormais par expérience[a] comment « pour ceux qui aiment Dieu tout coopère à leur bien[b] ». **6.** Tel fut le cas d'un certain juge du peuple de nos pères qui dans les combats du Seigneur « se servait de l'une et l'autre main comme si c'était la droite[c] », ce qui le fit appeler « ambi-dextre » [1]. Tel aussi le cas de l'apôtre Paul qui se trouve « paré pour toutes les situations », qui sait « être dans l'abondance et souffrir la pénurie[d] », qui se glorifie « volon-tiers dans les tribulations et les infirmités », qui avance au milieu « de l'infamie et de la bonne réputation », au milieu « de la gloire et du déshonneur[e] », faisant partout de nécessité vertu[2]. **7.** Jean-Baptiste lui non plus ne se laisse pas agiter tel un roseau flexible — au vent[f] de la

---

noxiae remissionis inpulerit nec ista ad desperationem adtraxerit et querellam, sed similiter Deo grates in utroque referentes, parem fructum de secundis adversisque capiamus. Qualem se ille verus ambidexter doctor gentium fuisse testatur dicens : ' Ego enim didici in quibus sum sufficiens esse. Scio et humiliari, scio et abundare : ubique et in omnibus institutus sum, et saturari et esurire et abundare et penuriam pati. Omnia possum in eo qui me confortat ' ». (*SC* 42, p. 232).

2. « Faciens de necessitate virtutem. » Voir S. JÉRÔME, *Epist.* 54, 6 : « Arripe, quaeso, occasionem, et fac de necessitate virtutem » (22, 552 D). Cf. *Apol. adv. libros Rufini*, 3, 2 (*SC* 303, p. 216).

1871 B Et ipso attestante ad Iudaeos, *medius* eorum stat, quem
ipsi nesciunt, id est Iesus. Virtutes enim mediae sunt —
sicut ait etiam gentilis : *Virtus est medium vitiorum,
utrimque reductum* — quas omnino nesciunt qui prospe-
55 ritatibus tument et adversitatibus contabescunt.

8. Sequitur : *Et in voluntate tua deduxisti me. Tua,*
inquit, non mea. Nec in voluntate sua deducta est Maria.
Et in Evangelio docentur apostoli orare Patrem : *Fiat
voluntas tua.* Et nescio qui stulti, et maxime qui propria
60 voluntate abdicati, professi sunt oboedientiam hominibus,
pro sua voluntate quotidie litigant, et in multis contra
Deum murmurant, et eius ordinationi repugnant, dum
1871 C potestati quae ab ipso est rebellant. Sui dispositores esse
cupientes : Sic et sic, inquiunt, faciemus, et tunc hoc et
65 tunc illud. Et quod adhuc dementius est, alios omnes
ducere volunt et ad suam voluntatem omnia actitari.
Sic et sic, inquiunt, facere deberent. Cumque secus aliquid
fit, murmurant, detrahunt, iudicant et condemnant. Ecce
quo demersi sunt qui ad alienum imperium omnia facere
70 debent, et ab aliis deduci contemnunt, sibi ductores, sui
praecipitatores. **9.** *In voluntate,* inquit, *tua, deduxisti me.*
Homo procax et in voluntate sua obstinatus, iure ab
omnibus vituperatur. Et tamen hac sola occasione omnis

---

53 sic *M* ‖ 54 utrimque : utrumque *S* ‖ omnino *om. m* ‖ 55 ta-
bescunt *m* ‖ 56 Sequitur *om. m* ‖ 60 abdicata *m* ‖ 62 ordinatori *M* ‖
63 est ab ipso *m* ‖ 66 ducere : docere *m* ‖ 71 tua inquit *S*

---

a. Cf. Jn 1, 26 ‖ b. Ps. 72, 24 ‖ c. Matth. 6, 10 ‖ d. Cf. Rom. 13, 1
‖ e. Ps. 72, 24

---

1. HORACE, *Epist.*, 1, 1, 9 : « Virtus est medium vitiorum et
utrinque reductus ».
2. Cf. *Règle* de S. BENOÎT, *Prol.* 3 ; 5, 3.7 ; 58, 17.
3. Cf. *Règle* de S. BENOÎT, 5, 12 : « Ut non suo arbitrio viventes vel

B faveur ou du blâme. Et comme il l'atteste lui-même aux
juifs, c'est au milieu d'eux que se tient celui qu'ils ne
connaissent pas[a], c'est-à-dire Jésus. Les vertus en effet
sont au milieu — même un païen parle ainsi : « La vertu
est le milieu entre deux vices, à égale distance de l'un et
de l'autre[1] » — et ceux-là les ignorent qui dans la prospérité
s'enflent et dans l'adversité se consument.

8. Le texte continue : « Et tu m'as conduit selon ta
volonté[b]. » Il est dit : la tienne, et non : la mienne. Ce n'est
pas non plus selon sa volonté à elle que Marie a été conduite.
Et dans l'Évangile les apôtres apprennent à faire au Père
cette prière : « Que ta volonté soit faite[c]. » Or je ne sais
quels sots, et ce qui est le comble, des gens qui ont abdiqué
leur propre volonté et fait profession d'obéissance aux
hommes[2], chicanent chaque jour dans l'intérêt de leur
volonté propre, murmurent à mille propos contre Dieu,
et résistent à ses ordres en se rebellant contre l'autorité
qui vient de lui[d]. Désireux qu'ils sont de disposer d'eux-
mêmes, ils se disent : Nous ferons comme ceci et comme
cela ; et à tel moment ceci, à tel moment cela. Et ce qui
est encore plus insensé, ils prétendent conduire tous les
autres et tout mener à leur gré. C'est comme ceci et comme
cela, disent-ils, qu'ils devraient faire. Et, quand quelque
chose se fait autrement, ils murmurent, dénigrent, jugent
et condamnent. Voilà à quelle profondeur s'enlisent des
gens dont le devoir est d'agir en tout au commandement
d'autrui[3] et qui ne daignent pas se laisser guider par
d'autres, se faisant leurs propres guides et leurs propres
destructeurs. 9. « Tu m'as conduit, est-il dit, selon ta
volonté[e]. » L'homme insolent et obstiné dans sa volonté
encourt à juste titre le blâme universel. Là est pourtant
la seule cause qui fait naître toutes les controverses, qui

desideriis suis et voluptatibus oboedientes, sed ambulantes alieno
iudicio et imperio in coenobiis degentes abbatem sibi praesse
desiderant ».

controversia nascitur, omnis lis et contentio gignitur. Ideo
75 enim quisque contendit, quia quod sibi videtur et placet
1871 D et vult, contra alium, qui aliud vult, defendit. Et hoc
inter homines aliquando nonnullam potest vel iustitiam
vel excusationem habere ; contra Deum vero sola impietas
est omnis inoboedientia.

80   **10.** Huic etenim omnium Auctori, Rectori et Iudici omnes
subici debent humili voluntate ; quod etiam si nolunt,
faciunt servili necessitate. *In voluntate* igitur *tua deduxisti
me.* Pie dicit qui pie oboedivit, qui pie gratias agit ei qui eum
utiliter deduxit. Tenet enim Deus electos suos fortiter, dedu-
85 cit utiliter, suscipit feliciter. *Et cum gloria,* inquit, *suscepisti
me.* Suscipit ad requiem, qui in labore servierit. Suscipit in
caelis, a quo suscipitur in terris. *Ego,* inquit, *diligentes me
1872 A diligo,* et suscipientes me suscipio ; *qui autem contemnunt me
erunt ignobiles,* et qui non suscipiunt me erunt exsecrabiles.

90   **11.** Suscipit igitur hodie illam matrem in caelis, quae
illum filium suscepit in terris ; et quae suscepit illum in
utero, suscipitur ab illo in regno. Et quid multa? Unus-
quisque sicut suscipit, sic suscipietur ; et sicut abicit, sic
abicietur. Ista ergo sicut singulariter suscepit, sic est
95 singulariter suscepta. Martha suscepit in domo, ista in
utero. Martha nescio quem cibum exteriorem ministravit,
ista lacte suo proprium fetum pavit. Nescio quis induit
eum veste, ista induit eum carne. Mariae Magdalenae
dimissa sunt *multa* quia *dilexit multum,* et *dilexit multum*
100 quia dimissum est ei multum ; isti donata sunt plurima

---

76 alium : illum *S* ‖ 76-77 Et hoc inter : etiamsi in *M* ‖ 80 omnes
om. M ‖ 81 debent subici *M* ‖ 82 tua igitur *M* ‖ 83 oboedivit : oboe-
dit (*corr. ex* oboediunt) *M* ‖ 84 Dominus *m* ‖ electos : dilectos *S* ‖ 86
Suscipit : suscepit *S* ‖ servierat *Mm* ‖ 86-87 Suscipit in coelis *om. S* ‖
88 qui autem : quia qui *M* ‖ 90 ergo *m* ‖ illam : ille *M* ‖ 91 Suscepit
filium *Mm* ‖ 93 suscepit *S* ‖ 97 quis : quae *m* ‖ 98 eum ... eum *om. S* ‖
induit : vestivit *M* ‖ 99 quia : quoniam *m cum Vg.* ‖ 99-100 et dilexit multum quia dimissum est ei multum *om. Mm*

engendre tous les litiges et toutes les rivalités. En effet,
si quelqu'un lutte, c'est parce qu'il défend ce qui lui
semble bon, plaisant, désirable, contre un autre qui veut
autre chose. Agir ainsi entre hommes peut parfois comporter
une part de justice ou d'excuse, mais vis-à-vis de Dieu
toute désobéissance est pure impiété.

10. Car à celui qui est le Créateur, le Seigneur, le Juge
de tous, tous doivent se soumettre avec une humble
volonté; et même s'ils s'y refusent, ils le font par obligation
servile. « Tu m'as conduit selon ta volonté. » Paroles d'un
affectueux respect de qui a filialement obéi, et qui avec
piété rend grâces à celui qui l'a conduit d'une manière
profitable. Dieu en effet tient fortement ses élus, il les
conduit d'une manière profitable, il les accueille avec joie.
« Et tu m'as accueilli avec gloire[a]. » Il accueille pour le
repos qui a d'abord servi dans la fatigue. Il accueille dans
le ciel qui l'a accueilli sur la terre. « J'aime, dit-il, ceux qui
m'aiment[b] » et j'accueille ceux qui m'accueillent. « Mais
ceux qui me méprisent seront déshonorés [c]», et ceux qui
ne m'accueillent pas seront exécrés.

11. Or aujourd'hui il accueille au ciel cette mère qui
a accueilli ce fils sur terre; et elle qui l'a accueilli en son
sein est accueilli par lui en son royaume. A quoi bon
s'étendre? Chacun, comme il accueille, sera accueilli et,
comme il rejette, sera rejeté. Pour elle, comme elle a
accueilli d'une manière unique, elle est accueillie d'une
manière unique. Marthe a accueilli dans sa maison[d];
elle, dans son sein. Marthe a servi je ne sais quelle nourriture extérieure; elle, c'est de son propre lait qu'elle a nourri
son enfant. Un je ne sais qui l'a revêtu d'un vêtement;
elle, c'est de chair qu'elle l'a revêtu. A Marie-Madeleine
beaucoup a été remis parce qu'elle a beaucoup aimé[e], et
elle a beaucoup aimé parce qu'il lui a été beaucoup remis;
à celle-ci, il a été donné immensément parce qu'elle a

a. Ps. 72, 24 ‖ b. Prov. 8, 17 ‖ c. I Sap. 2, 30 ‖ d. Cf. Lc 10, 38 ‖ e.
Cf. Lc 7, 47

quia dilexit plurimum, et plurimum diligit quia plurimum
1872 B suscepit. **12.** Dilectioni itaque dimittitur debitum et dona-
tur indebitum, et ex utroque crescit dilectio, et ex dilectione
comparatur utrumque. Dilectio itaque est hostia peccato-
105 rum, dilectio meritum sanctorum, dilectio praemium beatorum. Verumtamen ut diligi posset a nobis Deus, prius in nobis
erat Deus, ea videlicet dilectione qua nos praevenit ut et
diligamus. Unde beatus *ille discipulus quem diligebat Iesus :*
Non quasi, inquit, *dilexerimus* eum prius, *sed quoniam ipse*
110 *prior dilexit nos.*

13. Praeveniens itaque dilectio *dexteram* nostram apprehendit et tenet : *Misericordia*, inquit, *eius praeveniet me.*
Dilectio vero adiuvans deducit : *Et misericordia*, inquit,
eius *adiuvabat me.* Dilectio autem subsequens suscipit :
1872 C *Et misericordia*, inquit, eius *subsequetur me omnibus diebus*
116 *vitae meae.* Prima dilectio inimicum reconciliat, secunda
amicum iustificat, tertia filium glorificat. Nam *quos*
praedestinavit, hos vocavit ; et quos vocavit, hos iustifi-
cavit ; et quos iustificavit, hos et magnificavit. **14.** Itaque
120 dilectio, et antequam aliquid essemus, *praedestinavit* nobis
in quo semper beati essemus ; *et quos praedestinavit, hos*
in voluntate sua apprehendit, tenet et deducit per omnia,
faciens in nobis *omnia. Deus est enim qui operatur in*
nobis *et velle et posse pro bona voluntate* sua, donec suscipiat

---

101 quia[1] : quoniam *m* ‖ 102 suscepit *om. et add. in marg.* dilecta
est *M* ‖ 103 ex[1] *om. m* ‖ 104 est *om. m* ‖ hostia est *M* ‖ 105 dilectio meritum sanctorum *om. m* ‖ 106 possit *Mm* ‖ 107 erat : creat *m* sedet *M* ‖
107 ut et *scripsi* : et ut *MS* ut eum *m* ‖ 113 *post* misericordia *add.*
tua *m* ‖ 121 hos *om. MS* ‖ 122 tenens *M* ‖ 124 sua : *om.* (*M*ac) *Sm*

---

a. Jn 21, 7 ‖ b. I Jn 4, 10 ‖ c. Ps. 58, 11 ‖ d. Ps. 93, 18 ‖ e. Ps. 22,
6 ‖ f. Rom. 8, 30 (Vet. lat.) ‖ g. Cf. Is. 44, 24. Hébr. 13, 21 ‖ h. Phil.
2, 13

---

1. Sur la priorité de l'amour de Dieu qui fonde notre capacité
de l'aimer en retour, cf. *Serm.* 34, 1805 C-D avec la note, p. 252 s.

aimé immensément, et elle a aimé immensément parce
qu'elle a reçu immensément. **12.** L'amour se voit donc
remettre la dette et donner ce qui n'est pas dû : l'une et
l'autre faveur fait croître l'amour, et l'amour procure
l'une et l'autre. L'amour, par conséquent, est le moyen
expiatoire des pécheurs; l'amour, le mérite des saints;
l'amour, la récompense des bienheureux. Mais à vrai dire,
pour que Dieu ait pu être aimé par nous, Dieu était d'abord
en nous, par cet amour dont il nous prévient pour que
nous aimions à notre tour[1]. D'où la parole de ce bienheureux
« disciple que Jésus aimait[a] ». « Ce n'est pas que nous
l'ayons aimé les premiers, mais que lui nous a aimés le
premier[b]. »

13. Ainsi donc l'amour qui prévient saisit et tient
notre « main droite » : « Sa miséricorde, est-il dit, nous
préviendra[c]. » L'amour qui aide nous conduit : « Et sa
miséricorde, est-il dit, me venait en aide[d]. » L'amour
qui accompagne nous reçoit : « Et sa miséricorde, est-il
dit, m'accompagnera tous les jours de ma vie[e]. » Le premier
amour réconcilie l'ennemi; le second justifie l'ami; le
troisième glorifie le fils. Car « ceux qu'il a prédestinés,
il les a appelés; et ceux qu'il a appelés, il les a justifiés,
il les a aussi glorifiés[f]. » **14.** Même avant que nous n'exis-
tions, l'amour a donc prédestiné pour nous ce qui ferait
notre bonheur éternel; et nous qu'il a prédestinés, il nous
saisit, nous tient, nous conduit partout à sa volonté,
réalisant tout en nous[g] [2]. « C'est Dieu en effet qui opère
en nous et le vouloir et le pouvoir, selon sa bienveillance[h] [3] »,

---

2. L'amour est tout dans la vie chrétienne. Et cet amour est
un don de l'amour de Dieu qui prévient, accompagne et consomme.
Perspectives habituelles à S. Augustin. — Quant au mystère de la
prédestination, Isaac en traite thématiquement dans la grande
série des sermons pour le 2e dimanche de carême (*Serm.* 33 à 37,
1797 C - 1817 D). Voir la *Note complém.* 25 (t. 2, p. 347).

3. Cf. *Serm.* 12, 1732 B.

125 nos *in gloria*. Quam nobis impetret Virgo Mater a Filio suo,
qui cum Patre et Spiritu sancto vivit et regnat Deus per
omnia saecula saeculorum. Amen.

SERMO QUINQUAGESIMUSQUARTUS

In Nativitate Beatae Mariae

1872 D   **1.** *Memoriam fecit mirabilium suorum misericors et*[a]
miserator Dominus. In principio, dilectissimi, mirabiliter fecit
Deus hunc, in quo habitamus, de nihilo mundum ; in fine[b]
vero mirabilius de ipso inveterato et decrepito facit novum.
5 Sicut enim in Testamento veteri novum Testamentum
continebatur, cuius primum fuit *umbra* et ipsum *corpus*,
primum figura et ipsum veritas ; sic et in populo veteri
populus novus, et in homine veteri homo novus, et in
ipso mundo vetere mundus novus ; et ubique quod mira-[c]
10 biliter dictum vel factum est, mirabilius in sacramento
recapitulatur et commemoratur. **2.** A capite ergo cuncta
1873 A   revolvuntur. Omnia enim priora posteriorum sunt figurae,[d]
quae nunc suis incipiunt revelari temporibus ; et haec ipsa
involucra quaedam sunt et *exemplaria futurorum*. Et[e]
15 sicut ista prioribus magis vera et manifesta, sic et istis[f]

125 nos *om. MS*
Praeter m adest tantum O a l. 1 ad l. 106, *paucis omissis*
Tit. In Nativ. Beatae Virginis Mariae *O* ‖ 1-2 misericors — Dominus : etc. *O* ‖ 2 dilectissimi *om. O* ‖ 6-7 corpus — et ipsum *om. O*
per *hom.* ‖ 14 et¹ *om. O* ‖ 14-25 Et sicut — teipsum *om. O*

a. Ps. 72, 24
a. Ps. 110, 4 ‖ b. Cf. Gen. 1, 1 ‖ c. Cf. Apoc. 21, 1 ‖ d. Cf. Col. 2, 17 ‖
e. Cf. I Cor. 10, 6 ‖ f. Hébr. 9, 24 ; 10, 1

jusqu'à ce qu'il nous accueille dans « la gloire[a] ». Daigne
la Vierge-Mère nous l'obtenir de son Fils qui avec le Père
et l'Esprit-Saint vit et règne, Dieu, dans tous les siècles.
Amen.

SERMON 54

Sermon pour la Nativité de Marie

L'histoire de l'Ancien Testament (et en particulier le
récit de la création) préfigure le Nouveau Testament, qui
le récapitule et annonce le monde à venir.

1. « Le Seigneur miséricordieux et compatissant a rappelé
la mémoire de ses merveilles[a]. » « Au commencement »,
mes bien-aimés, Dieu a merveilleusement fait du néant
ce monde où nous habitons[b]; mais à la fin, plus merveilleusement encore, de celui-là, décrépit et vieilli, il en fait
un nouveau[c]. De même en effet que dans l'Ancien
Testament était contenu le Nouveau Testament, le
premier étant l'ombre et celui-ci le corps[d], le premier
étant la figure[e] et celui-ci la vérité, ainsi dans l'ancien
peuple était contenu le peuple nouveau, et dans le vieil
homme l'homme nouveau; et dans le vieux monde lui-
même le monde nouveau; et partout ce qui a été dit ou
fait de merveilleux se trouve plus merveilleusement
encore récapitulé et commémoré dans le mystère. 2. Tout
se déroule à nouveau dès l'origine. Car toutes les réalités
qui ont précédé sont figures de celles qui suivent, lesquelles
commencent à se révéler maintenant chacune en leur temps;
et celles-ci sont à leur tour comme des enveloppes et « des
préfigurations de celles à venir[f] ». Et de même que celles-ci
sont plus vraies et manifestes que les précédentes, ainsi

futura, ut semper *in imagine* et quadam vanitate pertran-
seat *universa vanitas, omnis homo vivens*, donec ad nudam
et manifestam et stabilem veritatis faciem perveniat.
3. Unde scriptum est de consummato et perfecto : *Ideo*
20 *stabilita sunt bona illius in Domino;* et alibi : *Donec*
stabiliat et ponat Ierusalem laudem in terra. Salvator
quoque discipulis promittit ostendere eis in futuro seipsum.
Moyses autem ante tempus id postulans minime impe-
travit. *Si inveni,* inquit, *gratiam coram te, ostende mihi*
25 *teipsum.*

1873 B   **4.** *In principio* igitur primi mundi *creavit Deus caelum*
et terram, et in principio secundi mundi creavit Deus terram
et caelum et de terra caelum. Maria namque, cuius hodie
recolitur Nativitas, secundum carnis hanc originem, *de terra*
30 terrena est et ipsa terra ; de ipsa vero fit *fructus ventris*
eius *de caelo caelestis* et ipse caelum. **5.** Et sicut ibi elementa quatuor, ex quibus universitas corporalis compo-
nitur, historialiter creantur, ordinantur, ornantur, ita hic

---

27 Deus *om. m* ‖ et² *om. m* ‖ 29 hanc *om. m* ‖ 30 est *om. O* ‖ de
ipsa vero : et de ipsa *O* ‖ 31-45 Et sicut — aeternum *om. O*

---

a. Ps. 38, 6-7 ‖ b. Sir. 31, 11 ‖ c. Is. 62, 7 ‖ d. Cf. Jn 14, 21 ‖ e. Ex.
33, 13 (Vet. lat.) ‖ f. Gen. 1, 1 ‖ g. Cf. Lc 1, 44 ‖ h. I Cor. 15, 47

---

1. « L'histoire précède dans le temps le mystère ; la figure vient
avant la vérité ; elle est ' préfiguration ' : ' Numquid non corporaliter
gestis spiritualiter gerenda succedunt '. (HILAIRE, *Tr. myst.,* 1, 22 ;
SC 19, 112). La vie éternelle est, pour nous, vie future : le monde
spirituel est, pour nous, monde à venir. Mais la succession dans
le temps n'est pas tout. Il y a d'un sens à l'autre un déroulement
qu'on peut dire logique. L'objet du second sens constitue par rapport à
l'objet du premier une reprise, un progrès interne, une ' récapitula-
tion ' plus admirable. Isaac de l'Étoile a noté le fait en termes
frappants. » H. DE LUBAC, *Exeg. méd.,* 1ʳᵉ partie, 2, p. 649 ; cf. aussi
Catholicisme, 4ᵉ éd., p. 138-149. — A propos du terme « involucrum »
et de ses synonymes « integumentum », « operimentum », « velamen-
tum », « involumentum », etc., voir H. DE LUBAC, *Exég. méd.,*
spécialement 2ᵉ partie, 2, p. 188-197 ; H. BRINKMANN « Verhüllung

en sera-t-il de celles à venir par rapport à elles[1]; si bien
que c'est toujours comme en image et dans une sorte de
vanité que passe « tout homme vivant, tout entier vanité[a] »,
jusqu'à ce qu'il parvienne à la face découverte, manifeste et stable de la vérité[2]. **3.** Aussi est-il écrit de qui
arrive à la perfection consommée : « Ses biens sont devenus
stables dans le Seigneur[b]. » Et ailleurs : « Jusqu'à ce qu'il
rende stable Jérusalem et fasse d'elle un objet de louange
sur la terre[c]. » Le Sauveur également a promis à ses disciples
de se montrer lui-même à eux dans l'avenir[d]. Mais Moïse
qui demandait cette faveur avant le temps ne l'a aucunement obtenue : « Si, dit-il, j'ai trouvé grâce devant toi,
montre-toi toi-même à moi[e]. »

4. Or, « au commencement » du premier monde, « Dieu
créa le ciel et la terre[f] »; et au commencement du second
monde, Dieu créa la terre et le ciel, et de la terre le ciel.
Marie en effet, dont nous célébrons aujourd'hui la Nativité,
est, selon cette provenance de sa chair, terrestre, tirée
de la terre, terre elle-même; mais d'elle est produit le fruit
de ses entrailles[g], « céleste, venu du ciel[h] », ciel lui-même.
5. Là, dans l'histoire, sont créés, ordonnés, ornés les
quatre éléments à partir desquels l'univers matériel
s'organise[3]; ici, dans le mystère, sont créés, ordonnés,

(' integumentum ') als literarische Darstellungsform im Mittelalter »,
dans *Der Begriff der Repraesentatio im Mittelalter* (Miscell. Med. 8),
Berlin 1971, p. 314-339. Pour Isaac de l'Étoile, « involucrum » est
« un équivalent des mots ' umbra ' et ' figura ' propres à exprimer
comme eux le rapport des deux Testaments, et les ' involucra ;
bibliques sont à ses yeux les ' exemplaria futurorum ' dont le sens
commence à se révéler lorsque arrive la plénitude des temps. »
H. DE LUBAC, *op. cit.*, 2e partie, 2, p. 193 — Voir aussi la *Note
complém.* 12 : « Les sens de l'Écriture » (t. 1, p. 343-344).

2. Sur l'opposition vanité-vérité, voir *Serm.* 28, 1783 D, avec
la note.

3. « Elementa quatuor. » Première spécification de la matière
primordiale, les quatre éléments sont le principe, la source, de la
puissance germinative (« seminarium »). Cf. *Serm.* 22, 1763 B-C ;
Serm. 24, 1769 B-C.

mysterialiter Sponsus et Sponsa, praelati ac subiecti vel
35 contemplativi et activi, tamquam *caelum et terra*, creantur,
ordinantur, ornantur. **6.** Et sicut ibi *stella a stella differt
in claritate*, ita hic alius lucet sermone *sapientiae* ut praesit
1873 C *diei*, alius *scientiae* ut praesit *nocti;* alii quoque gratias
habent minores *in ministerium* signorum ac temporum,
40 suoque loco et dono fulgent in firmamento novo quod *non
commovebitur*, sed fortiter dividit inter aquas superiores et
inferiores, ne ruptis cataractis commisceantur et diluvium
faciant. Habet enim <secundus> mundus diluvium
suum, de quo scriptum est : *Dominus diluvium inhabitare
45 facit, et sedebit Dominus rex in aeternum.*

7. Ibi factus est die sexto homo *ad imaginem et similitudinem Dei;* hic Deus fit aetate sexta *ad imaginem et
similitudinem* hominis. Ibi de terra fit homo ; hic de Maria
fit Deus. Ibi de terra adhuc incorrupta et virgine, homo
50 rectus et ipse virgo ; hic de Maria semper incorrupta et
1873 D virgine, Deus *iustus* et ipse faciens virgines. Ibi de viri

---

34-35 praelati ac subiecti ... tamquam caelum et terram *scripsi* :
tamquam caelum et terram, subiecti ac praelati *m* ‖ 43 <secun-
dus> *supplevi* (*vide supra l.* 27 ; *infra* § 12) *om. Om* ‖ 48 *post* Maria
add. virgine *O* ‖ 50 et² : ac *m*

---

a. I Cor. 15, 41 ‖ b. Cf. I Cor. 12, 8. Gen. 1, 16 ‖ c. Cf. I Cor. 12,
9-10 ‖ d. Cf. Deut. 4, 19. Gen. 1, 14. Matth. 16, 4 ‖ e. Ps. 92, 1. Cf.
Gen. 1, 17. Dan. 12, 3 ‖ f. Cf. Gen. 1, 7 ‖ g. Cf. Gen. 7, 11-12 ‖ h. Ps.
28, 10 ‖ i. Gen. 1, 26 ; 5, 1 ‖ j. Cf. Gen. 2, 7 ‖ k. Cf. Deut. 32, 4

---

1. Sur la relation d'interdépendance entre les actifs et les contemplatifs dans l'unité organique du Corps du Christ total, voir *Serm.* 34,
1802 A-B.

2. Le parallèle entre la terre vierge de laquelle Adam a été formé
et Marie toujours vierge en qui Dieu s'est incarné se trouve dans
l'ancienne tradition. Ainsi S. IRÉNÉE déclare : « Et quemadmodum
protoplastus ille Adam de rudi terra et de adhuc virgine (' Nondum
enim pluerat Deus et homo non erat operatus terram ', *Gen.* 2, 5)
habuit substantiam et plasmatus est manu Dei, id est Verbo Dei

ornés, comme le ciel et la terre, l'Époux et l'Épouse, les
supérieurs et les sujets, ou bien les contemplatifs et les
actifs[1]. **6.** Là « une étoile diffère en éclat d'une étoile[a] »;
ici l'un éclaire par la parole de sagesse pour présider
au jour, l'autre par celle de science pour présider à la
nuit[b], d'autres aussi possèdent des grâces moindres[c] pour
marquer les signes et les temps[d]. À leur place et suivant
leur don ils brillent au firmament nouveau qui « ne sera
pas ébranlé[e] », mais qui sépare solidement les eaux supérieures des eaux inférieures[f], de crainte que par la rupture
des écluses, elles ne se mêlent et ne provoquent le déluge[g].
Car le second monde a aussi son déluge, dont il est écrit :
« Le Seigneur fait habiter le déluge, et le Seigneur siègera
en roi pour l'éternité[h]. »

7. Là, au sixième jour, l'homme a été fait « à l'image
et ressemblance de Dieu[i] »; ici, au sixième âge, Dieu
se fait à l'image et ressemblance de l'homme. Là, de la
terre est fait l'homme; ici, de Marie est fait Dieu. Là
de la terre encore sans corruption et vierge[j], l'homme
droit, lui-même vierge; ici, de Marie toujours sans corruption et vierge, le Dieu juste[k], lui-même faisant les vierges[2].

('omnia enim per ipsum facta sunt ', et 'sumpsit Dominus limum
a terra et plasmavit hominem ', *Gen.* 2, 7), ita recapitulans in se
Adam ipse Verbum exsistens, ex Maria quae adhuc erat Virgo,
recte accipiebat generationem Adae recapitulationis ». *Adv. haer.* 3,
21, 10 (*PG* 7, 954-955 ; *SC* 211, p. 428). S. ANDRÉ DE CRÈTE : « Le
dessein du Rédempteur de notre race était de produire une naissance
et comme une création nouvelle pour remplacer le passé. Au paradis
il avait puisé dans la terre vierge et sans tache un peu de limon
pour en façonner le premier Adam : de même, au moment de réaliser
sa propre incarnation, il se servit d'une autre terre, pour ainsi dire,
à savoir de cette Vierge pure et immaculée, choisie parmi toutes
les créatures. C'est en elle qu'il refit à neuf à partir de notre substance
et devint un nouvel Adam, lui le Créateur d'Adam, afin que l'ancien
fût sauvé par le nouveau et l'éternel ». *In nativ. B. M. serm.* 1
(*PG* 97, 814 D - 815 A). Ce parallèle se trouve aussi dans TERTULLIEN,
De carne Christi, 17 (*SC* 216, p. 278-282). Cf. S. AMBROISE, *Exp.
Evang. sec. Lucam,* 4, 7 (*SC* 45, p. 153).

latere sine muliere mulier creata est ; hic de mulieris utero
sine viro vir generatur. **8.** Ibi de <Adae> dormientis
costa femina in *adiutorium aedificatur;* hic de Christi
55 morientis latere Sponsa consecratur. Ibi pro costa caro
suppletur ; hic pro virtute quae datur, infirmitas suscipitur.
Ibi *duo in carne una;* hic *iam non duo, sed unus in Spiritu
uno.* Ibi *propter* uxorem *relinquet homo patrem et matrem,
et adhaerebit* illi ; hic *sacramentum hoc magnum* apparet
60 *in Christo et in Ecclesia,* quia quasi *patrem* reliquit *et
matrem,* dum a Patre descendit et Synagogam deseruit,
ut Ecclesiae gentium adhaereret. **9.** Ibi homo creatus *in
paradiso* ponitur *voluptatis,* <*ut operaretur et custodiret
illum*> ; hic homo renovatus in Ecclesia ponitur spiritua-
1874 A lium deliciarum opulenta et omnigeno gratiarum flore
66 decorata et virtutum fructu suavi, ut operetur ibi homo

---

52 mulier sine muliere *m* ‖ 53 generatur : generatus est *O* ‖
<Adae> *supplevi (vide l.* 54-55 : hic de Christi morientis) *om. Om* ‖
55 morientis latere *scripsi (vide l.* 53-54 : dormientis costa) : latere
morientis *Om* ‖ *post* costa *fortasse supplendum* quae tollitur *ex
Gen.* 2, 21 *(vide l.* 56 : pro virtute quae datur) ‖ 60 et[1] *om. O* ‖
quia : qui *O* ‖ 63-64 ut oper. et cust. illum *supplevi ex Gen.* 2, 15
(vide l. 66-67 : ut operetur... et custodiat) *om. Om* ‖ 66 et *om. m*

---

a. Cf. Gen. 2, 22 ‖ b. Cf. Gen. 2, 18.21-22. Ps. 121, 3 ‖ c. Gen. 2,
24 ‖ d. Cf. Matth. 19, 6. I Cor. 6, 17. Éphés. 2, 18 ‖ e. Gen. 2, 24 ;
Matth. 19, 5 ‖ f. Éphés. 5, 32 ‖ g. Gen. 2, 15

---

1. L'Église, Ève mystique, née du côté du Christ. Voir *Serm.* 11,
1728 B, avec la note. Signalons deux témoignages patristiques.
S. AMBROISE : « Quis est iste vir, propter quem mulier parentes
relinquat ? Relinquit parentes Ecclesia quae de gentilibus populis
congregata est, cui prophetice dicitur : ' Obliviscere populum
tuum et domum patris tui. ' Propter quem virum nisi forte illum
de quo dicit Ioannes : ' Post me venit vir qui ante me factus est ? '
De cuius latere dormientis costam Deus sumpsit ; ipse est enim
qui dormivit et quievit et resurrexit, quoniam Dominus suscepit
eum. Quae est huius costa nisi virtus ? Quia tunc quando miles
latus eius aperuit, continuo aqua et sanguis exivit, qui effusus
est pro saeculi vita. Haec saeculi vita costa Christi est, haec costa

Là du côté de l'homme, sans femme, a été créée la femme[a];
ici, du sein d'une femme, sans homme, est engendré un
homme. **8.** Là, de la côte d'Adam endormi, est formé la
femme en vue de l'aide[b]; ici, du côté du Christ mourant
est consacrée l'Épouse. Là, une côte est remplacée par
de la chair; ici en contrepartie de la force qui est donnée,
la faiblesse est assumée. Là, « deux en une seule chair[c] »;
ici, non plus deux, mais un seul en un seul Esprit[d].
Là, pour son épouse « l'homme quittera père et mère,
et il s'attachera à elle[e] »; ici, « ce grand mystère » se révèle
« en le Christ et l'Église[f] », car il a pour ainsi dire quitté
père et mère, en descendant d'auprès du Père et en
abandonnant la Synagogue pour s'attacher à l'Église des
nations[1]. **9.** Là, l'homme créé est placé « dans le paradis
de délices pour le travailler et le garder[g] »; ici, l'homme
rénové est placé dans l'Église, opulente de toutes les
délices spirituelles, ornée de toute la variété des fleurs
de la grâce et du fruit savoureux des vertus, pour que

secundi est Adam ». *Exp. Evang. sec. Lucam*, 2, 86 (*SC* 45, p. 112-113 ;
voir l'ensemble des paragr. 85-89, p. 112-114). S. Augustin : « Si
ergo Christus adhaesit Ecclesiae ut essent duo in carne una, quomodo
relinquit Patrem ? ... Reliquit Patrem, non quia deseruit et secessit
a Patre, sed quia non ea in forma apparuit hominibus in qua aequalis
est Patri. Quomodo reliquit matrem ? Relinquendo synagogam
Iudaeorum, de qua secundum carnem natus est, et inharendo
Ecclesiae, quam ex omnibus gentibus congregavit ... Dormit Adam
ut fiat Eva ; moritur Christus ut fiat Ecclesia. Dormienti Adae
fit Eva de latere ; mortuo Christo lancea percutitur latus, ut profluant
sacramenta quibus formetur Ecclesia. Cui non appareat quia in illis
tunc factis futura figurata sunt ? » *In Ioan.*, 9, 10 (*Bibl. Aug.*,
t. 71, p. 528-530, avec la *Note complém.* 69, p. 904-906). — Cf.
D. Sartore, « ' Ecclesiae mirabile sacramentum. ' Annotazioni
patristico-liturgiche in riferimento alla concezione sacramentale della
Chiesa. 1. ' Ecclesia de latere Christi ' », dans *Eulogia. Miscell.
liturg. in onore di P. B. Neunheuser*, Roma 1979 (*Studia Ans.* 68),
p. 393-411. La même perspective est présente chez les Victorins :
J. Châtillon, « Une ecclésiologie médiévale. L'idée de l'Église chez
les théologiens de l'école de Saint-Victor », dans *Irénikon*, t. 22
(1949), p. 134-135.

cum timore et tremore salutem suam, et custodiat semper circumspecte quod acquisivit a creante, sicut scriptum est : *Qui se existimat stare, videat ne cadat.*

70 **10.** Et quid multa? Omnia quae ibi actualiter facta narrantur in illo actuali ac sensibili mundo, hodie recapitulari incipiunt in hoc mystico ac spirituali mundo, et *memoriam* facere incipit Deus omnium quae fecit, renovans universa et sublevans, sicut scriptum est : *Ecce nova facio*

75 *omnia;* et : *Si exaltatus fuero a terra, omnia traham ad meipsum.* **11.** Ideo quippe sursum in aere mori voluit,

1874 B suspensus a terra, ut hominem terrenum ad spiritualem statum elevaret, donec ad extremum ad caelum eum sustolleret et in caelesti qualitate perficeret. Natus nimirum

80 in terra, in aere moritur et in caelum ascendit, quia primum hominem in suo mundo terreno fecit terrenum, et secundum in suo mundo spirituali spiritualem, facturus tertium in suo mundo caelesti caelestem. **12.** Primus mundus historicus, cuius conditionem et gubernationem narrat vetus Testa-

85 mentum ; secundus moralis et allegoricus, cuius conditionem et gubernationem narrat Evangelium ; tertius anagogicus, id est sursum ductivus, cuius statum *nemo* novit, *nisi qui accipit.* Vetus quippe Testamentum creationem narrat primi mundi et portendit operationem secundi. Novum

1874 C vero Testamentum reconcilationem annuntiat primi, quae

91 est creatio secundi, et pollicetur, quem praesignat, statum tertii. *Vespere,* inquit, *et mane et meridie narrabo et*

---

67 custodiatque *m* ‖ 68 a creante : accurate *O* ‖ 70-72 Omnia quae — mundo, et *om. O* ‖ 73 facere incipit Deus : facit Deus in hoc mundo *O* ‖ 74 et : ac *m* ‖ 81 in suo mundo *scripsi* (cf. *l.* 82) : in mundo suo *Om* ‖ et om. *m* ‖ 82 in suo mundo[1] : in mundo suo *O* ‖ 82-83 facturus tertium … caelestem : tertium … caelest. facturus *m* ‖ 84 et : ac *m* ‖ 84-86 vetus Testamentum — narrat *om. O per hom.* ‖ 87 novit : scit *m cum Vg.* ‖ 89 portendit *emendavi* : portentat *Om* ‖ 90 reconcil. annuntiat primi : primi reconcil. annuntiat *m*

---

a. Éphés. 6, 5 ; Phil. 2, 12 ‖ b. I Cor. 10, 12 ‖ c. Cf. Ps. 110,

l'homme y travaille « avec crainte et tremblement à son salut[a] », et garde toujours avec vigilance ce qu'il a reçu de qui l'a créé, car il est écrit : « Qui se flatte d'être debout veille à ne pas tomber[b]. »

10. Qu'ajouter encore? Tout ce qui est raconté s'être passé là de façon actuelle en ce premier monde, actuel et sensible, commence aujourd'hui à être récapitulé en ce second monde, mystique et spirituel, et Dieu commence à rappeler tout ce qu'il a fait[c], renouvelant et surélevant toutes choses, comme il est écrit : « Voici, je fais toutes choses nouvelles[d] »; et encore : « Quand j'aurai été élevé de terre, j'attirerai tout à moi[e]. » **11.** S'il a voulu mourir en haut, en l'air, suspendu à distance de la terre, c'était pour élever l'homme terrestre à l'état spirituel, en attendant qu'à la fin il le soulevât jusqu'au ciel et lui donnât une perfection céleste. Né en effet sur terre, il meurt en l'air et monte au ciel, car il a fait le premier homme terrestre en son monde terrestre, il fait le second spirituel en son monde spirituel, il fera le troisième céleste en son monde céleste[f]. **12.** Le premier monde est historique : sa fondation et son gouvernement sont narrés par l'Ancien Testament ; le second, moral et allégorique : sa fondation et son gouvernement sont narrés par l'Évangile; le troisième, anagogique, c'est-à-dire conduisant en haut : sa condition, « nul ne la connaît, hormis celui qui la reçoit[g] ». L'Ancien Testament raconte la création du premier monde et symbolise l'œuvre du second; le Nouveau Testament annonce la réconciliation du premier monde — qui est la création du second — et il promet, en le préfigurant, la condition du troisième[1]. « Le soir, est-il dit, le matin et à midi,

---

4 ‖ d. Apoc. 21, 5 ‖ e. Jn 12, 32 ‖ f. Cf. I Cor. 15, 47-49 ‖ g. Apoc. 2, 17 ; cf. 19, 12

---

1. L'Évangile — qui est une réalité présente — est lui-même figure de l'avenir. S. Ambroise écrit : « Per evangelium in terris

annuntiabo, et exaudiet vocem meam. **13.** Vespere moritur
homo terrenus ac *vetus* in mundo veteri, videntibus filiis
95 vetustatis ; *mane* resurgit homo novus, et apparet in
mundo novo filiis novitatis ; meridie *ascendit ad caelum
caelestis*, et apparet in conspectu paternae *maiestatis* —
sanctis angelis mirantibus et dicentibus : *Quis est iste, qui
venit de Edom, tinctis vestibus de Bosra?* —, ubi exauditur *pro*
100 *sua reverentia*, interpellans *pro nobis* ; propter quod scriptum
est : *Et exaudiet vocem meam.* Locatus igitur et regnans in ter-
1874 D tio mundo, orat Patrem pro his quos extrahit de primo mundo, et ponit interim in secundo mundo, sicut scriptum est :
Non rogo pro mundo, sed pro his quos dedisti mihi de mundo.
105   **14.** Sic etenim creatus est homo extra paradisum et postmodum positus in paradiso, deinde ponendus in caelo. Sed
cum per culpam inoboedientiae recessit a Deo, per iustitiam

---

94 ac *om. O* ‖ 96 ad : in *m* ‖ 98 et : ac *m* ‖ 99 tinctis — Bosra ? :
etc. *m* ‖ 101 Et *om. m* ‖ 103 mundo *om. m* ‖ 105 enim *m* ‖ et : ac *m*

---

a. Ps. 54, 18 ‖ b. Cf. I Cor. 15, 47. Rom. 6, 6 ; 7, 6. Col. 3, 9-10
‖ c. Jn 3, 13. Cf. 20, 17 ‖ d. Cf. Hébr. 1, 13 ‖ e. Is. 63, 1 ‖ f. Hébr.
5, 7 ‖ g. Cf. Hébr. 7, 25 ‖ h. Ps. 54, 18 ‖ i. Jn 17, 9 ‖ j. Cf. Gen. 2, 7-8

---

videmus caelestia mysteria figurata ». *De Isaac*, 5, 42 (14, 516). Il est
seulement une aurore. S. BERNARD : « Erat aurora et ipsa subobscura
satis tota illa Christi conversatio super terram ». *In Cant.*, 33, 6
(183, 953). C'est la résurrection qui apporte toute la lumière. GUERRIC
D'IGNY, *De resurr. Domini serm.* 2, 1 (*SC* 202, p. 230). Pourtant,
en vertu de la continuité entre le présent et l'avenir, l'avenir est
déjà d'une certaine manière dans le présent. En effet, le schéma
trinitaire, mis en œuvre ici par Isaac, « ne concerne que la connaissance. Car il n'y a pas de troisième Testament. Le Mystère du
Christ, une fois donné, est donné tout entier. Le sens anagogique
ne peut être qu'entrevu, mais la réalité qu'il entrevoit est déjà là.
Reconnaissons dans toute sa force l'unicité du Fait par lequel fut
inaugurée la Nouvelle Alliance : l'Incarnation rédemptrice du Verbe

je raconterai et annoncerai, et il entendra ma voix[a]. »
13. Le soir, meurt l'homme terrestre et vieux dans le
monde vieux, sous les yeux des fils de la vétusté; le matin
ressuscite l'homme nouveau, et il apparaît dans le monde
nouveau aux fils de la nouveauté[b]; à midi « il monte au
ciel[c] », céleste, et il paraît en présence de la majesté paternelle[d], à l'étonnement des saints anges qui disent : « Qui
est celui-ci qui vient d'Édom, de Bosra en habits écar-
lates[e]? » Là il est exaucé « en raison de sa piété[f] », tandis
qu'il intercède pour nous[g]; c'est pourquoi il est écrit :
« Et il entendra ma voix[h] [1]. » Établi dans le troisième
D   monde et y régnant, il prie le Père pour ceux qu'il tire
du premier monde et qu'entre-temps il place dans le second
monde, selon qu'il est écrit : « Je ne prie pas pour le monde,
mais pour ceux que tu m'as donnés du monde[i]. »

14. L'homme en effet a été ainsi créé en dehors du
paradis, placé ensuite dans le paradis[j], pour être enfin
placé dans le ciel[2]. Mais, lorsque par sa désobéissance
coupable il s'est retiré de Dieu, par une juste vengeance

---

de Dieu ». Fait unique en ce sens notamment « que ce Fait, seul
entre tous les faits, fut préfiguré par la longue série des faits de
l'ancienne Alliance, — que lui-même, en sa réalité profonde, ne se
prête point à être allégorisé, — enfin, qu'il ne cesse depuis le premier
instant de fructifier, à l'intérieur de lui-même, dans les siècles à venir
et pour l'éternité ». H. DE LUBAC, *Exég. Méd.*, 2e partie, 2, p. 123.
Cf. aussi *ibid.*, p. 109 ; 2e partie, 1, p. 625-627.

1. Sur la prière sacerdotale d'intercession du Christ glorieux,
voir *Serm.* 1, 1691 C-D ; *Serm.* 36, 1812 C-D.

2. « L'homme a été créé en dehors du paradis, placé ensuite
dans le paradis, pour être enfin placé dans le ciel. » C'est une interprétation littérale du texte de *Gen.* 2, 8. L'idée se trouve fréquemment
exprimée par les théologiens du temps : c'est pour eux une manière
d'affirmer la gratuité de la grâce. Cf. PIERRE LOMBARD : « Quod ideo
factum est quia non erat in eo permansurus, vel ut non naturae sed
gratiae hoc assignaretur ». *Sent.*, 2, 17, 4. HUGUES DE SAINT-VICTOR :
« In tali ergo loco et talibus deliciis referto positus est homo, non
creatus, quatenus beneficium Dei non naturae imputaret sed gratiae ».
De Sacram., 1, 6, 33 (176, 284) ; cf. *Summa Sent.*, 3, 4 (176, 94).

vindictae recessit a mente caro, et proiecta est ipsa de
paradiso, et sic agit totus homo in exsilio. Neque enim in
110 tali corpore creata vel posita est anima, nec in tali mundo
corpus. Anima igitur peregrinatur in tali corpore, et corpus
in tali mundo. **15.** Ordinatus quippe ac naturalis status
hominis erat, cum spiritus Deo, caro spiritui, mundus
carni subiectus fuerat, et in ipso spiritu affectio rationi
1875 A subiacuerat. Et hic erat primus naturalis mundus, aureum
116 Saturni saeculum aureaque catena poetae. Quam cum
inoboedientia rupisset inter spiritum et Deum, concupiscentia inter carnem et spiritum, ac demum maledictio inter
operationem carnis et mundum, apparuit subito exordinata
120 quaedam rerum facies, quae chaos, *tenebrae* et abyssus
merito dicta est, unde extractum se memoravit, qui per
gratiam *nova in Christo creatura* in novo mundo positus,
psallit : *Quantas ostendisti mihi tribulationes multas et
malas, et conversus vivificasti me et de abyssis terrae reduxisti*

114 rationi *scripsi* (*vide* Serm. 4, *l.* 141, t. 1, p. 140 ; Serm. 46,
l. 88-93, t. 3, p. 124) : carni *m*

a. Cf. Gen. 3, 24 ‖ b. Cf. II Cor. 5, 6 ‖ c. Cf. Gal. 5, 17 ‖ d. Cf. Gen.
3, 17 ‖ e. Cf. Gen. 1, 2 ‖ f. II Cor. 5, 17

1. « Naturalis status » est l'ordre normal, concrètement et histo-
riquement voulu par Dieu. Il ne s'agit pas ici de « l'ordre naturel »,
tel qu'il sera distingué plus tard par la théologie de « l'ordre sur-
naturel ». Voir A.-R. MOTTE, *Bull. Thomiste*, t. 3 (1932), p. 649-675 ;
A. VANNESTE, « Nature et grâce dans la théologie du douzième
siècle. », dans *Ephem. Theolog. Lovanienses*, t. 50 (1974), p. 181-214.
2. Influencé sans doute par l'idée dyonisienne de la hiérarchie
Isaac aime noter les degrés, les intermédiaires (cf. *Serm.* 5, 1704 C :
« Notate gradus, profectus distinguite ») qui forment comme une
chaîne. C'est par la partie supérieure que l'âme touche Dieu ; elle
est intermédiaire entre Dieu et le corps. Dans son unité, il y a pluralité
de puissances, et la partie inférieure de l'âme (« phantasticum ») peut

sa chair s'est retirée de son esprit; elle-même a été chassée
du paradis[a], et ainsi l'homme se trouve tout entier exilé.
Car ce n'est pas dans un pareil corps que l'âme fut créée
ou placée, ni dans un pareil monde, le corps. Par le fait
l'âme est étrangère en un pareil corps[b], et le corps en un
pareil monde. **15.** L'homme était dans un état ordonné
et normal[1] tant que l'esprit restait soumis à Dieu, la chair
à l'esprit, le monde à la chair[2], et que dans l'esprit lui-
même l'affection était soumise à la raison. Et tel était
le premier monde à l'état normal, le siècle d'or de Saturne
et la chaîne d'or du poète[3]. Mais lorsque la désobéissance
eut rompu cette chaîne entre l'esprit et Dieu, la concu-
piscence, entre la chair et l'esprit[c], et enfin la malédiction,
entre l'activité de la chair et le monde[d], soudain est apparue
une certaine face désordonnée des choses, appelée justement
chaos, ténèbres et abîme[e]. De là fut tiré, il le rappelle,
celui qui, placé par grâce, « créature nouvelle dans le
Christ[f] », en un monde nouveau, chante : « Combien
tu m'as fait voir de maux et de détresses! Puis tu t'es
retourné, tu m'as rendu la vie et tu m'as ramené des

être unie à la partie supérieure du corps (« sensualitas »). Cf. *De
anima*, 1881 B-D. Voir les remarques pertinentes de R. Javelet,
*Image et ressemblance au douzième siècle de saint Anselme à Alain de
Lille*, t. 1, Strasbourg 1967, p. 152-157.

3. Cette « chaîne d'or du poète » se trouve dans Homère, *Iliade*,
VIII, 17-27. Cf. Platon, *Théétète*, 153 C. Isaac la mentionne encore
dans un passage du *De anima* : « Ipsi quoque supremum corpus,
id est ignis, quadam similitudine iungitur et igni aer, aeri aqua,
aquae terra. Hac igitur quasi aurea catena poetae vel ima dependent
a summis, vel erecta scala prophetae ascenditur ad summa de imis ».
(1885 C). — Sur la chaîne d'or, voir l'étude classique de P. Lévèque,
Aurea catena Homeri. Une étude sur l'allégorie grecque, Paris 1959 ;
voir surtout l'enquête large et approfondie menée par B. McGinn,
*The Golden Chain. A Study in the Theological Anthropology of Isaac
of Stella*, Washington 1972, p. 61-102. — Le « siècle d'or de Saturne »
doit être une réminiscence de Virgile, *En.*, 8, 319-325.

1876 A   *me.* **16.** Homo enim *sumptus* de terra per naturam, supra
126   <terram> locatus per gratiam, infra <terram> cecidit
per culpam. Nunc enim gratias agens quis dicit : *Eduxit me
de lacu miseriae et de luto fecis.* Primo enim creatur *de limo*,
secundo creatur *de luto* et extrahitur *de lacu*, qui de terra
130   creatus, in profundum cecidit ac fundum non invenit.
Abyssus enim sine fundo profunditas est. *Infixus sum*,
inquit, *in limo profundi, et non est substantia*. . . . .
. . . .

SERMO QUINQUAGESIMUSQUINTUS

In dedicatione ecclesiae

1. *Vidi civitatem sanctam Ierusalem novam, descendentem
de caelo a Deo, paratam sicut sponsam ornatam viro suo.*
Civitatem hanc *sanctam*, Ecclesiam designare non oportet

125-126 supra <terram> ... infra <terram> *supplevi* (cf. *Epist.
de can. missae, PL* 194, col. 1893 a) ‖ 128 creatur : creatus *m*
Sermo in dedic. eccles. non invenitur in editione m
Tit. : In dedic. eccles. sermo abbatis Ysaac *S* ‖ 3 civitatem hanc,
sanctam Ecclesiam *S*

---

a. Ps. 70, 20 ‖ b. Cf. Gen. 3, 19 ‖ c. Cf. Gen. 1, 28 ‖ d. Cf. Gen. 3,
17-19 ‖ e. Ps. 39, 3 ‖ f. Cf. Gen. 2, 7 ‖ g. Ps. 68, 2
a. Apoc. 21, 2

---

1. Cf. le passage parallèle de la lettre sur le canon de la messe, qui
permet de restaurer la teneur authentique du texte : « Nam cum homo
de terra sumptus per naturam, super terram dominus constitueretur
per gratiam, ab auctore naturae et datore gratiae recedens per culpam,
infra terram damnatus est per iustitiam ». (1893 A). — La doctrine du
péché originel chez Isaac est exposée dans la *Note complém.* 8 (t. 1,
p. 338-339).
2. Voir la *Note complém.* 32 : « La collection des sermons d'Isaac »
(p. 315 s.).

abîmes de la terre[a]. » **16.** En effet, l'homme tiré de la terre[b] par la nature, établi au-dessus de la terre[c] par la grâce, est tombé au-dessous de la terre[d] par la faute[d][1]. Or maintenant quelqu'un peut dire en action de grâces : « Il m'a tiré du lac de misère et de la boue du bourbier[e]. » Car il est créé la première fois du limon[f], la seconde fois de la boue, et il est tiré du lac, lui qui, créé de la terre, est tombé dans le gouffre et n'a pas rencontré le fond. L'abîme est bien un gouffre sans fond : « J'enfonce, dit-il, dans la vase du gouffre, rien qui me retienne[g][2]. » . . . .

. . . .

SERMON 55

Sermon pour le jour de la Dédicace[3]

L'Église se bâtit au long des temps dans la diversité et la multiplicité, elle est mise à l'épreuve et purifiée. Sa dédicace à la fin des temps la fera participer à l'unité même de Dieu-Trinité. Si Jean l'a vue comme descendre du ciel en sa parure d'épouse, c'est que l'Époux lui en a déjà donné les arrhes après avoir pris ses faiblesses. Fonction exercée dans l'Église par la vie monastique contemplative.

1. « J'ai vu descendre du ciel, d'auprès de Dieu, la cité sainte, la Jérusalem nouvelle, toute prête, comme une épouse parée pour son époux[a]. » Cette « cité sainte », à n'en pas douter, désigne l'Église. Elle est la « Jérusalem qui

---

3. Ce sermon, identifié par Dom J. Leclercq dans le ms. CCI de Subiaco, a été publié par lui dans la *RAM*, t. 40 (1964), p. 277-288 : « Nouveau sermon d'Isaac de l'Étoile ». Dom Leclercq démontre l'authenticité de ce morceau par l'analogie des thèmes et des expressions avec ce qu'on trouve dans les autres sermons ; on consultera son étude suggestive et ses annotations.

ambigere. Ipsa enim est *Ierusalem, quae aedificatur* hic *ut*
5 *civitas, cuius participatio,* hic ubi *aedificatur,* in unum,
propter unam fidem, unum Deum, unum baptisma ; ubi
autem dedicatur, *in idipsum,* propter unius Trinitatis
uniformem contemplationem. **2.** Hic autem ubi *aedificatur,*
multae disciplinae, plurimae tunsiones, varia sacramenta,
10 ubi sponsa circumamicitur *varietatibus,* omnia tamen propter unum ; postquam autem offeretur *in laetitia et exsulta-*
tione in templum Sponsi sui *regis,* <super omnia et> post
omnia non erit nisi unum. *Martha* autem *sollicita* est *et* turbatur *erga plurima. Maria optimam partem elegit,* id est
15 *unum* super omnia et post omnia, et propter quod interim
alia utilia et necessaria. **3.** Hic ubi *aedificatur, omnes qui pie*
volunt vivere in Christo Iesu persecutionem patiuntur; ubi
autem dedicatur, non auditur *vox mallei* aut *securis.* Hic
sex annis aedificatur ; ibi septimo dedicabitur, quia *in sex*
20 *tribulationibus* liberat eam Sponsus suus, *et in septima*
non tanget eam *malum.* **4.** Hic de communi massa perdi-

---

10 circumadmicitur (*corr. ex* circumadmititur) S ‖ 12 <super
omnia et> *supplevi ex l.* 15 (*Vide etiam* Serm. 9, l. 89-90, t. 1,
p. 212 ‖ 15 et propter quod interim *scripsi* : interim, et propter
quod S

---

a. Ps. 121, 3 ‖ b. Cf. Éphés. 4, 5 ‖ c. Ps. 121, 3 ‖ d. Ps. 44, 15 ‖
e. Ps. 44, 16. Cf. I Cor. 15, 24 ‖ f. Lc 10, 41-42 ‖ g. II Tim. 3, 12 ‖
h. Cf. III Rois 6, 7. Sir. 38, 30 ‖ i. Job 5, 19

---

1. « Idipsum » (*Ps.* 121, 3). S. Augustin en a fait un terme technique
pour exprimer le mystère de l'être même de Dieu, dans son unité,
son éternité, sa transcendance. Pourtant, par la médiation du Verbe
incarné l'homme est appelé à participer à l'« Idipsum ». Cf. *Enarr. in*
Ps. 121, 5-6. 12 (34, 1621-1623, 1629) ; *Confessions,* 9, 4, 11 (32, 768) ;
De Trin., 3, 2, 8 (42, 871-872) ; *In Ioan.,* 2, 2 (35, 1389). — L'« Idipsum » se rencontre souvent dans les écrits de S. Bernard, selon
trois thèmes de réflexion : identité-unité, unanimité, paix. Cf.
J. LECLERCQ, « ' Idipsum '. Les harmoniques d'un mot biblique chez
S. Bernard » dans *Scientia Augustiniana* (Festschr. Adol. Zumkeller),
Würzburg 1975, p. 170-183.

est édifiée — ici-bas — comme une cité » : ici où « elle est
édifiée », « elle a part[a] » à une même réalité, en raison de
l'unique foi, de l'unique Dieu, de l'unique baptême[b];
là où elle est dédiée, « elle participe à la Réalité même[c] [1] »,
en raison de l'identique contemplation de l'unique Trinité.
2. Ici où « elle est édifiée », multiples sont les apprentissages,
innombrables les coups, variés les sacrements : l'épouse
y revêt « une parure changeante[d] », et cependant tout est
ordonné à l'unité. Une fois qu'elle aura été présentée
« dans la liesse et l'exultation, pour être le temple du roi »
son Époux[e], au-dessus de tout et au-delà de tout, il n'y
aura plus que l'unité[2]. « Marthe s'affaire » et « s'inquiète »
pour beaucoup de choses. Marie a choisi la meilleure
part[3] », c'est-à-dire « la réalité unique[f] » au-dessus de
toutes et au-delà de toutes, et en vue de laquelle les
autres sont entre-temps utiles et nécessaires. **3.** Ici où
« elle est édifiée », « tous ceux qui veulent vivre avec piété
dans le Christ Jésus souffrent persécution[g] »; là où elle
est dédiée, on n'entend pas le son du marteau ou de la
hache[4] [h]. Ici elle est édifiée en six années; là elle sera
dédiée la septième, car « six fois » son Époux la « libère
de la détresse, et à la septième le mal ne l'atteindra pas[i] ».

2. Sur la multiplicité et l'unité, cf. *Serm.* 5, 1707 C-D ; *Serm.* 9,
1721 A ; *Serm.* 12, 1731 B ; *Serm.* 34, 1801 A-C ; *De offic. missae*,
1892 C. — Sur l'effacement eschatologique des médiations sacra-
mentelles, voir *Serm.* 41, 1829 A.

3. Sur la typologie de Marthe et Marie, voir les témoignages
patristiques rassemblés par D. A. Csányi, « Optima Pars. Die
Auslegungsgeschichte von LK 10, 38-42 bei der Kirchenvätern
der ersten vier Jahrhunderte », dans *Studia monastica*, t. 2 (1960),
p. 5-78. Cf. G. Penco, « Temi e aspetti ecclesiologici della tradizione
monastica », *ibid.*, t. 10 (1968), p. 62-63.

4. Cette application de *III Rois* 6, 7 à la Jérusalem céleste avait
été éloquemment développée par S. Grégoire le Grand, *Moral.*,
34, 23 (76, 730). Voir aussi Bède, *De Tabernaculo et vasis eius*, 2, 1
(91, 423 A-C).

tionis quasi de lapicidio, aliis iuste derelictis, alii pie
eruuntur, et ex his, sub manibus caedentium, alii fran-
guntur et abiciuntur, alii perdurantes perficiuntur et
25 suscipiuntur — portati *ab angelis* ubi in summa pace et
silentio suis ordinibus et gradibus collocentur in caelesti
aedificio cuius *nomen Dominus ibidem* — ab eo qui *novit*
quos elegit. Qui *quos praedestinavit, hos et vocavit. Et*
quos vocavit, hos iustificavit. Et *quos* hic *iustificavit,* ibi
30 *magnificabit,* id est dedicabit. Sed hoc simul cum tradet
regnum Deo et Patri, ipso *Deo pro nobis melius providente*
ne sine nobis extremis primi *consummentur.* **5.** Haec erit
igitur communis Ecclesiae dedicatio in omnium temporum
fine, quae nunc variis temporibus et modis *aedificatur,* et
35 tribulationibus probatur et purgatur. Ibi *Deus in domibus*
eius, id est in singulorum cordibus, *cognoscetur, cum*
suscipiet eam, id est Ecclesiam ad se. *Non* enim *docebit*
ibi *vir proximum suum,* quia *omnes a minimo usque ad*
maximum cognoscent illum. **6.** Hic autem, dum *peregri-*
40 *namur* in terris *a Domino,* sunt nobis *lacrimae* nostrae
panes die ac nocte, dum dicitur nobis quotidie: *Ubi est Deus*

32 consummentur *scripsi* : consumentur *S*

---

a. Lc 16, 22 ‖ b. Ez. 48, 35 ‖ c. Cf. II Tim. 2, 19. Act. 1, 2. Jn 13, 18‖
d. Rom. 8, 30 (Vet. lat.) ‖ e. I Cor. 15, 24 ‖ f. Hébr. 11, 40 ‖ g. Ps.
121, 3 ‖ h. Ps. 47, 4 ‖ i. Jér. 31, 34 ‖ j. II Cor. 5, 6

---

1. « Massa perditionis » : formule augustinienne, inspirée de
S. Paul, *Rom.* 9, 21-23. Voir références textuelles et commentaire
théologique dans la *Note complém.* 21, t. 22 de la *Biblioth. august.*
(Paris, 1975, p. 735-738). — Pour apprécier sainement la formule
et la doctrine qu'elle véhicule, il faut l'éclairer par celle complémentaire du Christ total, tête et corps. Voir B. Leeming, « Augustine,
Ambrosiaster and the massa perditionis », dans *Gregorianum,* t. 11
(1930), p. 58-91.

2. Cf. *Serm.* 34, 1802 C s. ; *Serm.* 53, 1872 C (avec la même citation
et le mot « magnificat »).

4. Ici, de la masse commune de perdition[1], comme d'une carrière de pierres, tandis que les uns sont avec justice abandonnés, les autres sont extraits avec miséricorde; et de ces derniers, entre les mains des tailleurs de pierre, les uns se brisent et sont rejetés, les autres qui tiennent bon sont parachevés. Portés « par les anges[a] » là où ils doivent être placés, dans une paix et un silence absolus, à leurs rangs et degrés, dans l'édifice céleste dont « le nom est le-Seigneur-est-là[b] », ils sont accueillis par celui qui connaît ceux qu'il a choisis[c]. Or « ceux qu'il a prédestinés, il les a aussi appelés; et ceux qu'il a appelés, il les a justifiés; et ceux qu'il a justifiés » ici, là « il les magnifiera[d] », autrement dit, il les dédiera[2]. Mais ce sera au moment même où il remettra « le royaume à Dieu le Père[e] », « Dieu lui-même formant pour nous un dessein meilleur, pour que » les premiers « n'atteignent pas, sans nous » les derniers, « leur perfection[f] [3] ». **5.** Cette dédicace générale de l'Église aura donc lieu à la fin de tous les temps : à présent « elle est édifiée » en divers temps et de diverses manières[g] et elle est mise à l'épreuve et purifiée par les tribulations[4]. Là, « Dieu, dans ses demeures — les cœurs de tous —, sera connu, lorsqu'il l'accueillera[h] », c'est-à-dire l'Église auprès de lui. Là, « un homme n'aura plus à instruire son prochain, car tous le connaîtront, du plus petit au plus grand[i] ». **6.** Ici, « durant notre pèlerinage » terrestre « loin du Seigneur[j] », « nos larmes sont notre pain, le jour, la nuit, nous qui chaque jour entendons dire : Où est-il

---

3. *Hébr.* 11, 40 est appliqué ici, comme chez S. Bernard, *In festo omn. sanct. Serm.* 3, 1 (183, 469 B), à la béatitude des saints consommée seulement lors du parachèvement du Royaume.

4. Cf. S. Augustin : « Domus nostrarum orationum ista est, domus Dei nos ipsi. Si domus Dei nos ipsi, nos in hoc saeculo aedificamur ut in fine saeculi dedicemur. Aedificium, immo aedificatio habet laborem, dedicatio exsultationem. Quod hic fiebat quando ista surgebant, hoc fit modo cum congregantur credentes in Christum ». *Serm.* 336, 1 (38, 1471) ; voir aussi *Serm.* 337, 2 (*ibid.*, 1476-1477).

vester? Quem enim colimus non videmus. Quem diligimus,
dum tribulationibus nos exponit, quasi deserit, sicut
scriptum est : *Deus, Deus meus, respice me, quare me*
45 *dereliquisti?* Et alibi : *Oblivisceris inopiae nostrae et tribu-*
lationis nostrae? Hic diligimus, et quasi non diligimur ; ibi
diligemur quantum diligemus.

7. Sed quid sibi vult quod hanc *civitatem descendentem*
vidit *de caelo*, et quasi occurrere *viro suo?* Quid enim?
50 *Illa sursum* erat, et ille deorsum ; illa *descendit*, et ille
ascendit; illa de caelis est, et ille de terris? Nonne de seipso
loquens ait : *Qui de caelo venit super omnes est;* et alibi :
Ego descendi de caelo non ut faciam voluntatem meam, sed
voluntatem eius qui misit me Patris? Dei itaque Filius,
55 animae rationalis et fidelis Sponsus, naturaliter quidem
desursum est, *splendor gloriae* Patris *et figura substantiae*
eius, character et *imago* naturalis. **8.** Manens ergo quod
erat, venit deorsum sumere quod non erat ; retinens omne
quod habebat, accipere quod non habebat, id est imaginem
60 et similitudinem hominis. Faciens nos *ad imaginem et simili-*
tudinem suam, efficitur *ad imaginem et similitudinem*
nostram. Quam in terris quidem assumpsit, sed ut ad
caelos veheret. Unde et ascendens sicut et descendens
potest Sponsus apparere. **9.** Sponsa, quae *de terra* fuit
65 terrena, quomodo descendens apparuit? Illa tamen, dilectissimi, pro portione sua meliori, anima videlicet rationali,

46 diligimur *scripsi cum ed. J. Leclercq* : diligimus S ‖ 50-51 ille
desc., et illa asc. ; ...illa de terris S ‖ 55 *post* animae rationalis *add.*
animae rationalis S ‖ 60-61 Faciens nos ad imag. et simil.
suam *restitui* : Faciem ad imag. et simil. suam nos (*corr. ex* nos
suam) S ‖ 66 proportione S

a. Ps. 41, 4 ‖ b. Ps. 21, 2 ‖ c. Ps. 43, 24 ‖ d. Apoc. 21, 2 ‖ e. Cf.
Gal. 4, 26. Jn 8, 23 ‖ f. Cf. Éphés. 4, 9-10. Jn 3, 13 ‖ g. Cf. I Cor. 15,
47 ‖ h. Jn 3, 31 ‖ i. Jn 6, 38 ‖ j. Jn 3, 31 ‖ k. Héb. 1, 3 ‖l. Col. 1, 15 ‖
m. Gen. 1, 26-27 ‖ n. Cf. I Cor. 15, 47

1. Formule inspirée de l'antienne « Mirabile mysterium » de la

votre Dieu[a]? » Car celui que nous adorons, nous ne le
voyons pas. Et celui que nous aimons, lorsqu'il nous
expose aux tribulations, semble nous délaisser — selon
la parole : « Dieu, mon Dieu, regarde-moi, pourquoi
m'as-tu abandonné[b]? » Et ailleurs : « Oublies-tu notre
misère et nos tribulations[c]? » Ici, nous aimons et, pour
ainsi dire, ne sommes pas aimés; là nous serons aimés
autant que nous aimerons.

7. Mais qu'est-ce que cela signifie qu'il ait vu cette
« cité descendre du ciel » et comme venir à la rencontre
de « son Époux[d] »? Comment donc? Elle était en haut
et lui en bas[e]? Elle descend et lui monte[f]? Elle vient
du ciel et lui de la terre[g]? N'a-t-il pas dit de lui-même :
« Celui qui vient du ciel est au-dessus de tout[h] »? Et
ailleurs : « Moi, je suis descendu du ciel pour faire non pas
ma volonté, mais la volonté de celui qui m'a envoyé,
le Père[i]. » Par conséquent, le Fils de Dieu, l'Époux de
l'âme spirituelle et fidèle, par nature est bien « d'en haut[j] »,
« resplendissement de la gloire du Père, effigie de sa
substance[k] », son empreinte et son « image[l] » réelle. **8.**
Restant donc ce qu'il était, il vient en bas prendre ce qu'il
n'était pas[1]; gardant tout ce qu'il avait, il vient assumer
ce qu'il n'avait pas : l'image et la ressemblance de l'homme.
Lui qui nous fait « à sa propre image et ressemblance[m] »,
il se fait à notre image et ressemblance. Et il l'a bien prise
sur la terre, mais pour la porter au ciel. Aussi, l'Époux
peut apparaître à la fois comme montant et descendant[2].
9. Mais l'Épouse qui, pétrie de terre, a appartenu à la
terre[n], comment a-t-elle pu apparaître comme descendant?
Pourtant, bien-aimés, cette Épouse, eu égard à sa partie
la meilleure, c'est-à-dire l'âme raisonnable, selon laquelle

----

fête de la Circoncision : « Id quod fuit permansit et quod non erat
assumpsit » ; cf. aussi les leçons de S. Léon au IIe nocturne de la
même fête (J. LECLERCQ, *loc. cit.*, note 34).

2. Sur la « descente » et la « montée » du Dieu fait homme, cf.
Serm. 10, 1723 C ; *Serm.* 33, 1797 C D ; *Serm.* 42 tout entier.

secundum quam facta est *ad imaginem et similitudinem
Dei*, nonne videtur caelestis aut potius divina? Ille *imago*,
illa *ad imaginem*. Ille tamen *imago* solius Patris; ista *ad*
70 *imaginem* totius Trinitatis. Ille denique imago substan-
tialis, propria et nativa ; ista imago *ad imaginem*.
10. Itaque et secundum substantiam et secundum
formam, videtur anima rationalis et caelestis et spiritalis
et divina. Unde etiam gentilis :

75   *Igneus est illis vigor et caelestis origo
       seminibus, quantum non noxia corpora tardant
       terrenique hebetant artus moribundaque membra.*

Verumtamen quod *terreni* sunt *artus*, id est de terra
creati, hoc est naturae et operis divini ; quod *noxia corpora*
80 *et moribunda membra*, illud est culpae et vitii ipsius
animi. **11.** Ipse est enim qui descendit *a Ierusalem in
Ierico et incidit in latrones*, id est a naturali statu imaginis
et similitudinis Dei sponte descendit in carnis concupiscentiam, et incidit in carnales passiones et saeculares
85 curiositates et spiritales nequitias. Descendens ergo sic
anima et deserens visionem Dei et angelorum, et pacem

---

a. Gen. 1, 26 ; 5, 1 ‖ b. Col. 1, 15 ‖ c. Lc 10, 30 ‖ d. Cf. Éphés. 6, 12

---

1. Sur l'origine céleste de l'homme et de sa ressemblance à l'image
de Dieu, cf. *Serm.* 2, 1695 C ; *Serm.* 29, 1785 A-B ; *Serm.* 32, 1795 A-C.
Voir la *Note compl.* 3 (t. 1, p. 332-334).

2. Isaac semble ici vouloir concilier la conception augustinienne
de l'âme à l'image de toute la Trinité, avec la distinction, chère à la
tradition orientale, selon laquelle le Christ est « l'Image » et l'âme
humaine est « à l'image » ou « l'image selon l'Image ». S. AUGUSTIN
qui avait d'abord accepté ce point de vue, le rejette dans le *De
Trin.* 7, 6, 12 (*Biblioth. august.*, 15, p. 551 ; cf. *ibid.*, *Note compl.* 45,
p. 589-591). Voir O. DU ROY, *L'intelligence de la foi en la Trinité selon
S. Augustin*, Paris 1966, p. 360 ; R. JAVELET, *Image et Ressemblance
au douzième siècle de saint Anselme à Alain de Lille*, 2 vol., Strasbourg
1967.

elle a été faite « à l'image et à la ressemblance de Dieu[a] »,
ne semble-t-elle pas céleste ou plutôt divine[1]? Lui est
« l'Image »; elle est « à l'image ». Lui, d'ailleurs, est
« l'Image » du seul Père[b]; et elle est « à l'image » de toute
la Trinité. Lui, pour tout dire, est l'Image substantielle,
propre et naturelle; elle est image d'après l'Image[2].
10. Selon donc sa substance et selon sa forme[3], l'âme
raisonnable apparaît comme céleste, spirituelle, et divine.
Ce qui fait dire même à un païen : « Il y a en ces germes
une énergie de feu et une origine céleste, pour autant
que ne les ralentissent pas les corps nocifs et que ne les
émoussent pas les membres terrestres et les organes
périssables[4]. » Notons-le, que les membres soient terrestres,
c'est-à-dire créés de la terre, ceci vient de la nature et
de l'œuvre de Dieu; que « les corps soient nocifs et les
organes périssables », cela vient de la faute et du vice de
l'esprit lui-même[5]. **11.** Tel est en effet celui qui est descendu
« de Jérusalem à Jéricho et est tombé au milieu des
voleurs[c] [6] », c'est-à-dire est descendu volontairement de
son état natif d'image et de ressemblance de Dieu à la
convoitise de la chair, et est tombé au milieu des passions
de la chair, des curiosités du monde et des perversions
spirituelles[d]. L'âme, descendant ainsi et délaissant la
« vision » de Dieu et des anges, de même que « la paix »

---

3. Sur la « forme » de l'être, cf. *Serm.* 19, 1753 D ; *De anima*, 1887 B.

4. VIRGILE, *En.*, 6, 730-732. Isaac cite également le premier
de ces vers dans le *De anima* (194, 1882 C). Cf. P. COURCELLE, *Lecteurs
païens et lecteurs chrétiens de l'Énéide*, t. 1, Paris 1984, p. 480-493.

5. Sur ce qui, dans l'homme, vient de Dieu ou vient de la faute,
cf. *Serm.* 6, 1710 D - 1711 B. — La mise au point d'Isaac s'inspire ici
d'une remarque analogue de S. AUGUSTIN à propos du même passage
de Virgile : « Aliter se habet fides nostra. Nam corruptio corporis
quae aggravat animam, non peccati primi est causa sed poena.
Nec caro corruptibilis animam peccatricem, sed anima peccatrix fecit
esse corruptibilem carnem ». *De civ. Dei*, 14, 3, 2 (41, 406).

6. Même interprétation de la parabole du bon Samaritain au
Serm. 6 (1709 A-C) et au *Serm.* 7 (1713 D - 1714 B).

cum Deo super se, et angelorum iuxta se, sui quoque in se,
et carnis et mundi sub se, nequaquam potuit Ierusalem
vocari, dici sancta vel nova aut ornata aut sponsa parata
90 occurrere viro, sed spoliata, plagis affecta, semiviva
relicta.

12. Quomodo ergo vidit Iohannes *novam, sanctam* et
ornatam descendere *de caelo*, nisi quod haec et novitas et
sanctitas et ornatus ei descendit *de caelo?* Non enim
95 secundum hanc formam *de terra* terrena, sed *de caelo*
caelestis. Utique secundum formam suam aut qualitatem
unaquaeque res iudicatur qualis. Nova enim ei nativitas
de caelo venit, et de nativitate novitas, de novitate sanctitas, de sanctitate ornatus. Ideo talis visa est *de caelo*
100 descendisse. Sponsus vero eius visus est a propheta quasi
de terra ascendisse. Unde dicit : Vidimus eum, *et non erat
species neque decor*, qualis *natus est de carne caro*, id est
terrenus de terra.

13. Ideo in concursu quodam sibi occurrunt et obviant
105 Sponsus et Sponsa, secundum quod *misericordia et veritas
obviaverunt sibi. Veritas* enim *de terra orta est*, vel vera
Verbi caro de vera Virginis carne, vel ipsa Veritas de
Virgine. *Et iustitia de caelo prospexit :* ipsa *misericordia*,

---

101 *post* dicit *forte supplendum cum Is. 53, 2* <Et ascendet
sicut virgultum coram eo, et sicut radix de terra sitienti> ‖ 103
terrenus *scripsi :* terrena *S*

---

a. Cf. Apoc 21, 2 ‖ b. Cf. Lc 10, 30 ‖ c. Cf. I Cor. 15, 47 ‖ d. Is.
53, 2 ‖ e. Cf. Jn. 3, 6 ‖ f. I Cor. 15, 47 ‖ g. Ps. 84, 11-12

---

1. « Ierusalem : visio pacis », étymologie plusieurs fois rappelée
par S. Jérôme.

2. Commentant le même verset de l'*Apocalypse*, S. Augustin
écrit : « De caelo descendere ista civitas dicitur, quoniam caelestis
est gratia, qua Deus eam fecit. Propter quod ei dicit etiam per
Isaiam : ' Ego sum dominus faciens te '. Et de caelo quidem ab
initio sui descendit, ex quo per huius saeculi tempus gratia Dei
desuper veniente per lavacrum regenerationis in Spiritu Sancto

avec Dieu au-dessus d'elle, avec les anges auprès d'elle, et aussi avec elle-même en elle, et avec la chair et le monde au-dessous d'elle, n'aurait absolument pas pu être appelée « Jérusalem[1] », être dite sainte, ou nouvelle, ou parée, ou épouse, prête à rencontrer son époux[a], mais bien plutôt : dépouillée, accablée de coups, laissée à demi morte[b].

12. Comment donc Jean l'a-t-il vu descendre du ciel « nouvelle, sainte et parée », sinon parce que cette nouveauté, cette sainteté, cette parure lui est descendue du ciel? En effet, selon cette forme-là, elle n'est pas de la terre et terrestre, mais du ciel et céleste[c] [2]. Chacun des êtres, n'est-ce pas, est qualifié selon sa forme ou qualité propre. Or, pour elle, sa nouvelle naissance[3] lui vient du ciel, et de sa naissance, sa nouveauté; de sa nouveauté, sa sainteté; de sa sainteté, sa parure. Voilà pourquoi elle est apparue comme descendue du ciel en cet état. Quant à son Époux, il est apparu au prophète comme monté de la terre. Ce qui lui fait dire : [« Et il montera comme un surgeon devant lui, et comme une racine de la terre assoiffée. »] Nous l'avons vu et « il n'y avait en lui ni grâce ni beauté[d] », en la qualité où il est né chair de la chair[e], c'est-à-dire « terrestre de la terre[f] ».

13. C'est pour cela qu'en une sorte de rassemblement l'Époux et l'Épouse vont à la rencontre et au-devant l'un de l'autre[4], selon cette parole : « La miséricorde et la vérité sont venues au-devant l'une de l'autre. Car la vérité s'est levée de la terre » — entendez : la vraie chair du Verbe, de la vraie chair de la Vierge; ou bien : la Vérité même, de la Vierge. « Et la justice a regardé du ciel[g] » :

misso de caelo subinde cives eius adcrescunt ». *De civ. Dei*, 20, 17 (41, 682).

3. Selon la remarque de Dom J. Leclercq (*loc. cit.*, note 49), « nova nativitas » est dans la collecte de la messe et de l'office de la fête de Noël ; dans S. Léon, *In nativ.* 2, 2 (*SC* 22 bis, p. 78) et *Epist.* 28, « Ad Flavianum », 4 (54, 767).

4. Sur l'Époux et l'Épouse, cf. *Serm.* 11, 1728 B D ; *Serm.* 47, 1850 C - 1851 A.

quae veritati *de terra* venienti occurrit, *iustitia* dicitur *de*
110 *caelo* prospiciens ; sola enim misericordia iustificatur
impius, *iustitia* accepta a Deo *de caelo*. Et etiam hoc
concursu, *iustitia et pax*, id est Sponsa et Sponsus, *osculatae*
sunt. Concursus autem iste aut personalis unitas est, ubi
Deus et homo conveniunt in Christo, aut *sacramentum*
115 *magnum* mysterialis coniugii quod commendat apostolus
in Christo et in Ecclesia. **14.** Est itaque prima forma
Christi *de caelo*, secunda *de terra ;* prima forma Ecclesiae
de terra, secunda *de caelo :* prima de vetustate, secunda
de novitate ; prima de immunditia, secunda de sanctitate ;
120 prima ex dedecore et turpitudine, secunda ex ornatu
et decore ; prima de imo, secunda de summo ; prima
de valle, secunda de monte. *Vide, inquit, cuncta feceris*
iuxta exemplar quod ostensum est tibi in monte.

15. Verum, dilectissimi, sicut in anima rationali <pars>
125 superior, quae mens dicitur, imaginem gerit et similitudinem illius cui immediate supponitur — inter mentem namque rationalem et Deum nihil est medium —, pars vero
inferior, id est phantasticum, quae corpori quoque immediate superponitur, ab eius similitudinibus non recedit — in
130 his enim sive dormiens sive vigilans versatur et agit et
patitur —, ita nimirum in Ecclesia qui *superiores* sunt,

---

112 osculati *S* ‖ 124 anima *scripsi* : una *S* ‖ <pars> superior
scripsi (*vide l.* 127 : pars vero infer.) ‖ 128 phantasticum *scripsi*
(*vide De anima, PL*, 194, 1881 A, C-D*)* : fantastica *S*

---

a. Ps. 84, 11 ‖ b. Éphés. 5, 32 ‖ c. Hébr. 8, 5 ‖ d. Cf. Gen. 1, 26 ‖
e. Cf. I Thess. 5, 10

---

1. Le thème de l'union nuptiale exprime non seulement l'union du
Christ et de l'Église, mais déjà celle de la nature divine et de la
nature humaine, dans l'Incarnation : cf. *Serm.* 9, 1721 B, avec la note.
2. Cf. *De anima*, 1881 C - 1888 B. — Sur ce « principe premier
de la mystique augustinienne » qu'est l'affirmation de l'absence

la miséricorde même qui rencontre la vérité venant de
la terre est désignée comme la justice qui regarde du ciel,
puisque c'est par la seule miséricorde que l'impie est
justifié en recevant la justice de Dieu qui vient du ciel.
Dans cette rencontre également « la justice et la paix »,
c'est-à-dire l'Épouse et l'Époux, « se sont embrassés[a] ».
Et cette rencontre est soit l'union de Dieu et de l'homme
dans la personne du Christ[1], soit « le grand sacrement »
du mariage mystérieux exalté par l'Apôtre « dans le Christ
et l'Église[b] ». **14.** Par conséquent, la première forme du
Christ est du ciel, la seconde de la terre; la première forme
de l'Église, de la terre, la seconde, du ciel : la première,
de la vétusté, la seconde, de la nouveauté; la première,
de la souillure, la seconde, de la sainteté; la première, de
la laideur et de la difformité, la seconde, de la parure et
de la beauté; la première, du bas, la seconde, du haut;
la première, de la vallée, la seconde, de la montagne.
« Vois, est-il dit, tu feras tout d'après le modèle qui t'a
été montré sur la montagne[c]. »

15. De fait, mes bien-aimés, dans l'âme raisonnable
la partie supérieure, appelée esprit, porte l'image et la
ressemblance de celui au-dessous duquel elle est immédiatement placée[d], car entre l'esprit raisonnable et Dieu il n'y a
aucun intermédiaire[2]; quant à la partie inférieure, l'imagi-
native, qui est placée immédiatement au-dessus du corps,
elle ne se dégage pas des ressemblances avec lui, car c'est
en elles que, soit dans la veille soit dans le sommeil[e],
elle vit, agit et pâtit[3]. De même, n'est-ce pas, dans l'Église,

d'intermédiaire entre l'âme et Dieu, voir H. DE LUBAC, *Catholicisme,*
4e éd., p. 290-291.

3. Cf. *De anima,* 1883 D. — Sur les sources augustiniennes de la
doctrine des « deux parties » ou des « deux faces de l'âme », ainsi que
sur son développement aux xiie-xiiie s., cf. M. E. KORGER, « Grund-
probleme der Augustinischen Erkenntnislehre », dans *Hommage au
R. P. Fulbert Cayré* (*Rech. august.,* t. 2), Paris 1962, p. 36, n. 4.
Cf. aussi *DSp,* t. 3, col. 1413-1415 ; t. 6, col. 1198.

et propter contemplationem *pennae* dicuntur *deargentatae*
— quibus volat in aera, quae pedibus, id est activis,
graditur super terram —, qui longe a mundo et carne
135 effecti, adhaerentes *Deo, cum eo unus* sunt *spiritus*,
caelestem oportet in se repraesentent formam, et angelicam
in terris conversationem monstrent, et qualem animales,
qui inferior pars ecclesiae sunt, nec exhibere nec percipere
queunt. **16.** Angelica igitur conversatio in quatuor, ut
140 videtur, distingui potest et distribui virtutibus : primum
quidem in *sanctimoniam* ; secundo in humilem oboedientiam, eo quod oboedientes invicem, iuxta quod eis desuper
ordinatur, humilitatem pertendunt ; tertio in caritatem,
eo quod sine typho et murmure in ipsa oboedentia perseve-
145 rant ; quarto etiam in substantiae communitatem, cum
sit omnium *participatio in idipsum.* Uno enim et communi
bono omnes fruuntur, videlicet Deo, quod eis, secundum
quod unicuique congruum est, distribuitur ab ipso uno.
Qui unus est omnium abba, omnium cellararius et cella-
150 rium, iuxta quod scriptum est : *Et nunc, quae est exspectatio
mea? Nonne Dominus? Et substantia mea apud te est.*
Ibi ostendetur Philippo Pater, et sufficiet ei.

17. Ita ergo, dilectissimi, *civitas* illa, ut beatus ille

---

143 pertendunt *conieci* : pretendunt *S* ‖ in caritate *S*

---

a. Cf. Phil. 2, 3 ‖ b. Ps. 67, 14 ‖ c. Cf. I Cor. 6, 17 ‖ d. Cf. I Cor.
15, 49 ‖ e. Cf. Phil. 3, 20. Bar. 3, 38 ‖ f. Cf. I Cor. 2, 14 ‖ g. Hébr.
12, 14 ‖ h. Cf. I Pierre 4, 8-9 ‖ i. Ps. 121, 3 ‖ j. Cf. Act. 2, 44-45 ‖ k.
Ps. 38, 8 ‖ l. Cf. Jn 14, 8

---

1. Sur la situation respective des actifs et des contemplatifs
dans le corps de l'Église, cf. *Serm.* 34, 1802 A ; *Serm.* 51, 1866 B-C.
2. « Angelica conversatio. » Sur cet « archétype » de la vie monastique, voir *DSp*, t. 10, col. 1553-1554 (bibliographie, col. 1557, nº 6).
3. « Oboedientes invicem » : cf. *Règle* de S. Benoît, c. 71, titre.
4. « Sine typho. » Cf. P. Courcelle, « Le Typhus, maladie de

ceux qui sont supérieurs[a] et qu'en raison de leur contemplation on désigne comme les « plumes argentées[b] » par
lesquelles elle s'élève dans les airs, tandis que de ses
pieds, c'est-à-dire les actifs, elle marche sur la terre, ceux
qui, éloignés du monde et de la chair, sont, en adhérant
à Dieu, un seul esprit avec lui[c], ont pour fonction de
représenter en eux la forme céleste[d] et de manifester
sur terre la vie angélique[e], la vie que les âmes charnelles,
qui sont la partie inférieure de l'Église, ne peuvent ni
montrer ni comprendre[f] [1]. **16.** Or, dans cette vie angélique[2]
on peut, semble-t-il, distinguer et énumérer quatre vertus :
premièrement, « la pureté de vie[g] » ; deuxièmement,
l'humble obéissance, puisque, en s'obéissant les uns les
autres, suivant l'ordre reçu d'en haut[3], ils portent l'humilité
à son achèvement ; troisièmement, la charité, puisque,
sans arrogance[4] ni murmure[h] [5], ils persévèrent en cette
obéissance ; quatrièmement, l'usage en commun des
ressources, étant donné que tous « participent au même
tout[i] ». C'est en effet d'un bien unique et commun qu'ils
jouissent tous, à savoir de Dieu, et qui leur est distribué,
suivant la mesure convenable à chacun, par l'Unique
en personne[j], qui est pour tous l'unique abbé, pour tous
l'unique cellérier, et pour tous l'unique cellier, selon
qu'il est écrit : « Et maintenant quelle est mon attente ?
N'est-ce pas le Seigneur ? Et mes ressources sont auprès
de toi[k]. » C'est là qu'à Philippe sera montré le Père, et
cela lui suffira[l].

17. De cette façon, bien-aimés, la sainte cité, à ce qu'a

---

l'âme d'après Philon et d'après Saint Augustin. », dans *Corona
Gratiarum* (Mélanges E. Dekkers), t. 1, Bruges 1975, p. 245-288.
— S. Benoît dans sa *Règle* (31, 16) demande au cellérier de distribuer
aux frères la ration prescrite sans arrogance (« sine aliquo typho ») ni
délai, en sorte qu'ils ne se scandalisent et ne s'irritent.

5. Sur ceux qui murmurent contre l'obéissance, cf. *Serm.* 47,
1851 A-C ; *Serm.* 53, 1871 B-C.

Theologus intuitus est, ibi *posita est in quadro*. Quam
155 quadraturam, antiquitus hinc inolitum morem sequentes,
etiam in materialibus claustris effigiamus. Et utinam etiam
moribus et virtutibus adaequemus ! Ipsa tamen est, ut
scitis, conversatio et professio nostra.

a. Apoc. 21, 16

---

1. « Beatus ille Theologus » : expression identique pour désigner
saint Jean, *Serm.* 21, 1758 D ; ailleurs : « magnus ille theologus »,
Serm. 37, 1817 C-D, avec la note. Voir aussi *Serm.* 19, 1753 B avec
la note.

2. Sur la symbolique du cloître monastique et des diverses parties
des bâtiments claustraux, voir G. OURY, « Le *De claustro animae* de
Jean, prieur de S. Jean-des-Vignes », dans *R.A.M.*, t. 40 (1964),
p. 427-442. P. MAYVAERT, « The Medieval Monastic Claustrum »
dans *Gesta*, t. 12 (1973), p. 61-69. — Sur le chiffre quatre et le carré,

contemplé le bienheureux Théologien[1], se trouve là-haut
« disposée en carré[a] ». Et cette quadrature, par fidélité
à un plan qui tire de là son origine, nous la reproduisons
depuis toujours même dans nos cloîtres matériels[2]. Puis-
sions-nous également lui conformer mœurs et vertus!
Tel est en tout cas, vous le savez, notre propos de vie et
notre engagement[3].

symbole de solidité et d'équilibre, voir H. DE LUBAC, *Exég. méd.*,
2e partie, t. 2, p. 26-31. M.-M. DAVY, *Clefs de l'art roman*, Paris 1973,
p. 367-368.

   3. Une expression semblable se rencontre vers la fin du sermon 40 :
« quae est, dilectissimi, professio et propositum nostrum » (1827 D).
Elle est suivie d'un dernier paragraphe doxologique. Ce parallèle
fait ressortir davantage le caractère brusqué de la finale dans le
présent sermon. Une lacune de quelques lignes peut être supposée
avec vraisemblance.

APPENDICES I-III

FRAGMENTS

I. IN EPIPHANIA DOMINI

1. *Ab oriente venerunt Magi in Bethlehem, etc.......*
....

Insistendum itaque proposito, et quid tropologicum in hac
verborum lateat superficie : quid oriens, quid caelum, quid
5 stella, quid Bethlehem, quid puer, quid adorare puerum,
quid tres Magi, quid tria munera significent, paucis adver-
tendum. Et haec quidem non ignota vobis, nec inaudita
credimus, nec tamen a vobis arbitramur onerosum si vel
nota vobis apponimus, vel de vestro vobis servimus.

10 **2.** Est ergo oriens — ut compendiose singula com-
plectar — respectus divinae miserationis ; caelum, anima
consummatae religionis ; stella, fama bonae opinionis ;
Bethlehem, sanctae congregationis societas ; puer Iesus,
spiritualis aetas ; tres Magi, conversi, temptati, probati ;
15 adorare puerum, suam aetatem exercitio religionis exco-

1-2 *lacunam conieci* ‖ 4 *post* superficie *add.* vel serie *O*

---

1. Les deux sermons incomplets et le court fragment qui vont
suivre, ont été publiés pour la première fois, sous le titre de « Pages
nouvelles des sermons d'Isaac de l'Étoile », dans la revue *Collectanea
Cist.*, 43, 1981, p. 34-55. Nous y renvoyons pour la description de
l'unique manuscrit : Oxford, Bodleian Library, *Bodley 807*. On y
trouvera également l'examen des arguments de critique externe et
interne, qui garantissent l'attribution à Isaac. — Sur la place de
ces extraits dans l'ensemble de la collection des sermons de l'Abbé
de l'Étoile, voir la *Note complém.* 32. — La traduction française
a été assurée par Colette Friedlander, cistercienne de Laval.
2. Antienne du *Magnificat* aux Vêpres de l'Épiphanie.
3. La tournure de ce début de phrase donne à penser que quelques
lignes du texte ont été probablement omises au commencement du

I. POUR L'ÉPIPHANIE DU SEIGNEUR[1]

1. « D'Orient des Mages vinrent à Bethléem, etc.[2] »...

. . . .

Il faut donc nous attacher à notre sujet[3], et voir brièvement ce qui se cache de tropologique[4] sous cette surface des mots : que signifient l'Orient, le ciel, l'étoile, Bethléem, l'enfant, l'adoration de l'enfant, les trois Mages, les trois présents ? Certes, nous ne croyons pas que ce soit pour vous de l'inconnu ou de l'inédit ; cependant nous ne pensons pas vous être à charge en vous présentant des choses que vous savez ou en mettant à votre service votre propre bien[5].

2. En bref, donc, l'Orient est la dispensation de la miséricorde divine ; le ciel, l'âme accomplie dans la vie spirituelle ; l'étoile, le renom d'une bonne réputation ; Bethléem, la compagnie d'une communauté sainte ; l'enfant Jésus, l'âge spirituel ; les trois Mages, les personnes converties, en proie aux tentations, éprouvées ; adorer l'enfant signifie perfectionner chaque âge de la vie par la pratique de la vie religieuse ; quant aux trois présents :

sermon. Sans doute, faisaient-elle le joint avec un éventuel sermon précédent, sur le même thème biblique, ou contenaient-elles des considération personnelles.

4. « Tropologicum. » Le mot ne désigne pas le sens moral, mais il est pris dans son acception étymologique de sens spirituel en général, par opposition au sens « historique ». Même signification, assez rare au XIIᵉ s., dans le *Serm.* 9, 1 : « Liber Sapientiae scriptus est intus et foris ... Foris historia, intus tropologia. » (1719 C). Voir H. DE LUBAC, *Exég. méd.*, 1ʳᵉ partie, 2, p. 551-552.

5. Cf. *Serm.* 48, 3-4 (1853 B-C).

lere ; tria munera : myrrha, carnis mortificatio ; thus,
orationis devotio ; aurum, contemplationis vacatio. Ecce
quasi quaedam semina praeiecimus, ex quibus quidquid
in huius radice sermonis latet, exsurget. Videnda igitur
20 est verborum cohaerentia.

3. *Ab oriente* etc. *Ab oriente* siquidem *in Bethlehem*
veniunt *Magi* cum, respectu divinae miserationis visitantis
ex alto, fideles quique — conversi, temptati, probati —
sanctae congregationis amplectuntur consortium. Est
25 autem in conversis initium, in temptatis profectus, in
probatis perfectio. Conversi igitur incipientes, temptati
proficientes, probati perficientes sive perfecti. Hi nimirum
ad civitatem veniunt, quia in omni congregatione quicumque sunt, aut conversi sunt ut novitii, aut temptati
30 ut aliquantulum provecti, aut probati ut antiqui et maturi.

4. Notandum vero quod tres et non minus quam tres
puerum Iesum invenire et adorare dicuntur, quia sive
conversi sive temptati, si non probati fuerint, ad *mensuram
aetatis plenitudinis Christi* non perveniunt. Unde et in
35 libro Sapientiae dicitur *beatus* non qui succumbit, sed *qui
suffert temptationem, quoniam cum probatus fuerit, accipiet
coronam vitae.*

5. Bene tres Magi fuisse dicuntur, quia gentilis populus
ad fidem veniens, individuam Trinitatem Deum confiteri
40 didicit. Sive tres fuerunt quia qui Deum adorant, tres
principales virtutes habere debent, fidem scilicet, spem
et caritatem. Vel certe tres fuerunt quia qui Deum videre
desiderant, cogitationem suam, locutionem et operationem

a. Lc 1, 78 ‖ b. Éphés. 4, 13 ‖ c. Jac. 1, 12

---

1. Cf. *Serm.* 46, 17 : « Iecimus enim vobis hic quasi fundamenta
quaedam meditationis, et occasionem dedimus sapienti ut, meditando
his, sapientior fiat. » (1848 C).

2. La citation appartient en réalité à l'*Épître de S. Jacques.*
C'est peut-être l'indice d'une omission par saut du même au même.

la myrrhe représente la mortification de la chair, l'encens la dévotion dans la prière, l'or le loisir de la contemplation. Voici que nous avons pour ainsi dire répandu d'avance quelques graines d'où lèvera ce qui se cache à la racine de ce sermon[1]. Il nous faut donc voir comment tout cela se tient.

3. « De l'Orient, etc. » les Mages viennent « de l'Orient à Bethléem », lorsque, par la dispensation de la miséricorde divine qui les visite « d'en haut[a] », des fidèles — qu'ils soient convertis, en proie aux tentations ou éprouvés — s'associent à une communauté sainte. Or les convertis en sont au point de départ, ceux qui sont en proie aux tentations progressent, les personnes éprouvées sont parvenues à l'accomplissement. Les convertis sont donc les débutants; ceux qui sont en proie aux tentations, les progressants; les personnes éprouvées s'accomplissent ou sont accomplies. Ils viennent à la cité, car tout membre d'une communauté ou bien en tant que novice est un converti, ou bien est en proie aux tentations, s'il est quelque peu avancé, ou bien est éprouvé en tant qu'ancien parvenu à la maturité. **4.** Notons-le, il est dit que trois et pas moins de trois ont trouvé l'enfant Jésus et l'ont adoré, car que l'on soit converti ou en proie aux tentations, à moins d'être éprouvé on ne parvient pas à la « mesure de l'âge de la plénitude du Christ[b] ». Ainsi au livre de la *Sagesse*[2] est appelé « bienheureux » non pas celui qui succombe, mais « celui qui supporte la tentation, car lorsqu'il aura été éprouvé il recevra la couronne de vie[c] ».

5. Il est dit à juste titre qu'il y eut trois Mages, car le peuple des gentils, en venant à la foi, apprit à confesser Dieu, Trinité indivise. Ou bien ils furent trois, parce que les adorateurs de Dieu doivent posséder les trois vertus principales, à savoir la foi, l'espérance et la charité. Ou encore ils furent trois, parce que ceux qui désirent voir Dieu doivent garder du mal leur pensée, leur discours

conservare debent a malis ; et memoriam, intellectum et
45 voluntatem occupare in bonis. Vel certe tres cum tribus
muneribus *venerunt*, quia gentilis populus ad fidem veniens,
tres naturales disciplinas secum detulit, physicam scilicet,
ethicam, logicam, id est naturalem, moralem, rationalem.

6. *Obtulerunt ei munera: aurum, thus et myrrham.*
50 Aurum regi convenit, thus in sacrificio Deo offertur,
myrrha mortuorum corpora condiuntur. Omnia haec
veraciter Christo offerre non desinit qui unum eundemque
verum Deum, verum regem verumque hominem credit,
et vere pro nobis mortuum veraciter recognoscit. Offeramus
55 regi nostro aurum, ut eum ubique regnantem credamus.
Offeramus thus, ut eum verum Deum et creatorem omnium
sine initio existentem confiteamur. Offeramus myrrham,
ut propter nostram salutem mortale corpus eum assump-
sisse non dubitemus.

60 **7.** Vel sic per aurum nitor eloquii designatur, unde
Salomon : *Thesaurus desiderabilis requiescit in ore sapientis;*
per thus, oratio munda cum compunctione cordis ; per
myrrham, mortificatio carnis. Aurum ei offerimus, cum
omne quod digne sapimus et loquimur, in eius gratiam
65 reputamus. Thus offerimus, cum in oratione nostra *cor*
contritum et humiliatum spiritum exhibemus, dicentes cum
psalmista : *Dirigatur oratio mea sicut incensum in conspectu*

---

44 coservare O ‖ 47 disciplinas *emendavi* (*vide Serm.* 19, *l.* 73, t. 2,
p. 28) : virtutes O ‖ 48 *post* rationalem *fortasse aliquid deest* ‖ 50
Dei O

---

a. Matth. 2, 11 ‖ b. Prov. 21, 20 (Vet. Lat.) ‖ c. Cf. Ps. 50, 19 ‖ d.
Ps. 140, 2

---

1. « Cogitatio, locutio, operatio » et plus loin : « cor, sermo, opus »
(§ 10, l. 85-86). Une formule analogue : « cor, os, opus », revient
très souvent dans les sermons de notre auteur. Voir *Serm.* 10, 16 ;
11, 16 ; 16, 19; 38, 11.20.21; 52, 10 (1726 B; 1728 C; 1744 D; 1819 D;
1821 A-B ; 1821 B ; 1868 C). Cf. aussi : « cogitatio, delectatio, sermo

et leur agir[1], et occuper au bien leur mémoire, leur intelligence et leur volonté. Ou encore ils vinrent à trois avec trois présents, parce qu'en venant à la foi le peuple des gentils a apporté avec lui les trois disciplines naturelles, à savoir la physique, l'éthique et la logique, soit les sciences de la nature, des mœurs et de la raison[2].

6. « Ils lui offrirent des présents : l'or, l'encens et la myrrhe[a] ». L'or convient au roi, l'encens s'offre à Dieu en sacrifice, les corps des morts sont embaumés dans de la myrrhe. Il ne cesse de les offrir en vérité au Christ, celui qui reconnaît ce seul et même être comme vrai Dieu, vrai roi et vrai homme, et croit en vérité qu'il est vraiment mort pour nous. Offrons de l'or à notre roi : croyons qu'il règne partout. Offrons de l'encens : confessons qu'il est vrai Dieu et créateur de toutes choses, existant sans avoir eu de commencement. Offrons de la myrrhe : ne doutons pas qu'il ait pris un corps mortel pour notre salut.

7. Ou bien, l'or désigne le brillant du langage, d'où le mot de Salomon : « Un trésor désirable réside dans la bouche du sage[b] » ; l'encens, une prière pure qu'accompagne la componction du cœur ; la myrrhe, la mortification de la chair. Nous lui offrons de l'or lorsque nous attribuons à sa grâce le fait de juger et de nous exprimer comme il convient. Nous offrons de l'encens[3] quand nous présentons dans notre prière un cœur contrit et un esprit humilié[c], disant avec le psalmiste : « Que ma prière s'élève comme l'encens devant ton regard, Seigneur[d] ». Nous offrons de

---

et operatio » au *Serm.* 32, 1 (1793 C). A propos de ce thème anthropologique d'origine scripturaire, cher à S. Bernard et à ses disciples, voir l'essai suggestif de B. DE GÉRADON, *Le cœur, la langue, les mains. Une vision de l'homme*, Paris 1974.

2. Cf. *Serm.* 19, 9 (1754 A), et la *Note complém.* 15 : « La division tripartite de la Sagesse » (t. 1, p. 333-335).

3. Sur le symbolisme de l'encens et de la myrrhe, voir aussi *Serm.* 52, 10 (1868 C-D).

tuo, Domine. Myrrham offerimus, cum pro eius amore
carnis nostrae *desideria* mortificamus, implentes illud
70 Apostoli : *Mortificate membra vestra quae sunt super terram :*
fornicationem, et cetera.

8. Veniunt itaque tres Magi, sed stella micante praevia,
praeduce videlicet bonae opinionis fama. Quae nimirum
stella non nisi ab oriente et in caelo cognoscitur, quia nec
75 lucere potest, nisi lumen a respectu divinae miserationis
acceperit ; sed nec ab oriente lumen accipiet, nisi prius in
religionis integrae animabus fixa fuerit.

9. Hypocritarum etenim lucernae, etsi ad tempus lucere
videantur, quia tamen non ab oriente sed a se lumen
80 accipiunt, cum suis merito tenebris deficiunt. Animae vero
iustorum, cum sint Sapientiae sedes, stellam proferunt,
id est famam, quia nec latere potest lucerna *sub modio*,
sed sic lucere necesse est *coram hominibus, ut videant bona*
opera eorum, etc. **10.** Verum stella ista trium radiorum
85 fulgore cognoscitur, cum manifestatur et munditia cordis
et efficacia sermonis et rectitudo operis. Hi sunt radii
quorum splendore illustratur caelum, penetratur aer et
resultat terra. Resultat terra, cum per exemplum bonorum
incitantur homines. Penetratur aer, dum de reditu iusto-
90 rum maestificantur daemones. Illustratur caelum, dum
de consortio sanctorum gratulantur angelicae potestates.
His ergo radiis micantibus, hac stella praevia, ad civitatem
veniunt conversi, manent temptati, regnant probati.

11. De situ autem civitatis pauca dicenda sunt, ut
95 quomodo res loco vel locus rebus conveniat innotescat.
Civitas haec *in quadro* propter firmitatem *posita est.* Et

75 *post* miserationis *add. inter l.* vel pietatis *O* ‖ 85 fulguore *O* ‖
89 incitantur *conieci* : invitantur *O*

a. Gal. 5, 16 ‖ b. Col. 3, 5 ‖ c. Cf. Prov. 13, 9 ‖ d. Matth. 5, 15-16 ‖
e. Apoc. 21, 16

1. Voir *Serm.* 55, 17 avec la note 2 (*supra*, p. 276 s.).

la myrrhe lorsque nous mortifions « les désirs de notre chair[a] » pour l'amour de lui, accomplissant ce mot de l'Apôtre : « Mortifiez vos membres qui sont sur la terre : fornication[b] », etc.

8. Les trois Mages viennent donc, mais précédés d'une étoile brillante, c'est-à-dire ayant pour précurseur le renom d'une bonne réputation. Cette étoile ne se reconnaît que du côté de l'Orient et au ciel, car elle ne peut luire si elle ne reçoit la lumière que dispense la miséricorde divine. Mais elle ne recevra pas même de l'Orient la lumière à moins de s'être d'abord fixée dans les âmes accomplies en la vie religieuse.

9. De fait, les lampes des hypocrites, si elles paraissent luire un instant, meurent, c'est bien juste, de leurs propres ténèbres, car elles reçoivent la lumière non de l'Orient mais d'elles-mêmes[c]. Les âmes des justes, elles, en tant que sièges de la Sagesse, portent devant elles l'étoile, c'est-à-dire leur renom, car une lampe ne peut être cachée « sous un boisseau », mais doit luire ainsi « devant les hommes, afin qu'ils voient leurs bonnes œuvres[d] », etc. **10.** Cette étoile se reconnaît cependant à l'éclat de trois rayons, quand se manifestent et la pureté du cœur, et l'efficacité de la parole, et la droiture de l'agir. Voilà les rayons dont la spendeur illumine le ciel, pénètre l'air et fait étinceler la terre. Elle fait étinceler la terre, quand les exemples des bons stimulent les hommes. Elle pénètre l'air lorsque les démons s'attristent du retour des justes. Elle illumine le ciel, lorsque les puissances angéliques se félicitent de la compagnie des saints. Sous le scintillement de ces rayons, précédés de cette étoile, les convertis arrivent à la cité, ceux qui sont en proie aux tentations y demeurent, y règnent les personnes éprouvées.

11. Il faut dire quelques mots de la disposition de la cité, afin de montrer comment les réalités conviennent au lieu ou le lieu aux réalités. Cette « cité est disposée en carré[e] », afin de tenir ferme[1]. Au premier de ses angles,

sunt in angulo priori affectus sancti, in secundo cogitationes mundae, in tertio opera virtutum, in quarto virtutes
operum. Et ordine quidem congruo. **12.** Prius affectus
100 sancti, sine quibus nec virtus nomen nec opus meritum
nec cogitatio consequitur fructum. Secundo vero cogitationes mundae, quia et quae anxie volumus, anxie cogi-
tamus ; et nisi quae affectus, id est voluntas, suggerit,
cogitatio discusserit, et opus impetus et virtus incerta
105 merito reputabitur. Tertio opera, sine quibus et affectus
inefficax et cogitatio vaga iudicatur et virtus nulla. Virtutes
in quarto ponuntur angulo, quia cum a reliquis tribus
obtineant firmitatem, ipsae quadrum consummantes,
immobile conservant civitatis aedificium. **13.** Habet
110 autem et civitas ista ternas ex singulis partibus portas.
Ad affectus quidem pertinent timor, dolor et amor : timor
de suppliciorum illatione, dolor de regni dilatione, amor de
aeternitatis adeptione. Ad cogitationes, cognitio, meditatio, contemplatio : cognitio sui, meditatio mortis, contem-
115 platio vitae. Ad opera, patientia, misericordia, compunctio :
patientia in malorum perpessione, misericordia in bonorum
largitione, compunctio in delictorum ablutione. **14.** Ad
virtutes, prudentia, iustitia, temperantia : prudentia dictat
per iustitiam agenda ; iustitia dispensat per prudentiam
120 dictata ; temperantia vero utriusque metitur vires et
a medio non recedit. Est itaque prudentia in rerum
cognitione ; iustitia, in earum administratione ; temperantia,
in dimensione, ne quid aut desit aut effluat.

---

107 quia *scripsi* : que *O* ‖ 110 ternos ... portus *O* ‖ 120 mentitur *O*

---

a. Cf. Apoc. 21, 12-13

---

1. La relation entre « affectus, virtus, nomen, opus », est souvent
analysée par Isaac. Par ex. : *Serm.* 3, 1-2 ; 4, 16-17 ; 17, 15 (1697 C-D,
1703 C et 1747 D) ; 46, 10-11 (1847 B-C) ; *De anima* 1878 D.

les mouvements saints de l'affectivité; au second, les pensées pures; au troisième, les œuvres de vertu; au quatrième les vertus de ces œuvres. L'ordre aussi importe. **12.** D'abord les mouvements saints de l'affectivité, sans lesquels la vertu n'obtient pas ce nom ni l'œuvre n'acquiert de mérite[1] ni la pensée ne porte de fruit. En second lieu, les pensées pures, car ce que nous voulons dans le trouble, nous y pensons avec trouble; et si la pensée n'examine ce que suggère l'affectivité, c'est-à-dire la volonté[2], l'œuvre sera réputée à bon droit coup de tête et la vertu incertaine. En troisième lieu les œuvres, sans lesquelles l'élan affectif sera jugé inefficace, la pensée inconstante et la vertu nulle. Les vertus sont disposées au quatrième angle, car, tirant leur fermeté des trois autres, elles-mêmes achèvent le carré et par là maintiennent stable l'édifice de la cité. **13.** Cette cité a aussi trois portes de chaque côté[a]. Pour l'affectivité, ce sont la crainte, la douleur et l'amour : crainte des supplices, douleur de voir différer le royaume, amour qu'éveille le désir de l'éternité. Pour les pensées, la connaissance, la méditation, la contemplation : connaissance de soi, méditation de la mort, contemplation de la vie. Pour les œuvres, la patience, la miséricorde, la componction : patience dans le support des maux, miséricorde dans la distribution généreuse des biens, componction dans la purification des fautes. **14.** Pour les vertus, la prudence, la justice, la tempérance : la prudence dicte à la justice ce qu'elle doit faire; la justice dispose ce qu'a dicté la prudence; la tempérance, elle, impose une mesure aux énergies de l'une et de l'autre et ne s'écarte pas de la voie moyenne. La prudence concerne en effet la connaissance des réalités, la justice leur gestion, la tempérance leur mesure, pour qu'il n'y ait ni manque ni excès.

---

2. « Affectus, id est voluntas » : voir *Serm.* 4, 17 (1703 D) ; *De anima* 1880 B ; ainsi que *Serm.* 5, 16 (1707 A).

15. His ergo sacrae religionis civitas firmiter fundata
125 munitur, et intra eam puer Iesus, id est aetas spiritualis,
nutritur, instruitur, perficitur. Nutritur in infantia, instruitur in adolescentia, perficitur in aetate virili, cum videlicet
surgit *in virum perfectum, in mensuram aetatis plenitudinis
Christi.* In infantia nutritur <in> doctrina, in adolescentia
130 instruitur in scientia, in aetate virili perficitur in experientia. **16.** Sunt quoque secundum quattuor hominis
aetates, quattuor anni tempora et eorundem temporum
quattuor oblectamentorum genera. Habet enim ver oblectamentum in concentu avium ; aestas, in venustate florum ;
135 autumnus, in odore fructuum ; hiems, in sapore seminum.
Primum auribus, secundum oculis, tertium naribus,
quartum faucibus praebet oblectamentum. **17.** Sic quoque
secundum quattuor aetates, quattuor sunt in homine
profectuum incrementa. Est enim profectus pueritiae in
140 auditu eruditionis ; profectus iuventutis, in appetitu
probitatis ; profectus virilis aetatis, in executione boni
operis ; profectus senectutis, in experientia virtutis.

18. In civitate itaque quam descripsimus, puer Iesus
quaeritur adorandus quotiens in congregatione iustorum
145 aetas spiritualis a sanctis instituitur disciplinis in conversis,
informatur moribus in temptatis, ornatur virtutibus in
probatis. Unde non incongrue a tribus ei tria munera
offeruntur : aurum, thus et myrrha ; quia nimirum a
conversis et incipientibus carnis mortificatio, a temptatis
150 et perficientibus orationis devotio, a probatis et perfectis
offertur contemplationis vacatio.

129 in *supplevi* (*vide l.* 130) : *om. O* ‖ 131 *post* experientia *lacunam suspicor* ‖ 139 pueritiae profectus *O* ‖ 140 iuventis *O*

---

a. Éphés. 4, 13 ‖ b. Cf. Ps. 110, 1

---

1. « Concentus avium. » Cf. VIRGILE, *Géorg.*, 1, 422.
2. Cf. *De offic. missae*, 1891 C - 1892 B.

15. Voilà donc les fortifications de la cité de sainte religion, établie sur des fondements solides, et en elle l'enfant Jésus, c'est-à-dire l'âge spirituel, est nourri, instruit, conduit à son accomplissement. Il est nourri étant enfant, instruit pendant son adolescence, et s'accomplit à l'âge d'homme, c'est-à-dire lorsqu'il grandit « en un homme parfait, à la mesure de l'âge de la plénitude du Christ[a] ». Enfant, il est nourri dans la doctrine ; adolescent, il est instruit dans la science ; à l'âge d'homme, il s'accomplit dans l'expérience. **16.** Aux quatre âges de l'homme correspondent aussi les quatre saisons de l'année et les quatre sortes de charmes qui leur sont propres. Le printemps a en effet son charme, le concert des oiseaux[1] ; l'été le sien, la beauté des fleurs ; l'automne le sien, le parfum des fruits ; l'hiver le sien, la saveur des graines. Le premier charme les oreilles, le second les yeux, le troisième les narines, le quatrième le palais. **17.** Et de même, correspondant à ces quatres âges, il y a chez l'homme quatre degrés de progrès. Le progrès de l'enfance consiste en effet dans l'écoute de l'enseignement ; le progrès de la jeunesse, dans le désir de la droiture ; le progrès de l'âge d'homme, dans l'accomplissement de l'œuvre bonne ; le progrès de la vieillesse dans l'expérience de la vertu.

18. Dans la cité que nous avons décrite, par conséquent, on cherche l'enfant Jésus pour l'adorer aussi souvent que, dans la communauté des justes[b], la croissance spirituelle s'instaure chez les convertis au moyen de saintes disciplines, prend forme grâce aux bonnes mœurs chez ceux qui sont en proie aux tentations, s'orne de vertu chez les personnes éprouvées. Aussi rien d'incongru à ce que ces trois sortes d'individus lui offrent trois présents : l'or, l'encens et la myrrhe ; car les convertis — les débutants — offrent la mortification de la chair, ceux qui sont en proie aux tentations — les progressants — la dévotion dans la prière, les personnes éprouvées — accomplies — le loisir de la contemplation[2].

19. Nos quoque, fratres, ad hanc convenimus civitatem, quae domus panis est, panis *vitae et intellectus;* in qua pane doctrinae aetatem nostram spiritualem nutriamus
155 domando adversarium spiritus, id est carnem, instruamus orando auxilium divinitus, proficiamus gustando et videndo *quam suavis est Deus. Cui* est *honor*..................

....

II. SERMO PEREGRINATIONIS

1. *Dominus solvit compeditos.* Novi quidem, fratres, novi nec dubito nostrum non minus graviter exsilium vestram tulisse caritatem quam gratanter suscepisse reditum ; quos nimirum eisdem quibus et ego didici iaculis vulneratos,
5 eisdem quibus <et> ego compedibus vinctos. Evidens enim habeo vestrae dilectionis argumentum fuisse vos nostra perturbatos absentia, quos tanto opere nunc laetificat praesentia. **2.** Et haec quidem summa et sola erat mihi in peregrinatione consolatio, quod sciebam totidem
10 habere me exsilii socios quot domi reliqueram amicos. Neque enim adversa non communicare potuerant debuerantve cum quibus mihi aut quibus mecum secunda adriserant. Gaudeo igitur et *gratias* ago *Deo et Patri*, cuius muneris est quod nec exsulatus in peregrinatione carui
15 sociis nec domi regressus amicis.

5 et *supplevi* (*vide l.* 4) : *om. O*

a. Sir. 15, 3 || b. Cf. Gal. 5, 17 || c. Ps 33, 9 || d. I Tim. 6, 16 ; Rom. 16, 27
a. Ps. 145, 7 || b. Cf. Col. 1, 3

1. « Nostrum exsilium. » Le présent sermon est seul à nous livrer

19. Nous aussi, frères, venons ensemble à cette cité qui est maison du pain, du pain « de vie et d'intelligence[a] »; nourrissons de ce pain de doctrine notre âge spirituel en domptant l'adversaire de l'esprit, c'est-à-dire la chair[b], instruisons-le en implorant le secours divin, progressons en goûtant et en voyant « combien Dieu est doux[c] ». « A lui est l'honneur[d]... »................................

....

II. SERMON DE LA PÉRÉGRINATION

1. « Le Seigneur délie les entravés[a] ». Certes, je le sais, mes frères, je le sais et je n'en doute pas : votre charité n'a pas supporté moins difficilement notre exil qu'elle n'a accueilli avec joie notre retour[1]; vous dont j'ai appris avec certitude que vous avez été blessés des mêmes traits que moi, liés des mêmes entraves. Je tiens en effet pour une preuve évidente de votre amour le fait que vous ayez été troublés par notre absence, vous que notre présence réjouit maintenant si fort. **2.** Et certes, dans ma pérégrination, ma suprême et ma seule consolation consistait à savoir que j'avais autant de compagnons d'exil que j'avais laissé d'amis à la maison. Ils n'avaient pas pu, ils n'avaient pas dû ne pas avoir part à mon adversité, ceux en compagnie desquels la prospérité m'avait souri, ou à qui elle avait souri en ma compagnie. Je me réjouis donc et je rends grâces au Dieu et Père[b], qui m'a donné de ne manquer ni de compagnons dans ma pérégrination d'exilé ni d'amis à mon retour à la maison.

---

ce détail autobiographique d'importance, qui rend plus compréhensible ce que nous savons des dernières années d'Isaac de l'Étoile. Voir la *Note complém.* 33.

3. Verum quoniam est et exsilium quo *peregrinamur*
omnes, et in eodem exsilio compedes et vincula quibus
tenemur et ligamur universi, orandus est *Deus qui educit*
vinctos in fortitudine, ut de vinculis ad libertatem et de
20 exsilio nos reducat ad patriam. Quid enim est aliud *mundus*,
quid aliud *concupiscentia eius*, quam durum et grave
patriam suspirantibus exsilium, quam stringentes et
tardantes redire volentes compedes?

4. *Dominus solvit compeditos.* Omne peccatum compes
25 est. Nemo autem sine peccato. Nemo ergo sine compede.
Omnis itaque homo compeditus. *Omnes enim peccaverunt*
et egent gratia *Dei*, sine qua nec inspiramur ad bonum ut
velimus, nec adiuvamur ut perficiamus. Sine gratia igitur
nemo a compede solvitur. *Dominus* autem *solvit compeditos.*
30 *Quia prospexit de excelso sancto suo, ut audiret gemitus*
compeditorum, nec solum *audiret*, verum et *solveret*.

5. Ceterum compeditum esse, victum esse qui dubitet?
Omnis autem victus a victore victus est. Omnis itaque
vinctus, a victore victus. Victoria vero finis belli est. Ubi
35 autem victoria, bellum praecessisse necesse est. Patet
igitur quod omnis compeditus in bello victus est.

6. Bellum vero nobis imminet non unum sed multiplex :
regnum mundi, regnum peccati, regnum diaboli. Collecto-
que in unum exercitu, *prae multitudine numerari non*
40 *potest* infinitus hostium numerus. Operit *enim montes*
umbra eorum, et *multitudo eorum* occupat *universam*
superficiem terrae.

---

31 audiet *O* || 34 vinctus : victus *O*

---

a. II Cor. 5, 6 || b. Ps. 67, 7 || c. I Jn 2, 17 || d. Ps. 145, 7 || e. Rom.
3, 23 || f. Ps. 145, 7 || g. Ps. 101, 20-21 || h. Gen. 32, 12 || i. Ps. 79, 11 ||
j. Ex. 10, 15

3. Mais puisque c'est en exil que tous « nous cheminons en étrangers[a] », et qu'en cet exil ce sont entraves et chaînes qui nous retiennent et nous ligotent tous, il nous faut prier « Dieu qui fait sortir à main forte les enchaînés[b] », afin qu'il nous reconduise des chaînes à la liberté et de l'exil à la patrie. Qu'est-ce d'autre en effet que « le monde », qu'est-ce d'autre que « sa convoitise[c] », sinon un dur et pesant exil pour ceux qui soupirent après la patrie, sinon des entraves qui enserrent et ralentissent ceux qui désirent s'en retourner ?

4. « Le Seigneur délie les entravés[d] ». Tout péché est une entrave. Or nul n'est sans péché. Nul n'est donc sans entrave. Tout homme, par conséquent, est entravé. « Tous en effet ont péché et sont privés de la grâce de Dieu[e] », sans laquelle nous ne sommes pas inspirés à vouloir le bien ni aidés à l'accomplir. Donc sans la grâce nul n'est délivré de ses entraves. « Mais le Seigneur délie les entravés[f] ». « Il a regardé de son lieu élevé et saint, afin d'entendre le gémissement des entravés », et non seulement « afin d'entendre », mais aussi « pour les délier[g] ».

5. D'ailleurs, qui douterait qu'être entravé c'est être vaincu ? Or tout vaincu a été vaincu par un vainqueur. Par conséquent tout enchaîné a été vaincu par un vainqueur. Or la victoire est la fin de la guerre. Où il y a victoire, il a dû d'abord y avoir guerre. Il ressort donc que tout enchaîné est un vaincu de guerre.

6. Or la guerre est sur nos têtes, guerre non pas unique mais multiple : le royaume du monde, le royaume du péché, le royaume du diable. Rassemblé en une seule armée, le nombre infini des ennemis est « tel qu'il ne peut se dénombrer[h] ». Leur « ombre recouvre en effet les montagnes[i] » et leur multitude occupe « toute la surface de la terre[j] ».

7. Mundus siquidem triplicem formidandae cohortis aciem mittit ad pugnam : concupiscentiam carnis, concu-
45 piscentiam oculorum et superbiam vitae. In prima igitur acie voluptas, in secunda curiositas, in tertia adsultum facit ambitio. In prima carnis appetitus in se per luxuriam, in secunda cordis vagatio iuxta se per avaritiam, in tertia mentis elatio supra se propter gloriam. **8.** In his tribus
50 adsultibus victus est vetus Adam. In primo quidem dum lignum tetigit vetitum fructumque comedit : et hic volup-tas. In secundo dum scire voluit bonum et malum : et hic curiositas. In tertio dum Deo *similis* esse cupivit : et hic ambitio. Novus vero Adam primum super eum
55 adsultum vicit, dum de lapidibus panes facere noluit ; secundum, dum de pinna templi non descendit ; tertium, dum *omnia regna mundi* contempsit.

9. Porro regnum peccati pugnat in duello spiritus et carnis adversus decreta rationis. Iuge quidem bellum et
60 incerta victoria. *Caro* enim *concupiscit adversus spiritum*, et econverso. Notandum ergo quod in homine tria sunt : spiritus, anima et caro. Cum ergo dicitur : *Caro concupiscit adversus spiritum*, etc., media proculdubio intelligitur anima, quae vel desideriis spiritus adquiescat, vel ad carnis
65 voluptates inclinetur. Quae quidem si se iunxerit carni, *unum* cum ea *corpus* in libidine *et concupiscentiis eius*

---

45 *post* vitae *fortasse aliquid deest* ‖ 47 in se *emendavi* : in carne
O ‖ 48 iuxta se *emendavi* : extra se *O*

---

a. Cf. Jn 2, 16 ‖ b. Cf. Gen. 3, 1-6. Is. 14, 14 ‖ c. Matth. 4, 8 ‖ d.
Gal. 5,17 ‖ e. Cf. Thess. 5, 23 ‖ f. Cf. I Cor. 6, 16. Gal. 5, 24.
Rom. 6, 12

---

1. « In se, iuxta se, supra se » : le texte transmis par le ms. a été
ici corrigé, en tenant compte des passages parallèles suivants :
Serm. 12, 7 (1731 B-C) ; 55, 11 (*supra*, p. 272) ; *De anima* 1878 C,
1879 B, 1884 A, 1886 C.

7. Le monde en effet envoie au combat une armée rangée sur trois lignes, cohorte redoutable : la convoitise de la chair, la convoitise des yeux et l'orgueil de la vie[a]. La volupté donne donc l'assaut en première ligne, la curiosité en deuxième ligne et l'ambition en troisième. En première ligne l'appétit de la chair attaque en chacun par la luxure, en deuxième ligne le vagabondage du cœur à côté de chacun par l'avarice, en troisième ligne l'arrogance de l'esprit au-dessus de chacun[1] pour l'amour de la gloire. **8.** C'est au cours de ces trois assauts qu'a été vaincu le premier Adam. Au cours du premier, lorsqu'il toucha le bois et mangea le fruit défendu : et voilà la volupté. Au cours du second, lorsqu'il voulut connaître le bien et le mal : et voilà la curiosité. Au cours du troisième, lorsqu'il voulut être « semblable » à Dieu : et voilà l'ambition[b]. Mais le nouvel Adam repoussa victorieusement le premier assaut qui le visait, lorsqu'il refusa de changer les pierres en pain ; le second, lorsqu'il ne se précipita point du sommet du temple ; le troisième, lorsqu'il méprisa « tous les royaumes de la terre[c] [2] ».

9. Le royaume du péché, lui, combat contre les décrets de la raison dans le duel de l'esprit et de la chair[3]. Guerre continuelle, certes, et victoire incertaine. « La chair convoite contre l'esprit » et inversement[d]. Notons donc qu'on trouve chez l'homme ces trois éléments : l'esprit, l'âme et la chair[e]. Lors donc qu'il est dit : « La chair convoite contre l'esprit », etc., il faut comprendre sans nul doute l'âme, placée au milieu[4], qui ou bien acquiesce aux désirs de l'esprit, ou bien s'infléchit vers les voluptés de la chair. Si elle s'unit à la chair, elle devient avec elle un seul corps dans son désir et ses convoitises[f] ;

---

2. Voir *Serm.* 30, 6-13 (1788 C-1790 A).

3. A propos du « duel » entre esprit et chair en l'homme, voir *Serm.* 9, 15-16 (1722 A-B).

4. « Anima media. » Cf. *De anima* 1876 B, 1878 B, 1886 D.

efficitur; si vero spiritui adhaeserit, *unus* cum eo *spiritus*
nihilominus erit. **10.** De primis dicitur : *Non permanebit*
spiritus meus in homine quia caro est. De secundis Aposto-
70 lus : *Vos autem non estis in carne, sed in spiritu.* Sunt
autem et utriusque partis fautores et adiutores angeli.
Carnis enim concupiscentiis favet diabolus et angeli eius.
Decertanti autem *adversus carnem* spiritui favent angeli
boni, favet et Deus. **11.** Verumtamen utrobique favoris
75 ratio conservatur, quia non vi res agitur nec in alteram
partem necessitate declinatur — tunc enim nec boni
electio praemium nec mali supplicium mereretur — sed
servatur ei in omnibus libertas arbitrii, ut ad quod maluerit
ipsa declinet. Unde scriptum est : *Ecce ante faciem tuam*
80 *posui vitam et mortem, ignem et aquam.* Ecce duellum
peccati.

12. Quod si voluerimus adtendere *turbam magnam,*
quam dinumerare nemo potest, adsultuum qui de carnis
acie prodeunt, fructus et progeniem eius nequam videamus.
85 Fructus, inquit, *carnis: luxuria, immunditia,* avaritia,
homicidia, veneficia, irae, rixae, dissensiones, et his similia.
Ecce matris impinguatae soboles impia, quae cum ex
impietatis radice pullulaverit, nulli est quam matri perni-
ciosior, quippe cui nunc concipit <concupiscentiam,
90 postmodum parit> iram damnationis aeternae ; nunc
voluptatem, postmodum *ignem comburentem* et vermem
rodentem.

89-90 *post* concipit *lacunam detexi et supplevi ut potui* (*vide l.* 66.
72.91)

---

a. Cf. I Cor. 6, 17 ‖ b. Gen. 6, 3 ‖ c. Rom. 8, 9 ‖ d. Gal. 5, 17 ‖ e.
Sir. 15, 17-18. Cf. Deut. 30, 19 ‖ f. Apoc. 7, 9 ‖ g. Gal. 5, 19-21 ‖
h. Ps. 104, 32 ‖ i. Cf. Mc 9, 43

---

1. Comparer avec *Serm.* 6, 4-5.15.17 (1709 C, 1711 D, 1712 B) ;
39, 7 et 9 (1822 B et D) ; 48, 9 (1854 C). Tous ces textes sont à comprendre à partir de l'imagerie, dont GRÉGOIRE LE GRAND a fourni

mais si elle s'attache à l'esprit, elle sera sans nul doute un seul esprit[a] avec lui. **10.** Il est dit des premiers : « Mon esprit ne demeurera pas dans l'homme, car il est chair[b] ». Au sujet des seconds, l'Apôtre déclare : « Vous, vous n'êtes pas dans la chair mais dans l'esprit[c] ». Du reste, chaque parti a des anges pour soutiens et auxiliaires. En effet, le diable et ses anges favorisent les convoitises de la chair, tandis que les bons anges favorisent l'esprit « dans sa lutte contre la chair[d] », et Dieu aussi le favorise. **11.** De part et d'autre, cependant, tout reste dans l'ordre de la faveur, on ne fait rien de plus que favoriser, car l'affaire ne se décide pas par contrainte, l'on ne penche pas vers l'un ou l'autre parti en vertu d'une nécessité inéluctable — car alors le choix du bien ne mériterait pas la récompense ni celui du mal le supplice —, mais en tout l'âme conserve le libre arbitre, de manière à pencher vers ce qu'elle même préfère. Aussi est-il écrit : « Voici que j'ai placé devant toi la vie et la mort, le feu et l'eau[e] ». Voilà le duel du péché.

12. Que si nous voulons bien prendre garde à « la grande foule, que personne ne peut dénombrer[f] », d'assauts qui proviennent de l'armée de la chair, examinons quels sont ses mauvais fruits et sa méchante progéniture. « Fruits de la chair, est-il dit : luxure, impureté, avarice, homicide, maléfices, colères, rixes, dissensions et choses semblables[g] ». Voilà la race impie d'une mère trop bien nourrie ; lorsqu'elle s'est multipliée à partir de la racine de l'impiété, elle est plus funeste pour sa mère que pour quiconque[1], sa mère au dépens de qui elle conçoit maintenant <la convoitise, engendre plus tard> la colère de l'éternelle damnation ; maintenant la volupté, plus tard « le feu qui consume[h] » et le ver rongeur[i].

---

une formulation classique : « Viperae cum conceperint, filii earum in ventre saeviunt, qui ruptis lateribus matrum ex earum ventribus procedunt. Unde et vipera, eo quod vi pariat nominatur. Vipera itaque sic nascitur ut violenter exeat, et cum matris suae extinctione producatur ». *Moral.*, 15, 15 (*SC* 221, p. 36-40).

13. Hoc itaque bellum, hi nobis adsultus de regno
mundi <et> de regno peccati insurgunt. Et quasi ad
95 debellandum nos modicum habeant exercitum, convocant
et regnum diaboli, quod adversum nos pugnat in castris
multiplicis congressus. *Quia < ... > principatus et potestates
et spirituales nequitias*, hostes quidem quo subtiliores eo
perniciosiores, missilibus toxicatis formidabiles, astutia
100 superiores, exercitatos usu, frequenti pertinaces victoria,
nullis fatigatos vigiliis, nullis aut spoliis aut mortibus
sauciatos.

14. Tanta itaque exercituum multitudine circumventi,
tot bellorum adsultibus impugnati, clamemus *ad Dominum*
105 *a facie tribulantium, et mittet* nobis *salvatorem et propu-*
gnatorem qui liberabit nos. Nisi enim manum porrigat,
nisi subveniat, nisi iudicet *nocentes* nos, et expugnet *impu-*
gnantes nos, quis est qui non his vinciatur compedibus?
15. Multa tamen est differentia. Aliud enim est his compe-
110 dibus teneri, aliud velle teneri, atque aliud nolle non
teneri. Teneri enim terrenum est. Velle teneri, animale
est. Nolle non teneri, diabolicum est. *Infelix ego homo,*
quis me liberabit de corpore mortis huius? Gratia Dei per
Iesum Christum, Dominum nostrum. Eius gratia, pietas,
115 bonitas et ab his adsultibus eripere et a compedibus nos
dignetur solvere, ut ad ipsum per ipsum expediti currere
et securi pervenire valeamus.

---

97 *post* Quia *aliquid deest. Fortasse supplendum* : non solum
est nobis colluctatio adversus carnem et sanguinem, sed etiam
adversus ‖ 102 sauciatos *fortasse legendum* satiatos

---

a. Éphés. 6, 12 ‖ b. Is. 19, 20 ‖ c. Cf. Ps. 34, 1 ‖ d. Cf. Jac. 3, 15 ‖
e. Rom. 7, 24-25

13. Cette guerre, ces assauts s'élèvent donc contre nous du royaume du monde <et> du royaume de péché. Et comme s'ils n'avaient pour nous combattre qu'une modeste armée, ils font appel en outre au royaume du diable qui lutte contre nous, depuis de mutiples bases d'assaut, « car <ce n'est pas seulement contre la chair et le sang que nous avons à lutter, mais contre > les principautés, les puissances et les esprits de malice[a] », ennemis certes d'autant plus funestes qu'ils sont plus rusés, redoutables grâce à leurs traits empoisonnés, supérieurs en astuce, formés par l'habitude, eux que leurs fréquentes victoires rendent opiniâtres, qu'aucune veille ne fatigue, qu'aucun pillage, aucune mort ne frappent.

14. Donc, entourés d'armées en si grand nombre, en proie à tant d'assauts guerriers, crions « vers le Seigneur en face de nos oppresseurs, et il nous enverra un sauveur, un champion qui » nous délivrera[b]. En effet. s'il n'étend pas la main, s'il ne nous vient en aide, s'il ne juge pas ceux qui nous nuisent et ne réduit pas ceux qui nous assaillent[c], qui ne sera retenu captif par ces entraves ? **15.** La différence est grande cependant. Autre chose en effet être retenu par ces entraves, autre chose vouloir l'être, autre chose ne pas vouloir ne pas l'être. Être retenu, en effet, relève de la condition terrestre. Vouloir être retenu est animal. Ne pas vouloir ne pas être retenu est diabolique[d]. « Malheureux homme que je suis, qui me délivrera de ce corps de mort ? La grâce de Dieu par Jésus-Christ, notre Seigneur[e] ». Que sa grâce, sa tendresse, sa bonté daignent tant nous arracher à ces assauts que nous délivrer de ces entraves, afin que par lui nous puissions courir vers lui dégagés et parvenir en toute sûreté jusqu'à lui.

III. DE QUATTUOR SUPERBIS

Quattuor sunt superborum genera. Alius enim superbit et inflatur rebus terrenis, saecularibus et infimis : auro, argento, divitiis, possessionibus, agrorum fertilitate, filiorum servorumque multitudine. Alius, donis spiritualibus
5 caelestibusque virtutibus : eloquentia, sapientia, doctrina, religione, castitate, iustitia, largitate, etc. Alius, flagitiis iniquitatibusque : adulterio, fornicatione, furto, homicidio, litibus, contumeliis, etc. Alius, neutro istorum, sed alterius virtute, sanctitate, potestate, opibus et nobilitate intu-
10 mescit et ea quasi propria sibi ascribit.

De primo genere erat Babylonis rex, de quo per Danielem dicitur : *In aula Babylonis deambulabat rex; responditque et ait: Nonne haec est Babylon magna, quam ego aedificavi in domum regni, in robore fortudinis meae et in gloria decoris*
15 *mei?*

De secundo genere extitit pharisaeus, qui idcirco de templo absque iustificatione descendit, quia merita sua recolens, publicano se praetulit, dicens : *Gratias tibi ago, Deus, quia non sum sicut ceteri hominum: raptores, adulteri,*
20 *iniusti, et velut hic publicanus.*

De tertio genere sunt illi de quibus dicitur : *Laetantur cum male fecerint, et exsultant in rebus pessimis.*

---

2 infinis *O* || 5 virtuti *O* || 7 iniquitatibus *O* (*vide l.* 5 : caelesti-busque)

---

a. Dan. 4, 26-27 || b. Lc 18, 11 || c. Prov. 2, 14

---

1. Comparer cette quadruple distinction avec celle qui se trouve au *Serm.* 40, 19-21 (1827 A-C).
2. Dans le *Serm.* 38, 8 Isaac avoue que c'est précisément là sa tentation particulière et habituelle. Son « démon familier » l'attaque

III. QUATRE SORTES D'ORGUEILLEUX

Il y a quatre sortes d'orgueilleux[1]. L'un s'enorgueillit et s'enfle à propos de ses biens terrestres et mondains, les derniers de tous : or, argent, richesses, possessions, champs fertiles, fils et serviteurs en grand nombre. Un autre, à propos de ses dons spirituels et des vertus reçues d'en haut : éloquence, sagesse, doctrine, piété[2], chasteté, justice, libéralité, etc. Un autre, à propos de ses forfaits et de ses iniquités : adultère, fornication, vol, homicide, querelles, outrages. Un autre enfin ne se glorifie de rien de tout cela, mais se gonfle à propos de la vertu, de la sainteté, de la puissance, de la richesse et de la noblesse d'autrui et se les attribue comme si elles lui appartenaient en propre.

Il était de la première espèce, ce roi de Babylone dont il est dit par la bouche de Daniel : « Le roi se promenait dans le palais de Babylone; et il prit la parole et dit : n'est-ce pas là cette grande Babylone que j'ai bâtie comme résidence royale, dans la force de ma puissance et dans l'éclat de ma gloire[a]? »

C'est de la deuxième espèce que relève le pharisien, lui qui descendit du Temple sans être justifié parce que, passant en revue ses mérites, il se mit au-dessus du publicain en disant : « Je te rends grâces, ô Dieu, de ce que je ne suis pas comme le reste des hommes, qui sont voleurs, injustes, adultères, ni comme ce publicain[b] ».

La troisième espèce comprend ceux dont il est dit : « Ils se réjouissent d'avoir fait le mal et exultent dans ce qu'il y a de pire[c] ».

sur ce point faible : « Nunc de scientia mea, nunc de religione, nunc de moribus, nunc de genere, nunc de gratia, nunc de eloquentia, nunc de elegantia mecum multa concionatur. » (1819 B).

De quarto <genere> fuit Moab, de quo Dominus :
Superbiam Moab et arrogantiam eius novi, et quod non sit
25 *iuxta eam virtus eius. Et angelo Laodiciae ecclesiae* dicitur :
Dicis quod dives sum et locupletatus, et nullius egeo, et
nescis quia miser es et miserabilis et pauper et nudus et
caecus.

23 genere *supplevi* (*vide l.* 11.16.21) : *om. O*

---

a. Is. 16, 6 ; Jér.48, 29-30 || b. Apoc. 3, 14.17

A la quatrième espèce appartient Moab, dont le Seigneur dit : « J'ai connu l'orgeuil de Moab et son arrogance, à laquelle ne répond pas sa force[a] ». « Et à l'ange de l'Église de Laodicée » il est dit : « Tu t'imagines : me voilà riche, je me suis enrichi et je ne manque de rien ; et tu ne sais pas que tu es malheureux, pitoyable, pauvre, nu et aveugle[b] ».

NOTES COMPLÉMENTAIRES

27 (S. 44, 14)

L'Esprit-Saint, Charité et Don

Dans la Trinité, le troisième terme, le Saint-Esprit « s'explique » par l'amour réciproque du Père et du Fils et leur joie mutuelle. Cette dilection et délectation procède de l'un et de l'autre et se trouve dans l'un et l'autre : *Serm.* 24, 1770 A-C.

Selon l'image traditionnelle (« Lumen ex lumine » du symbole de Nicée), Dieu est la lumière inaccessible (Le Père), qui rayonne (le Fils) et illumine (le Saint-Esprit). Le Saint-Esprit, foncièrement capable d'illuminer en se donnant, est par excellence le Don : *Serm.* 24, 1770 D - 1772 A ; *De anima*, 1888 C-D. A ce titre, il est tourné vers nous : « Creaturae quodam modo quasi proprior esse videtur Spiritus Sanctus, quippe qui de utroque munus est utriusque » (*Id.* 1888 C).

Selon l'attribution classique, le Père est la Puissance, le Fils la Vérité, l'Esprit la Charité. Par l'Esprit et le Fils, nous montons au Père, comme le Père est descendu vers nous par le Fils dans l'Esprit. C'est l'aspect « économique » de la Trinité, cher à saint Irénée et à la tradition : *Serm.* 44, 1840 C - 1841 A ; *De anima* 1888 D - 1889 A.

D'après Isaac, le Christ Rédempteur a satisfait la justice pour nos péchés passés ; mais c'est le Saint-Esprit, Charité et baiser de la bouche du Père, qui nous donne l'amitié divine et assure l'avenir : *Serm.* 45, 1842 C. On peut trouver cette distinction trop abrupte et tranchée. Notons cependant qu'Isaac souligne que le Christ et l'Esprit opèrent tout indivisiblement entre eux et avec le Père : *Serm.* 45, 1844 A ; *De anima*, 1888 D - 1889 A.

Jésus homme est pour nous l'exemple parfait de l'homme sous l'influence des dons du Saint-Esprit : *Serm.* 8, 1718 D - 1719 A.

Le Saint-Esprit se donne de différentes manières et ces communications sont de valeur différente. Il est donné comme puissance, conférant l'autorité et le pouvoir des miracles aux promoteurs du règne de Dieu. Il est donné comme vertu pour la sanctification profonde des âmes, en attendant d'être donné pour la paix et le bonheur : *Serm.* 43, 1834 C-D). C'est lui qui donne vie, sens et mouvement à tout le Corps mystique : *Serm.* 34, 1801 C.

28 (S. 48, 8)

« Novae militiae monstrum »

Isaac introduit d'une manière assez abrupte, sinon une condamnation, qu'il se défend de porter, du moins une critique virulente de « la nouvelle chevalerie » des Ordres militaires. Et voilà qui, encore une fois, témoigne de son indépendance d'esprit, même vis-à-vis de saint Bernard qu'il vénère (cf. *Serm.* 52, 1869 C-D).

L'Ordre des Chevaliers du Temple, fondé en 1118 ou 1119 par Hugues de Payns, ne comptait encore, après neuf ans d'existence, que neuf membres. Il ne prit son essor qu'après son approbation par le concile de Troyes, le 13 janvier 1128. S. Bernard, qui y assista, prit part à la rédaction de la Règle en sa forme primitive. Il contribua beaucoup au développement des Templiers en écrivant le *Ad milites Templi* (182, 921-940), dans lequel il justifie le but de l'Ordre et son genre de vie et marque fortement le contraste entre cette chevalerie de Dieu et la chevalerie séculière et mondaine.

On peut remarquer que le vocabulaire employé par Isaac est proche, à l'ironie près, de celui des premiers documents qui nous renseignent sur les origines et l'esprit des Templiers (entre 1128 et 1136). Le *Ad milites Templi* commence par les mots « *Novum militiae genus ortum* nuper... », repris peu après : « *Novum,* inquam, *militiae genus et saeculis inexpertum...* » (921 B-C) ; Isaac semble lui faire écho : « Cujusdam *novae militiae obortum* est monstrum *novum* ». — Saint Bernard écrit : « Quam beati moriuntur *martyres* in praelio ! » (922 B). Et Isaac : « Si qui... ceciderint, Christi *martyres* nuncupent ». Il est possible d'ailleurs que ce mot ait figuré dans la *Regula Templariorum* où un manuscrit (celui de Nîmes, appuyé par la version française) donne *martyres* là où le texte reçu dit : « inter *militantes* qui pro Christo animas suas dederunt » (166, 857 B ; éd. H. de Curzon [*Soc. de l'Hist. de Fr.*, 1886]). Enfin dans les mots sarcastiques d'Isaac : « *licenter exspoliet* et religiose trucidet », on croit entendre un écho de la lettre écrite par Hugues de Payns, Maître de l'Ordre, à ses Chevaliers : « *Occidendo non inique* odi(s)tis et *spoliando non iniuste* concupiscitis » (*RHE*, 52 (1957), p. 87 [J. Leclercq] ; *RAM*, 34 (1958), p. 294 [Cl. Sclafert]).

On sait que l'Ordre des Chevaliers du Temple se développa et que, malgré un recrutement assez mêlé, comme saint Bernard le reconnaît (928 B-C), il répondit à sa mission. Vers 1180, au temps où écrivait Guillaume de Tyr, il comptait à Jérusalem 300 chevaliers. Avant la fin du xiie siècle se fondaient, sur le modèle des Templiers, d'autres Ordres militaires. Il est possible qu'Isaac fasse plutôt allusion à l'un de ceux-ci, spécialement aux chevaliers de Calatrava, fondés en 1157 par un cistercien, Raymond Serrat, abbé de Fitero.

Sur toute cette histoire, voir E. VACANDARD, *Vie de saint Bernard*, ch. 8 ; J. LECLERCQ, « Un document sur les débuts des Templiers », dans *RHE*, 52 (1957), p. 81-91 ; *Histoire de la spiritualité chrétienne*, t. 2, *La spiritualité du Moyen Âge* (1961), p. 168-173 (J. LECLERCQ) ; J. LECLERCQ, « L'attitude spirituelle de S. Bernard devant la guerre », dans *Collectanea Cist.*, 36 (1974), p. 195-225 ; M. COCHERIL, « Essai sur l'origine des ordres militaires dans la péninsule ibérique », dans *Collectanea Cist.*, 20 (1958), p. 346-361 ; 21 (1959), p. 228-250, 302-322 ; M. COCHERIL, « Les ordres militaires et hospitaliers », dans *Les Ordres religieux. La vie et l'art*, Paris 1979, p. 654-727 ; Y. CONGAR, « Église et cité de Dieu chez quelques auteurs cisterciens à l'époque des croisades », dans *Mélanges Gilson*, Toronto 1959, p. 192-196; T. RENNA, « Early cistercian Attitudes toward War in Historical Perspective », dans *Studia cisterciensia R. P. Ed. Nikkers oblata*, t. 1, p. 119-129 = *Cîteaux*, t. 31 (1980), p. 119-129.

29 (S. 50, 16-17)

« Nuper duplex religiosorum genus emersit »

Isaac s'en prend ici avec vivacité à des religieux mendiants et à de faux ermites, qu'il charge à plaisir. A travers cette caricature, nous percevons l'écho d'un fait important.

Dès la fin du XIe siècle, on avait vu se développer un mouvement spirituel qui entendait réagir contre un monachisme cénobitique trop riche, trop « installé », trop lié aux grands, et qui aspirait à plus de solitude et de pauvreté. Ce mouvement se répandit en particulier dans l'ouest de la France. Un certain nombre de ces ermites se firent prédicateurs itinérants et ne se privèrent pas de critiquer vigoureusement le clergé. Tout cela n'allait pas sans remous et sans abus, venant surtout du manque de formation sérieuse et d'une très grande indépendance. Voir L. RAISON-R. NIDERST, « Le mouvement érémitique dans l'Ouest de la France à la fin du XIe siècle et au début du XIIe », dans *Annales de Bretagne*, 55 (1943), p. 1-46.

On trouve déjà des mises en garde dans S. PIERRE DAMIEN, *De contemptu saeculi* (145, 260-289), dans S. BRUNO, *Lettres des premiers chartreux* (t. 1, *SC* 88, p. 84-86 ; cf. *PL* 152, 419 B). Abélard critique les moines, qui, seuls ou en petits groupes, vivent en dehors des abbayes : *Ep.* 8 (178, 265). De même Yves de Chartres défend résolu-

ment contre ces novateurs les formes classiques de la vie religieuse :
Ep. 192 (162, 198-301).

Dom J. Leclercq a publié de nouveau un poème de Payen Bolotin
contre les faux ermites. Il date des environs de 1130. Dans ces 338 vers,
ils sont abondamment décrits comme vagabonds, cupides, gloutons,
avares, hypocrites et de mœurs suspectes (*Revue Bénédictine*, 68
(1958), p. 52-86).

Sur cette question, voir *Histoire de la spiritualité chrétienne*, t. 2,
La spiritualité du Moyen Âge (1961), p. 161-165 (J. Leclercq),
ainsi que [M. Laporte], *Aux sources de la vie cartusienne* (ronéot.),
t. 2, p. 337 s.

Isaac, dans le *Serm.* 37 (1815-1817), donne une peinture plus
détaillée et pittoresque du monde des mendiants et de ceux « qu'on
nomme aujourd'hui les truands *(trutanni)* » (1817 A). Mais c'est cette
fois pour ridiculiser, non la mendicité des religieux, mais l'abus des
procès entre monastères pour des questions de propriété : la perspective est presque retournée.

30 (S. 50, 21)

« Ordo noster »

Le *Serm.* 50, dont nous avons précisé les circonstances, énonce
quelques principes essentiels et quelques idées chères à Isaac concernant la vie religieuse et d'abord l'*Ordo* cistercien : travail manuel ;
silence qui favorise la contemplation ; obéissance à l'exemple et
pour l'amour du Christ ; abstinence et jeûne ; vie séparée du monde,
mais menée en communauté ; existence pauvre, mais non indigente
et n'excluant pas les ressources nécessaires ou bonnement utiles.
Cette vie religieuse s'inspire de la ferveur primitive de la communauté chrétienne.

Ces points ont déjà été touchés dans d'autres sermons : solitude :
Serm. 1, 1690 A ; *Serm.* 14, 1737 A-B ; vigilance et prière, avec les
exercices essentiels de la lecture, de la méditation, de l'oraison :
Serm. 14, 1736 A-C ; obéissance fondée sur l'esprit de foi : *Serm.* 47,
1850 E - 1851 B ; exemple du Christ obéissant, humilité excluant
l'ambition de la prélature : *Serm.* 13, 1732 D - 1734 A ; pauvreté
(pauvreté de Grandmont et de la Chartreuse) : *Serm.* 2, 1694 C ;
pauvreté effective et intérieure : *Serm.* 14, 1737 A ; contre l'avidité
de certains monastères de posséder toujours davantage et les procès
qui s'ensuivent : *Serm.* 37, 1816 A-D ; sur le dégagement de tout :
Serm. 27, 1778 B-C ; vie entièrement crucifiée avec le Christ : *Serm.*

27, 1780 B ; par la mortification intérieure et extérieure : *Serm.* 32, 1794 A-D.

On notera spécialement, dans ce sermon, l'insistance avec laquelle Isaac justifie, parmi les obligations de la vie cistercienne, le travail des champs. Plusieurs fois il y avait fait de brèves allusions : *Serm.* 3, 1699 C-D ; 7, 1716 A ; 8, 1716 A ; 11, 1729 D ; 15, 1738 B ; 20, 1758 A ; 24, 1768 D-1769 A ; 34, 1800 C-D ; 37, 1812 D. Au sujet de cet enseignement sur le travail, on a écrit : « ... Cet Anglais, solide et bien portant, reste assidu au travail des champs. Il en fait même la théorie et presque la théologie : il le situe dans une conception de la vie spirituelle. » J. Leclercq, dans *Histoire de la Spiritualité Chrétienne*, t. 2, *La spiritualité du Moyen Âge* (1961), p. 260.

Le travail est un hommage d'obéissance à Dieu qui le commande. Il a un caractère pénal et répare le péché (spécialement dans les dures conditions où il devait se présenter pour les moines de l'île de Ré). Il convient aux religieux qui ne doivent pas être de simples profiteurs du travail d'autrui. Il rend possible l'exercice de la charité par l'aumône et l'hospitalité. Il permet l'alternance salutaire des activités du corps et de l'esprit. Il peut même être une occasion de rencontrer Jésus. Cf. *DSp*, t. 7, col. 2033-2035. — A propos d'*ordo* et d'autres termes connexes, ainsi que sur leur évolution sémantique au cours de l'histoire monastique, voir J. F. Angerer, « Zur Problematik der Begriffe : Regula, Consuetudo, Observanz und Orden », dans *Stud. u. Mitteil. zur Gesch. des Benediktiner-Ordens u. seiner Zweige*, t. 88 (1977), p. 312-323.

31 (S. 52, 15-16)

« Sanctum Bernardum abbatem Claraevallis loquimur »

Il serait intéressant de comparer ce célèbre passage d'Isaac avec d'autres éloges de Saint Bernard, faits par ses contemporains.

Guillaume de Saint-Thierry insiste sur la mortification du saint et son activité prodigieuse, malgré ses maladies et sa faiblesse physique (185, 225-268) ; Arnaud de Bonneval met en lumière son humilité (267-302). Geoffroy d'Auxerre, son secrétaire, montre comment il a mis ses dons multiples au service de l'Église (185, 301-322) ; et dans son sermon *In anniversario obitus*, il rappelle la charité et l'affection de l'abbé pour ses frères (185, 580).

Un passage de Geoffroy contient un éloge analogue à celui d'Isaac : « In huius siquidem pectore viri Dei pari foedere puritas suavitasque consederant : satis quidem utraque mirabilis, sed mirabilior utriusque complexus. Inde nimirum tam singulariter in unum hominem totius orbis vota pariter concurrebant, quod puritatem suavitas amabilem, suavitatem puritas acceptabilem, ut difficile fuerit aestimare gratiae an reverentiae amplius obtineret. Quis enim tam rigidae conversationis qui Clarae-Vallensem non sublimiter revereretur abbatem? Quis tam dissolutae, qui non erga eumdem dulciter afficeretur? Dulcissimis enim affectibus plenum pectus ipse gerebat, sed quam libere eos, quoties causa deposceret, coercebat, humanissimus in affectione, magis tamen fortis in fide... Talem sibi illum proinde fructificaturum manus divina formaverat, ut austeritatem suavitas morum tolleret, auctoritatem sanctitas conservaret. » *Vita prima*, 3, 21 (185, 315).

A noter encore une lettre de WIBALD, abbé de Stavelot, à l'écolâtre Manegold, écrite en 1149 ; parlant de son éloquence irrésistible, capable de réveiller non seulement les endormis, mais les morts, il a cette belle formule : « Quem si videas, doceris ; si audias, instrueris ; si sequare, perficeris. » (189, 1255).

De même ODON DE MORIMOND dans sa complainte sur la mort de saint Bernard : « Terribilis enim erat etiam apud reges terrae, et audito eo multa faciebant. Disertus in sermone, in concione facundus, efficax ad persuadendum, ad inquirendum acutus. Verba eius spiritus et vita erant. Inde tot producimus testes quod auditores » (éd. G. Hüffer, dans *Der heilige Bernard von Clairvaux*, Münster 1886).

A la suite de Mabillon qui a joint aux diverses *Vitae* de Saint Bernard un ensemble d'*elogia et testimonia* (185, 551-570 ; 573-586 ; 619-642), dom J. Leclercq a groupé tout un recueil d'« Éloges de saint Bernard » au ch. 8 de ses *Études sur saint Bernard et le texte de ses écrits* (*Anal. S.O.C.*, IX, 1953, p. 170-191 ; cf. aussi p. 157-165).

Pour mieux saisir la portée du témoignage personnel d'Isaac, et percevoir les harmoniques plus secrètes de son sens, il convient de replacer le § 15 dans la trame d'ensemble du sermon.

Le sermon 52 est en effet censé reproduire la prédication faite un 15 août, ou bien l'un des jours de l'octave de l'Assomption. En ce cas, il est tout indiqué de penser à la date du 20 août, anniversaire de la mort de Saint Bernard. Mais il n'est pas non plus exclu que, dans la logique même du sermon, Isaac ait voulu à ce propos une amphibologie qui est déjà significative.

Car le sermon se présente justement sous la forme d'un petit commentaire synthétique du *Cantique des Cantiques*, brossant à grands traits l'itinéraire spirituel qui mène de la conversion à la plénitude de la charité. Itinéraire qu'Isaac illustre par les deux exemples de la Vierge Marie et de Saint Bernard, dont il mentionne spécialement l'œuvre maîtresse sur le même livre biblique.

Ce n'est pas tout. Le lecteur familiarisé avec les écrits de l'abbé de Clairvaux s'aperçoit en effet que, dans la rédaction du présent sermon,

Isaac laisse discrètement comprendre qu'il suit d'assez près un texte du saint docteur : le sermon *De div.* 91 (183, 710 D - 714 A). Au fait, il y a des ressemblances frappantes qui sont difficilement explicables sans recourir à l'hypothèse d'une influence précise et directe, concernant le contenu doctrinal, l'organisation générale de la matière traitée, le mouvement du discours. Le sermon *De div.* 91 est centré sur les trois mêmes versets scripturaires (*Cant.* 3, 6 ; 6, 9 ; 8, 5) commentés par Isaac, et culmine dans la finale en évoquant la figure de saint Paul, docteur et prédicateur (183, 713 B-D).

Tout donc porte à croire qu'Isaac, pour rendre hommage à la mémoire de saint Bernard, ait repris l'un des sermons de l'abbé de Clairvaux, en l'adaptant à la circonstance liturgique et en substituant finement l'éloge de saint Paul par celui de Bernard lui-même.

32 (S. 54, 16)

La collection des sermons d'Isaac

Le sermon 54, tel que le donne l'édition Tissier-Migne, notre seule source (à part les fragments conservés par le ms. d'Oxford), est évidemment inachevé. On peut en conclure que là se terminait, accidentellement, la collection utilisée par Tissier. Le ms., qui l'a transmise, ou son archétype, devait vraisemblablement présenter des lacunes matérielles au moins au début et à la fin. C'est ainsi qu'au xviie s. — et peut-être déjà depuis longtemps — ce codex ne contenait pas le sermon pour la Dédicace, que la collection partielle de Subiaco *(S)* donne à la suite des sermons 51-53 (mais en omettant le 54). Cela expliquerait également pourquoi, dans l'édition Tissier-Migne, les 5 sermons pour la Toussaint se trouvent à la tête de la collection, alors que leur place normale serait entre les sermons pour la Nativité de la Vierge Marie et ceux pour la Dédicace. Dans ce cas en effet, l'hypothèse la plus simple est de supposer qu'un ou deux cahiers, appartenant à la fin du ms., ont été reliés à son début, lui-même acéphale. Et ici encore, peu importe si ces avatars devaient remonter à l'archétype plutôt qu'à l'exemplaire même collationné par Tissier.

Quoi qu'il en soit, il est peu probable qu'Isaac n'ait laissé aucun sermon pour la période qui va de l'Avent à l'Épiphanie. Au contraire, les extraits découverts dans le ms. d'Oxford (édités ci-dessus dans l'Appendice), confirment la conviction qu'une partie de l'héritage littéraire d'Isaac est encore à retrouver.

Par ailleurs, le sermon 6 de l'édition Tissier-Migne semble avoir été incorrectement assigné à la Toussaint. Le texte scripturaire

(*Matth.* 5, 1) qui lui sert actuellement d'en-tête, et qui cautionne l'attribution liturgique du sermon, ne constitue pas son véritable thème, car il n'est pas commenté dans le corps du discours. En réalité, le sujet du sermon est une méditation théologique sur *Isaïe* 11, 1-2 : « Egredietur virga de radice Iesse, et flos de radice eius ascendet. Et requiescet super eum Spiritus Domini : Spiritus sapientiae et intellectus, etc. ». C'est ce verset, et en cette forme, qui est cité au milieu du développement (1711 A), en lien direct avec les premiers mots du sermon. C'est à ce verset qu'il est fait encore allusion peu avant la conclusion. Remarquons aussi que l'enseignement d'Isaac roule ici sur les effets du péché originel, guéris par la grâce reçue au baptême (cf. 1712 A, avec citation de *Gal.* 3, 27). Doctrine qui revient dans le sermon 8 pour le premier dimanche après l'Épiphanie. Ces indices convergent pour situer le sermon 6 dans l'octave de l'Épiphanie, fête du baptême du Seigneur. Il serait donc précédé d'assez près par les deux sermons pour l'Épiphanie, dont le ms. d'Oxford a conservé de longs extraits, et qui effectivement présentent avec lui des affinités de problématique.

En l'état actuel de nos connaissances, l'ordre authentique de la collection des sermons d'Isaac semble donc devoir être restitué de la manière suivante : extraits d'Oxford, sermons 6 à 54, 1 à 5, 55.

En toute hypothèse, le ms. utilisé par Dom Tissier demeure, jusqu'à présent, le recueil de loin le plus complet des sermons d'Isaac. Or pour éditer la lettre d'Isaac sur le canon de la messe, Tissier s'est servi d'un ms. de la Merci-Dieu (l'actuel *Paris, B.N., nouv. acq. lat. 3019*, f. 6ᵛ-8ᵛ) ; il est donc probable que le ms. contenant les sermons soit également à identifier avec celui conservé dans ce monastère (situé près de l'Étoile et fondé avec l'aide et le concours d'Isaac), et bien connu des érudits cisterciens et bénédictins du xviiᵉ s. Manuscrit disparu depuis.

33 (App. 2, 1)

« Nostrum exsilium »

Depuis le xviiᵉ siècle, plusieurs hypothèses ont été successivement envisagées pour esquisser à gros traits la biographie de celui que Louis Bouyer appelait naguère « le grand mystère de Cîteaux » (*La spiritualité de Cîteaux*, Paris 1955, p. 195). Les différentes approches ont permis de cerner progressivement le personnage et de fixer certains points de repère. Ce qui fait encore défaut, c'est une reconstitution vraiment satisfaisante du processus de fondation de l'abbaye des Châteliers dans l'île de Ré, ainsi que des dernières années de la vie d'Isaac.

Le détail biographique livré par le « Sermon de la pérégrination » (App. 2, 1-2 ; ci-dessus, p. 294-296) et les nouveaux documents concernant l'abbaye de l'Étoile, découverts et présentés par M. C. GARDA (« Du nouveau sur Isaac de l'Étoile », dans *Cîteaux*, t. 37, 1986, p. 8-22), invitent à refaire le point sur cette difficile question.

Inconnu jusqu'en 1981, le « Sermo peregrinationis » semble bien nous transmettre — sans doute à travers la médiation d'une révision littéraire — l'écho d'une allocution réellement prononcée par Isaac devant ses frères de l'Étoile. En tout cas, il est indubitable que l'orateur s'y représente comme s'adressant à sa propre communauté au retour (*reditus*, l. 3 ; *regressus*, l. 15) d'une période où il a été contraint à vivre loin d'elle (cf. l'opposition *absentia/praesentia*, l. 7-8). Tout au long des deux paragraphes (l. 1-15) qui constituent l'exorde du sermon, Isaac fait une allusion, à la fois claire et imprécise, à une situation de violence et d'injustice. Face à cet état de choses, il se plaît à souligner la solidarité affectueuse de toute la communauté envers sa personne dans le malheur.

Une donnée ressort sans ambiguïté : le caractère forcé de cet éloignement temporaire de l'Étoile. Quel qu'ait pu être le déroulement réel des événements, Isaac les a ressentis comme s'il s'agissait d'un bannissement, d'une sorte de relégation. De là son vocabulaire : « nostrum exsilium » (l. 2), « exsilium » (l. 10), le synonyme « peregrinatio » (l. 9), et la formule « exsulatus in peregrinatione » (l. 14). Isaac va jusqu'à se comparer à un prisonnier entravé (« compedes », l. 5).

Or, il est remarquable que des expressions assez proches se rencontrent sous la plume du même auteur aux sermons 14 et 19, dans des passages où il est sûrement question de son séjour à l'île de Ré. Notons en particulier qu'Isaac parle à ce propos d'« exsilium nostrum » (*Serm.* 14, l. 124, *SC* 130, p. 278) ; qu'il qualifie de « concaptivi et confugitivi mei » (*ibid.*, l. 130) les membres de la petite communauté ; qu'il écrit encore : « in hac insula... exsulamus » (*Serm.* 19, l. 205-206, *SC* 207, p. 40).

Si, comme il semble, ces rapprochements sont justifiés, il paraît logique d'en inférer que la situation évoquée au début du sermon de la pérégrination s'insère dans le contexte du séjour d'Isaac dans l'île de Ré. Du même coup, se trouve confirmée l'interprétation selon laquelle il convient de prendre au sérieux les affirmations contenues dans les passages cités des sermons 14 et 19, en leur conférant une acception réaliste, et non pas métaphorique, malgré une possible inflation verbale et la présence de réminiscences bibliques.

Mais alors, force est de conclure qu'Isaac n'a pas vécu à Ré jusqu'à sa mort, que son séjour dans l'île a été temporaire et qu'ensuite il est revenu à l'Étoile.

Combien de temps a donc pu se prolonger pareil « exil »? Les sources actuellement disponibles ne permettent pas de le préciser. Cependant, la manière dont Isaac s'exprime dans le sermon de la pérégrination porte à croire que son éloignement de l'Étoile n'a pas été d'une très longue durée. On serait tenté de hasarder qu'il n'a peut-être pas dépassé une année. Une telle supputation ne serait pas infirmée par la considération du cycle des sermons situés à l'île de Ré. Quoique la détermination de leur nombre soit sujette à discussion (voir diverses estimations dans l'introduction au t. 1 des *Sermons*, p. 27 ; *DSp*, t. 7, col. 2017-2018), même dans l'hypothèse la plus maximaliste, l'étalement de ces sermons au fil de l'année liturgique couvre à peine un arc de cinq à six mois. Sans oublier, d'ailleurs, que ces sermons, tels que nous les possédons, sont des textes littéraires, dont la rédaction très soignée pourrait être postérieure au retour d'Isaac à l'Étoile.

Si le séjour d'Isaac dans l'île de Ré a été spécialement court, l'hypothèse qui placerait cet événement vers 1156-1158, comme une parenthèse à l'intérieur de son abbatiat à l'Étoile, est en soi plausible. Mais cette opinion n'est pas en mesure d'expliquer pourquoi l'expérience a été vécu par Isaac de la manière dramatique dont témoignent les textes cités ci-dessus, ni pourquoi Isaac est revenu à l'Étoile quelque temps après. En outre, si effectivement Isaac n'est pas mort vers 1168, mais était encore en vie vers 1174 (voir *Serm*. 52, 15, avec la note 2), on ne comprend pas pourquoi, depuis cinq à six ans, il n'était plus abbé de son monastère.

En revanche, une datation plus tardive, vers 1167-1168, à la fin de son abbatiat à l'Étoile, est susceptible de prendre en compte et de concilier les données disparates dont dispose l'historien.

Les années 1166-1167 constituent une période cruciale dans la crise politico-religieuse soulevée par le conflit entre Thomas Becket et le roi Henri II d'Angleterre. On comprend dès lors qu'Isaac — Anglais de naissance, demeurant en Poitou (depuis 1154 celui-ci appartenait à la couronne d'Angleterre), ami personnel du primat en disgrâce et intermédiaire important dans la préparation de la fuite de celui-ci en France et de son refuge, en 1164-1166, à Pontigny, maison mère de l'Étoile — se soit trouvé dans la nécessité de quitter son monastère pendant un certain temps, précisément à cette époque (voir ce que nous écrivions dans *Cîteaux*, t. 13, 1962, p. 135-144).

Isaac a-t-il pris lui-même l'initiative de s'éloigner de l'Étoile, devant une situation devenue invivable pour lui et dangereuse pour sa communauté, ou a-t-il été en quelque sorte proscrit par une intervention, directe ou indirecte, d'Henri II? Il n'est pas possible de le déterminer. Mais il est indéniable que le roi d'Angleterre, à partir de 1165, a longuement poursuivi une politique de bannissements à l'égard de tous ceux qui de quelque façon étaient liés à l'archevêque de Cantorbéry (cf. Jean de Salisbury, *Vita S. Thomae Cant. Arch.*, 190, 203 A).

Dans une telle conjoncture, il est normal que la communauté de l'Étoile, après quelques mois d'attente et d'incertitude, se soit dotée d'un nouveau supérieur, probablement avec le plein accord d'Isaac. Précisément, une charte de donation en faveur de l'Étoile, dont M. Garda a découvert et publié un extrait et une analyse, qui classe ce document entre 1167 et 1171 (*art. cit.*, p. 19-20), offre l'indice d'une situation de transition, où en l'absence d'Isaac le monastère est gouverné par le prieur Boson. Lorsque, après un temps d'éloignement, Isaac a pu regagner l'Étoile, un nouvel abbé était déjà en place. Aussi n'est-il pas étonnant qu'Isaac, encore en vie vers 1174, ne soit plus à la tête de sa communauté.

En l'état présent de nos connaissances, voilà ce qu'il est possible d'avancer avec vraisemblance. Pour tenter de dépasser ce stade de probabilité précaire, d'importantes recherches seraient à mener sur un double versant.

D'une part, il faudrait contrôler systématiquement l'éventuelle mention de la présence d'Isaac dans les documents des monastères et institutions ecclésiastiques du Poitou, dans un large rayon aux alentours de l'Étoile. Une enquête semblable serait souhaitable à propos de Jean, abbé de Trizay, partenaire d'Isaac dans les démarches pour la fondation de Ré.

D'autre part, il faudrait entreprendre une investigation poussée au sujet des archives de l'abbaye de Notre-Dame des Châteliers dans l'île de Ré, en vue d'établir une chronologie fiable des étapes complexes de cette fondation. Car la datation, si essentielle, des trois premiers documents connus n'est fondée que sur des conjectures divergentes d'historiens.

INDEX

I. INDEX SCRIPTURAIRE

(Textes cités ou allusions claires)

Les chiffres de droite renvoient aux sermons et aux paragraphes des sermons. L'indication Ap. renvoie aux textes publiés dans l'Appendice du tome III. De même pour l'index des citations poétiques qui suit.

II. INDEX DES CITATIONS POÉTIQUES

III. INDEX ANALYTIQUE DES MOTS LATINS

Le présent index couvre le vocabulaire de l'ensemble des trois tomes des sermons d'Isaac.

Ont été retenus les noms propres au complet, et un large choix de mots, en fonction de leur intérêt théologique, spirituel, philosophique, monastique ou, simplement, lexicographique. Les mots ordinairement écartés comprennent, en particulier, ceux qui sont inclus dans les citations et allusions bibliques, classiques ou autres.

On constatera que, par son caractère analytique, cet index a quelque peu l'allure d'une concordance inchoative. En effet, il a paru opportun de fournir un accès à la structure dialectique de la pensée et du style d'Isaac, en multipliant les reports explicites d'expressions et de mots associés.

Les chiffres se rapportent au numéro du sermon et du paragraphe. Rappelons que les sermons 1 à 17 se trouvent dans le tome I, *SC* 130 ; les sermons 18 à 39, dans le tome II, *SC* 207 ; les sermons 40 à 55, dans le présent tome III. Pour renvoyer aux trois fragments publiés dans l'Appendice (ci-dessus, p. 282-307), on a eu recours à l'abréviation *app.* 1, *app.* 2, *app.* 3, suivie du numéro du paragraphe.

D'une manière générale, une seule référence à un paragraphe donné, n'exclut pas que le mot s'y trouve plus d'une fois, avec le même sens, ou avec les mêmes associations d'idées. Car il eût été disproportionné de viser à un relevé exhaustif des occurrences. Cependant une « quasi-exhaustivité » a été atteinte, qui offre une sûre et solide base de recherche et d'étude.

Après la mention du lemme et de ses références, les qualificatifs se rapportent à la forme de désinence marquée avant eux. Le signe —/ se traduit par *lemme associé à*. Enfin les mots de renvoi (indiqués par *voir*) apportent, par d'autres biais, des compléments parfois essentiels.

A

abbas, 27, 18.19 ; 55, 16 ; Claraevallis 52, 15.

abiectio, 2, 12.

ablutio, 44, 12 ; delictorum *app.* 1, 13.

abortivum, facere 19, 1 ; 26, 19.

Abraham, 4, 14 ; 7, 16 ; 42, 24 ; 46, 16 ; —/ fides, oboedientia 37, 30.

absolutio, 45, 14 ; -nes 43, 12.

abstinentia, 17, 17 ; 18, 17 ; 27, 15 ; 47, 1 ; 52, 12 ; ciborum 50, 11 ; rationabilis 31, 2 ; -tiae fructus 50, 12 ; ratio 50, 12 ; virtus 30, 11 ; —/ concupiscentia 30, 11 ; —/ gula 30, 13 ; —/ voluptas 43, 22.

abstineo, 50, 1.

abstractio, 22, 2.

abstrahenter, existere 19, 14 ; intelligi 19, 21.

abstrahentia, 20, 2.

abstraho, *sens philosophique* 19, 7 ; 20, 8 ; 23, 11 ; *voir* discerno.

acceptio, uniformis 42, 7.

accidens, -tium fundamentum 20, 6 ; —/ novem praedicamenta 19, 20 ; —/ substantia 19, 20.21.22 ; —/ subiectum 19, 22 ; adiacens sive 19, 11.

accidentalis, 38, 6 ; —/ temporalis 24, 20.

acedia (accidia), 14, 4 ; 25, 14 ; -diae confusio 29, 15 ; pestis 14, 10 ; —/ avaritia 32, 16 ; —/ taedium 17, 20 ; 29, 15 ; tristitia sive 43, 8.

acedior, 13, 13.

acediosus (accidiosus), 32, 14 ; -sa mens 25, 14 ; desides

et -si 14, 2 ; tepidi et -si 48, 1.

actio, 34, 22 ; gratiarum 14, 12 ; 16, 11 ; 17, 25 ; 26, 12 ; 29, 7 ; 53, 2 ; mala 16, 10 ; -nis fructus 25, 14 ; —/ contemplatio 25, 14 ; 32, 6 ; 51, 30 ; —/ otium 12, 6 ; 25, 14 ; *voir* passio.

actitor, 42, 20 ; 53, 8.

activus, *subst.* -vi 55, 15 ; animales et 34, 10 ; boni 5, 24 ; —/ contemplativi 34, 10 ; 51, 29 ; 54, 5 ; *adj.* -va disciplina 3, 19 ; vita 17, 18. 19 ; —/ contemplativa 2, 19 ; —/ speculativa 17, 19.

actor, et rector 36, 26.

actualis, corruptio 7, 10 ; —/ mysticus 54, 10 ; *voir* originalis.

actualiter, subsistere 24, 5.

actus, 25, 9 ; 33, 8 ; 34, 9 ; terrenus 40. 22 ; -tu esse 19, 21 ; existere 19, 14 ; minorari 1, 12 ; subsistere 19, 12.13.16.19.20 ; statui 19, 21 ; —/ natura 19, 12.14. 19 ; —/ ratio 19, 12.13.14. 16.19.

Adam, 6, 1 ; 7, 4.8 ; 51, 17.19 ; communis 6, 1.9 ; paenitens 50, 3.15 ; primus et secundus 7, 12 ; protoparens 50, 3 ; vetus et novus 7, 12 ; *app.* 2, 8 ; caro 7, 13 ; 29, 2 ; filii 4, 2 ; 6, 13 ; (filius) 6, 15 ; 8, 10 ; vulnera 6, 9 ; —/ Christus 6, 12.17 ; 7, 13 ; 9, 19 ; 16, 9 ; 46, 12 ; 54, 8 ; —/ natura 6, 12 ; 8, 10 ; 26, 14 ; *voir* concupiscentia.

adhaereo, carni 5, 17 ; 7, 8 ; 9, 9 ; carnaliter 5, 17 ;

app. 1, 10 ; — / spiritualis, divinus 1, 8.

angelus, 7, 12.14 ; 9, 16 ; 46, 5.16.18 ; bonus 38, 2 ; 42, 2 ; *app.* 2, 10 ; insipiens 13, 7 ; malus 38, 2 ; -li 9, 16 ; 14, 16 ; 32, 2 ; 46, 3 ; 47, 13 ; 55, 11 ; caelestes 5, 23 ; compares 13, 7 ; Dei 11, 17 ; diaboli *app.* 2, 10 ; fautores et adiutores *app.* 2, 10 ; refugae 35, 6 ; tres 4, 14 ; sancti 5, 6 ; 9, 3 ; 17, 5 ; 33, 2 ; 35, 6 ; 37, 17 ; 51, 20 ; 54, 13 ; supremi 10, 4 ; -lorum contemplationes 12, 2 ; grex 32, 13 ; ordines 5, 23 ; panis 32, 15 ; visio 55, 11 ; — / anima iusti 5, 23 ; — / apostolus 10, 16 ; 46, 2 ; — / daemon 7, 11 ; 33, 16 ; 38, 20 ; 43, 24 ; — / diabolus 6, 3 ; 42, 2 ; — / mens humana 32, 12 ; caeli, id est -li 43, 18 ; *voir* connaturalis, homo.

anima, 5, 23 ; 6, 19 ; 7, 15 ; 9, 11 ; 10, 10.12.18 ; 12, 2.5.7 ; 15, 1.4 ; 16, 5 ; 17, 8.13 ; 22, 13 ; 32, 16 ; 33, 11 ; 40, 3 ; 44, 2 ; 49, 7 ; 52, 9.15 ; 53, 3.4 ; 55, 11 ; *app.* 1, 9 ; bona 7, 10 ; caelestis 55, 9.10 ; fidelis 47, 8 ; 51, 8.9.24.27 ; 53, 2 ; lucida et libera 46, 3 ; media *app.* 2, 9 ; pulla 8, 4 ; rationalis 8, 3 ; 9, 8 ; 12, 7 ; 26, 14 ; 40, 5.14.18 ; 46, 9 ; 51, 13 ; 52, 8 ; 55, 7.9.10.15 ; religionis consummatae (integrae) *app.* 1, 2.8 ; spiritualis et divina 55, 10 ; triplex 10, 18 ; -mae affectio 4,

14.19 ; desiderium 5, 11 ; 40, 19 ; intentio 40, 19 ; iustitia 3, 8 ; mors 40, 11 ; natura 8, 2 ; pedes 4, 2 ; requies 17, 23 ; -mam infundere 7, 10 ; ad -mam redire 2, 14 ; — / caro 3, 8 ; 7, 8.11.12.13 ; 9, 8.18 ; 12,7.8 ; 15, 2.3 ; 40, 16.18.19 ; 41, 8 ; 42, 9 ; 46, 3 ; — / corpus 4, 6 ; 8, 2.3 ; 10, 17 ; 16, 7 ; 27, 6.18 ; 30, 14 ; 32, 7 ; 34, 8.24 ; 35, 9 ; 40, 4.7.11. 12 ; 46, 3 ; 51, 2 ; 54, 14 ; 55, 15 ; — / spiritus, caro *app.* 2, 9 ; — / vita 7, 11 ; 34, 24 ; 41, 7 ; *contexte christologique* 6, 12 ; 7, 8.13 ; 8, 15 ; 9, 15.18 ; 35, 9 ; 40, 13.14.16.18.19 ; 42, 9 ; *voir* corruptio, Ecclesia, homo, Maria, motus, resurrectio, spiritus, universus.

animal, 28, 17 ; 34, 4 ; 35, 11 ; magnum, parvum 32, 12 ; rationale mortale 19, 2 ; -lia gressilia 17, 18 ; — / sensus et appetitus (affectus) 17, 1.2.

animalis, *subst.* -les/activi 34, 10 ; 55, 15 ; *adj.* arrogantia 39, 8 ; caro 31, 14 ; sensus 6, 14 ; 14, 8 ; similitudo 11, 17 ; vita 14, 8 ; -le corpus 8, 11.13 ; 14, 13 ; 25, 10.13 ; 31, 13.14 ; 32, 4.5 ; — / carnalis 28, 17 ; — / rationalis 17, 2 ; — / spiritualis 14, 7.8 ; 27, 12 ; 34, 10.

animalitas, 6, 14.

animatio, 15, 13.

animus, 6, 6 ; 13, 7 ; 19, 19 ; 25, 10 ; 27, 3 ; 28, 12 ; 30,14 ;

B

Babylon, 33, 7 ; *app.* 3.
baiolus, cophinus 18, 7.
balista, malitiae 49, 3.
baptisma, -tis fons 42, 17.
baptismus, *reçu par Jésus* 7, 1 ;
    13, 4 ; 45, 2 ; 48, 12 ; Ioannis
    48, 12 ; -smi gratia 41, 7 ;
    — / altare 44, 13 ; — / eucha-
    ristia 41, 7 ; — / nativitas
    45, 2.
Baptista, 13, 3.
baptizatio, 46, 5 ; -nes 43, 12.
basiliscus, rex serpentum 30,
    12.
beatifico, 18, 15.17.
beatitas, 1, 18 ; 3, 9.
beatitudo, 1, 10.13.14.15.18.
    20 ; 2, 5.20 ; 3, 4 ; 6, 19.20 ;
    10, 10 ; 34, 12 ; altissima
    et maxima 5, 6 ; caeli,
    terrae 2, 3 ; -nis plenitudo
    3, 4 ; — / dominatio 2, 1.3 ;
    — / meritum 6, 19 ; — / re-
    gnum caelorum 1, 18 ; 6, 18 ;
    — / virtus 1, 10.15 ; 3, 1.10.
    21 ; 6, 18.20 ; *voir* paupertas,
    sapientia.
benedictio, -nes 43, 12.
benignitas, Dei 5, 1 ; 45, 20.
Bernardus, sanctus 52, 15.
Bethania, id est oboedientiae
    domus 14, 2.
Bethlehem, 6, 12 ; *app.* 1, 1.2.
bilis, -lem movere 37, 21 ;
    48, 3 ; — / nausia 48, 3.
binarius, — / caritas 7, 1 ;
    — / unitas 22, 19.20.21.
bonitas, 25, 2 ; 36, 4 ; aeterna
    24, 20 ; 34, 26 ; connaturalis
    et coaequalis 52, 4 ; Dei
    39, 6 ; 45, 21 ; *app.* 2, 15 ;
    divina 36, 12 ; immutabilis

24, 20 ; naturalis 24, 20 ;
    25, 1.3.4 ; principalis ac
    fontalis 24, 22 ; -tis natura
    25, 2 ; — / severitas 45, 21.
bonum, *subst.* 1, 15 ; 7, 8 ;
    12, 10.11 ; 16, 12 ; 33, 14 ;
    34, 26 ; 36, 4 ; 37, 5.7.8 ;
    47, 13.19 ; conditionis 7, 8 ;
    gratuitum ac naturale 25, 2 ;
    in se, per se, a se 36, 7.13 ;
    iucundum 25, 1 ; silentii
    3, 14 ; simpliciter 36, 9.10.
    12.13 ; summum 25, 6 ;
    36, 13 ; uniformiter 36, 14 ;
    universaliter 36, 10 ; unum
    et commune 55, 16 ; -ni
    electio *app.* 2, 11 ; -num
    pervertere 39, 2 ; -no abuti
    16, 10 ; a -no disconvenire
    36, 13 ; — / malitia 8, 11 ;
    — / malum 25, 6 ; 29, 5 ;
    31, 5.6 ; 32, 2 ; 33, 11 ;
    34, 22 ; 36, 10.11.12.13.14 ;
    43, 6 ; 45, 7 ; 47, 15 ; *app.*
    2, 8.11 ; — / placitum 36,
    7.9.10.12 ; id est (quod)
    beneplacitum Deo 36, 7.10.
    11 ; -na 36, 8 ; seria sola
    et aeterna 33, 15 ; -norum
    largitio *app.* 1, 13 ; — / mala
    5, 4 ; 38, 5.8.15 ; 47, 19 ;
    49, 10 ; 51, 15 ; *app.* 1, 5.

C

cadus, angustissimus vini 10,
    14.
caelestis, discipulatus 42, 1 ;
    homo 54, 11 ; medicus 6, 1 ;
    mundus 54, 11 ; Pater 32,
    15 ; anima 55, 9.10 ; forma
    55, 15 ; qualitas 41, 3 ;
    54, 11 ; remuneratio 40, 22 ;
    sapientia 2, 20 ; vita 35, 9 ;

et amabilis 52, 16 ; gratuita 26, 11 ; incomparabilis 51, 5 ; indifferens 24, 21 ; maxima 15, 15 ; officiosissima 34, 9 ; ordinata 25, 10 ; numquam otiosa 25, 2 ; Patris 18, 15 ; perfecta 17, 21 ; plenissima 5, 20 ; proximi 25, 10.12 ; 31, 20 ; 39, 9 ; reverenda 52, 15 ; -tis aedificatio 16, 3 ; causa 24, 18 ; dies 17, 23 ; fervor 7, 2 ; 44, 11 ; fons indeficiens 43, 20 ; fructus 26, 13 ; humor 26, 15 ; ignis 18, 16 ; radix alta 18, 11 ; regnum 18, 3 ; suavitas 34, 30 ; -ti consentire 16, 4 ; -tem creare (et diffundere) 34, 30.31 ; in -tem formari et ordinari 4, 16 ; ad -tem inflammare 25, 13 ; -tem insinuare 29, 7 ; perficere 10, 15 ; a -te aversio 16, 15 ; in -te communicare 34, 9 ; confirmari 43, 18 ; a -te exorbitare 16, 16 ; in -te proficere 10, 8 ; —/ amor 45, 13 ; —/ aqua 44, 12.14 ; —/ binarius 7, 1 ; —/ cognitio 26, 3 ; —/ disciplina 17, 20 ; 31, 20 ; —/ essentia, sapientia, virtus 34, 28.29 ; —/ fides, spes 8, 4 ; 35, 12 ; *app.* 1, 5 ; —/ gratia 5, 18 ; 21, 19 ; 45, 12.16 ; —/ iustitia 45, 10.12.14 ; 55, 15 ; —/ oboedientia 10, 8 ; 26, 13 ; 37, 26 ; 55, 16 ; —/ odium 16, 9 ; —/ osculum 45, 9.12 ; —/ pax 45, 9 ; —/ potentia, sapientia 38, 5 ; —/ regnum Dei 39, 16 ; —/ Sapientia 44, 12 ; —/ scientia 43, 14.19.20 ;

—/ Spiritus 18, 16 ; 43, 15. 19.20 ; 44, 11.13.14 ; 45, 12.13.14.16.17 ; 46, 19 ; —/ unitas 39, 16 ; —/ veritas 5, 20 ; 12, 8 ; 16, 4.15.16 ; 25, 13 ; 43, 14.19.20.21 ; 44, 12.14.15 ; 45, 14 ; —/ vinum 44, 11.12.14.15 ; —/ virtus 5, 20 ; 10, 4 ; 26, 3 ; 34, 28.29 ; 39, 9 ; 40, 18 ; 43, 14.20.21 ; 44, 14.15 ; *app.* 1, 5 ; —/ voluntas 5, 18 ; 46, 19 ; perfecta dilectio, id est 10, 4 ; *voir* cupiditas, dilectio, fides, formo, humilitas, lux, officium, patientia, potestas, sapientia, timor.

carnalis, 38, 17 ; aut seacularis 39, 8 ; commixtio 5, 20 ; 51, 26 ; concupiscentia 6, 14 ; 32, 2 ; conversatio 16, 17 ; generatio 27, 6 ; 51, 6 ; invidia 39, 8 ; nativitas 35, 2 ; populus 42, 23 ; sensus et vita 16, 9 ; -le sabbatum 10, 14 ; -les passiones 17, 4 ; 55, 11 ; ritus 10, 14 ; -lia desideria 32, 2 ; membra 35, 9 ; verba 44, 5 ; loqui et tractare 32, 1 ; in -libus delectari 32, 1 ; —/ animalis 28, 17 ; —/ caelestis 26, 9 ; 42, 1 ; —/ terrenus 29, 6 ; 40, 20 ; 43, 13 ; —/ spiritualis 10, 14 ; 16, 9 ; 18, 2 ; 26, 9 ; 27, 7 ; 29, 6 ; 34, 10 ; 35, 9 ; 43, 13 ; 44, 5 ; *voir* meditor.

carnalitas, —/ gratia 29, 4 ; —/ spiritualitas 17, 17.

carnaliter, adhaerere 5, 17 ; generare 9, 19 ; nasci 29, 7 ; 41, 3 ; sapere 42, 21 ; —/ spiritualiter 9, 19 ; 41, 3 ; 42, 21.

13, 12 ; Pater 46, 7 ; patientia 15, 14 ; 48, 8 ; persona 42, 9 ; regnum 15, 3 ; sanctus Spiritus 34, 7 ; sponsa 47, 8 ; vinum 10, 8 ; vita 45, 2 ; -sto adhaerere 47, 10 ; -stum induere 6, 17 ; sequi 1, 20 ; 12, 6.7 ; cum -sto conversari 12, 6 ; in -sto pausare 4, 19 ; —/ diabolus 31, 18.19 ; —/ Iacob 42, 23 ; —/ Ioannes Bapt. 46, 12.14 ; 47, 5 ; 48, 13.14 ; —/ liber 9, 6 ; —/ Maria 8, 1 ; 51, 24.30 ; —/ pauper 42, 13 ; —/ Spiritus 34, 7.8 ; 35, 12 ; 37, 9 ; 42, 18 ; 43, 1.4 ; 45, 7.11.12. 13.14 ; 51, 7.26 ; —/ Synagoga 54, 8 ; *voir* Adam, Ecclesia, fides, homo, lux, Pater, resurrectio, sacerdos.

circuitus, infinitae felicitatis 5, 21.

clancularius, -ria subreptio 16, 7.

Claraevallis, abbas 52, 15.

claustrum, -stra materialia 55, 17 ; secreti sui 37, 9 ; in -stris conquiniscere 14, 6.

clementia, 51, 18 ; 52, 5 ; divina 40, 2.

clibanus, crucis 44, 6.

coaequalis, bonitas 52, 4.

codex, -dicum numerosa varietas 18, 2.

coenobium, -bia 50, 20.

cogitatio, cordis 32, 20 ; omnis silens, immo postmanens 4, 4 ; vaga *app.* 1, 12 ; in -ne titillatio 31, 15 ; -nes mundae *app.* 1, 11.12 ; superbae, vanae et elatae 26, 13 ; -num fluctuatio 14, 4 ; fluctus (aestusque) 14, 6.15 ;

origines 29, 13 ; volubilitas 4, 4 ; -nes de se gignere 26, 13 ; -nibus aggravare 18, 10 ; —/ affectus 29, 13 ; —/ aviditas 12, 6 ; 27, 3 ; —/ cognitio, meditatio, contemplatio *app.* 1, 13 ; —/ concupiscentia 32, 20 ; —/ delectatio 21, 17 ; 32, 1 ; —/ memoria 23, 12 ; —/ sermo (locutio), operatio 32, 1 ; *app.* 1, 5 ; perfectum verbum sive 23, 16 ; *voir* ingenium.

cognitio, et amor 26, 1 ; ac caritas 26, 3 ; perfecta 10, 1 ; rerum 51, 12 ; *app.* 1, 14 ; sui 10, 16 ; *app.* 1, 13 ; -nis lux 26, 3 ; —/ cogitatio *app.* 1, 13 ; —/ delectatio 32, 10 ; —/ dilectio 5, 23 ; 10, 1.2.4 ; 16, 15 ; 26, 3 ; 51, 24 ; —/ prudentia *app.* 1, 14 ; plena, id est sapientia 10, 4 ; *voir* admiratio, electio.

cognosco, seipsum -scere 2, 13 ; —/ propheto 46, 20.

cohaerentia, verborum *app.* 1, 2.

cohaereo, 40, 18.

collaboro, 17, 8.

collatio, familiarior 48, 15.

colligatio, 45, 14.

colligo, segrego et 35, 8 ; proximum 3, 20 ; se 18, 5 ; -lecti ad unum 21, 15.

colloquium, familiare 38, 9.

commentarius, penuria librorum et maxime -riorum 18, 1.

commixtio, 35, 8 ; carnalis 5, 20 ; 51, 26.

communicabilis, 24, 17 ; 26, 1 ; 32, 10.

communico, alienis 36, 11 ;
in caritate 34, 9 ; internum
gaudium 25, 2 ; indigne
42, 9 ; omnia 11, 9.

communio, Domini nostri I. C.
37, 31 ; substantiae 50, 20 ;
-onis gratia 37, 31.

communis, Adam 6, 1.9 ; conversatio 37, 31 ; dedicatio
55, 5 ; eleemosyna 37, 31 ;
ac singularis humani generis
hostis 30, 8 ; intelligi 19, 15 ;
massa perditionis 55, 4 ;
materies 17, 11 ; mundus
33, 13 ; orbis 27, 2 ; 31, 20 ;
omnium Pater Deus 39, 18 ;
42, 15 ; sermo 19, 6 ; turba
12, 4 ; vita hominum 50, 1 ;
in -ne 49, 6 ; in -ne vivere
50, 20 ; -ne bonum 55, 16 ;
nihil -ne habere 14, 11 ;
-nes passiones 4, 2 ; -nia
opera 43, 7 ; sacramenta
37, 3 ; -nia terere 48, 1 ;
—/ singularis, specialis 42,
15.

communitas, substantiae 55,
16.

communiter, 7, 12 ; 26, 19 ;
37, 26 ; —/ indifferenter,
specialiter 18, 9.

commutabilis, —/ incommu-
tabilis 20, 6.

compagino, 42, 23.

comparatio, 3, 18 ; 5, 20.

compassibilis, ac humanus 8,
14.

compassio, 31, 19 ; -nis patientia 12, 5.

compatior, 15, 10 ; 17, 8 ;
30, 15 ; infirmitatibus 38,
21 ; -tientes invicem 31, 20.

complexio, -nes nostrae naturae 31, 17.

compositio, 21, 13 ; 34, 6 ;
—/ resolutio 19, 7.

compositus, —/ mutabile 21,
10.11 ; —/ nihil 19, 22 ;
—/ simplex 21, 3.9.11 ; 22,
18.20.21.

comprehensibilis, nulla mente
20, 8.

compunctio, 3, 20 ; 52, 12 ;
cordis 52, 10 ; app. 1, 7 ;
timoris 17, 25 ; -nis ardor
3, 20 ; dolor 50, 6 ; ignis
50, 6 ; munus 3, 20 ; vinum
6, 16 ; —/ ablutio app. 1, 13 ;
—/ delectatio 17, 14.25 ;
—/ lacrimae 37, 14 ; —/ opera app. 1, 13 ; seu dolor
17, 14 ; voir confessio, irasci-
bilitas.

compungo, 2, 15 ; 18, 11 ;
52, 10.

concaptivus, 14, 14.

conceptio, mentis 20, 8 ; ac
nativitas 27, 9.

concio, in -cione psallere 38, 7.

concionator, 31, 7.

concionor, 38, 8.

concordia, —/ discordia 39, 12.
13 ; —/ divisio 39, 13.

concupiscentia, 6, 14.17 ; 28,
14.15.17.19 ; 31, 3.13 ; 47,
11 ; 54, 15 ; libido et app.
2, 9 ; bona 31, 11.12 ;
carnalis 6, 14 ; duplex 31, 11 ;
mala 31, 12 ; naturalis origi-
nalisque 7, 13 ; vaga 43, 4 ;
cordis 32, 20 ; 46, 11 ;
mundi huius 39, 18 ; oculorum 30, 12 ; 32, 16 ; 43, 22 ;
app. 2, 7 ; -tiae defectus
28, 18 ; 29, 2 ; furor 9, 4 ;
pestis 33, 16 ; —/ Adam
6, 12.17 ; 7, 8.13 ; 9, 19 ;
—/ cogitatio 32, 20 ; —/ gra-

conscientia, 17, 9 ; 21, 15 ; 51, 27 ; bona 8, 4 ; 14, 10 ; 16, 9 ; inordinata 46, 11 ; interior 50, 6 ; mala 8, 4 ; 16, 9 ; -tiae accusatio 16, 19 ; securitas 14, 10 ; -tiam metiri 2, 15 ; —/ cor. 16, 18 ; *voir* dolor, lux, memoria.

consecratio, -nes 43, 12.

consecro, 9, 14 ; Eucharistiam 11, 14.

consensus, 6, 15.18 ; animi 38, 19 ; bonus 46, 15 ; voluntatis 6, 14 ; -sum creare 6, 19.

consignifico, 24, 14.15.

consilium, 5, 5 ; 7, 12 ; 9, 16. 17 ; 13, 12 ; 38, 13 ; 39, 12 ; aeternum 34, 18 ; occultum 18, 9 ; Dei 2, 8 ; 18, 9 ; 37, 23 ; recens 36, 3 ; -lii propositum 37, 2 ; spiritus 8, 15 ; 30, 10 ; 45, 22 ; -lium dare 3, 17 ; 12, 5 ; praeferre 6, 18 ; —/ dispositio 34, 18 ; praeceptum vel 2, 8 ; —/ ratio, opus 16, 12.

consimilis, -les/similitudo, dissimilitudo 51, 10.

consisto, rectum 3, 3 ; sibi 29, 15.

consortium, sanctae congregationis *app.* 1, 3 ; —/ natura 42, 14.

constanter, 37, 15.

constantia, animi 16, 11 ; -tiae forma 13, 12 ; virtus 18, 11 ; —/ angelus 26, 19 ; —/ fides 37, 12 ; *voir* patientia.

constitutio, —/ generatio, nuncupatio, adoptio 42, 15.

consto, 19, 10 ; -stat 1, 4 ; -stare sibi 20, 5 ; 29, 16.

consuetudo, 4, 10 ; 14, 7 ; prava 31, 13 ; sancta 21, 19 ; veteris vitae 27, 15 ; -dinis recursus 31, 13 ; —/ natura 44, 4.

contemno, 44, 17 ; 47, 8.12 ; 48, 6 ; Deum 9, 5 ; 25, 6 ; 44, 3 ; Ecclesiam 11, 14 ; mundum 3, 20 ; 30, 4 ; 42, 6.

contemplans, *subst.* -tis cor 25, 15.

contemplatio, 53, 2 ; 55, 15 ; imaginaria 24, 16 ; tranquillae Sophiae 34, 14 ; Trinitatis 55, 1 ; veritatis 12, 7 ; vitae *app.* 1, 13 ; -nis iugitas et vigilantia 25, 10 ; lux 25, 14 ; otium 4, 15 ; 12, 5 ; 25, 9 ; vacatio *app.* 1, 2.18 ; volatus 22, 12 ; -ni adversantia 25, 5 ; 51, 14 ; insudare 25, 10 ; in -nem intendere 34, 14 ; in -nem volare 3, 19 ; -nes angelorum 12, 2 ; —/ oratio 4, 10 ; —/ revelatio 4, 5 ; *voir* actio, cogitatio.

contemplativus, *subst.* spirituales et -vi 34, 10 ; *voir* activus ; *adj.* -va/activa 2, 19.

contemplor, 15, 12 ; 25, 6 ; Creatorem 28, 16 ; id quod nihil pulchrius 25, 7 ; immensum Iesum 7, 15 ; mysterium 35, 3 ; —/ examino 28, 16.

contemptor, praesentium 50, 6.

contemptus, 2, 12 ; 10, 18 ; commixtionis carnalis 51, 26 ; voluntarius mammonae iniquitatis 3, 20 ; mundi 18, 5.17 ; -tui duci 3, 8.

contentio, 2, 1 ; 53, 9.

contentiosus, *subst.* -si 2, 2.4.

32, 8 ; 34, 3 ; 44, 1 ; 47, 19 ;
— / natura creata 4, 8.

creator, verus Deus et — omnium *app.* 1, 6.

creatrix, essentia 34, 28 ; gratia 26, 6.13.

creatura, 8, 15 ; 26, 11 ; 44, 2 ; corporea et visibilis 9, 3 ; exterior 26, 5 ; nova 41, 6 ; 51, 26 ; rationalis 26, 11 ; -rae discretio 28, 16 ; facies 44, 1 ; malitia 47, 19 ; multiplicitas 38, 1 ; universitas 1, 7 ; 32, 8 ; -ram examinare 28, 16 ; -rarum omnium principium et fons et efficiens causa 22, 7 ; *voir* Creator.

credentes, 42, 23.

credo, invitus 34, 23 ; Veritati 1, 19 ; certis et necessariis connexionibus 21, 12 ; — / examino 42, 21 ; *voir* intelligo, oro.

credulus, verbo Verbi 3, 8.

creo, 6, 1 ; 7, 5 ; 26, 2.4 ; 31, 16 ; 32, 9.10.11 ; 35, 10 ; 40, 6 ; 50, 11 ; 51, 16.21 ; 54, 4.16 ; bene et ad bonum 8, 10 ; caritatem 34, 30.31 ; carnem bonam 7, 10 ; consensum 6, 19 ; fidem 10, 11 ; gratiae donum primum 26, 1 ; merita 34, 21 ; novam creaturam 51, 26 ; — / diffundo 34, 31 ; — / genero 54, 7 ; — / illumino, excaeco 26, 10.13 ; — / ordino, orno 54, 5 ; — / reformo, vivifico, consummo 41, 9 ; — / rego 38, 1 ; creatus 54, 16 ; 55, 10 ; spiritus (rationalis) 4, 7 ; 25, 6 ; 26, 2 ; -ta vel posita anima in corpore 54, 14 ; a bono bona caro

7, 8 ; maxima lux 32, 9 ; mens 9, 2 ; 26, 10 ; natura 4, 8 ; natura rationalis, instituta 7, 6 ; — / increatus 32, 9 ; *voir* formo.

crux, 15, 5.8 ; 27 17 ; 29, 14 ; nuda nudi Christi 18, 2 ; Ordinis et paenitentiae 15, 6 ; -cis clibanus 44, 6 ; dies 17, 7.25 ; Christi exemplum 15, 12 ; sublimitas 17, 7 ; -cem amplecti 18, 2 ; -ce extendi, distendi, suspendi 11, 15 ; — / disciplina professionis 15, 7 ; — / passio 15, 6.12 ; 17, 25 ; vitalis ligni typus seu vivificae crucis Christi 15, 4.

culpa, animi 55, 10 ; mala 6, 13 ; naturalis 6, 13 ; — / generatio originalis 6, 17 ; — / gratia 6, 12.16.17 ; 7, 7 ; 54, 16 ; — / paenitentia 6, 16 ; 7, 6.7 ; 10, 15 ; *voir* natura, poena, reconciliatio.

cupiditas, 25, 1 ; 31, 5 ; 33, 6 ; 38, 9.20 ; regnum diaboli 39, 16 ; lucri 10, 3 ; pecuniae sive potentiae 26, 2 ; regni 10, 3 ; -tis regnum 18, 3 ; subversio 16, 3 ; vinculum 38, 19 ; — / caritas 16, 3 ; 18, 3 ; 39, 16 ; 44, 11 ; — / dilectio 10, 3.

cupido, rerum temporalium 39, 8.

cupidus, *subst.* 33, 6 ; — / contemptus mundi 18, 5 ; *adj.* -da negotiatio 16, 6 ; — / prodigus 49, 7.

cura, 3, 6 ; 4, 16 ; adulterina 25, 12 ; iustitiae 3, 6 ; necessaria 25, 15 ; noxia 25, 15 ; quae in solo Deo

non est 25, 12 ; superflua
25, 12.15 ; —/ sollicitudo 5,
20 ; 18, 13 ; 25, 13.14 ; *voir*
divitiae, labor.

curia, -rias frequentare 50, 15.

curiositas, 15, 1 ; aut otiosa
aut malitiosa 50, 1 ; sensuum 32, 11 ; -tis malum
2, 1 ; modum 48, 3 ; pessima
pestis 1, 20 ; vitium 25, 2 ;
-tates saeculares 55, 11 ;
vanae frivolaeque 33, 13 ;
—/ caritas 25, 1 ; —/ pietas
19, 2 ; —/ Sapientia 25, 1 ;
—/ vanitas 48, 15 ; —/ veritas 40, 20 ; 48, 15 ; —/ volup-
tas (delectatio), ambitio
(avaritia, superbia vitae) 21,
16 ; 28, 17 ; 32, 6.11 ; 43,
22 ; *app.* 2, 7.8 ; *voir* iactan-
tia.

curiosus, *subst.* -si 35, 11 ;
42, 22 ; *adj.* apprime 38, 6 ;
auditor 48, 3 ; -sa negotiatio
16, 6 ; —/ levis 48, 4 ;
—/ securus 50, 1.

Cyprianus, beatus 34, 24.

D

Daniel, 37, 30 ; *app.* 3.

David, 3, 14 ; 16, 5 ; 26, 14 ;
beatus 32, 16 ; 47, 3 ; manu
fortis interpretatur 33, 12 ;
propheta 45, 11 ; rex 48, 13 ;
thalami paranymphus 37,
27 ; unctio 28, 9 ; vere
spiritualis mens 32, 16.

debriatus, 40, 4.

dedicatio, communis Ecclesiae
55, 5.

dedico, 55, 1.3.4.

deditio, 44, 3.

definio, 36, 15 ; 51, 1 ; nume-
rum 34, 8.

defluo, sudore 24, 1 ; —/ cado
34, 12 ; —/ micae 37, 10.27.

deifico, -cari 2, 13.

deificus, -cum lumen 25, 13 ;
26, 6.

deitas, —/ humanitas 38, 2.

deividus, *voir* aquila.

delinitor, Spiritus 45, 15.

dementia, 7, 1.

demptio, —/ additamentum
22, 17.

denarius, = *le nombre dix* 17,
19 ; 31, 3 ; —/ sapientia
7, 1.

desertum, 26, 16.18 ; 30, 1.2.6 ;
31, 1 ; 32, 11.12.17 ; 50, 12 ;
non solum loci sed et spiritus
vel etiam aliquando Dei
32, 19 ; sui spiritus 31, 2 ;
-ti interiora 10. 17 ; -tum
petere 30, 4 ; in -to errare
51, 19 ; iacere 52, 1 ; de
-to progredi 52, 3 ; in -to
vagare 37, 6 ; -ta litterae
11, 6.

desiderabundus, diligere 5, 21 ;
fugae 14, 12.

desiderium, caeleste 46, 3 ;
immaturum 33, 2 ; sanum
33, 14 ; animae 5, 11 ;
40, 19 ; caelestium 32, 15 ;
faciei Dei 37, 14 ; munditiae
37, 14 ; -rii portus 29, 17 ;
-rio fermentare 37, 9 ; rei
impatiens 37, 9 ; -ria carnalia 32, 2 ; saecularia 17, 4 ; spiritus *app.* 2, 9 ; -riorum radices
29, 13 ; —/ concupiscentia
32, 2 ; —/ fastidium 37, 14 ;
—/ intentio 40, 19 ; —/ investigatio 26, 5 ; —/ meditatio
32, 15 ; —/ passio 17, 4 ;
—/ prospectus 5, 22 ; —/ vo-

spirituale *app.* 3 ; — / gratia
18, 8 ; 26, 5 ; 51, 27 ;
— / medicina 12, 8 ; 28, 13 ;
— / meditatio, sensus 12, 1 ;
— / scientia, experientia *app.*
1, 15 ; — / vita 12, 1 ; 18, 6.8 ;
47, 5 ; — Dei/imago Dei
44, 2 ; *voir* eruditio, exemplum.

documentum, — / conversatio
13, 3.

dolor, et contritio cordis 16, 18 ;
— / conscientia, ratio 16, 18 ;
— / contritio, confessio 52,
10 ; — / patientia 53, 4 ;
— / scientia 21, 6 ; — / stupor
15, 9 ; — / timor, amor *app.*
1, 13 ; — / timor, labor 17,
20.21 ; — / timor, odium 17,
13 ; *voir* compunctio.

dolositas, 50, 16.

domesticus, -stica familia 39,
16 ; -corum motuum familia
46, 13 ; — / peregrinus 46, 13.

dominica, *subst.* 17, 7.26 ;
adj. dies 17, 8 ; oratio 6, 20.

donabilis, *voir* capabilis.

dono, 6, 10 ; 42, 17 ; et (aut)
condono 11, 13 ; 24, 22.

donum, 24, 18 ; 26, 8 ; 43, 25 ;
creatricis gratiae 26, 6 ;
Dei 6, 20 ; 29, 11 ; lucis seu
praebitio 24, 14 ; magnum,
maius, maximum 24, 22 ;
naturale (-liter) 24, 17.18.20 ;
26, 1 ; sanitatis 34, 19 ;
spiritus principalis 43, 6 ;
— / virtus 6, 19 ; *voir* charismata, gratia, gratis, meritum, Spiritus.

dualitas, nostra 29, 5 ; super-
admirabilis 23, 6 ; — / unitas
(unus) 9, 15 ; 23, 6 ; 29, 5 ;
— / Trinitas 9, 15.

duellum, peccati *app.* 2, 11 ;
spiritus et carnis *app.* 2, 9 ;
-lum inchoare, sedare, finire
9, 15.

duodenarius, 17, 19.

duplus, — / simplus 40, 10.

E

ebrietas, crapula et 18, 13.

ebrius, 18, 13 ; 29, 16 ; sobrie
5, 20 ; 44, 9 ; -brii et amentes
37, 30 ; — / mensa Verbi Dei
37, 17.

Ecclesia, 48, 7 ; 51, 25 ; 54, 9 ;
55, 1.5.15 ; Christi 46, 2 ;
47, 3 ; 55, 5 ; Dei 37, 24 ;
Gentium 54, 8 ; mater 38,
17 ; praesens 46, 4 ; 52, 4 ;
Sponsa 11, 12.14 ; 47, 8 ;
55, 13 ; sponsa Christi 47, 8 ;
universa 15, 9 ; universalis
16, 6 ; virgo 45, 2 ; virgo
mater 27, 7.8 ; 42, 16 ;
51, 7.8 ; ab aeterno praedes-
tinata, in tempore vocata
ac iustificata, post tempora
magnificanda 33, 10 ; -siae
corpus 34, 7 ; communis
dedicatio 55, 5 ; fides 51, 24 ;
primitivae forma 50, 20 ;
forma prima, secunda 55, 14 ;
montes 13, 10 ; naufragium
intentare 13, 9 ; Christi et
-siae mysteriales nuptiae 9,
10 ; -siam contemnere 11,
14 ; — / Christus 9, 10 ; 11,
11.14.15 ; 13, 10 ; 15, 9 ;
16, 6 ; 34, 7.8 ; 42, 16 ; 45, 2 ;
48, 8 ; 51, 7.24 ; 54, 8 ; 55,
13.14 ; — / fidelis anima 47,
8 ; 51, 9.24 ; 53, 2 ; — / Maria
27, 8 ; 45, 2 ; 51, 7.8.9.24.30 ;
52, 4 ; — / navicula 13, 2.10 ;
— / regnum caelorum 46, 4 ;

exinanio, 10, 4 ; 28, 12 ; 40, 8 ; 51, 4.

exinanitio, 51, 23.

existentia, dissimilis 22, 18 ; vera 22, 21 ; — / essentia 22, 18.

existo, 17, 2.10.13 ; 22, 19.21. 22.23 ; 24, 3.4.13.17 ; 32, 17 ; 34, 11 ; 40, 6 ; 43, 24 ; 44, 7 ; 49, 2.6 ; -re ante omnia 22, 20 ; a se 19, 18 ; in se 19, 18 ; 22, 18.22 ; per se 19, 10.11.14.17.18 ; personaliter unus 27, 10 ; pulchrius et verius 24, 3 ; sine initio app. 1, 6 ; vane et inaniter 22, 22 ; veraciter 20, 8 ; 22, 11.21 ; vere 22, 21.22 ; — / substantia 19, 14.15.17. 18 ; 20, 8 ; — / subsisto 19, 10.11.14.15.17 ; 22, 22.

exorcismus, -smi gratia 43, 8.

exorcizatio, -nes 43, 12.

exordinatus, 54, 15.

expeditio, militiae christianae 6, 21 ; quasi coniurati ad -nem 14, 12.

experientia, virtutis app. 1, 17 ; -tiae librum 29, 13 ; voir doctrina, praedicator.

expertus, 1, 19 ; — / inexpertus 11, 8.

explanatio, -tiones communes 18, 3 ; voir lectio.

explico, — / credo, intelligo 42, 1.

expono, sancti Evangelii lectiones 16, 5 ; — / allego, interpreto, 18, 14 ; — / Ambrosius, Augustinus, Hieronymus, Gregorius 48, 7 ; — / audio 46, 2 ; — / dissero 16, 2 ; — / parabola, Scriptura 16, 2 ; — / propono 18, 3.

expositio, certa 18, 3 ; moralis 33, 11 ; -nis series 8, 1 ; tenor 28, 13 ; -nes veteres Patrum 48, 7 ; — / Scripturarum aenigmata 18, 3 ; voir lectio.

exquiro, 1, 13 ; — / ingenium 23, 10.

exquisitio, quaestiones et -nes 44, 6.

exsilium, 14, 13 ; — / libertas app. 2, 3 ; — / mundus app. 2, 3 ; — / paradisus 50, 3.10 ; — / patria app. 2, 3 ; — / peregrinatio (-nor) app. 2, 2.3 ; — / reditus app. 2, 1.

exsufflo, 32, 20 ; 48, 3.

exsul, et pauper 2, 13 ; profugus et 4, 12.

exsulo, ab universo ferme terrarum orbe 19, 24 ; — / peregrinatio app. 2, 2.

exterior, lux 34, 24 ; oboedientia 26, 15 ; -res luxuriae 30, 14 ; — / interior 1, 4.5 ; 15, 1.10 ; 17, 15 ; 27, 15.16 ; 46, 19 ; voir homo, liber, tentatio.

exto, 3, 3 ; de nihilo 20, 2 ; — / unum, simplex, immobilis 23, 7.

exuo, -tus se 5, 17.

Ezechiel, 37, 30.

F

fabula, -las largissimas et mendosissimas texere 38, 8 ; -lis pasci 2, 16.

facies, Dei 2, 8 ; 37, 14 ; divina 20, 1 ; mentis 37, 12 ; veritatis 54, 2 ; — creaturae / — Creatoris 44, 1.

51, 6 ; *voir* conditio, constitutio, culpa.

genero, 48, 13 ; -ratus/pergeni-
tus 41, 5 ; — / creo 54, 7.

generosus, locuples et — 51, 3 ;
-rosa filiatio Dei 5, 24.

genitor, 51, 3.

Genitrix, Dei 52, 16.

genitrix, -ces mentes 26, 13.

genus, = *race* 6, 10 ; 38, 8 ;
39, 8.9 ; *voir* humanus ;
= *classe, catégorie, sorte* 31,
19 ; 39, 18 ; *app.* 3 ; disciplinae 22, 7 ; incorporeitatis
4, 9 ; religiosorum 50, 16 ;
verbi 43, 17 ; -nera superborum *app.* 3 ; tentamen-
torum 15, 15 ; 32, 18 ;
tentationum aut perturba-
bationum 29, 12 ; = *sens*
philosophique — / species 6,
4.19 ; 21, 13 ; 22, 15.

gigas, ignivomus 18, 15.

gigno, ad mortem 49, 3 ;
ad vitam 49, 1 ; -re de se
cogitationes 26, 13 ; — / formo 6, 19.

gnarus, sui 26, 14.

gradus, 5, 3.5 ; -du contra
gradum 10, 3 ; -dus iustitiae
52, 13.16 ; misericordiae 3,
15 ; praelationis 30, 5 ; virtutum 5, 6.23 ; — / officium
13, 4 ; 30, 7 ; — / profectus
5, 2 ; *voir* ordo.

Grandimontani 2, 7.

grandiusculus 48, 9.

gratia, 21, 4 ; 29, 7 ; 45, 10 ;
54, 6 ; conditrix 7, 4.7 ;
creatrix 26, 6.13 ; divinitus
inspirata 26, 5 ; mater 10,
11 ; naturalis per regenerationem 6, 17 ; praeparata
ab aeterno 35, 14 ; praefigu-
rata multifarie rebus et
verbis 35, 14 ; prima, secunda 26, 4.6 ; specialis praedes-
tinatis 35, 6 ; sola 12, 11 ;
baptismi 41, 7 ; Christi 45, 3 ;
communionis Domini nostri
I. Ch. 37, 31 ; cooperationis
38, 4 ; Dei 16, 5 ; 27, 11 ;
29, 4.16 ; 31, 12 ; 33, 9.13 ;
46, 14 ; *app.* 1, 7 ; *app.* 2,
4.15 ; exorcismi 43, 8 ; hospitalitatis 50, 19 ; largitatis
naturalis 25, 2 ; paenitentiae
52, 12 ; paenitentis 17, 10 ;
praedestinatorum 34, 16 ;
36 11 ; resurrectionis 41, 10 ;
Verbi 35, 3 ; -tiae donum
18, 9 ; 26, 1.6 ; 30, 11 ;
Evangelium 26, 18 ; filius
27, 14 ; illuminatio 16, 17 ;
perceptio 29, 5 ; praedesti-
natio 34, 16 ; reconciliatio
50, 10 ; de -tia renasci 43, 2 ;
-tia uti 16, 14 ; -tiarum
collatio 45, 4 ; -tias agere
7, 14 ; 38, 12 ; 50, 19 ; 53,
2.3.10 ; 54, 16 ; conferre
43, 7 ; 45, 22 ; — / amor
45, 9 ; beneficium 11, 3 ;
26, 6 ; — / carnalitas 29, 4 ;
— / caro 29, 5 ; 35, 5 ; 53, 3 ;
— / corruptio 6, 20 ; — / discretio 18, 9 ; — / donum
6, 19.20 ; — / electio, libertas
35, 14 ; — / exemplum 19, 1 ;
— / exsilium *app.* 2, 3 ;
— / gloria 29, 10 ; 34, 13 ;
— / gratis 6, 19 ; 25, 2 ; 29,
12 ; 33, 9.13 ; 37, 26 ; 46, 15 ;
— / iustitia 45, 6.12 ; — / lex
9, 13 ; — / natura 6, 12.16.
17.18 ; 7, 7 ; 9, 10 ; 13, 1 ;
27, 10 ; 29, 5 ; 33, 3 ; 46,
7.9.15.20 ; 50, 10 ; 51, 3 ;

incomparabilis, caritas 51, 5 ; lux 52, 13 ; -lia 9, 8.

incomparabiliter, 24, 8.

incomprehensibile, *subst. n.* de -li docere 22, 11.

incomprehensibilis, profunditas 16, 1 ; supersapientia Dei 22, 12 ; veritas 23, 7 ; *voir* ineffabilis.

incomprensibilitas, -tis simplex forma 4, 9 ; — / inaccessibilitas 4, 5.

incorporeitas, -tis secundum genus 4, 9 ; simplex forma 4, 9.

incorporeum, *subst.* primum 4, 7.9 ; (summe et) pure 4, 4.8 ; tertium et invisibile 4, 9.

incorporeus, *voir* substantia.

incorruptibilis, — / corruptibilis 49, 10 ; — / corruptus 41, 3.

incorruptio, et impassibilitas 16, 10 ; — / corruptio 16, 10.

inculpabiliter, 25, 9.

indeclinabilis, 6, 4.

indicibile, *subst. n.* de -li aliquid proprie dicere 22, 11.

indifferens, caritas 24, 21 ; natura —, sive una 24, 15.

indifferenter, 24, 12 ; — / differenter 18, 8 ; *voir* communiter.

indigus, -ga substantia 19, 18.

indivise, operari 45, 14.

indivisibilis, omnino simplex et 23, 7.

indulgentia, 45, 4 ; -tiae locus 3, 15 ; — / paenitentia 6, 16 ; — / perseverantia 45, 14.

industria, 2, 2 ; 13, 11.

inebrio, 10, 4.9 ; 40, 4 ; 44, 11.14 ; -briatus 44, 10.

ineffabile, *subst. n.* de -li fari 22, 10 ; -lia 1, 8 ; 37, 29.

ineffabilis, *adj.* nativitas 33, 2 ; spes 29, 15 ; supernatura Dei 23, 17 ; unitas 23, 6 ; -le gaudium 24, 8 ; 25, 1 ; — / incomprehensibilis 24, 8 ; 33, 2.

ineffabilitas, 46, 7.

ineffabiliter, effari 23, 13 ; unus 23, 9.

inenarrabilis, exsultatio 46, 18.

inexpertus, 30, 7 ; 37, 19 ; — / expertus 11, 8 ; *voir* pax.

infantia, 7, 2 ; — / adolescentia, aetas virilis *app.* 1, 15.

infantilis, -le et infirmum et modicum corpusculum 8, 2.

infatuo, 10, 13.

inferentia, sermonum 21, 12.

infermus, 30, 8 ; 46, 5 ; miseri. cordiae, non irae 27, 17 ; suavis 27, 17 ; *voir* mundus,

infirmitas, 43, 9 ; 51, 18 ; 53, 4 ; fatuitas et 10, 8 ; animalis corporis 31, 14 ; corporum et (sive) morum 31, 17.19 ; humana 27, 4 ; -tis causa 33, 4 ; passio 29, 14 ; -tum portatores 31, 20 ; -tibus compati 38, 21 ; — / confirmatio 43, 6 ; — / maiestas 45, 15 ; — / necessitas 31, 13.14.17.19 ; — / potestas 43, 9.11 ; — / virtus 1, 10 ; 10, 4.5.9 ; 14, 3 ; 43, 11 ; 54, 8 ; — / vitium 31, 20 ; *voir* corruptio, mortalitas, stultitia.

influo, 43, 17 ; 44, 8.

informo, 43, 17.

infundo, effundo aut 25, 2 ; animam bonam 7, 10 ; -dere

intellectus, = *faculté de l'âme*
rationalis 16, 5 ; -tus oculus
9, 4 ; soliditas 4, 9 ; -tu
conspici 22, 23 ; exsistere
19, 14 ; subsistere 19, 13.19 ;
suspendi 19, 21 ; — / effectus
19, 7 ; — / memoria, voluntas
app. 1, 5 ; — / mens 9, 4 ;
— / sensus, imaginatio, ratio,
intelligentia 4, 6.7.8.9 ;
*compréhension, significa-
tion,* etc. 22, 6 ; 24, 15 ;
46, 4 ; moralis, allegoricus,
anagogicus 10, 14 ; vacuus
16, 3 ; -tus spiritus 8, 15 ;
45, 22 ; — / status 19, 14.19.

intelligentia, = *faculté de l'âme*
-tiae igneus candor 4, 9 ;
lumen 29, 4 ; oculus 9, 4 ;
28, 16 ; ad -tiam convalescere
excaecari 28, 15 ; *voir* intellectus ;
= *capacité intellect.* -tiae
aurum 48, 2 ;
= *compréhension, signification,* etc. spiritualis 11, 6 ;
26, 16 ; -tiae fructus 23, 20 ;
26, 16 ; -tiam elicere 42, 10 ;
serere de sermonis festuca
23, 20 ; *voir* littera.

intelligibile, -lia/spiritualia 44,
5.

intelligo, 19, 15 ; — / credo,
explico 42, 1 ; — / video,
credo 29, 10.

intemperantia, 7, 7.

intendo, 5, 10.13 ; 8, 13 ;
15, 12 ; 16, 3 ; 34, 24 ; in
contemplationem tranquillae
Sophiae 33, 14 ; in deificum
lumen 25, 13 ; iustitiae 3, 8 ;
-tus 3, 20 ; 21, 15.

intentio, animae 40, 19 ; animi
49, 5 ; sive corporalis exercitii,

sive studii spiritualis 5, 24 ;
operis causa atque 25, 7 ;
— / desiderium 40, 19.

intercedo, 9, 12.15 ; 51, 18 ;
voir divido.

interior, *subst.* -ra deserti 10,
17 ; -ra nostra penetrare
32, 2 ; de exterioribus ad
-ra transilire 2, 22 ; — / exte-
riora 27, 16 ; *adj.* conscientia
50, 6 ; eruditio 15, 1 ;
defectus 32, 14 ; habitus
17, 15 ; imago et similitudo
27, 11 ; turba 1, 5 ; *voir*
exterior, homo.

interluceo, 19, 19.23 ; 24, 9.

internus, liber 47, 13 ; -na
delectatio mentis 25, 4 ;
satio 26, 19 ; -num gaudium
25, 2 ; *voir* scaturigo.

interpolo, 16, 8.

interpreto, 28, 11 ; 33, 12 ;
35, 4 ; *voir* expono.

interpretor, physicum et ethi-
cum sensum 10, 14.

interscalaris, 9, 18.

intolerabilis, et inaccessibilis
52, 4 ; lux 22, 12 ; maiestas
52, 13.

intuitus, unus, simplex, aeternus, fixus 23, 13 ; in -tu
scientis 23, 11.

investigans, *subst.* 22, 23.

investigatio, et desiderium 25,
6 ; et imitatio 16, 15 ; *voir*
admiratio.

investigator, -res maiestatis
22, 1.

investigo, 4, 13 ; 19, 9 ; 20, 1 ;
23, 10 ; 24, 2 ; 25, 5 ; 46, 18 ;
51, 9.14 ; — / admiratio 8, 7 ;
— / contineo 16, 3 ; *voir*
imitor.

45, 11 ; plena, perfecta, quieta 3, 5 ; animae 3, 8 ; Dei 47, 18 ; discipulorum Christi 18, 9 ; legis 3, 4 ; officii 13, 4 ; operis (-rum) 29, 11.12 ; 36, 1 ; 37, 2 ; vindictae 54, 14 ; -tiae cura 3, 6 ; flos 3, 9 ; fons et origo 22, 7 ; fructus 3, 9 ; 52, 6 ; gradus 52, 13.16 ; lumen 52, 13 ; opus (-ra) 5, 5 ; 29, 11.12 ; 36, 1 ; 37, 2 ; pars prima 11, 7 ; 38, 15 ; pars secunda, tertia 11, 7 ; principium 38, 15 ; principium efficiens 22, 23 ; radices 16, 17 ; rigor 3, 20 ; signum certum 29, 11 ; vita 40, 13 ; -tiam sectare 3, 20 ; -tiae diu multumque elaboratae 28, 8 ; —/ aequitas 43, 24 ; —/ amicitia 45, 6.14 ; —/ cor 3, 5 ; —/ gratia 45, 6.12 ; —/ iniquitas 17, 16 ; 49, 8 ; —/ iniustitia 51, 20 ; —/ malitia 38, 15 ; 47, 18 ; 51, 18 ; —/ misericordia 3, 11.20 ; 10, 11 ; 34, 16 ; 49, 8.9.11 ; 51, 19.20 ; 55, 13 ; —/ mors 8, 15 ; —/ prudentia, temperantia (fortitudo) 3, 2 ; *app.* 1, 14 ; —/ silentium 3, 14 ; —/ virtus 3, 2.3.9.10 ; 17, 6.16 ; 22, 7.8 ; 52, 12 ; *app.* 1, 14 ; *voir* caritas, confessio, disciplina, fides, immunditia, peccatum.

L

Laban, 4, 14.
labor, 5, 9.10 ; 8, 1 ; 17, 1 ; 19, 24 ; 20, 10 ; 21, 18 ; 22, 4 ; et fatigatio 29, 4 ;

taedium et 17, 25 ; continuus 28, 2 ; diurnus 7, 17 ; 20, 10 ; 37, 1 ; magnus et fere continuus 51, 21 ; matutinus 9, 20 ; proprius 50, 15 ; serotinus 9, 20 ; exercitii 3, 5 ; -ris dies 17, 7.8 ; dispendium 35, 1 ; exercitium 25, 7 ; fructus 17, 7 ; hora 35, 1 ; merces 16, 20 ; 17, 1 ; pensum solvere 9, 20 ; 35, 1 ; 37, 1 ; ad -rem (re)surgere 8, 1 ; 11, 16 ; a -re temperare 11, 17 ; in -re vivere 6, 15 ; -res 50, 13 ; et silentium 27, 15 ; durissimi 49, 8 ; -ribus insidiari 50, 18 ; —/ negotiatio 50, 13 ; —/ solitudo 5, 24 ; —/ sollicitudo, cura 3, 6 ; 25, 13 ; *voir* dolor, exercitatio, quies, requies, sermo.
laborator, 17, 9.
laboriosus, -sa 4, 13.
laboro, 2, 1.19 ; 5, 13.15.16 ; 16, 14.18 ; 36, 9 ; 38, 7 ; 50, 1.13 ; et molestor 51, 9 ; manibus 5, 15 ; 50, 3.18 ; operosius 50, 4 ; —/ oro, meditor, lego 14, 13 ; —/ proficio 5, 9 ; —/ vaco 14, 2 ; *voir* pauso.
lacrimae, 2, 13.15.17.18 ; —/ compunctio 37, 14.
laetitia, 17, 25 ; 43, 5 ; 52, 7 ; inepta 1, 17.
laicus, *subst.* -corum turba 48, 16.
largitas, *app.* 3 ; gratuita 24, 20 ; 25, 3 ; naturalis 25, 2 ; 32, 10 ; numquam avara 25, 2 ; eleemosynarum 52, 10 ; -tis propriae munus 25, 1.

—/ bona voluntas 8, 10 ;
—/ vitium 6, 5.

malitia, 39, 14 ; 43, 11 ; creaturae 47, 19 ; diei, 1, 10 ; 39, 1 ; -tiae balista 49, 3 ; pestis 39, 6 ; —/ bonum 8, 11 ; —/ creatrix gratia 26, 13 ; —/ excaeco 8, 13 ; 26, 13 ; 34, 20 ; 39, 5 ; —/ natura, species 8, 10 ; —/ sapientia 32, 18 ; 39, 10 ; —/ tentationes 8, 12 ; *voir* iustitia.

malitiosus, —/ otiosus 50, 1.

malum, *subst.* 2, 10 ; 37, 25 ; cancrinum 2, 9 ; simpliciter 36, 10 ; curiositatis 2, 1 ; inoboedientiae 40, 11 ; -li electio *app.* 2, 11 ; paenitudo 10, 16 ; ab omni -lo abstinere 31, 5.6 ; a -lo corrigi 42, 6 ; deficere 29, 5 ; -la 48, 9 ; -la loqui 38, 9 ; -lorum fontes 43, 19 ; occasiones 48, 9 ; -lis tabescere 33, 14 ; *voir* bonum.

manducus, -duci/mendicantes 50, 17.

mansuetudo, 1, 14 ; 2, 3.5 ; 52, 14 ; Christi 48, 8 ; -dinis virtus 3, 20 ; —/ patientia 2, 4 ; 48, 8.

manumitto, 3, 16.

Marcus (*évang.*), 47, 2.

Maria, 52, 6 ; 53, 8 ; 54, 4 ; et Ioseph 50, 9 ; virgo 27, 8 ; 45, 2 ; 46, 6 ; 52, 7 ; 54, 7 ; virgo, mater 51, 7.8 ; 53, 3 ; -riae intercessio 51, 30 ; Nativitas 54, 4 ; virginitas 46, 6 ; 48, 12 ; —/ Ecclesia, anima fidelis 51, 8.9.24 ; —/ Spiritus Sanctus 27, 8 ; 45, 2 ; 51, 7.26 ;

52, 7 ; *voir* Christus, Ecclesia

Maria, —/ Martha (Lazarus) 14, 2 ; 55, 2.

Maria, Magdalena 53, 11.

Martha, 53, 11 ; *voir* Maria.

martyr, -res Christi 48, 8.

massa, perditionis 55, 4.

materia, et occasio 31, 17 ; 33, 13 ; lugendi 2, 13 ; *sens philosoph.* 20, 9 ; 21, 5 ; 24, 4.5 ; per se 19, 22 ; primordialis 22, 15 ; -riae oppositio 21, 1 ; -riae accedere 19, 7 ; *voir* elementum, forma, praeiaceo.

materialis, turba 1, 5 ; -le principium 22, 16.18 ; -lia claustra 55, 17.

materialiter, 13, 1.

materiatus, 20, 9.

materies, communis 17, 11.

matrimonium, 46, 9.

matrix, -ces/causae 48, 10.

Mediator, -ris sacramentum 9, 12.

mediator, Christus 45, 14.

mediatrix, -ces nuptiae 9, 18.

medicina, 6, 15 ; 35, 9 ; -nam non quaerere, oblatam negligere 11, 1 ; -nā reparabilis 6, 4 ; -nae septem 6, 12 ; —/ disciplina 3, 9 ; —/ doctrina 12, 8 ; 28, 13.

medicinalis, caro Iesu 7, 7.

medicus, 6, 15.16 ; 11, 3 ; doctor et 31, 15 ; caelestis 6, 1 ; misericorditer egressus 33, 6 ; sapiens 11, 2 ; —/ peccatum 33, 8.

meditatio, 6, 21 ; 50, 6 ; caelestium 32, 15 ; mortis *app.* 1, 13 ; spiritualis 4, 18 ; 32, 6 ; -nis fundamenta 46, 17 ; -ne attenuari, simplificari, uniri 12, 6 ; pulsare, interrogare 14, 7.14 ; refici 32, 6 ; -num fructus 4, 18 ; — / conversatio 4, 16 ; 37, 26 ; — / delectatio 5, 13 ; 32, 6.15 ; — / otium 12, 6 ; — / vita 12, 1 ; *voir* cogitatio, desiderium, doctrina, lectio.

meditor, 46, 17 ; grandem Iesum 7, 15 ; terrena 28, 18 ; terrenum quippiam aut carnale 43, 13 ; -ri, id est praesens intus speculari 23, 11 ; *voir* laboro, lego.

Melchisedech, 46, 7.

membrum, 34, 10 ; -bra calefacta 35, 9 ; carnalia, terrena, vetera 35, 9 ; Christi 42, 14 ; inferiora, superiora 34, 10. 11 ; praemortua 37, 7 ; rationabilia 42, 14 ; stupidiora ac duriora, teneriora et magis vitalia 34, 10 ; universitatis 32, 10 ; -brorum articuli 34, 5 ; motus 4, 17 ; multiplicitas 34, 5 ; — / corpus 32, 8.9 ; 34, 4.8.9.10.11 ; *voir* caput.

memoria, 17, 22 ; immunda 33, 15 ; mundi 14, 15 ; 33, 15 ; passionis Christi 13, 12 ; praeteritorum (malorum) 17, 9.11 ; -riae venter 23, 10.11 ; -riā frequentare 32, 2 ; de -ria referre 23, 12 ; — / aestimatio 27, 2 ; — / conscientia 16, 17 ; 17, 14 ; — / exercitatio 20, 4 ; — / oblivio 7, 16 ; — / praesentia 7, 16 ; 46, 8 ; — / sensus (intellectus), voluntas 44, 9 ; *app.* 1, 5 ; *voir* affectus, cor, diiudico, ingenium, paenitudo.

mendico, 28, 12 ; 50, 15 ; -cans 49, 12 ; -cantes 37, 17 ; 50, 16.

mendicus, 50, 16 ; — / avarus 49, 12.

mens 14, 8 ; 23, 4.6 ; 26, 6.8 ; 32, 16 ; et voluntas 25, 1 ; acediosa in otio 25, 14 ; creata 9, 2 ; 26, 10 ; depressa curis 25, 14 ; devota 5, 13 ; 19, 3 ; divina 24, 4 ; altius elevata 35, 3 ; humana 32, 12 ; impatiens amoris 19, 3 ; rationalis 4, 19 ; 5, 16 ; 6, 14 ; 9, 1.2 ; 17, 2.5 ; 23, 10 ; 25, 3 ; 26, 1.4.5 ; 32, 1 ; 35, 4 ; 55, 15 ; sancta 5, 13 ; 23, 4 ; serena, turbata 25, 14 ; spiritualis 32, 16 ; virilis 5, 17 ; -tis acies 4, 4 ; conceptio 20, 8 ; delectatio interna 25, 4 ; elatio *app.* 2, 7 ; excessus 4, 10 ; facies illuminata 37, 12 ; Dei et -tis nuptiae 9, 13 ; oculi 4, 3 ; ratio 17, 18 ; 23, 12 ; uterus 46, 19 ; vigilantia 4, 4 ; 14, 4 ; virtus 1, 15 ; vivacitas 5, 10 ; -tem excaecare 13, 7 ; irradiare 26, 7 ; retrahere 33, 15 ; -te caecus 28, 10 ; nulla comprehensibilis 20, 8 ; concipi 20, 2.5 ; -tes 35, 4 ; 51, 9.11 ; genitrices 26, 13 ; -tium apothecae 44, 8 ; — / corpus 28, 10 ; — / imago Dei 25, 15 ; 55, 15 ; totalis Sapientiae 9, 2 ; Trinitatis 25, 3 ; — / intellectus 9, 4 ; — / ratio, Deus 4, 19 ; 5, 16 ; *voir* caro, cor, Verbum.

mensura, sapientiae 34, 29 ; contra -ram 3, 15 ; sine

Salvatoris 42, 23 ; singularis
42, 22 ; temporalis 42, 9.19.
23 ; — / baptismus 45, 2 ;
— / natale 49, 1 ; 46, 5 ; *voir*
Christus, novitas, resurrectio.

nativus, proprius et 16, 7 ;
55, 9 ; fulgor vel candor
24, 19 ; -va imago 55, 9 ;
et intestina pugna 9, 17.

natura, 21, 12 ; 22, 15.21 ;
24, 17 ; 25, 1.3 ; 26, 5 ;
27, 11 ; angelica 19, 3 ;
26, 11 ; bona 6, 13 ; 16, 10 ;
capax Trinitatis 25, 3 ; corporea 8, 3 ; 25, 4 ; creata
4, 8 ; 7, 6 ; culpabilis 6, 13 ;
differens 32, 10 ; dissimilis
22, 17 ; divina 8, 3 ; 13, 1 ;
indifferens sive una 24, 15 ;
inferior 42, 9 ; nostra 31, 17 ;
34, 16 ; rationalis 7, 6 ;
26, 5 ; 35, 12 ; simplex 21, 1 ;
42, 8 ; superior 42, 8 ;
animae 8, 2 ; animalis corporis 8, 13 ; bonitatis 25, 2 ;
gaudii 25, 1 ; hominis 13, 3 ;
omnium 18, 14 ;
-rae complexiones 31, 17 ;
contrarietas 20, 8 ; debitum
46, 6 ; dissimilis esse 22, 17 ;
egressus aeternus 33, 3 ;
imago 22, 16 ; imitator 22,
16 ; lex 3, 3.4 ; mutabilitas
31, 15 ; 34, 16 ; necessitas
25, 3 ; participium 16, 16 ;
praeceptum 26, 11.18 ; prae-
rogativa 32, 10 ; res 20,2.8 ;
similitudo 22, 9 ; solitum
46, 6 ; unitas 8, 9 ;
ante ad -ram 19, 19 ; ante
-ram 22, 17 ; contra -ram
46, 6 ; per -ram 6, 13 ; 7, 7 ;
8, 15 ; 54, 16 ; supra -ram

22, 17 ; 42, 22 ; 46,6 ; -ram
diligere, custodire, dirigere
8, 10 ; imitari 22, 16 ;
praevenire, excellere 22, 16 ;
-rā geminus 29, 5 ; mutabilis
4, 7 ; 34, 27 ; existere 19, 14 ;
ex -ra habere 26, 6 ; de -ra
investigare 19, 9 ; -rā praeia-
cere 19, 17 ; subsistere 19,
12.19 ; -rae contrariae 9, 8 ;
rerum 52, 2 ;
— / ars 27, 2 ; — / consortium
42, 14 ; — / consuetudo 44,
4 ; — / Creator 4, 8 ; — / culpa
6, 10.12.13.16.17 ; 7, 7 ;
54, 16 ; 55, 10 ; — / essentia
22, 18 ; 23, 8 ; — / figura,
littera 32, 19 ; — / officium
13, 3 ; 22, 9 ; — / origo 6, 9 ;
— / persona 9, 8.17 ; 29, 5 ;
42, 4.8.9 ; — / proprietas
(proprium) 4, 13 ; 13, 3 ;
18, 14 ; 21, 2 ; 24, 15 ; 42, 8 ;
— / substantia 9, 17.18 ; 20,
8 ; 21, 1 ; 29, 5 ; 42, 4 ;
— / vitium 6, 9 ; 55, 10 ;
contexte christolog. 1, 14 ;
8, 9.15 ; 9, 17 ; 13, 13 ;
29, 5 ; 42, 4.8.9 ; 51, 3 ;
voir Adam, auctor, conditio,
forma, gratia, humanus, lux,
malitia, status.

naturalia, 7, 14.

naturalis, affectus 7, 8 ; 17, 13 ;
et unicus Filius Dei 37, 4 ;
mundus 54, 15 ; status 54,
15 ; ars 27, 2 ; conditio 26, 1 ;
culpa 6, 13 ; concupiscentia
7, 13 ; disciplina 19, 9.10 ;
app. 1, 5 ; et ob id inculpa-
bilis esuries 31, 16 ; facultas
26, 4 ; et aeterna generatio
23, 18 ; gratia 6, 17 ; imago
24, 19 ; 55, 7 ; largitas 25, 2 ;

fructus 17, 15 ; ieiunium 31, 7 ; libertas 15, 7 ; occasio 34, 21 ; qualitas, quantitas 16, 18 ; rectitudo *app.* 1, 10 ; satisfactio 10, 16 ; 11, 16 ; utilitas 14, 2 ; -peri nomen imponere 3, 2 ; 4, 17 ; 17, 15 ; 46, 11 ; -pera 13, 3 ; 38, 6 ; 49, 11 ; *app.* 1, 13 ; Christi 39, 2 ; divinae potestatis 43, 7 ; hominum tria 10, 12 ; misericordiae 5, 5 ; 47, 1 ; -perum gloria 6, 5 ; —/ arti-fex 34, 24 ; —/ corpus 9, 8 ; —/ meritum 34, 21 ; *app.* 1, 12 ; —/ officium 4, 17 ; —/ os (sermo, ratio), cor 10, 16 ; 11, 16 ; 16, 18.19.20 ; 38, 11. 20.21 ; 52, 10 ; *app.* 1, 10 ; —/ persona, locus 12, 9 ; —/ quies (re-) 10, 12 ; 15, 7 ; —/ sabbatum (-tismus) 17, 7 ; 44, 8 ; —/ senarius (dies sexta) 10, 15 ; 17, 7.15 ; —/ septenarius, octonarius 10, 12 ; —/ velamen 9, 8 ; —/ virtus 3, 2 ; 5, 5 ; 25, 7 ; 29, 14 ; *app.* 1, 11.12. 17 ; —/ voluntas 31, 5.7 ; 36, 11 ; *voir* affectus, causa, confessio, concilium, emendatio, intentio, iustitia, libertas, operatio, verbum.

oraculum, *voir* propheta, testimonium.

oratio, = *prière* 34, 14.18 ; 36, 17.22 ; 37, 26 ; *app.* 1, 7 ; Dominica 6, 20 ; munda *app.* 1, 7 ; pia 34, 18 ; pura 52, 10 ; sanctorum pro nobis 36, 22 ; -nis devotio *app.* 1, 2.18 ; patientia 12, 5 ; —/ adiuratio, incantatio 38, 2 ; —/ contemplatio 4, 10 ;

voir lectio, mortificatio ; = *discours* 28, 6.

oratorium, in -riis ad lectiones stertere 14, 6.

orbis, communis 27, 2 ; 31, 20 ; terrarum 14, 11 ; 19, 24 ; 50, 21 ; *voir* universus.

ordinate, 38, 12.

ordinatio, = *ordre* -ni Dei repugnare 53, 8 ; -nem Dei non amare 47, 18 ; = *ordination* -nes 43, 12.

ordinatus, status 54, 15 ; -ta affectio 5, 13 ; caritas 25, 10 ; eleemosyna 52, 11 ; vocatio 13, 4 ; -tum opus 4, 17 ; negotium 25, 10.

ordino, *sens général* 14, 18 ; —/ affectio (-tus) 3, 1 ; 4, 14.16.17 ; 5, 16 ; *voir* caelum, caritas, creo, formo ; *sens sacramentel* 11, 14.

ordior, sermonem 1, 20 ; paulo altius 34, 4.

Ordo, noster 50, 20 ; de quinto evangelio 48, 8 ; -dinis crux, passio et paenitentia 15, 6.

ordo, 12, 1 ; 13, 3.4 ; *app.* 1, 11 ; discretionis 6, 8 ; sermonum Dei 38, 13.14 ; spirituum 45, 22 ; universitatis 37, 5 ; vitiorum 32, 16 ; ad -nem subditos cogere 10, 18 ; -nem sequi 13, 3 ; servare 5, 16 ; turbare 13, 3 ; -nes 51, 29 ; et gradus 5, 23 ; 54, 4 ; caelestium angelorum 5, 23 ; virtutum 5, 23 ; —/ numerus 6, 5 ; —/ simul, confuse 37, 5 ; —/ vitium 6, 5 ; 32, 16 ; *voir* modus, ratio ; *sens canonique* et institutio ecclesiastica 47, 12 ;

reverbero, candore nimio 9, 3 ;
-rati lumine divinae faciei
20, 1.

rimula, tenuissima 19, 23 ;
per cancellos aut -lam 37, 27.

ritus, carnales et observantiae
Iudaeorum 10, 14.

rumino, — / ratio 23, 10.

rusticanus, -num verbum 18,
15.

S

sabbatismus, sanctorum 44, 8 ;
voir opus.

sabbatum, carnale 10, 14 ;
sepulturae et -ti dies 17, 26 ;
-ti sexta 27, 5 ; — / quies
17, 7 ; voir opus.

Sacerdos, summus 36, 22.

sacerdos, Domini 46, 10 ; -tes
et (aut) praelati 43, 12 ;
46, 16 ; vel praesules 43, 12 ;
— / Iesus Christus 36, 20 ;
42, 18 ; — / sacrificium, Deus
36, 20 ; 42, 18.

sacramentalis, et figurativus
46, 5.

sacramentaliter,   — / naturaliter, personaliter 42, 12.

sacramentum, 10, 16 ; 34, 7 ;
Corporis Christi 51, 25 ;
corporis et sanguinis 41, 6 ;
Mediatoris 9, 12 ; salutare
31, 1 ; -ti ratio 40, 16 ; -tum
revelare 37, 9 ; in -to recapitulari et commemorari 54, 1 ;
-ta caelestia 44, 1 ; 46, 18 ;
communia 37, 3 ; diversa
41, 8 ; varia 55, 2 ; -torum
pascua 35, 7 ; -tis redundare
7, 14 ; — / alimentum 41, 9 ;
— / littera 9, 7 ; — / signum
9, 1 ; — / substantia 42, 16 ;

Verbum 9, 7 ; voir myste-
rium.

sacrificium, in -cio Deo thus
offertur app. 1, 6 ; voir
Christus, sacerdos.

saeculum, prius 42, 23 ; -li
affluentia et gloria 32, 20 ;
huius aerumnosa conversa-
tio 18, 15 ; exteriores luxuriae et saevitiae 30, 14 ;
huius falsa sapientia et vera
stultitia 1, 17 ; voir ambitio,
fugio, sapiens, Saturnus.

Salomon, app. 1, 7 ; sapiens
ille 10, 14 ; — / Paulus 10, 14.

salsamentum, -ta 44, 4.

salus, app. 1, 6 ; exsultatio et
17, 26 ; -tis occasio 31, 18 ;
praeco 46, 13 ; — / gratia
46, 14.15.

salutiferus,   ortus   9,   16 ;
— / lethiferus 27, 14.

Salvator, 3, 15.16 ; 15, 5 ;
16, 10 ; 17, 23 ; 33, 4 ;
39, 1 ; 41, 1 ; 43, 11 ; 50, 12 ;
52, 11 ; 54, 3 ; Deus 33, 7 ;
Dominus 32, 19 ; Dominus
et 31, 1 ; 46, 1 ; 47, 1 ;
Dominus Iesus, id est 15, 14 ;
Dominus meus Iesus, om-
nium 12, 2 ; noster 15, 15 ;
31, 1 ; 33, 7 ; 46, 1 ; -ris
anima 40, 13 ; auctoritas
47, 1 ; opera 28, 13 ; temporalis nativitas 42, 23 ; — / salvatus 42, 18.

sanctificatio, Iesus de -ne sanctus, non sanctificatus conceptus 7, 3 ; -ne indigere 7,
10 ; — / iniquitas 17, 16.

sanctimonia, 55, 16 ; -niae
fama 52, 16 ; testimonium
47, 1.

16 ; -nis munus 11, 15 ;
voir confessio.
Saturnus, -ni saeculum aureum
54, 15 ; *la planète* 45, 22.
scala, sancta et sublimis 12, 4.
scaturigo, -nes internae 43, 22 ;
internorum vitiorum 30, 14.
scientia, 23, 11 ; 38, 8 ; falsi
nominis 1, 13 ; 43, 21 ;
veritatis 43, 19 ; -tiae spiritus 8, 14 ; —/ caritas 43,
14.19.20 ; —/ concupiscentia
28, 17 ; —/ dolor 21, 6 ;
—/ fides 37, 12 ; —/ ratio
51, 14 ; —/ virtus 37, 13 ;
43, 4 ; *voir* doctrina, electio,
illumino.
scopus, spiritualis exercitii 5,
22.
scriba, summus, id est digitus
Dei 18, 3.
Scriptura, 7, 16 ; 38, 6 ; 40,
3.5 ; 42, 11 ; 48, 3 ; evidens
16, 2 ; sancta 16, 3 ; 32, 18 ;
in eadem -ra dissentire vel
diversa sentire 16, 3 ; -rae
42, 12 ; 46, 7 ; divinae 44, 4 ;
53, 2 ; divinitus inspiratae
51, 8 ; sanctae 32, 17 ;
48, 5 ; -rarum aenigmata
18, 3 ; dicta 48, 7 ; panis
37, 10 ; -ras pervertere 48, 5 ;
—/ Evangelium 3, 3 ;
—/ parabola 16, 2 ; —/ sensus 16, 3 ; 18, 3 ; 42, 12 ;
48, 5.7 ; *voir* expositio.
scripturae, 48,3 ; 52, 15.
scrutatio, -nes 21, 4.
scrutor, 31, 17 ; —/ penetro
5, 10.
securitas, opulentia et 37, 18 ;
virtus et 13, 10 ; bonae
conscientiae, corporalium
necessitudinum 14, 10 ; im-

matura 14, 10 ; —/ iucundi-
tas, laetitia 43, 5 ; —/ timor
13, 10.
Semen, 24, 1.4 ; 26, 3.4.13.17 ;
app. 1, 2 ; et sator idem
18, 7 ; 23, 20 ; beatum 26,
13 ; carum 18, 8 ; Filii
18, 15 ; de sinu Patris 26, 11 ;
verbi 18, 6 ; 26, 4.5 ; vipe-
reum venenatumque 6, 15 ;
—/ germen, seminarium 22,
15 ; —/ semens 49, 10 ; sanctum semen, id est Verbum
Dei 23, 18 ; *voir* Verbum.
semens, —/ semen 49, 10.
seminalis, -les causae 22, 18.
seminaliter, exsistere 43, 20 ;
subsistere 24, 5.
seminarium, matris telluris 24,
4 ; radices et -ria 29, 16 ;
-ria tortitudinum 43, 17 ;
—/ semen 22, 15 ; *voir* elementum.
senarius, —/ operatio (opus)
10, 12.15 ; 17, 15.
sensatissimus, 48, 5.
sensibilis, mundus 32, 8 ; 54,
10 ; —/ spiritualis 54, 10.
sensibilitas, 24, 3.
sensifico, ad fidem 35, 12.
sensilis, mundus, status 24, 3.
sensualitas, 40, 21.
sensus, = *les sens corporels,
sensibilité* 4, 6.7 ; 32, 10 ;
a carnis -su alienari 40, 4 ;
-sus corporei 4, 3 ; et appetitus 17, 1 ; -suum curiositas
32, 11 ; et imaginationum
turbae 46, 10 ; —animalis/
mens rationalis 6, 14 ; *voir*
intellectus ;
= *entendement, connaissance*
et motus 35, 10.12 ; rationalis 4, 14 ; 17, 10 ; spiritua-

vox, 37, 30 ; 47, 14 ; 53, 2 ;
vita et 18, 9 ; aut voluntas
36, 21 ; ancillulae 28, 9 ;
Patris 48, 13 ; 51, 28 ;
praedicatoris 29, 13 ; serpentina 50, 1 ; temporalis 35, 2 ;
viva 18, 3 ; 22, 1 ; -ci oboedire
26, 15 ; 28, 14 ; -ces propheti-
cae 28, 3 ; -cibus designare
24, 15 ; *voir* differentia, lectio,
praenuntiativus, Verbum.

vulgaris, sermo 37, 17.

Z

Zacharias, 46, 7.14.17.18.20 ;
— /Elisabeth 49, 9.12.15.16.

Zebedaeus, -daei filii 13, 6.

zelus, et contentio 2, 1 ;
tertius iustitiae gradus 52,
13.16 ; — impetus 52, 14 ;
—/ ratio, concupiscibilitas
51, 15.

TABLE DES MATIÈRES

APPENDICES (TEXTES INÉDITS).

NOTES COMPLÉMENTAIRES.

INDEX (pour les trois volumes, nᵒˢ 130, 207, 339).

SOURCES CHRÉTIENNES

Fondateurs : H. de Lubac, s.j.
† J. Daniélou, s.j.
C. Mondésert, s.j.
Directeur : D. Bertrand, s.j.
Directeur-adjoint : J.N. Guinot

Dans la liste qui suit, dite « liste alphabétique », tous les ouvrages sont rangés par nom d'auteur ancien, les numéros précisant pour chacun l'ordre de parution depuis le début de la collection. Pour une information plus complète, on peut se procurer deux autres listes au secrétariat de « Sources Chrétiennes » — 29, rue du Plat, 69002 Lyon (France) — Tél. : 78 37 27 08 :

1. la « liste numérique », qui présente les volumes et leurs auteurs actuels d'après les dates de publication ; elle indique les réimpressions et les ouvrages momentanément épuisés ou dont la réédition est préparée.

2. la « liste thématique », qui présente les volumes d'après les centres d'intérêt et les genres littéraires : exégèse, dogme, histoire, correspondance, apologétique, etc.

La mention *bis* indique que le volume a été réédité avec des corrections, des modifications ou des additions importantes.

Liste alphabétique (1-339)

SOUS PRESSE

CÉSAIRE D'ARLES : **Œuvres monastiques**, tome I : **Œuvres pour les moniales.**
A. de Vogüé, J. Courreau.
ÉVAGRE LE PONTIQUE : **Scholies aux Proverbes.** P. Géhin.
GRÉGOIRE DE NAZIANZE : **Discours 38-41.** P. Gallay et C. Moreschini.
HILAIRE DE POITIERS : **Commentaire sur le Psaume 118.** M. Milhau.
JEAN CHRYSOSTOME : **Commentaire sur Job.** Tome I. H. Sorlin.
PALLADIOS : **Vie de S. Jean Chrysostome.** 2 tomes. A.-M. Malingrey.
TERTULLIEN : **Du mariage unique.** P. Mattei.

EN PRÉPARATION

APHRAATE LE SAGE : **Exposés.** Tome I. M.-J. Pierre.
Les Apophtegmes des Pères, tome I. J.-C. Guy.
BASILE DE CÉSARÉE : **Sur le Baptême.** J. Ducatillon.
BASILE DE CÉSARÉE : **Homélies morales.** Tome I. M.-L. Guillaumin, E.
Rouillard.
CÉSAIRE D'ARLES : **Œuvres monastiques,** tome II : **Œuvres pour les moines.**
J. Courreau, A. de Vogüé.
Les Conciles mérovingiens. B. Basdevant, J. Gaudemet.
JEAN CHRYSOSTOME : **Commentaire sur Job,** tome II. H. Sorlin.
JEAN CHRYSOSTOME : **Sur Babylas.** M. Schatkin.
NICOLAS CABASILAS : **La Vie en Christ.** H. Congourdeau.

LES ŒUVRES DE PHILON D'ALEXANDRIE
publiées sous la direction de

R. ARNALDEZ, C. MONDÉSERT, J. POUILLOUX.
Texte original et traduction française.

1. **Introduction générale. De opificio mundi.** R. Arnaldez (1961).
2. **Legum allegoriae.** C. Mondésert (1962).
3. **De cherubim.** J. Gorez (1963).
4. **De sacrificiis Abelis et Caini.** A. Méasson (1966).
5. **Quod deterius potiori insidiari soleat.** I. Feuer (1965).
6. **De posteritate Caini.** R. Arnaldez (1972).
7-8. **De gigantibus. Quod Deus sit immutabilis.** A. Mosès (1963).
9. **De agricultura.** J. Pouilloux (1961).
10. **De plantatione.** J. Pouilloux (1963).
11-12. **De ebrietate. De sobrietate.** J. Gorez (1962).
13. **De Confusione linguarum.** J.-G. Kahn (1963).
14. **De migratione Abrahami.** J. Cazeaux (1965).
15. **Quis rerum divinarum heres sit.** M. Harl (1966).
16. **De congressu eruditionis gratia.** M. Alexandre (1967).
17. **De fuga et inventione.** E. Starobinski-Safran (1970).
18. **De mutatione nominum.** R. Arnaldez (1964).
19. **De somniis.** P. Savinel (1962).
20. **De Abrahamo.** J. Gorez (1966).
21. **De Iosepho.** J. Laporte (1964).
22. **De vita Mosis.** R. Arnaldez, C. Mondésert, J. Pouilloux, P. Savinel (1967).
23. **De Decalogo.** V. Nikiprowetzky (1965).
24. **De specialibus legibus.** Livres I-II. S. Daniel (1975).
25. **De specialibus legibus.** Livres III-IV. A. Mosès (1970).
26. **De virtutibus.** R. Arnaldez, A.-M. Vérilhac, M.-R. Servel et P. Delobre (1962).
27. **De praemiis et poenis. De exsecrationibus.** A. Beckaert (1961).
28. **Quod omnis probus liber sit.** M. Petit (1974).
29. **De vita contemplativa.** F. Daumas et P. Miquel (1964).
30. **De aeternitate mundi.** R. Arnaldez et J. Pouilloux (1969).
31. **In Flaccum.** A. Pelletier (1967).
32. **Legatio ad Caium.** A. Pelletier (1972).
33. **Quaestiones in Genesim et in Exodum. Fragmenta graeca.** F. Petit (1978).
34 A. **Quaestiones in Genesim, I-II** (e vers. armen.). Ch. Mercier (1979).
34 B. **Quaestiones in Genesim, III-IV** (e vers. armen.). Ch. Mercier et F. Petit (1984).
34 C. **Quaestiones in Exodum, I-II** (e vers. armen.) (en prép.).
35. **De Providentia, I-II.** M. Hadas-Lebel (1973).
36. **De animalibus.** A. Terian et J. Laporte (en prép.).
37. **Hypothetica.** M. Petit (en prép.).

ACHEVÉ D'IMPRIMER

EN OCTOBRE 1987

SUR LES PRESSES

DE

L'IMPRIMERIE A. BONTEMPS

LIMOGES (FRANCE)

NUMÉRO D'ORDRE : IMPRIMEUR 1583-85 ; ÉDITEUR 8511

DÉPÔT LÉGAL : OCTOBRE 1987